수학이 두려운 경제학도를 위한

 경제수학 강의

지은이 김성현

KAIST 경영과학과를 졸업하고 미국 존스홉킨스대학교 경제학 박사학위를 취득했으며, 에너지경제연구원 및 정보통신정책연구원 연구위원을 역임했다. 현재 이화여자대학교 사회과학대학 경제학과 교수로 재직 중이다. 저서로는 『경제수학 강의 3판』(한빛아카데미, 2023), 『미시 경제 이론 강의』(이화여자대학교출판문화원, 2015)가 있으며 Journal of Mathematical Economics, Korean Economic Review, Journal of Economic Theory and Econometrics, 산업조직연구, 사회과학연구논총 등 다양한 학술지에 기고했다.

쉬운 경제수학 강의

초판발행 2024년 6월 28일

지은이 김성현 / **펴낸이** 전태호
펴낸곳 한빛아카데미(주) / **주소** 서울시 서대문구 연희로2길 62 한빛아카데미(주) 2층
전화 02-336-7112 / **팩스** 02-336-7199
등록 2013년 1월 14일 제2017-000063호 / ISBN 979-11-5664-670-9 93320

책임편집 김현용 / **기획·편집** 정서린
디자인 최연희 / **전산편집** 김강수 / **제작** 박성우, 김정우
영업 김태진, 김성삼, 이정훈, 임현기, 이성훈, 김주성 / **마케팅** 김호철, 심지연

책에 대한 의견이나 오탈자 및 잘못된 내용은 출판사 홈페이지나 아래 이메일로 알려주십시오.
파본은 구매처에서 교환하실 수 있습니다. 책값은 뒤표지에 표시되어 있습니다.
홈페이지 www.hanbit.co.kr / **이메일** question@hanbit.co.kr

지금 하지 않으면 할 수 없는 일이 있습니다.
책으로 펴내고 싶은 아이디어나 원고를 메일(**writer@hanbit.co.kr**)로 보내주세요.
한빛아카데미(주)는 여러분의 소중한 경험과 지식을 기다리고 있습니다.

쉬운 경제수학이라니! 그게 가능할까요? 사실 수학도, 경제학도 힘들이지 않고 술술 읽힐 리 없는 과목입니다.

이 책은 경제학 공부를 앞두고 수학이 걱정되는 '찐' 문과생을 위한 기초 경제수학 교과서입니다. 수학 때문에 경제학을 배우는 데에 막히는 부분들을 조금이나마 열어보는 것이 목표입니다. 수학 기초를 개념부터 다지고, 경제학적으로 해석하며, 경제모형은 어떻게 다루는지 차근차근 알아봅니다. 이를 위해 다음의 원칙을 지키려고 했습니다: ① 중요한 개념은 지겨울 정도로 반복한다. ② 수학 개념은 소개될 때마다 경제학적 개념과 연결시킨다. ③ 수학이 중심이지만 경제모형도 최대한 상세하게 설명한다.

『쉬운 경제수학 강의』는 4부로 구성되어 전반부는 경제학 공부를 위한 기초 수학을, 후반부는 핵심 경제모형들을 살펴봅니다. 제1부는 미적분 기초 편으로 고등학교 공통 과정에서 다룬 수학을 복습합니다. 다 아는 수학이더라도 새로운 관점에서 다시 보고, 경제학에 어떻게 응용되는지 짚어봅니다. 제2부는 미적분 고급 편으로 고등학교 선택과목에서 다루는 수학과 그 경제학 응용을 다룹니다. 경제학 공부에 꼭 필요하기 때문에 고등학교에서 이 내용을 학습하지 않은 학생은 꼼꼼하게 공부해야 합니다. 제3부는 경제모형 기초 편으로 경제모형의 기본 구조와 유형을 살펴봅니다. 여기 쓰이는 수학은 고등학교 수준의 함수 최적화와 연립방정식 풀이이며, 벡터와 행렬에 대한 초보적인 내용도 소개합니다. 제3부를 잘 익히면 경제학과 1학년 전공과목(경제학원론)을 공부할 때 수학이 걸림돌이 되지는 않을 것입니다. 제4부는 경제모형 고급 편으로 고등학교에서 다루지 않은 다변수함수를 소개합니다. 제4부의 내용은 경제학과 2학년 전공과목(미시경제학, 거시경제학)을 수학적으로 이해하는 데 도움이 될 것입니다.

제가 이전에 집필한 『경제수학 강의(3판)』은 수학을 나름 좋아하지만 부담스러워서 수학과 친해지고 싶은 문과생을 대상으로 썼습니다. 『쉬운 경제수학 강의』는 수학과 친해지는 것까지는 바라지 않고 그저 수학과 알고 지내고 싶은 '찐' 문과생을 생각하며 썼습니다. 『경제수학 강의(3판)』에서 "이런 수학까지 꼭 알아야 할까?"하는 부분은 쳐내고, "배경지식이 조금 더 있으면 더 잘 이해되지 않을까?"하는 부분을 보충한 결과물이 바로 이 책입니다. 경제학과 1~2학년 과목 정도는 수학적으로 큰 무리 없이 따라갈 수 있도록 내용을 구성했습니다.

즉,『쉬운 경제수학 강의』는 학부 기초과목(경제학원론, 미시경제학 등)을 공부하는 데 도움이 될 내용을 중심으로 하고,『경제수학 강의(3판)』는 경제학 학부과목 전반에서 활용될 수 있고 석사과정 기초과목 공부에 필수적인 수학을 개관합니다.

	쉬운 경제수학 강의	경제수학 강의(3판)
대상 독자	학부 1학년, 고교생	경제학과 2학년/석사 과정 진학 희망자
사전 지식	중학 수학	고교 수학 공통 과정
목표	경제학 1, 2학년 전공과목 대비(경제학원론, 미시경제학 등)	경제학 학부 전공과목 이해 및 석사 과정 기초과목 대비
접근	경제모형의 체계적 학습 필요한 기본 수학 개념 다지기	경제학에 필요한 수학의 체계적 학습 응용으로써 경제모형 사례 소개
내용	다항함수 미분(고교 공통), 거듭제곱함수 미분 고급 미분기법(고교 심화) 상세	일변수함수 미분법 개관
	수요, 탄력성, 비용, 수입 상세 소개	미분 응용(한계, 탄력성 등) 간략 소개
	다항함수 적분(고교 공통) 고급 적분기법 및 활용 상세	적분법 개관 및 응용
	(2×2)행렬	$(n \times n)$행렬
	균형모형(수요공급, 거시경제) 상세	연립방정식 응용으로써 거시경제모형
	다변수 편미분과 등위선 상세	다변수 편미분과 등위선 심화
	전미분량(전미분은 다루지 않음)	전미분
	전미분량 분석기법으로 간접 소개	음함수정리
	동차함수 개념 및 활용	동차함수 정의 및 성질
	이변수 최적화	다변수 최적화
	선택모형(효용극대화, 비용극소화) 상세	
	다루지 않음	라그랑지 방법 및 쿤−터커 조건
		차분방정식
		선형대수 기초

고등학교 수학에 자신이 있고 대학에서 약간의 미적분학을 공부한 독자라면 수학적으로 새로운 내용은 아쉽게도 이 책에 거의 없습니다. 그래도 경제모형에 수학을 어떻게 활용하는지에 대해서는 흥미로운 내용을 발견할지도 모르겠습니다. 더 높은 수준의 공부를 위해서는 아무래도 좀 더 공부가 필요합니다. 제가 쓴『경제수학 강의(3판)』이나 시중에 나와 있는 다른 좋은 경제수학 교재들, 그리고 정식 수학과 과목들에 도전하기를 바랍니다. 수학이 그다지 두렵지 않고, 수학을 잘 갖고 놀고 싶은 경제학도를 위해 깊이 있는 수리경제학의 길을 안내할 새로운 책을 써보는 것이 제 다음 욕심입니다.『쉬운 경제수학 강의』가 여러분과 경제수학이 친해지는 여정에 보탬이 되면 좋겠습니다.

2024년
김성현 드림

강의 보조 자료

한빛아카데미 홈페이지에서 '교수회원'으로 가입하신 분은 인증 후 교수용 강의 보조 자료를
제공받을 수 있습니다. 한빛아카데미 홈페이지에서 〈교수전용공간〉 메뉴를 클릭하세요.

http://www.hanbit.co.kr/academy

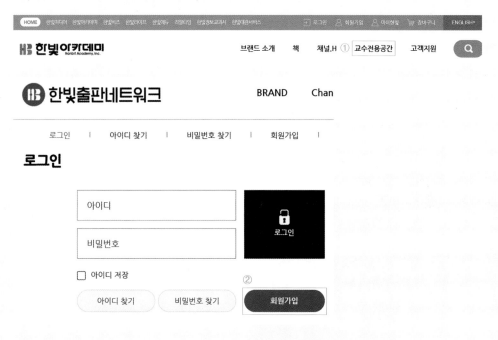

학습 보조 자료

학습에 필요한 자료는 아래 주소에서 내려받을 수 있습니다.

http://www.hanbit.co.kr/src/4670

차례

PART 01 함수와 미적분: 기초편

PART 03

경제모형: 기초편

PART 04 경제모형: 고급편

제1부에서는 다항함수와 그 미분적분법에 대해서 알아봅니다. 대부분 고교 수학에서 이미 공부한 내용입니다. 핵심 개념과 주의할 부분들을 살펴보고, 경제모형에서의 활용 및 해석에 중점을 두겠습니다. 일차함수(직선)와 기울기 개념을 검토하고, 거듭제곱함수를 살펴본 후, 기본 미분규칙들을 활용해서 다항함수를 미적분합니다. 경제모형 분석에 유용한 그래프 그리기, 탄력성 개념 등도 함께 알아봅니다.

Chapter 01

함수

제1장에서는 ....

경제학의 분석은 **모형**(model)을 통해 이루어집니다. (경제학만 그런 것이 아니고 사실 모든 학문이 다 그렇습니다.) 모형이란 현실을 단순화한 것입니다. 경제모형은 경제현실을 단순화한 것입니다.

왜 모형을 통해 경제를 논할까요? 그냥 경제를 직접 다루면 안 될까요? 직접 경제를 분석한다고 해봅시다. 그런데 '경제'가 뭐죠? 경제의 '현실'은 또 뭘까요? 다들 어렴풋이 생각하는 것이 있긴 할 텐데, 눈 앞에 놓고 손으로 만져볼 수 있는 대상은 아니기 때문에 쉽사리 대답하기 어렵습니다. 논의하고 싶은 대상을 개념적으로, '말'로 표현하는 순간 우리는 현실 자체가 아니라 현실을 단순화시킨 대상을 다룹니다. 언어로 생각하는 순간 이미 모형이 시작된 셈입니다. 모형의 출발은 개념을 언어로 다듬고 분류하는 것부터입니다.

모형을 체계적으로 구성하고 사용하기 위해서 우리는 여러 도구를 동원해 도움을 받습니다. 언어의 기본재료가 되는 문자와 기호는 물론이고, 그림도 활용합니다. 특히 학문적 모형에서 경제학은 (다른 많은 학문과 마찬가지로) 수학과 통계학의 여러 기법을 빌려 와서 사용합니다. 수학은 모호한 개념을 명료하게 표현하고, 복잡한 논의를 계산과 논리를 통해 단순화시키는 좋은 도구입니다. 경제수학은 경제모형에서 사용되는 수학을 공부하는 과목입니다. (관측된 자료를 바탕으로 한 실증적인 분석을 도와주는 통계학적 기법에 대해서는 경제통계학과 계량경제학에서 공부할 수 있습니다.) 이 책에서 경제모형은 수학적 경제모형을 가리킵니다.

제1장에서는 **변수**, **함수**, **증가/감소** 및 **역함수**라는 수학적 개념을 살펴보고, 경제학 활용으로 **수요의 법칙**, **수요함수와 수요곡선**의 관계에 대해 알아보겠습니다. 익숙하거나 쉬운 내용이니 가벼운 마음으로 읽어도 됩니다.

주요 개념

- 수학: 독립변수, 종속변수, 함수, 역함수
- 경제학: 가격, 수요량, 수요곡선, 수요함수, 수요의 법칙

1.1 경제모형의 기본 도구: 변수

경제모형을 작성하기 위한 기본 도구인 변수라는 개념부터 시작합시다. **변수**(variable)는 여러 가지 값을 가질 수 있는 대상을 표현하는 도구입니다. 경제변수는 여러 가지(변하는) 값을 가질 수 있는 어떤 경제개념을 표현하는 도구겠지요. 특히 숫자로 표현되는 변수가 편리합니다. 수량, 가격, 소득 등이 예입니다. 흔히 각 개념의 영문 첫 글자를 따서 Q(수량, quantity), P(가격, price), I(소득, income) 등으로 표기합니다.

경제변수의 값은 기본적으로 자연수(2개, 1,700원/개, 213만 원)인데, 필요에 따라 음수(−32억 원)를 쓸 수도 있고, 유리수 즉 소수(1.23억 원)나 분수(1/2톤)도 사용합니다.[1] 그런데 보통 경제모형에서는 한술 더 떠서 경제변수가 실수(實數, real number) 값을 갖는 것으로 가정합니다. 실수에는 자연수, 정수, 유리수 뿐 아니라 $\sqrt{2}$ 같은 무리수도 포함됩니다([그림 1.1]). 무리수 값은 현실에서 쓰기는 곤란하지만, 무리수를 포함한 실수를 사용해야 방정식이나 미적분 등의 수학도구를 활용할 수 있습니다.[2]

[그림 1.1] 실수는 무리수까지 포함

무리수 값은 허용하지만, 음수는 허용하지 않는 경우에는 **비음**(非陰, non-negative)의 실수 변수를 사용합니다. 예를 들어, 모형에서 수량 Q가 음수가 될 수 없다고 가정한다면 $Q \geq 0$이 되도록 제한합니다. 만약 가격에 대해서는 음수 뿐 아니라 0의 가격(무료)도 허용하지 않는다면 $P > 0$으로 제한하면 됩니다. 한편 소득 I에는 제한을 두지 않는다면, 즉 음의 소득, 0의 소득, 양의 소득을 모두 허용한다면 I는 임의의 실숫값을 갖게 될 것입니다.

> ☞ 경제변수를 만나면, 어떤 경제학적 개념인지, 단위는 무엇인지, 범위에 어떤 제한이 있는지 살펴봅시다.

---

1) 당기순이익이 −32억 원이면 손실 32억 원을 나타냅니다. 123,000,000원의 단위를 크게 잡으면 1.23억 원이 됩니다. 4년간 2톤의 수량을 연평균으로 표현하면 1/2톤이 됩니다.
2) 근의 공식으로 구하는 이차방정식의 해는 종종 무리수입니다. 또한 미적분은 경제수학에서 공부해야 할 핵심 수학기법인데, 실수를 사용하지 않으면 쓸 수가 없습니다. 한편 실수를 사용하지 않는 이산수학은 디지털논리에 기초한 컴퓨터 관련 학문에서 중요하게 사용됩니다.

경제모형의 기본 도구: 함수

경제변수들을 설정하고 나면, 경제이론은 경제학적 논리에 기반해서 이 변수들 간에 성립하는 어떤 관계를 가정하거나 주장하게 됩니다. 그 관계를 함수(function)로 나타낼 수 있습니다. 즉 경제모형은 보통 여러 개의 함수로 구성되고, 모형에서 도출된 결과 또한 흔히 함수로 표현됩니다. 경제모형 공부는 함수를 다루고 해석하는 것이라고 말해도 되겠습니다.

수학적으로 두 변수 x, y 사이에 함수 관계 $y = f(x)$가 성립할 때 x를 독립변수(independent variable), y를 종속변수(dependent variable)라고 합니다. 보통 원인 x가 결과 y를 설명하거나 결정한다고 말합니다. 경제모형에서는 x의 값이 데이터(문제, 조건)로 주어지면[3] 그것에 대응되는 y의 값(답)을 식 $y = f(x)$로 알아낼 수 있다고 생각하면 편리합니다.

함수: 수학적 정의

수학의 함수는 두 변수 사이의 관계로서, 독립변수 x가 가질 수 있는 모든 값마다 종속변수 y의 값이 단 1개로 정해져야 합니다. x가 가질 수 있는 값의 범위를 **정의역**(domain)이라는 집합 X로 표기하고, y가 가질 수 있는 값의 범위는 **공변역**(codomain)이라는 집합 Y로 표기한다면, 두 집합의 원소들 간의 관계 $f : X \rightarrow Y$가 함수가 된다는 것은 모든 $x \in X$마다 단 하나의 원소 $y \in Y$가 $y = f(x)$로 대응된다는 의미입니다.

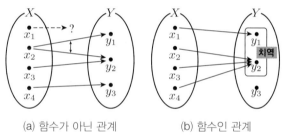

(a) 함수가 아닌 관계   (b) 함수인 관계

[그림 1.2] 정의역 X와 공변역 Y의 원소들 사이의 관계

그림에서 (a)는 함수가 아니고 (b)는 함수입니다. (a)에서 정의역의 원소 중 x_1에게는 대응되는 짝이 없고, x_2는 2개의 짝이 대응되어서 이 관계는 함수가 아닙니다. (b)에서 공변역의 y_2는 정의역의 x_2, x_3, x_4와 동시에 짝이 되는데 이는 함수 관계에서 허용됩니다. 또한 공변역의 y_3은 정의역 안에 짝이 없는데 이 또한 허용됩니다. 공변역의 원소들 중 실제 짝을 갖는 값들(그림에서는 y_1, y_2)만을 따로 묶어서 **치역**(range)이라고 부릅니다.

경제모형에서 함수를 활용할 때는 수학적인 이유 뿐 아니라 경제학인 관점에서도 의미 있는 범위로 정의역을 한정하는 것이 필요합니다. 또한 함수가 값을 갖는 실제 범위인 치역으로 관심을 제한해도 괜찮겠습니다.

---

3) 지금은 자료라는 의미로 널리 사용되는 데이터라는 말은 어원상 '주어진 것들'이라는 뜻입니다.

☞ 함수를 경제모형에서 사용할 때 주의할 점이 있습니다. 독립변숫값 하나에 단 하나의 종속변숫값이 대응되어야 하는데, 이것이 경제학적으로 말이 되는지 생각해봐야 합니다. 어떤 경제학 개념을 함수로 나타낼 때 우리는 주어진 조건(독립변숫값)에 답(종속변숫값)이 반드시 하나 있어야 한다고 요구하는 것입니다.

1.3 응용: 수요곡선과 수요함수

함수로 된 경제모형의 대표적인 예로 **수요곡선**(demand curve) $P = f(Q)$가 있습니다. 이 함수의 종속변수인 P는 재화의 가격, 독립변수인 Q는 그 재화에 대한 수요량입니다.

주의 수요곡선에서 독립변수는 수요량 Q입니다. 즉 수요량 Q가 데이터로 주어지면 수요곡선에서 그에 대응되는 가격 P를 알아낼 수 있습니다.

함수를 그림으로 나타낼 때 독립변수를 가로축에, 종속변수를 세로축에 놓고 그립니다. 이에 따라 경제학 교과서에서 흔히 보는 수요곡선은 가로축에 Q, 세로축에 P를 놓고 그립니다.

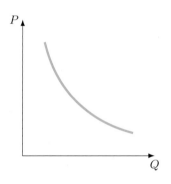

[그림 1.3] 수요곡선의 그래프

그런데 보통 '수요'라고 하면 가격이 결정요인이고, 어떤 가격에서 수요량이 얼마인지를 나타내는 관계라고 생각합니다. 그래서 수학을 좀 아는 학생이 경제학 교과서에서 수요곡선을 보면, "경제학자들은 함수 그래프의 축도 제대로 못 잡는 사람들인가?"하고 실망할 수 있습니다. 하지만 수요곡선은 가격을 주면 수요량을 알려주는 함수가 아니고, 수요량을 주면 가격을 알려주는 함수입니다. 해석에 주의해야 합니다.

가격을 주면 수요량을 알려주는 함수는 따로 있습니다. 이것을 **수요함수**(demand function)

라고 합니다. 함수기호를 g라고 쓴다면 수요함수는 $Q = g(P)$의 형태입니다. 경제학을 배우는 학생들이 흔히 오해하는데, 수요곡선과 수요함수는 구분되는 개념입니다

수요함수는 가격이 P일 때 소비자들의 수요량이 $Q = g(P)$라고 알려줍니다. 수요곡선은 소비자들의 수요량이 Q가 되는 가격 즉 소비자들이 Q를 수요한다면 그때 지불하고자 하는 가격 $P = f(Q)$를 알려줍니다. 같은 변수 P, Q를 사용하지만, 주어진 조건(독립변수)으로 삼는 것이 반대입니다. 같은 재화에 대해 수요함수와 수요곡선이 나타내는 내용은, P와 Q에 대한 동일한 관계입니다. 조건과 결과의 방향이 반대일 뿐입니다. 수요함수에서 가격이 100원일 때 수요량이 5개라면, 수요곡선은 수요량이 5개일 때 가격이 100원임을 알려줍니다.

경제학의 함수들

경제학에 등장하는 함수들은 대체로 종속변수의 이름으로 불립니다. 즉 경제학에서 'oo함수'라는 명칭을 보면, oo를 종속변수로 갖는 함수, oo의 값이 답으로 나오는 함수라고 생각해도 됩니다. 예컨대 '수요[량]함수'는 수요량이 종속변수(답)입니다. 함수이름에는 나오지 않은 독립변수가 무엇인지를 알면, 그 함수가 나타나는 경제학적 개념을 파악할 수 있습니다. 수요함수의 독립변수는 가격이므로 수요함수는 가격으로부터 수요량을 알아내는 함수입니다. 한편 '수요곡선'은 oo함수 형태의 명칭이 아닙니다. 수요곡선의 종속변수는 가격이므로, 굳이 이름을 붙인다면 '가격함수'라고 부를 수 있겠습니다. 좀 더 정확하게는 소비자들이 '지불하고자 하는 가격' 즉 '지불용의'(willingness to pay)를 나타내므로 '지불용의함수'라고도 합니다.

수요함수 외에도 경제학에는 효용함수, 비용함수, 수입함수, 생산(량)함수, 이윤함수, 소비함수, 저축함수, 투자함수 등 많은 함수가 나옵니다. 이 함수들의 종속변수가 무엇인지는 바로 짐작할 수 있겠지요? 각각 독립변수가 무엇인지를 확인하면, 그 함수가 나타내는 경제학적 개념에 한 발 다가선 것입니다.

흔히 경제모형에서는 별도의 함수기호를 쓰지 않고, 종속변수 기호로 대신합니다. 즉 $y = f(x)$라고 쓰는 대신에 $y = y(x)$ 또는 심지어 그냥 $y(x)$라고 표시하는 것입니다. 기호로 사용되는 문자의 종류를 줄이고, 핵심 정보인 종속변수와 독립변수만을 남겨 놓는 것입니다. 'oo함수 $y(x)$'라고 표시된 것을 보면 종속변수인 oo의 값이 y로 표시되었고, 독립변수는 x임을 알 수 있습니다. 예컨대 수요함수는 $P(Q)$, 수요곡선은 $Q(P)$로 쓸 수 있습니다.

[그림 1.4] 수요함수와 수요곡선

1.4 경제모형에서 중요한 함수의 성질: 증가/감소

수학의 도구를 사용하면 수학적인 성질들이 모형에 따라오게 됩니다. 그 성질들 중 어떤 것은 경제현실에 정확하게 들어맞지 않거나, 경제학적으로 별 의미가 없습니다. 예컨대, 경제변수를 실수라고 가정하면 무리수 값이 허용되는데 가격이나 수량이 무리수란 것은 좀 이상합니다. 그래도 큰 의미를 두지 않는다면 방정식이나 미적분을 사용할 수 있어서 편리합니다. 한편 어떤 수학적 성질들은 경제학적으로도 의미가 있습니다.

경제모형에서 함수가 가지는 수학적 성질들 중 크게 의미 있는 것으로 **증가/감소**가 있습니다. 함수가 **증가**한다는 것은 x의 값이 커질 때 y의 값도 커진다는 것이고, **감소**한다는 것은 반대로 x의 값이 커질 때 y의 값은 작아진다는 것입니다. y와 x 사이의 관계의 방향성에 대한 중요한 정보를 알려주므로 의미가 있습니다.

함수의 증가/감소: 수학적 정의

함수의 증가 개념을 수학적으로 좀 더 명확하게 표시하면 다음과 같습니다.

$$f(x)\text{가 증가함수} \Longleftrightarrow \text{만약 } x_1 > x_2 \text{이면 } f(x_1) > f(x_2)$$

마찬가지로 함수의 감소개념은 다음과 같습니다.

$$f(x)\text{가 감소함수} \Longleftrightarrow \text{만약 } x_1 > x_2 \text{이면 } f(x_1) < f(x_2)$$

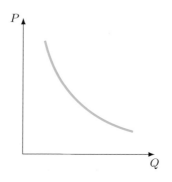

[그림 1.5] 수요의 법칙을 만족하는 수요곡선

수요의 법칙(law of demand)이라는 것이 있습니다. 이는 수요곡선이 감소함수라는 것, 즉 수요곡선의 그래프가 우하향한다는 것([그림 1.5])을 말합니다. 다시 한번 주의할 점은 수요곡선에서 독립변수가 수요량(Q)이라는 것입니다. 수요의 법칙을 말로 풀어보면, "수요량이 증가할 때 가격이 감소(하락)한다"입니다. 뭔가 조금 이상하게 느껴질 수 있습니다. <u>수요가 증가하면 가격이 올라간다</u>가 맞는 말일 것 같은데 말이죠. 수요곡선은 수요량이 Q

일 때 소비자들이 지불하고자 하는 가격 P를 알려줍니다. 만약 수요량이 증가한다면, 즉 소비자들이 재화를 더 사게 하려면 지금보다 가격이 내려가야 한다는 것이 수요의 법칙입니다.

수요의 법칙은 (A) "수요량이 증가할 때 가격이 내려간다"고 말합니다. 한편 이미 언급한 (B) "수요가 증가하면 가격이 올라간다"도 보통 맞는 말입니다. 그렇다면 두 문장은 서로 모순되는 것일까요? (A)와 (B)는 비슷한 단어들로 구성되어 있지만 전혀 다른 상황에 대한 이야기입니다. 평이한 단어로만 구성된 문장은 이렇게 모호하기 때문에, 개념과 관계를 명확하게 밝히는 수학적 경제모형이 도움됩니다.

(A)는 1개의 수요곡선에 대한 이야기이고, (B)는 여러 개의 수요곡선에 대한 이야기입니다. 특히 (B)는 수요곡선이 부분으로 들어가는 더 큰 모형, 즉 수요곡선과 공급곡선으로 구성된 시장균형모형에 대한 이야기입니다.

(A)는 소비자들의 수요량이 어떤 값 Q_1에서 더 큰 값 Q_2로 변할 때 주어진 수요곡선 위에서 대응되는 가격들을 비교합니다. 한편 (B)에서 수요가 증가한다는 것은 어떤 외부적인 요인에 의해 수요곡선 전체가 이동하는 현상을 말하고, 주어진 공급곡선과 여러 가지 수요곡선들이 만나는 균형가격을 비교합니다. 그래서 눈치채기 어렵지만 (A)에서는 '수요량', (B)에서는 '수요'라고 적었습니다. 또한 (A)에서는 그냥 '가격'이라고 해도 되지만 '지불용의'라고 하는 게 좋고, (B)에서는 '균형가격'이라고 하는 것이 옳습니다.

(A) 수요의 법칙: 수요곡선을 결정하는 외부 요인에 변화가 없을 때, 수요량이 증가($Q_1 \rightarrow Q_2$)한다면 소비자들이 지불하고자 하는 가격은 하락($P_1 \rightarrow P_2$)한다. [아래 그림 (a)]

(B) 외부 요인의 변화로 수요곡선 전체가 증가하는 방향으로 이동($D_1 \rightarrow D_2$)할 때, 수요와 공급이 일치하는 균형가격은 상승($P_1^* \rightarrow P_2^*$)한다. [아래 그림 (b)]

수요곡선과 공급곡선으로 구성된 시장균형모형에 대해서는 이 책의 후반부에서 다시 만나게 될 것입니다.

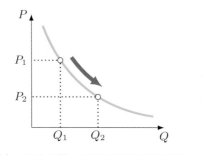 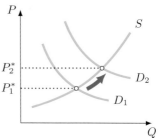

(a) 수요의 법칙: 수요량 증가시 가격 하락   (b) 수요곡선 증가시 균형가격 상승

[그림 1.6] **수요량/수요의 변화와 가격**

함수와 역함수: 수요함수와 수요곡선은 서로 역함수

수요곡선과 수요함수는 같은 변수 P, Q로 되어 있지만 구분되는 개념이라고 했습니다. 정확하게 말하자면 이 둘은 서로 역함수입니다. **역함수**(inverse function)란 어떤 함수에서 독립변수와 종속변수의 역할을 서로 바꾸어 놓은 함수를 말합니다. 원래 함수가 '원인' x에 따른 '결과' y를 알려주었다면, 그 역함수는 '결과' y를 주면 그 '원인' x를 말해주는 셈입니다.

가격 P가 수요량 Q를 결정하는 원인이라고 생각한다면, 수요함수는 원인인 가격 P에 대해 결과인 수요량 Q를 알려주고, 그 역함수인 수요곡선은 결과인 수요량 Q를 줄 때, 원인인 가격 P를 알려주는 것입니다. 그래서 수요곡선을 oo함수의 형태로 부르고자 할 때, 수요함수의 역함수라는 점을 강조해서 **역수요함수**(inverse demand function)라고 하고, 종속변수가 가격 즉 소비자의 지불용의라는 것을 강조하기 위해서는 **지불용의함수**(willingness to pay function)라고 부르기도 합니다.

함수와 역함수

모든 함수가 역함수를 갖는 것은 아닙니다. 역함수를 역'함수'라고 부르려면, 수학적으로 함수가 되어야 합니다. $y = f(x)$가 함수이려면 모든 x가 하나의 y값을 짝으로 가져야 하고, 반대 방향의 관계 $x = f^{-1}(y)$가 역함수가 되려면 모든 y가 하나의 x값을 짝으로 가져야 할 것입니다.

고교 수학에서 함수 f가 역함수를 갖는 조건을 공부했을 것입니다. f가 일대일이고, f의 공변역과 치역이 일치해야 합니다. 이는 역함수 또한 수학적으로 '함수'여야 하기 때문입니다. 즉 아래 그림 (a)는 앞에서 함수가 맞다고 확인했던 경우인데, x의 값 중 x_2, x_3, x_4가 모두 동일한 y_2와 대응됩니다. 역함수를 만들려면 이제 독립변수로 변신한 y의 값 y_2에 어떤 x 값을 대응시켜야 하는지 알 수 없습니다. 또한 치역이 공변역과 일치하지 않아서 Y의 원소 중 y_3에는 짝이 없으므로 역함수 구성이 곤란합니다. 따라서 함수 f가 역함수를 갖는 경우는 그림 (b)와 같이 x의 값들과 y의 값들이 정확하게 하나씩(일대일) 짝이 되어야 합니다. x의 값과 y의 값 중에서 빠진 것도 없어야 합니다. 함수가 일대일이고, 공변역과 치역이 일치하면 일대일대응이라고 말합니다.

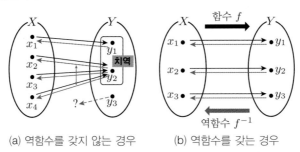

(a) 역함수를 갖지 않는 경우   (b) 역함수를 갖는 경우

[그림 1.7] 함수와 역함수

앞에서 함수의 증가 또는 감소가 의미 있는 성질이라고 했습니다. 그런데 어떤 관계가 증가함수이면 일대일 성질이 성립하여 (정의역과 치역 사이에) 역함수가 존재합니다. 관계가 감소함수일 때도 마찬가지입니다. 증가함수와 감소함수를 묶어서 **단조함수**(monotone function)라고 하는데, 단조함수는 (치역을 새로운 정의역으로 갖는) 역함수를 갖습니다.[4] 수요곡선이 **수요의 법칙**을 만족한다면, 수요곡선은 감소함수이고 두 변수 사이에는 일대일 관계가 성립하여 역함수가 존재하게 됩니다. 그것이 수요함수입니다. 수요의 법칙은 수요함수가 감소함수라는 의미이기도 합니다. 이는 가격이 인상되면 수요량이 줄어든다는 말입니다.

> **주의** 고교 수학에서는 독립변수를 x로 표기하고, 종속변수를 y로 표기한다는 암묵적인 약속이 있기 때문에, 역함수를 나타낼 때 $y = f^{-1}(x)$ 형태로 고쳐 쓰도록 합니다. 하지만, 우리가 사용할 경제모형에서 각 변수는 고유의 의미가 있으며, 때때로 독립변수가 되거나 종속변수가 되더라도 그 고유의 의미는 변하지 않습니다. 따라서 $P = f(Q)$가 수요곡선이라면, 그 역함수인 수요함수는 $Q = f^{-1}(P)$입니다.

예제 1.1

아래 그림의 함수 f와 g는 단조함수인가? 일대일인가? 역함수는 있는가?

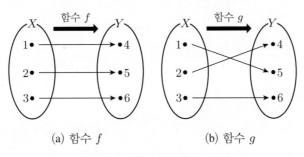

(a) 함수 f (b) 함수 g

[그림 1.8] 함수와 역함수 예제

(a) 함수 f는 x의 값이 $1, 2, 3$으로 커질 때 y의 값도 $4, 5, 6$으로 커지므로 증가함수이고 따라서 단조함수입니다. 단조함수이므로 물론 일대일이고 역함수가 있습니다. 역함수는 $f^{-1}(4) = 1$, $f^{-1}(5) = 2$, $f^{-1}(6) = 3$으로 표현할 수 있습니다.

(b) 함수 g는 x 값이 커질 때 y 값이 5에서 4로 감소했다가 다시 6으로 증가하므로 단조함수가 아닙니다. 하지만 서로 다른 x 값에 대해 서로 다른 y 값이 대응되어 일대일은 맞고 역함수도 있습니다. $g^{-1}(4) = 2$, $g^{-1}(5) = 1$, $g^{-1}(6) = 3$입니다.

---

[4] 단조함수가 아니더라도 일대일일 수 있고 역함수를 가질 수 있습니다. 즉 단조함수인 것은 역함수 존재의 충분조건이지 필요조건은 아닙니다.

예 1.1

아래 표는 함께 관찰된 가격과 수요량을 정리한 것입니다. (a)의 표는 먼저 가격을 나열하고, 그에 대응되는 수요량을 제시했으니 수요함수인 셈입니다. 한편 (b)의 표는 똑같은 데이터이지만 수요량을 먼저 제시하고, 그에 대응되는 가격을 보여주며 수요곡선 즉 역수요함수라고 할 수 있습니다. 두 표는 동일한 관계를 나타내며, 수요의 법칙을 만족합니다.

가격 P	수요량 Q	수요량 Q	가격 P
1000	100	60	3000
2000	80	80	2000
3000	60	100	1000
(a) 수요함수		(b) 수요곡선(역수요함수)	

참고 위 표의 수치만으로는 알 수 없지만, 만약 가격과 수요량 사이에 '1차함수' 관계가 성립한다면 (a)는 $Q = 120 - \frac{1}{50}P$라는 식으로 표현 가능하고 (b)는 $P = 6000 - 50Q$라는 식으로 표현 가능합니다. 두 함수식은 서로 역함수 관계입니다. 1차함수는 다음 장에서 더 자세히 다룹니다.

TIP 함수의 역사

더 자세한 내용은
https://sites.google.com/ewha.ac.kr/mathecon/texts/readings/
function

연습문제

1-1 아래 그림의 함수 f와 g는 단조함수인가? 일대일인가? 역함수는 있는가?

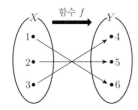 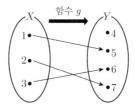

1-2 아래 그림은 어떤 재화의 수요곡선이다.

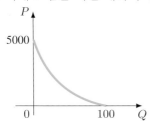

   (a) 수요곡선을 함수로 표현할 때 독립변수의 적절한 범위(정의역)는 무엇인가?

   (b) 수요곡선이 세로축과 만나는 점의 값 '5000'은 어떻게 해석될 수 있겠는가?

   (c) 위 재화에 대한 수요함수는 존재하는가? 어떤 특징을 가질까?

1-3 아래 그림은 어떤 재화의 가격과 수요량의 관계를 나타낸 것이다.

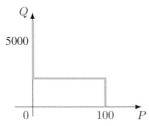

   (a) 가격을 모든 비음의 실수로 허용할 때 즉 $P \geq 0$일 때 위 그림이 나타내는 수요
       함수는 수학적으로 함수인가?

   (b) 수학적으로 함수이게 하려면 독립변수의 범위를 어떻게 제한해야 할까?

   (c) 앞에서 제한한 범위의 수요함수는 역함수를 갖는가? 해석하시오.

Chapter 02

직선의 기울기:
상수함수와 일차함수

제2장에서는 ···

경제학 교과서는 추상적인 모형의 이해를 돕기 위해, 구체적인 함수식으로 된 예제나 문제를 다루는 경우가 많습니다. 우리도 흔히 사용되는 기초 함수들을 확인하고 연습하겠습니다. 이 장에서는 그중에서도 가장 간단한 함수인 **상수함수**와 **일차함수**를 다룹니다. 이 함수 형태를 활용하는 경제모형의 예들도 보겠습니다. 이번 장의 내용도 수학적으로는 전혀 어렵지 않습니다. 직선으로 나타낼 수 있는 다양한 경제모형 사례가 제시되는데, 모든 사례를 다 자세히 알 필요는 없습니다. 수학 개념이 어떻게 활용되고 해석되는지에 유의해서 가볍게 살펴보겠습니다.

주요 개념

- 수학: 상수함수, 일차함수, 기울기, 절편
- 경제학: 수요곡선/함수, 공급곡선/함수, 생산함수, 비용함수, 소비함수, 예산선

2.1 상수함수

상수함수(constant function)는 함수의 값(종속변수의 값)이 상수로 일정한 함수입니다. 즉 독립변수의 값 x에 무엇을 넣든 상관없이, 종속변수 y의 값이 어떤 일정한 상수인 함수입니다. 식으로 나타내면 a가 어떤 상수일 때, $y = a$의 형태이고 그림으로는 수평선입니다.

식에 독립변수 x가 등장하지 않고, 독립변수는 사실상 종속변숫값에 아무런 영향을 주지 않습니다. 따라서 경제모형에 아주 쓸모 있지는 않으나, 특수한 사례로 등장할 수 있습니다.

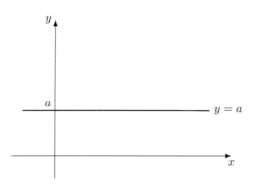

[그림 2.1] 상수함수 $y = a$

2.1.1 응용: 상수 수요함수

수요함수는 독립변수가 가격, 종속변수가 수요량인 함수입니다. 상수 수요함수라면 즉 상수 Q_0에 대해 $Q = Q_0$이라면, 이는 가격과 무관하게 수요량이 Q_0으로 일정한 경우입니다.

예 2.1

직장인 김성실 씨는 회사가 대중교통으로 접근하기 어려운 곳에 있어서, 유료인 회사 셔틀버스를 이용해서 매일 출퇴근을 합니다. 김씨의 셔틀버스 서비스에 대한 수요량(탑승횟수)은 1주일에 10회입니다. (다행히도 주말에는 출근할 일이 없습니다.)

셔틀버스 요금이 내려가도, 심지어 무료이더라도 굳이 10회보다 더 타지는 않을 것입니다. 한편 요금이 올라가도 회사는 다녀야 하니 10회를 타야 합니다. 이 경우 김씨의 수요함수는 $Q = 10$의 형태로 나타낼 수 있겠습니다.

주의 (1) $Q = 10$이라고 설정할 때 우리는 수요량의 단위를 '1주일간의 탑승횟수'로 보았습니다. 만약 단위를 1일 또는 1개월 또는 1년의 기간에 대한 탑승횟수로 바꾼다면 그에 맞춰서 숫자를 2 또는 40 또는 520으로 조정해야 합니다. 수요량의 단위는 단지 재화의 수량이 아니라, 어떤 '기간' 동안에 수요되는 재화의 수요량입니다. 수요량처럼 일정 기간에 대한 수량으로 정의되는 변수를 유량변수(flow variable)라고 합니다.

주의 (2) 요금이 올라갈 때 수요량은 상수로 유지될 수 있을까요? 예컨대 버스 요금이 회당 100만 원이라면요? 하루에 출퇴근비용으로 200만 원을 써야 한다면 셔틀버스 대신 택시를 타던가, 아니면 다른 회사를 알아봐야 하지 않을까요? 상수 수요함수 자체도 특수한 경우이지만, 경제학적 논리로 따져볼 때 상수 수요함수는 가격이 가질 수 있는 범위에 반드시 상한을 두어야 합니다.

수요함수를 그래프로 그린다면 가로축에 가격 P, 세로축에 수요량 Q를 놓고 그릴 것이고 상수 수요함수의 그래프는 [그림 2.1]처럼 수평선이 될 것입니다. 하지만 보통 경제학 교과서에는 수요함수가 아니라 수요곡선이 제시되므로 혼란을 막기 위해서 여기 수요함수의 그래프는 그리지 않겠습니다.

상수 수요함수에 대응되는 수요곡선을 그려보면 어떨까요? 상수함수는 일대일이 아니므로 역함수를 갖지 않습니다. 그렇다면 상수 수요함수에 대해서는 수요곡선을 그릴 수 없는 것일까요? 일대일이 아니어서 역함수를 갖지 않는다는 것은, 함수의 역방향 관계가 수학적으로 함수가 아니라는 뜻이지 그림으로 역관계를 그릴 수 없다는 것은 아닙니다. 상수 수요함수 $Q = Q_0$의 수요곡선은 수직선으로 그려집니다([그림 2.2]). 물론 앞에서 지적한 대로 지나치게 높은 가격에서는 상수 수요량이 유지될 수 없으므로 그림의 윗부분은 (P_0보다 가격이 높은 경우) 수요의 법칙을 만족하고 특정 가격(P_1)이 되면 수요량이 0이 되도록 하였습니다. 수요곡선이 수직선인 부분에 대해 경제학에서는 수요가 가격에 대해 **완전비탄력적**(perfectly inelastic)이라고 말합니다. **탄력성**(elasticity)은 경제학에서 즐겨 사용하는 개념으로 나중에 제6장에서 공부할 것입니다. 여기서는 '탄력'이라는 말을 단순히 수요량이 가격에 얼마나 반응하는지의 정도로 이해해도 괜찮습니다. 상수 수요함수는 수요량이 가격에 전혀 반응하지 않으므로 전혀 탄력적이지 않은, 즉 완전히 비탄력적인 수요라고 말합니다.

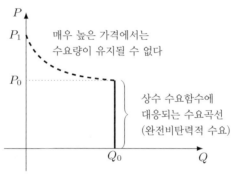

[그림 2.2] 상수 수요함수에 대응되는 수요곡선

그림에서 보듯이 완전비탄력적 수요의 수요곡선은 함수의 그래프가 아닙니다. 독립변수인 가로축의 Q_0에 대응되는 세로축의 가격 값이 1개가 아니라 매우 많습니다.

2.1.2 응용: 상수 수요곡선

이번에는 수요량을 독립변수로 갖고, 가격이 종속변수인 수요곡선이 상수함수인 경우를 생각해보겠습니다. [그림 2.3]과 같은 모양일 것입니다. 이는 수요량과 무관하게 소비자의 (지불용의)가격이 P_0으로 일정하다는 뜻입니다. 수요곡선이 상수함수이면 일대일이 아니므로, 역관계는 수학적으로 함수일 수 없고 따라서 이 경우 수요'함수'는 존재하지 않습니다.

한편 수요량이 무한할 수는 없으므로 수요곡선이 무한히 오른쪽으로 펼쳐지는 수평선일 수는 없습니다. 그림에서 상수 가격 P_0가 유지되는 것은 Q_0까지이고, 수요량이 Q_0를 초과하면 수요의 법칙을 만족하고, Q_1을 넘어서는 수요량은 불가능한 것으로 설정되었습니다.

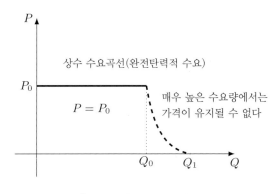

[그림 2.3] 상수 수요곡선

예 2.2

김성실 씨는 회사를 그만두고 많은 회사가 밀집한 지하철역 주변에 자리를 얻어 작은 테이크아웃 커피점을 차렸습니다. 김씨가 만드는 커피는 평범한 수준이고, 주변에는 비슷한 수준의 커피를 판매하는 가게가 여럿 있습니다. 주변의 가게들이 모두 아메리카노 1잔에 P_0원의 가격을 받고 있다면, 김씨 또한 P_0의 가격에 적당량의 아메리카노를 판매할 수 있을 것입니다. P_0의 가격에 판매하는 주변 모든 가게의 판매량을 합하면 Q_0입니다.

만약 어느 날 주변 커피점들이 모두 일시적으로 문을 닫는다면, 모든 손님이 김씨에게 몰릴 것이고 이때 김씨의 판매량은 Q_0가 될 것입니다. 하지만 김씨가 Q_0보다 판매량을 더 늘리고 싶다면 기존의 가격 P_0으로는 불가능합니다. 이미 Q_0의 수요량에 대한 주변 손님들의 지불용의가 P_0이고, 수요량을 이보다 늘리려면 지금보다 가격을 낮추어야 추가 수요가 창출될 것입니다.

완전탄력적 수요, 완전경쟁시장

앞에서 수직선으로 나타나는 수요곡선을 완전비탄력적 수요에 해당한다고 했습니다. 수평선으로 나타나는 수요곡선은 **완전탄력적**(perfectly elastic) 수요라고 합니다. 역시 탄력성의 구체적 개념은 무시하고, 가격과 수요량 사이의 관계로 말하자면 가격에 대해 수요량이 매우 민감하게 반응하는 것을 말합니다. 즉 P_0에서 수평선인 수요곡선의 경우, P_0에서 가격이 달라지면 매우 급격한 수요량의 변화가 일어납니다. 가격이 더 높아지면 수요량이 0으로 감소하고, 가격이 더 낮아지면 수요량은 많이 늘어납니다.

완전탄력적 수요는 **완전경쟁시장**(perfectly competitive market)에서 활동하는 개별 기업들이 직면하는 수요입니다. 완전경쟁시장이란 동일한 수준의 제품들을 판매하는 기업들의 경쟁이 매우 치열하여, 다른 기업들보다 높은 가격을 매길 경우 전혀 판매할 수 없는 상황을 가리키며 그래서 개별 기업은 수평선의 상수 수요곡선에 직면하게 됩니다. 완전경쟁시장에 대해서는 제15장, 제17장에서 다시 다루겠습니다.

2.2 일차함수

상수함수는 독립변수가 종속변수에 영향을 주지 못하는 경우를 나타냅니다. 좀 더 흥미로운 것은 실제로 영향이 있는 경우이겠지요. 함수의 증가/감소는 독립변수와 종속변수 사이에 성립하는 영향력의 방향을 알려줍니다.

그 영향력을 더 상세하게 알고 싶다면 함수의 형태에 대해 좀 더 구체적인 정보가 필요합니다. 가장 단순하고 친숙한 형태인 일차함수에서는 기울기가 그 정보를 제공합니다.

2.2.1 일차함수 모형의 해석: 기울기와 절편(상수항)

일차함수는 독립변수 1차식의 형태를 보이며, 그래프로 그리면 직선이 됩니다. 종속변수 y를 독립변수 x의 식으로 정리한 함수식은 보통 다음과 같습니다.

$$y = a + bx$$

이 식에서 a와 b가 무엇을 나타내는지 아마 알고 있을 것입니다. 상수항 a는 독립변수의 값이 $x = 0$일 때의 종속변수 y의 값이고, 그림으로 그렸을 때 세로축과 만나는 점인 세로축 **절편**(intercept)을 나타냅니다. 경제모형에서 a의 해석은 독립변수의 투입 없이도 나타나는 종속변수의 '기본값'인 셈입니다.

b가 바로 **기울기**(slope)로, 독립변수와 종속변수 사이에 성립하는 관계를 정량적으로 나타내어주는 핵심 개념입니다. '종속변수의 변화량 (Δy) ÷ 독립변수의 변화량 (Δx)'으로 정의됩니다. 기울기의 부호(+/−)는 함수의 증가/감소를 알려줍니다. 기울기(의 절댓값)의 크기는 독립변수가 종속변수에 미치는 영향력의 크기를 나타냅니다.

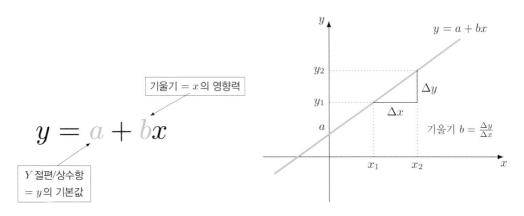

[그림 2.4] 1차함수의 그래프(직선)

기울기는 (X좌표가 서로 다른) 두 개의 점 (x_1, y_1), (x_2, y_2) 사이에 다음과 같이 정의됩니다.

$$(x_1, y_1)\text{과 } (x_2, y_2) \text{ 사이의 기울기} = \frac{\Delta y}{\Delta x} = \frac{y_2 - y_1}{x_2 - x_1} \quad (\text{단, } x_1 \neq x_2)$$

따라서 함수 $y = f(x)$의 관계를 만족하는 두 점 사이의 기울기는 $\dfrac{f(x_2) - f(x_1)}{x_2 - x_1}$이고 함수가 1차함수 $y = a + bx$일 때는

$$\frac{y_2 - y_1}{x_2 - x_1} = \frac{(a + bx_2) - (a + bx_1)}{x_2 - x_1} = \frac{b(x_2 - x_1)}{x_2 - x_1} = b$$

가 됩니다. 어떤 x_1과 x_2를 잡든지 항상 기울기가 b로 일정하게 나온다는 것이 직선의 특징입니다.

예제 2.1

상수함수의 기울기는 무엇인가?

상수함수 $y = a$에 대해서 임의의 두 점을 잡는다면 그 좌표는 (x_1, a)와 (x_2, a)입니다. 그 두 점 사이의 기울기는 $\dfrac{a - a}{x_2 - x_1} = 0$입니다. 즉 상수함수도 일정한 기울기를 가지며 그 값은 0입니다.

예제 2.2

원점을 통과하는 1차함수 $y = bx$의 기울기는 무엇인가?

$y = a + bx$의 기울기의 계산과정을 살펴보면 상수항(절편) a는 영향을 주지 않았습니다. 즉 $y = bx$의 기울기도 b입니다. $y = bx$는 x와 y 사이의 '정비례' 관계를 나타냅니다.

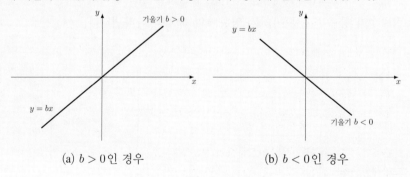

(a) $b > 0$인 경우   (b) $b < 0$인 경우

[그림 2.5] $y = bx$의 그래프

2.3.1 직선 수요곡선 $P = a - bQ$

수요곡선이 $P = a - bQ$이면, 세로축 절편이 a이고 기울기가 $-b$인 직선입니다. (여기서 $a > 0$이고 $b > 0$인 상수입니다.) 수요의 법칙(감소함수)을 만족하도록 $-b(< 0)$가 기울기가 되게 했습니다. [그림 2.6]에 직선 수요곡선이 그려져 있습니다. 가격과 수요량 모두 비음($P \geq 0$, $Q \geq 0$)이라고 하면, 좌표평면의 '1사분면'을 벗어나는 부분은 수요곡선 모형에 해당되지 않으므로 점선으로 표시했습니다. 엄밀히 말하면 직선이 아니라, 두 절편 사이의 선분입니다.

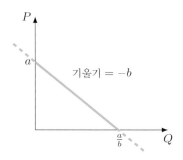

[그림 2.6] 직선 수요곡선 $P = a - bQ$

먼저 세로(가격)축 절편 a는 수요량이 $Q = 0$일 때에 대응되는 가격을 나타냅니다. 수요곡선의 종속변수인 가격을, 수요량마다 소비자들이 지불할 용의가 있는 가격의 수준 즉 **지불용의**(willingess to pay)로 해석한다면, 이 수요곡선에서 a는 최대 지불용의 수준입니다. 판매자 입장에서는 매길 수 있는 가격의 상한입니다. 양(+)의 수요가 발생하려면 가격은 a보다 낮아야 합니다.

기울기 $-b$는 수요량 Q가 1단위 증가할 때, 소비자들이 지불하고자 하는 가격 P가 b단위 감소한다는 의미입니다. 판매자의 입장에서 재화를 1단위 더 판매하기 위해서는 가격을 b만큼 낮추어야 한다는 것입니다. 또한 가로(수량)축 절편이 a/b인데 이는 최대 수요량으로 해석할 수 있습니다. 이보다 더 많은 수요를 끌어내는 것은 (음수 가격이 아니면) 불가능합니다.

수요곡선 $P = 100 - Q$에 대해 답하시오.

(a) 이 재화가 시장에서 보일 수 있는 가격의 상한은 얼마인가?

(b) 이 재화가 시장에서 보일 수 있는 판매 가능한 수량의 상한은 얼마인가?

(a) $Q = 0$일 때 $P = 100$ 즉 수요량이 0이 되게 하는 가격이 100입니다. 만약 가격이 100보다 높다면 여전히 수요량은 0일 것입니다. 즉 실제로 재화에 대한 수요가 발생하려면 가격은 100 미만이어야 하고, 시장에서 보일 수 있는 가격의 상한은 100일 것입니다.

(b) $P = 0$일 때 $Q = 100$입니다. 즉 가격이 무료일 때 판매량이 100입니다. 가격이 음수인 것을 허용하지 않는다면 판매 가능한 수량의 상한은 100입니다.

예제 2.4

어떤 재화의 수요곡선이 기울기 -2인 직선이다. 현재 가격 $P = 10$에 수요량은 $Q = 100$이다.

(a) 판매량을 10단위 늘리기 위해서는 가격에 어떤 변화를 주어야 하는가?

(b) 이 재화에 대해 매길 수 있는 최고 가격은 얼마인가?

(a) 기울기가 -2이므로 판매량을 10단위 늘리려면 가격에 $-2 \times 10 = -20$의 변화를 주어야 합니다. 즉 가격을 20단위 낮추어야 합니다.

(b) 가격을 1단위 올리면 수요량은 ½단위 줄어들 것입니다. 가격 10에서 수요량이 100이므로 가격을 200단위 올리면 수요량은 100단위 감소하여 0이 될 것입니다. 즉 최고 가격은 210입니다.

참고 식을 이용한 풀이: 기울기가 -2이고 점 $(Q, P) = (100, 10)$을 지나가는 직선의 방정식은 $P = -2(Q - 100) + 10 = -2Q + 200 + 10 = -2Q + 210$입니다. 최고 가격은 수요곡선의 세로축 절편이므로 210입니다.

예제 2.5

수요곡선의 식이 $P = 100 - 0.5Q$일 때, (그 역함수인) 수요함수의 식을 도출하시오.

P가 식의 좌변(종속변수 자리)에 있고, Q가 식의 우변(독립변수 자리)에 있는 수요곡선 식의

형태를 재배치해서, Q가 좌변에 오도록 하면 수요함수가 됩니다. 즉

$$\begin{aligned} P &= 100 - 0.5Q \\ \implies 0.5Q &= 100 - P \\ \implies Q &= 200 - 2P \end{aligned}$$

따라서 수요함수는 $Q = 200 - 2P$입니다.

주의 고교 수학에서는 빠르게 역함수를 구하기 위해서 종속변수와 독립변수의 자리를 바로 바꾸도록 하는 경우가 있습니다. 예를 들어 1차함수 $y = 100 - 0.5x$의 역함수를 구하라고 하면, x, y를 서로 바꾸어서 $x = 100 - 0.5y$라고 적은 후 다시 정리해서 $y = 200 - 2x$라고 도출하는 것이죠.

하지만 이 방법은 독립변수를 언제나 x라고 쓴다는 약속이 있을 때만 유효합니다. 경제모형에서는 x, y가 아닌 고유의 변수 기호를 쓰고 있는데, 이 방법을 생각 없이 적용하면 엉뚱한 답을 얻게 됩니다. 즉 식 $P = 100 - 0.5Q$에서 P, Q를 서로 바꾸어서 $Q = 100 - 0.5P$라고 적으면 이미 좌변에 Q가, 우변에 P가 나온 식이라 그 자체로 수요함수인데 우리 문제의 답과는 다릅니다. 고교 방식 풀이를 보면, 먼저 변수 위치를 바꾼 후 다시 정리를 했지요? 이 식도 그렇게 정리하면 $P = 200 - 2Q$가 되는데 이것은 수요함수가 아니라 수요곡선의 형태입니다. 즉 **결론**: 경제모형에서 주어진 함수의 역함수를 도출할 때는, 함부로 변수 위치를 서로 바꾸지 말고, 단순히 주어진 식을 재정리해서 원함수의 독립변수가 좌변으로 가서 역함수의 종속변수가 되도록 하면 됩니다.

2.3.2 직선 공급곡선 $P = c + dQ$

공급곡선(supply curve)은 공급량 Q를 독립변수, 가격 P를 종속변수로 갖습니다. (수요곡선의 Q와 같은 기호를 사용했지만, 여기서는 공급량을 나타냅니다.) 수요곡선과 비슷하게 공급량이 독립변수입니다. 공급량이 Q일 때, 판매자들이 받고자 하는 가격 P를 알려줍니다. 직선 공급곡선이라면 $P = c + dQ$의 형태가 됩니다. $c \geq 0$, $d > 0$는 각각 상수이고 세로(가격)축 절편과 기울기입니다.

세로(가격)축 절편 c는 공급량이 0일 때의 가격이므로, 판매자들이 받고자 하는 최소 가격으로 해석됩니다. 즉 판매자들로부터 양(+)의 공급을 끌어내려면 가격은 c보다 높아야 합니다.

기울기 d는 공급량이 1단위 늘어날 때 판매자들이 받고자 하는 가격이 d만큼 늘어난다는 것입니다. 수요곡선이 감소함수 그래프인 것을 수요의 법칙이라고 부른 것처럼, 공급곡선이 증가함수 그래프인 것을 **공급의 법칙**(law of supply)이라고 할 수 있습니다.

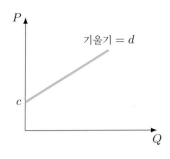

[그림 2.7] 직선 공급곡선

또한 (공급의 법칙을 만족한다면 단조함수이므로) 공급곡선의 역함수는 이제 Q가 좌변의 종속변수가 되고, 우변의 독립변수는 P인 형태인데 이를 **공급함수**(supply function)라고 합니다. 공급함수는 가격이 주어질 때, 그 가격에서의 공급량을 알려줍니다. 공급곡선의 식 $P = c + dQ$에 대응되는 공급곡선은

$$
\begin{aligned}
P &= c + dQ \\
\implies dQ &= -c + P \\
\implies Q &= -\frac{c}{d} + \frac{1}{d}P
\end{aligned}
$$

에서 $Q = -\dfrac{c}{d} + \dfrac{1}{d}P$입니다.

예제 2.6

공급곡선이 $P = 100Q$인 재화가 있다.

(a) 판매자들이 받고자 하는 최소 가격은 얼마인가?

(b) 공급의 법칙이 성립하는가?

(c) 이 재화의 공급함수를 도출하시오.

(a) 세로축 절편이 0이고, 이는 가격 0일 때 공급량이 0이며, 가격이 0보다 커지면 공급이 발생함을 의미합니다. 즉 최소 가격은 0입니다.

(b) 기울기 100은 양수이므로 공급의 법칙이 성립합니다. 구체적으로 공급수량을 1단위 늘리려면 가격이 100단위 인상되어야 합니다.

(c) $P = 100Q$를 재배열하면 $Q = \dfrac{1}{100}P$가 공급함수입니다.

제1장에서 나왔던 수요공급모형을 두 곡선 모두 직선인 경우에 대해 그려봅시다. (자세한 것은 제17장에서 다룹니다.) 모형은 수요곡선과 공급곡선으로 구성됩니다. 같은 평면에 두 곡선을 그려서 만나는 점 (Q^*, P^*) 가 균형수량과 균형가격입니다. 균형에서 소비자가 지불하고자 하는 가격과 판매자가 받고자 하는 가격이 일치합니다.

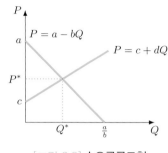

[그림 2.8] 수요공급모형

2.3.3 생산함수와 비용함수: 요소가 1가지인 1차함수의 경우

생산과정에 투입되는 요소의 양과 생산된 재화의 산출량 사이의 관계를 생산함수(production function)라고 합니다. 일반적으로 경제학에서 다루는 생산함수는 여러 개의 요소를 사용하지만, 우리는 아직 독립변수가 1개인 일변수함수를 다루고 있으므로 생산투입요소가 1가지인 경우를 생각해보겠습니다.

예 2.3

수작업으로 인형을 만드는 노동자가 1시간에 인형 k상자를 만들 수 있다면, 투입 노동시간을 L 이라 하고, 만든 인형의 수량을 Q 상자라고 할 때, $Q = kL$의 관계식이 성립할 것입니다. 노동시간을 전혀 투입하지 않으면 즉 $L = 0$이면 생산 수량도 $Q = 0$입니다. 노동시간을 1시간 더 투입할 때마다, 생산수량은 k상자씩 늘어납니다. 노동 투입시간이 음수인 것은 조금 이상하므로 $L \geq 0$이라고 비음제한을 두고 그래프를 그리면 다음과 같습니다.

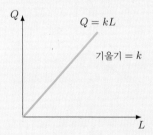

[그림 2.9] 생산함수 $Q = kL$의 그래프

생산함수는 요소투입량을 독립변수, 재화생산량을 종속변수로 갖습니다. 요소를 더 많이 투입하면 재화도 더 많이 생산되는 것이 자연스럽습니다. 즉 생산함수는 증가함수인 것이 자연스럽습니다. 이 경우 생산함수는 역함수를 갖습니다.

역함수는 생산량을 독립변수, 요소투입량을 종속변수로 가지며, 특정 생산량만큼의 재화를 생산하기 위해 요구되는 요소의 양(input requirement)을 알려줍니다. 이 역함수를 사용하면 경제학의 중요 개념 중 하나인 **비용함수**(cost function)를 도출할 수 있습니다.

L을 투입 노동시간, Q를 생산된 인형의 수량이라 할 때 생산함수가 $Q = 5L$이다. 이 노동자를 고용한 사장이 노동자에게 시간당 임금 10(만 원)을 지급한다면, 인형 생산량이 Q일 때 사장이 지불해야 하는 총임금을 식으로 도출하고 해석하시오.

Q를 생산하기 위해서 투입해야 하는 노동시간은 $L = \frac{1}{5}Q$입니다. 노동시간당 10의 임금을 지불해야 하므로, Q의 생산에 지불해야 하는 총임금을 $C(Q)$라 하면 $C(Q) = 10 \times \frac{1}{5}Q = 2Q$가 될 것입니다. 즉 Q의 생산을 위해서 지불할 총임금은 $2Q$입니다. 생산량이 0일 때는 지불할 임금도 없고, 1상자를 새로 만들기 위해서는 2만 원의 임금을 지불해야 합니다. (노동자가 1시간에 5상자를 만들수 있으므로, 1상자를 위해서는 0.2시간이 필요하고 시간당 임금이 10만 원이므로 필요한 임금액은 2만 원인 것입니다.)

생산함수가 $Q = 5L$일 때, 그 역함수인 $L = \frac{1}{5}Q$는 생산량 Q를 얻기 위해 요구되는 **요소의 양**(input requirement)을 알려줍니다. 요소를 고용하면 그에 대해 가격(임금)을 지불해야 하고, 그 총액은 생산비용이 됩니다. 이렇게 생산수량 Q를 독립변수로 하고, 생산과정에 들어가는 비용(요소에 지불한 임금의 총액)을 종속변수로 하는 함수를 **비용함수**(cost function)라고 합니다. 이 예제는 생산함수가 요소투입량의 정비례함수라면, 비용함수 또한 생산량의 정비례함수임을 보여줍니다.

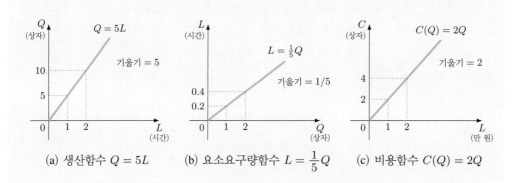

(a) 생산함수 $Q = 5L$ (b) 요소요구량함수 $L = \frac{1}{5}Q$ (c) 비용함수 $C(Q) = 2Q$

[그림 2.10] 생산함수로부터 비용함수의 도출

2.3.4 케인즈 소비함수 $C = C_0 + bY$

소비함수(consumption function)는 케인즈(Keynes) 거시경제모형에 등장합니다. 함수 이름에서 짐작되듯이 종속변수는 소비입니다. 거시경제모형에서 소비란 **가계 부문**(household sector)이 모든 재화에 대해 지출한 총액을 가리킵니다. 즉 소비(C)는 화폐 단위로 나타냅니다. (수요함수나 수요곡선에 나오는 수요량은 재화의 단위로 나타냅니다.)

한편 소비함수의 주된 독립변수는 소득(Y)입니다. 거시경제모형이므로 여기서 Y는 개인의 소득이 아니라, 거시경제 내의 모든 가계의 소득의 총액을 나타냅니다. 가장 흔히 사용되는 지표는 GDP(국내총생산)이고 역시 화폐 단위로 나타냅니다.

소비함수를 1차함수 $C = C_0 + bY$로 나타낸다면, C_0은 세로축 절편인데 이는 소득이 0일 때의 소비 수준이고, 기초소비라고 부를 수 있습니다. 한편 기울기 b는 소득이 증가할 때, 소비가 증가하는 정도를 나타내며, 1차함수 모형에서는 이 비율이 일정하게 b라고 보는 것입니다. 케인즈 거시경제모형에서는 b를 **한계소비성향**(marginal propensity to consume, MPC)이라고 부르고, 보통 $0 < b < 1$이라고 가정합니다. 즉 소득이 1단위 증가할 때 소비는 증가하기는 하지만 1단위보다는 적게 증가한다고 가정합니다.

소비함수를 사용하는 거시경제모형은 이 책의 후반부(제13장, 제18장 등)에서 다시 살펴볼 것입니다.

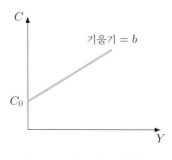

[그림 2.11] 직선 소비함수

예제 2.8

어떤 나라의 가계부문의 소비함수가 $C(Y) = 100 + 0.7Y$라고 하자.

(a) 이 나라의 가계부문이 보이는 한계소비성향은 얼마인가?

(b) 소득 Y에서 소비 C를 제외한 나머지를 **저축**(savings)이라 정의한다. 저축 S를 소득 Y의 함수로 도출하고 해석하시오.

(a) 소비함수의 기울기, 즉 Y의 계수인 0.7이 한계소비성향입니다. 소득이 1단위 증가할 때, 소비는 0.7단위 증가한다고 말합니다.

(b) 저축을 S라고 표기하면 $S = Y - C = Y - (100 + 0.7Y) = -100 + 0.3Y$ 입니다. 저축함수의 절편인 -100은 음의 저축, 즉 빚이라고 생각할 수 있겠습니다. 소비함수에서 소득이 0이더라도 기초소비가 100 발생한다고 가정했기 때문에, 100만큼 빚을 내는 셈입니다. 한편 기울기는 0.3인데, 소득 1단위가 늘 때 소비에 0.7을 쓰고 남는 분량입니다. 저축함수의 기울기는 **한계저축성향**(marginal propensity to save, MPS)이라고 부르고, 한계저축성향과 한계소비성향을 합하면 1입니다.

2.3.5 소비자의 예산선 $p_x x + p_y y = m$

이번에는 독립변수와 종속변수의 구분이 명확하지 않지만, 직선이기 때문에 1차함수의 틀에서 이해할 수 있는 모형을 알아보겠습니다. 소비자의 **예산선**(budget line)입니다.

$$p_x x + p_y y = m$$

여기서 x와 y는 어떤 재화의 수량이고, p_x, p_y는 각 재화의 단위가격, 그리고 m은 소비자가 두 재화에 쓸 수 있는 총 예산액입니다. 단위가격과 수량을 곱하면 지불해야 하는 금액이 되므로, 위 식의 좌변은 (x, y)를 구입할 때 지불해야 하는 총액입니다. 따라서 예산선은 주어진 예산액 m을 모두 사용해서 구입할 수 있는 (x, y)의 수량들을 나타냅니다.

위 식을 재정리해서 x를 독립변수로 하는 1차함수 형태(직선의 방정식)로 바꾸어보면

$$y = \frac{m}{p_y} - \frac{p_x}{p_y}x$$

입니다. x의 수량을 정했을 때, 총 예산 m을 모두 지출하게 하는 y의 수량을 알려줍니다. 절편과 기울기의 해석은 아래 예제를 보세요.

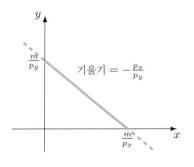

[그림 2.12] 예산선

1주일 동안 구입하는 과일예산이 10,000원인 사람이 개당 1,000원하는 사과와 500원 하는 귤을 구입하고자 한다. (단, 예산은 남기지 않고 모두 지출한다.) 예산선 식을 도출하고, 절편과 기울기를 해석하시오.

사과를 x, 귤을 y라 하면 $p_x = 1,000$, $p_y = 500$, $m = 10,000$이므로 예산식은 $1,000x + 500y = 10,000$이고 직선의 방정식 형태로 바꾸면 $y = 20 - 2x$입니다. 절편 20은 주어진 돈 10,000원으로 사과는 사지 않고$(x = 0)$ 귤만 살 경우 개수$(= 10,000 \div 500)$이고, 기울기 -2는 사과 1개를 더 사기 위해서는 귤의 개수를 줄여야 하는데, 귤 가격이 절반이므로 2개 줄여야 함을 나타냅니다.

TIP 수요곡선, 수요함수의 역사

더 자세한 내용은
https://sites.google.com/ewha.ac.kr/mathecon/texts/readings/demand

2-1 수요곡선의 식이 $P = 100 - Q$이다.

  (a) 절편과 기울기의 의미를 해석하시오.

  (b) 판매자가 판매량을 20개 늘리고자 한다면, 가격을 얼마나 내려야 하는가?

  (c) 수요함수를 도출하시오.

2-2 공급곡선의 식이 $P = 100 + 50Q$이다

  (a) 절편의 의미를 해석하시오.

  (b) 공급함수를 도출하시오.

  (c) 가격이 1단위 증가할 때 공급량은 얼마나 증가하는가?

2-3 생산함수가 $q = kL$이고, 노동의 단위당 가격(임금)이 w일 때 비용함수를 식으로 제시하시오.

2-4 어떤 나라의 소비함수가 $C = 100 + 0.7Y$이다.

  (a) 저축함수는 음의 절편(빚)을 가짐을 보았다. 소득이 어느 수준에 도달해야 양 (+)의 저축이 발생하는가 계산하시오.

  (b) 기초소비(100)나 한계소비성향(0.7) 값이 변하면 (a)의 답은 어떻게 변하는가?

2-5 사과(x)와 귤(y)의 가격이 각각 개당 1,000원과 개당 500원이다. 사과와 귤을 구입할 수 있는 상품권 10,000원어치를 남김없이 쓰고자 한다.

  (a) 사과만 구입할 경우 살 수 있는 개수를 계산하시오.

  (b) 귤만 구입할 경우 살 수 있는 개수를 계산하시오.

  (c) 사과 가격이 비싸질 경우, 세로축 절편, 가로축 절편, 기울기는 각각 어떻게 변하는가?

Chapter 03

곡선의 미분계수:
제곱함수, 제곱근함수, 반비례함수

제3장에서는 ....

앞으로 공부할 여러 함수의 기초가 되는 **거듭제곱함수**가 무엇인지 알아보고, 그 중 가장 간단한 형태인 제곱함수(x^2), 제곱근함수($\sqrt{x}$), 반비례함수($1/x$)의 기울기를 어떻게 계산할지 생각해봅니다.

주요 개념

- 수학: 거듭제곱함수, 미분계수
- 경제학: 생산함수, 비용함수

주요 결과

- 미분계수는 곡선 위의 한 점에서 접선의 기울기

- $x = x_0$에서 x^2의 미분계수는 $2x_0$

- $x = x_0$에서 $\sqrt{x}$의 미분계수는 $\dfrac{1}{2\sqrt{x_0}}$

- $x = x_0$에서 $\dfrac{1}{x}$의 미분계수는 $-\dfrac{1}{x_0^2}$

3.1 거듭제곱함수

경제모형에는 일차함수가 아닌 함수들도 많이 사용됩니다. 경제학을 공부하면서 자주 만나는 함수 형태들을 나열하면

- 다항함수: 다항식으로 된 n차함수 즉 $y = a_n x^n + a_{n-1} x^{n-1} + \cdots + a_1 x + a_0$ 형태
- 유리함수: 다항식의 분수형태 즉 $y = \dfrac{f(x)}{g(x)}$, 단 $f(x)$, $g(x)$는 다항함수
- 무리함수: 제곱근이 포함된 식의 형태, 예를 들어 $y = \sqrt{x^2 + 1}$과 같은 함수
- 지수함수: $y = b^x$ 형태, 특히 자연지수함수 $y = e^x$
- 로그함수: $y = \log_b x$ 형태, 특히 자연로그함수 $y = \ln x$
- 분수함수: 모든 함수의 분수형태 즉 $y = \dfrac{f(x)}{g(x)}$, 여기서 $f(x)$, $g(x)$는 임의의 함수

등이 있습니다.[5] 앞으로 이 함수들을 모두 살펴볼 것입니다. 이 장에서는 다항함수, 유리함수와 무리함수를 구성하는 기본요소가 되는 거듭제곱함수를 알아보겠습니다.

거듭제곱함수(power function)란 $f(x) = cx^n$ 형태의 함수입니다. 여기서 c와 n은 어떤 실숫값을 갖는 상수입니다. 계수 c는 함수의 값을 c배하는 효과가 있으나, 함수의 전반적인 형태에는 큰 영향을 주지 않습니다. 따라서 편의상 $c = 1$인 경우를 중심으로 설명하겠습니다.

n이 자연수라면 즉 $n = 1, 2, 3, \ldots$이면 거듭제곱함수는 x, x^2, $x^3, \ldots$ 등의 형태입니다. 다항함수의 구성요소입니다. n이 음의 정수이면 즉 $n = -1, -2, -3, \ldots$이면 이 함수는 $1/x$, $1/x^2$, $1/x^3, \ldots$이 됩니다. 유리함수의 기초가 됩니다. 한편 n이 유리수(분수), 예를 들어 $n = 1/2$이면 $x^{1/2} = \sqrt{x}$로 제곱근 함수, 즉 무리함수가 됩니다.

지수계산의 규칙과 거듭제곱식

고교에서 공부한 지수계산의 규칙 몇 가지를 거듭제곱식과 관련해서 정리하면 다음과 같습니다.

- $x^m \times x^n = x^{m+n}$
- $x^m \div x^n = x^{m-n}$
- $(x^m)^n = x^{mn}$
- $(x^m)^{1/n} = x^{m/n}$

이 계산규칙을 활용하면 $x^0 = 1$, $x^{-1} = \dfrac{1}{x}$, $x^{-2} = \dfrac{1}{x^2}$, $x^{-3} = \dfrac{1}{x^3}$, $\cdots$과 $x^{1/2} = \sqrt{x}$, $x^{1/3} = \sqrt[3]{x}$, $x^{1/4} = \sqrt[4]{x}$...을 알 수 있습니다.

거듭제곱함수 중 $n = 0$일 때는 $cx^0 = c$가 되므로 상수함수이고, $n = 1$일 때는 $cx^1 = cx$이므로 일차함수 중 상수항이 없는 정비례식입니다. 앞장에서 이미 살펴본 함수들입니다. 이 장에서는 그 다음으로 단순한 형태인 x^2, $\sqrt{x}$, $1/x$을 차례로 살펴보겠습니다. 특히 이들을 경제모형에 쓰고자 할 때 '기울기'를 어떻게 계산할지 생각해보겠습니다.

---

5) 일반적인 수학 교재라면 목록에 삼각함수를 보태는데, 경제수학에는 삼각함수가 덜 중요하므로 생략합니다.

제곱함수 $y = x^2$

$n = 2$일 때 $y = x^2$이 됩니다. 중고교 수학에서 자주 접한 친숙한 기본 이차함수입니다. 원점을 꼭짓점으로 하고, 원점에서 좌우로 멀어질수록 값이 점점 더 가파르게 증가하는 곡선이 됨을 이미 알고 있습니다.

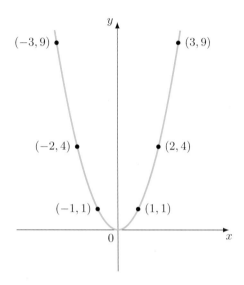

[그림 3.1] $y = x^2$의 그래프

$y = x^2$에서 x는 모든 실숫값을 가질 수 있고, y는 0 또는 양의 실숫값을 가집니다. 즉 정의역은 실수 전체이고, 치역은 비음의 실수입니다. 편의상 일단 $x \geq 0$인 범위에 집중해서 이야기하겠습니다. $x \geq 0$일 때 $y = x^2$은 증가함수입니다. 즉 독립변수의 값이 커지면, 종속변수의 값도 커집니다. 그런데 기울기가 일정한 일차함수와 달리, $y = x^2$에서는 x의 값이 커짐에 따라 y 값이 반응하는 정도가 점점 더 커집니다. 그 반응 정도를 측정하기 위해서 기울기를 계산해 봅시다.

3.2.1 임의의 두 점 사이의 기울기

두 점 사이의 기울기를 몇 군데 계산하면, $(x, y) = (0, 0)$에서 $(1, 1)$로 변할 때는 1인데, $(1, 1)$에서 $(2, 4)$로 변할 때는 $\frac{4 - 1}{2 - 1} = 3$이고, $(2, 4)$에서 $(3, 9)$로 변할 때는 $\frac{9 - 4}{3 - 2} = 5$입니다. 일정한 간격(+1)으로 x를 증가시켰더니, 기울기가 점점 증가할 뿐 아니라, $1 \rightarrow 3 \rightarrow 5$로 증가하는 정도가 +2로 일정하게 나타납니다.

직선(일차함수)의 경우와 달리, 곡선인 $y = x^2$에 대해서는 곡선 전체의 기울기를 하나의

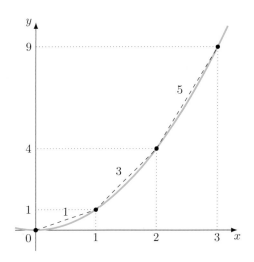

[그림 3.2] $y = x^2$ 위에서 두 점들 간의 기울기 계산하기

숫자로 특정할 수 없습니다. 어느 두 점을 택해서 계산하느냐에 따라 답이 달라집니다. 하지만 어떤 두 점이 주어지든 계산은 비교적 간단하게 할 수 있습니다. 임의의 두 점 (x_0, y_0)과 (x_1, y_1) 사이의 기울기를 공식으로 도출해 봅시다. 이를 '$x_0 \Rightarrow x_1$의 기울기'라고 부르겠습니다. $y = x^2$라는 관계식을 이용해서 x_0과 x_1 사이의 기울기를 계산하면

$$\boxed{x_0 \Rightarrow x_1 \text{의 기울기}} = \frac{y_1 - y_0}{x_1 - x_0} = \frac{x_1^2 - x_0^2}{x_1 - x_0} = \frac{(x_0 + x_1)(x_0 - x_1)}{x_0 - x_1} = x_0 + x_1 \quad (3.1)$$

가 됩니다. 말로 하면, $y = x^2$ 곡선 위에서 두 점 사이의 기울기는 두 점의 X좌표의 합과 일치합니다. (위에서 살펴본 몇 가지 예에 적용하면 $x_0 = 0$에서 $x_1 = 1$로 갈 때 1, $x_0 = 1$에서 $x_1 = 2$로 갈 때 3, $x_0 = 2$에서 $x_1 = 3$으로 갈 때 5가 맞습니다.)

3.2.2 한 점과 변화폭이 주어질 때 기울기

두 점이 주어지면 기울기를 계산해주는 식 (3.1)도 유용하지만, 다른 관점의 접근도 가능합니다. 함수로 된 경제모형에서 기울기 개념이 어떤 쓸모가 있을지 생각해보면, 현재 상태를 알고 기울기를 알면 어떤 외부적 요인으로 x값에 변화가 올 때 y가 어떤 값으로 변할지를 예측할 수 있다는 점입니다. 즉 기울기 계산을 위한 데이터가 두 점이 아니라, 한 점과 그 점으로부터의 변화폭인 경우도 생각해보겠습니다.

$y = x^2$ 위의 점 $(x_0, y_0) = (x_0, x_0^2)$이 기준점이라고 합시다([그림 3.3]의 점 A). 이 점에서 오른쪽으로 Δx만큼 이동한다면 새로운 점의 좌표는 $(x_0 + \Delta x, (x_0 + \Delta x)^2)$이 됩니다(그림의 점 B). 이 기울기는 2가지 정보 x_0과 Δx로 계산합니다. 이 상황은 $x_0 \Rightarrow x_0 + \Delta x$와 동일

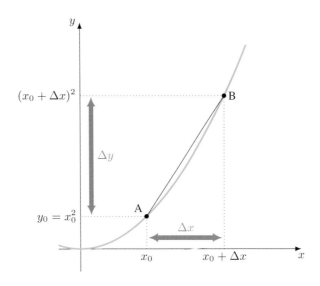

[그림 3.3] 한 점과 변화폭으로부터 기울기 계산

하므로 식 (3.1)에서 $x_1 = x_0 + \Delta x$라고 놓으면

$$\boxed{x_0 \text{에서 } \Delta x \text{ 이동의 기울기}} = \boxed{x_0 \Rightarrow x_0 + \Delta x \text{의 기울기}} = x_0 + (x_0 + \Delta x) = 2x_0 + \Delta x \quad (3.2)$$

로 계산할 수 있습니다. 이 공식은 출발점의 좌표(x_0)와 그 점에서 얼마나 옆으로 이동할지(Δx)를 알면, 두 점 사이의 기울기를 계산해줍니다.

식 (3.1)과 (3.2)는 직선(1차함수)의 기울기가 하나의 숫자로 직선 전체의 특징을 요약해서 알려주었던 것에 비교하면 번거롭습니다. 곡선은 직선과 달라서, 단 1개의 숫자로 기울기에 해당되는 성질을 나타낼 수 없기 때문입니다. 그 대안으로 수학(미적분학)에서는 함수의 각 점마다 하나의 숫자를 지정해주는 **미분계수**라는 개념을 만들게 되었습니다.

3.2.3 $y = x^2$의 미분계수

(3.1)이나 (3.2)는 계산에 2가지 정보가 동원됩니다. 함수의 각 점의 고유한 특징을 숫자로 나타내기 위해서 **미분계수**(differential coefficient)는 1가지 정보(한 점의 위치)만으로 계산합니다. 이를 위해서 최소한의 이동, 아주 무한히 조금만 움직이는 가능성을 고려합니다. 즉 (3.1)에서 도착점인 x_1이 x_0에 무한히 가까워서 $x_1 \to x_0$인 상황, (3.2)에서 이동폭이 무한히 작아서 $\Delta x \to 0$인 상황을 고려하는 것입니다.

[정의] x_0에서 $y = f(x)$의 **미분계수**란 x_0에 무한히 가까운 점과의 기울기, 즉 변화폭 Δx가 무한히 작을 때의 기울기이다. x_0에서의 미분계수를 $f'(x_0)$로 표기하면

$$f'(x_0) = \lim_{x \to x_0} \frac{f(x) - f(x_0)}{x - x_0} = \lim_{\Delta x \to 0} \frac{f(x_0 + \Delta x) - f(x_0)}{\Delta x}$$

참고 $f'(x_0)$은 $y'(x_0)$으로도 표기할 수 있습니다. $'$는 '프라임(prime)'이라고 읽습니다.

$y = x^2$에 대해서 x_0에서의 미분계수를 계산하려면 (3.1)에서 $x_1 \to x_0$인 경우이므로

$$\lim_{x_1 \to x_0} \boxed{x_0 \Rightarrow x_1 \text{의 기울기}} = \lim_{x_1 \to x_0} x_0 + \underbrace{x_1}_{\to x_0} = x_0 + x_0 = 2x_0$$

또는 (3.2)에서 $\Delta x \to 0$인 경우의 극한값을 계산해서

$$\lim_{\Delta x \to 0} \boxed{x_0 \text{에서 } \Delta x \text{ 이동의 기울기}} = \lim_{\Delta x \to 0} 2x_0 + \underbrace{\Delta x}_{\to 0} = 2x_0 \qquad (3.3)$$

입니다. [그림 3.4]를 보면 x좌표가 $x_0 + \Delta x$인 점 B의 위치를 $\Delta x \to 0$의 결과로 점 A에 무한히 가깝게 가져가면서 기울기를 계산한 것으로, x_0(점 A)에서의 접선의 기울기가 됩니다.

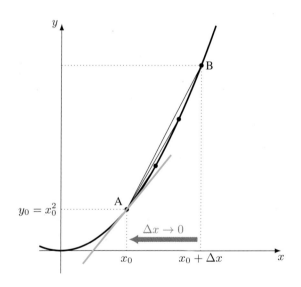

[그림 3.4] x_0에서의 미분계수

따라서 1차함수(직선)인 $y = x$의 기울기가 상수 1인 것과 비교해서, 곡선인 $y = x^2$는 점마다 다른 미분계수를 가지며 이 미분계수들을 모두 모으면, 각 점에서 독립변수가 종속변

수에 미치는 영향을 파악할 수 있습니다.

> 결과 3.1 $x = x_0$에서 $y = f(x) = x^2$의 미분계수는 $y'(x_0) = f'(x_0) = 2x_0$이다.

[그림 3.4]의 그래프에서 오른쪽으로 갈수록 기울기가 점점 가팔라지는(커지는) 것을 알 수 있는데, 역시 공식으로 도출한 미분계수는 x_0가 커질 때 커집니다.

미분계수는 **극한**(limit)의 개념을 사용해서 정의되었습니다. 극한에 대한 엄밀한 수학적 논의는 상당히 까다롭습니다. 이 책에서 까다로운 극한 계산을 할 일은 많지 않으므로, 고교 수학 수준에서 다음 정도의 기초 지식만을 가정하고 진행하겠습니다.

- $\lim\limits_{x \to a} x = a$ (단 a가 실수 즉 $-\infty < a < \infty$이면 x가 a에 수렴, $a = \pm\infty$이면 x는 발산)

- $\lim\limits_{x \to a} x^2 = a^2$

- $\lim\limits_{x \to a} \sqrt{x} = \sqrt{a}$ (단, $a \geq 0$)

- $\lim\limits_{x \to a} \dfrac{1}{x} = \dfrac{1}{a}$ (단, $a \neq 0$)

- $\lim\limits_{x \to 0+} \dfrac{1}{x} = \infty$ (우극한[$x > 0$이면서 $x \to 0$]이 존재하지 않음, 발산)

- $\lim\limits_{x \to 0-} \dfrac{1}{x} = -\infty$ (좌극한[$x < 0$이면서 $x \to 0$]이 존재하지 않음, 발산)

- $\lim\limits_{x \to \pm\infty} \dfrac{1}{x} = 0$

예제 3.1

$y = f(x) = x^2$에 대해 답하시오. (식 (3.1), (3.2), (3.3)을 활용할 수 있음)

(a) $x_0 = 4$, $x_1 = 4.1$일 때 x_0과 x_1 사이의 기울기

(b) $x_0 = 4$에서 $\Delta x = 0.1$만큼 이동할 때의 기울기

(c) $x_0 = 4$에서의 미분계수 $f'(4)$

(d) $x_0 = 4$, $\Delta x = 0.1$일 때 $f'(4) \times \Delta x$를 계산하고, $\Delta y = f(4.1) - f(4)$와 비교하시오.

(a) $x_0 + x_1 = 4 + 4.1 = 8.1$

(b) $2x_0 + \Delta x = 2 \times 4 + 0.1 = 8.1$

(c) $2x_0 = 2 \times 4 = 8$

(d) $f'(4) \times \Delta x = 8 \times 0.1 = 0.8$이고 $\Delta y = (4.1)^2 - 4^2 = 16.81 - 16 = 0.81$로 앞의 값이 조금 작지만 서로 비슷한 수치입니다.

3.3 제곱근함수 $y = \sqrt{x}$

이제 n이 분수인 경우 중 가장 간단한 경우, 즉 $n = 1/2$일 때의 거듭제곱함수 $y = x^{1/2} = \sqrt{x}$를 살펴봅시다. 제곱근함수는 가장 간단한 무리함수입니다. 우리는 실수만을 다루고 있기 때문에 x가 음수이면 제곱근을 계산할 수 없고, 따라서 이 함수는 음수에 대해서는 정의되지 않습니다. 이 함수의 그래프가 대략 다음의 모양임을 알고 있을 것입니다. 정의역은 $x \geq 0$이고, 치역 또한 $y \geq 0$입니다.

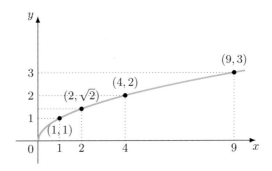

[그림 3.5] $y = \sqrt{x}$의 그래프

이 함수도 증가함수입니다. 하지만 $y = x^2$의 기울기가 점점 급해졌던 것과 반대로, 기울기가 오른쪽으로 갈수록 점점 완만해집니다. 이 함수의 그래프도 곡선이므로 기울기를 하나의 숫자로 나타낼 수는 없을 것입니다. $y = x^2$에서처럼 미분계수를 계산하겠습니다.

두 점 (x_0, y_0)과 (x_1, y_1) 사이의 기울기를 (3.1)에서처럼 계산하면[6]

$$\boxed{x_0 \Rightarrow x_1 \text{의 기울기}} = \frac{\sqrt{x_1} - \sqrt{x_0}}{x_1 - x_0} = \frac{x_1 - x_0}{(x_1 - x_0)(\sqrt{x_1} + \sqrt{x_0})} = \frac{1}{\sqrt{x_1} + \sqrt{x_0}} \quad (3.4)$$

또한 x_0에서 Δx만큼 변할 때의 기울기를 (3.2)에서처럼 계산하려면 (3.4)에 $x_1 = x_0 + \Delta x$를 대입하면 되므로

$$\boxed{x_0 \text{에서 } \Delta x \text{ 이동의 기울기}} = \frac{1}{\sqrt{x_0 + \Delta x} + \sqrt{x_0}} \quad (3.5)$$

이므로 x_0에서의 미분계수는 (3.4)에서 $x_1 \to x_0$ 또는 (3.5)에서 $\Delta x \to 0$이 되게 하여

$$y'(x_0) = \frac{1}{\sqrt{x_0 + \underbrace{\Delta x}_{\to 0}} + \sqrt{x_0}} = \frac{1}{\sqrt{x_0} + \sqrt{x_0}} = \frac{1}{2\sqrt{x_0}} \quad (3.6)$$

입니다. [그림 3.5]의 그래프와 비교해보면 $x_0 = 0$일 때는 미분계수가 정의되지 않고(그림

---

6) 계산과정에서 무리식의 '유리화'를 사용했습니다. 즉 분자와 분모에 모두 $\sqrt{x_1} + \sqrt{x_0}$을 곱했습니다.

을 보면 수직, 즉 기울기가 ∞입니다), x_0이 커지면 미분계수는 점점 작아집니다.

결과 3.2 $x = x_0$에서 $y = f(x) = \sqrt{x}$의 미분계수는 $y'(x_0) = f'(x_0) = \dfrac{1}{2\sqrt{x_0}}$이다.

참고: 역함수의 미분계수

나중에 제대로 공부하겠지만, 여기서 $y = x^2$과 $y = \sqrt{x}$ 사이에 밀접한 관계가 있음을 주목해보겠습니다.
고등학교 수학 방식으로 말하자면 두 함수는 서로 역함수입니다. x를 독립변수로 고정시키지 않는 우리
방식에 따르자면 $y = x^2$의 역함수는 $x = \sqrt{y}$입니다(단, $x \geq 0$, $y \geq 0$으로 제한).
앞에서 본대로 임의의 점 $(x_0, y_0) = (x_0, x_0^2)$에서 $y = x^2$의 미분계수는 $y'(x_0) = 2x_0$입니다. 한편 역함수
$x = \sqrt{y}$에 대해 $y = y_0$에서 미분계수는 $\dfrac{1}{2\sqrt{y_0}}$입니다. 그런데 $y_0 = x_0^2$이므로 이를 대입하면 역함수
$x = \sqrt{y}$에 대해 $y = y_0(= x_0^2)$에서의 미분계수는 $x'(y_0) = \dfrac{1}{2\sqrt{x_0^2}} = \dfrac{1}{2x_0} = \dfrac{1}{y'(x_0)}$입니다. 즉 두
미분계수 $y'(x_0)$과 $x'(y_0)$이 서로 역수입니다.

예제 3.2

노동투입시간을 L, 생산량을 Q라 할 때 생산함수가 $Q = \sqrt{L}$이다. 현재 투입노동시간이 $L = 4$인데,
노동투입시간을 아주 조금 더 늘린다면 이로 인한 생산량의 증가는 얼마가 되겠는가?

$L = L_0$에서 생산함수의 미분계수는 $Q'(L_0) = \dfrac{1}{2\sqrt{L_0}}$이므로 $L = 4$에서 미분계수는 $Q'(4) = \dfrac{1}{2\sqrt{4}} = \dfrac{1}{4}$입니다. 즉 노동투입이 (무한히) 조금 ΔL만큼 늘어나는 경우 생산량은 $\dfrac{1}{4}\Delta L$만큼 늘어날 것입니다. 구체적으로 숫자를 넣어서 계산해볼까요? 현재 $L = 4$라면 생산량은 $Q = \sqrt{4} = 2$입니다. 여기서 노동투입시간을 $\Delta L = 0.1$만큼 늘려준다면 미분계수는 생산량이 약 $\dfrac{1}{4} \times 0.1 = 0.025$ 늘어날 것이라고 예측합니다. 실제로 $L = 4.1$을 생산함수에 대입하면 $Q(4.1) = \sqrt{4.1} \approx 2.0248...$로 예측치와 거의 일치합니다.

예제 3.3

앞의 예제에 이어서 노동자에게 시간당 임금 1(만 원)을 지급한다면, 생산량이 Q일 때 사장이 지불해야
하는 총임금을 계산해서 비용함수를 도출하고, 그 미분계수를 공식으로 구하시오.

생산함수가 $Q = \sqrt{L}$이라면 그 역함수인 요소투입요구량함수는 $L = Q^2$입니다. 즉 Q의 생산을
위해서는 노동을 $L = Q^2$만큼 투입해야 합니다. 노동자에게 지급할 임금이 시간당 1(만 원)이면
결국 노동에 들어가는 비용은 $C(Q) = 1 \times Q^2 = Q^2$입니다. 비용함수가 제곱식이므로, 그 미분계

수는 $Q = Q_0$일 때 $C'(Q_0) = 2Q_0$입니다. 즉 현재 생산량이 Q_0일 때 생산량을 아주 조금 ΔQ만큼 늘려준다면 비용은 $2Q_0 \times \Delta Q$만큼 더 필요합니다. 앞의 예제에서처럼 $L = 4$일 때 $Q = 2$가 현재 상태라고 해봅시다. 현재 비용은 $C(2) = 2^2 = 4$이고 비용의 미분계수는 $C'(2) = 2 \times 2 = 4$입니다. 즉 생산량을 ΔQ만큼 늘려줄 때 비용은 $4\Delta Q$만큼 늘어납니다. 예를 들어 $\Delta Q = 0.1$이라고 하면 비용은 $C(2.1) = (2.1)^2 = 4.41$입니다. 원래 비용에 비해 0.41이 늘어났는데 이는 미분계수에 의한 계산값 $4 \times 0.1 = 0.4$와 거의 비슷합니다.

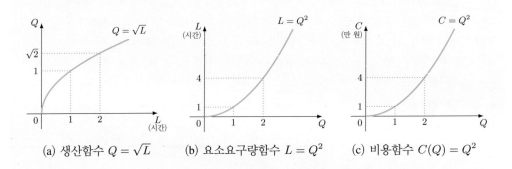

(a) 생산함수 $Q = \sqrt{L}$ (b) 요소요구량함수 $L = Q^2$ (c) 비용함수 $C(Q) = Q^2$

[그림 3.6] 제곱근 생산함수와 제곱 비용함수

3.4   반비례함수 $y = 1/x$

이제 n이 음수일 때 거듭제곱함수를 살펴보겠습니다. $n = -1$이면 $x^{-1} = \dfrac{1}{x}$이 됩니다. 이는 반비례 관계를 나타내는 함수입니다. 분모에 x가 있으므로 $x = 0$일 때는 정의되지 않습니다. 그래프의 모양은 다음과 같습니다. 정의역은 $x \neq 0$이고 치역도 $y \neq 0$입니다.

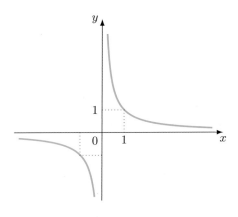

[그림 3.7] $y = 1/x$의 그래프

$x > 0$인 영역과 $x < 0$인 영역을 따로 떼어서 보면 각각 감소함수입니다. ($x < 0$에서 $x > 0$으로 넘어갈 때 함숫값이 한번 증가하므로 전체 영역에서 감소함수는 아닙니다.)

두 점 (x_0, y_0)과 (x_1, y_1) 사이의 기울기는

$$\boxed{x_0 \Rightarrow x_1 \text{의 기울기}} = \frac{y_1 - y_0}{x_1 - x_0} = \frac{\dfrac{1}{x_1} - \dfrac{1}{x_0}}{x_1 - x_0} = \frac{\dfrac{x_0 - x_1}{x_1 x_0}}{x_1 - x_0} = \frac{-\dfrac{x_1 - x_0}{x_1 x_0}}{x_1 - x_0} = -\frac{1}{x_1 x_0}$$

이고 점 x_0에서 변화폭이 Δx일 때

$$\boxed{x_0 \text{에서 } \Delta x \text{ 이동의 기울기}} = -\frac{1}{(x_0 + \Delta x) x_0}$$

이며 따라서 x_0에서 미분계수는 $y'(x_0) = -\dfrac{1}{x_0^2}$ 입니다.

결과 3.3 $x = x_0$에서 $y = f(x) = \dfrac{1}{x}$ 의 미분계수는 $y'(x_0) = f'(x_0) = -\dfrac{1}{x_0^2}$ 이다.

이 값은 모든 $x_0 \neq 0$에 대해 음수입니다. 따라서 그래프가 전반적으로 감소하는 모양인 것과 일치합니다. 또한 $x_0 > 0$에 대해 x_0가 증가하면 분모가 커지므로 절댓값이 작아집니다. 즉 그래프의 모양이 매우 가파르게 내려가는 모양이다가 점차 완만하게 바뀝니다.

예 3.1

독립변수를 수요량 Q, 종속변수를 가격 P로 놓고 그 관계를 나타내면 수요곡선입니다. 가격과 수량 모두 양수라고 합시다($Q > 0$, $P > 0$). 만약 수요곡선의 식이 $P = \dfrac{1}{Q}$ 이라면 이 수요곡선은 감소함수(수요의 법칙)이고 기울기가 점차 완만해지는 반비례 그래프의 모양입니다([그림 3.8]).

어떤 경우에 이런 수요곡선이 나올까요? 식 $P = \dfrac{1}{Q}$ 를 재정리하면 $PQ = 1$입니다. 가격 P와 수요량 Q를 곱한 값은 소비자에게는 재화 구입에 대한 지출액이고, 판매자로서는 매출액입니다. 그런데 $PQ = 1$이라는 것은 소비자의 지출액이 특정 가격이나 수량과 관계없이 1로 일정하다는 것입니다. 이런 경우 경제학에서는 **단위탄력적**(unit elastic) 수요라고 말합니다.

이런 수요곡선의 '기울기' 즉 미분계수는 $Q = Q_0$일 때 $-1/Q_0^2$입니다. $Q_0 = 1$이면 이때 가격은 $P = 1$이고, 미분계수는 -1입니다. 즉 현재 수요량 1을 아주 조금 예컨대 0.01만큼 늘려주려고 한다면, 가격도 현재 1에서 대략 0.01만큼 낮추어야 합니다. 새로운 가격 0.99에 새로운 수요량 1.01이면 지출액(매출액)은 $0.99 \times 1.01 = 0.9999$입니다. 일정하다는 1과 다르게 나왔는데, 이것은 무한히 작은 변화에 적용되는 미분계수를 무한히 작지 않은 0.01에 적용했기 때문에 생긴 오

차입니다. 정확하게는 $Q = 1.01$ 을 위해 가격은 $P = 1/1.01 = 0.99009900\ldots$ 이 되어야 합니다.

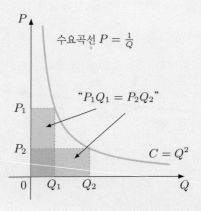

[그림 3.8] 단위탄력적 수요곡선

만약 현재 수요량이 $Q_0 = 2$ 라면 가격은 $P = 1/2$ 이고 미분계수는 $-1/4$ 입니다. 여기서 수요량을 0.01 늘리고 싶다면, 이번에는 가격을 대략 $0.01/4 = 0.0025$ 정도 낮추어야 합니다. 즉 새 가격 $0.5 - 0.0025 = 0.4975$ 에 새 수요량 2.01이면 지출액(매출액)은 $0.4975 \times 2.01 = 0.999975$ 로 거의 1이 맞습니다. 정확하게는 수요량 2.01을 위해 가격은 $1/2.01 = 0.4975124378$ 이 되어야 합니다.

극한은 실수체계 및 미분적분학의 기반이 되는 중요한 개념입니다. 극한에서 '$x \to a$'라는 것은 x가 실제로 a와 같지는 않지만($x \neq a$), x의 값이 a에 '무한히' 가까워진다는 뜻입니다. 이것이 무슨 의미인지에 대해 역사적으로 많은 논란이 있었습니다. 여기서 엄밀한 논의를 할 수는 없지만 대략 설명해보겠습니다.

평범한 식에서는 $x \to a$를 사실상 $x = a$로 취급해도 별 문제가 없습니다. 하지만 특히 미분과 관련하여 문제가 발생하는 것은 분수식의 분모가 0으로 가는 경우입니다.

먼저 분수식에서 일반적으로 분모에 0이 올 수 없다는 사실을 확인해 봅시다. $\frac{a}{b} = r$ 이라는 식의 의미는 분자인 a가 분모 b의 r배라는 것, 즉 $a = rb$ 라는 것입니다. 그런데 $b = 0$ 이면 어떤 실수 r을 곱하든지 $rb = 0$ 이기 때문에, a도 0이어야만 합니다. $a \neq 0$ 이면서 $b = 0$ 이면 애초에 r이라는 a와 b 사이의 비는 계산이 불가능합니다. 따라서 $a \neq 0$ 이면 $r = \frac{a}{0}$ 를 만족하는 실수는 없습니다. (극한에서는 $\lim\limits_{b \to 0+} \frac{a}{b} = \infty$ 가 됩니다.)

그런데 만약 분모 b가 0일 때 분자 a도 0이면 어떻게 될까요? $0 = r \times 0$은 모든 r에 대해서 성립하는 항등식입니다. 즉 r에 어떤 수를 넣어도 식이 성립합니다. 다시 말해서

$$\frac{0}{0} = \text{아무 숫자}$$

가 됩니다.

그런데 미분계수는 x_0에서의 변화폭 Δx가 0으로 다가갈 때, $\dfrac{\Delta y}{\Delta x}$를 계산하는데, $\Delta x \to 0$이라면 $\Delta y \to 0$도 성립합니다. 따라서 Δx와 Δy가 실제로 각각 0이라면 미분계수는 '아무 숫자'라는 결론이 나오게 됩니다. 하지만 $\displaystyle\lim_{\Delta x \to 0} \dfrac{\Delta y}{\Delta x}$에서는 Δx, Δy가 실제 0이 되는 것이 아니고 0이 무한히 가까워지는 그러나 0이 아닌 숫자들입니다. 이 경우 분수가 나타내는 비가 존재하는 경우가 있습니다. 예컨대 $a = 2x$, $b = x$라면 $x \to 0$일 때 a, b는 모두 0에 다가가지만 각각은 모두 실제 0이 아니고 그 비는 $\dfrac{a}{b} = \dfrac{2x}{x} = 2$로 정해집니다. 즉

$$미분계수 = \frac{\Delta y(\to 0)}{\Delta x(\to 0)} = 하나의\ 숫자$$

그래서 극한에서 $x \to a$일 때 $x \neq a$임이 중요합니다. 미분계수의 계산에는 0이 아니면서 0에 다가가는 Δx, Δy가 필요합니다. 또한 이들의 비가 하나의 숫자로 나와야 합니다. 영국의 철학자 버클리(Berkeley)는 미분의 이런 논리를 '떠나버린 수량들의 유령(the ghosts of departed quantities)'이라 조롱하기도 했습니다.

TIP 버클리가 비난한 뉴턴의 유령 논리

더 자세한 내용은
https://sites.google.com/ewha.ac.kr/mathecon/texts/readings/berkeley

연습문제

3-1 다음의 함수들에 대해 각각 $x_0 = 1$일 때의 미분계수를 계산하시오.

(a) $y = x^2$

(b) $y = \sqrt{x}$

(c) $y = 1/x$

3-2 상수 c에 대해서 다음의 함수들의 $x = x_0$에서의 미분계수를 식으로 도출하시오.

(a) $y = cx^2$

(b) $y = c\sqrt{x}$

(c) $y = c/x$

3-3 노동투입시간을 L, 생산량을 Q라 할 때 생산함수가 $Q = \sqrt{L}$이다. 또한 노동의 시간당 임금이 1(만 원)이다. 현재의 생산수량이 $Q = 1$일 때 생산량을 아주 조금 늘린다면 비용은 얼마나 늘어나겠는가?

3-4 수요곡선의 식이 $P = \dfrac{1}{Q}$이다. $Q = 1, 2, 3$일 때 수요곡선의 미분계수(접선의 기울기)를 계산하고 비교하시오.

Chapter 04

도함수와 미분의 기본규칙:
다항함수

제4장에서는 ··

앞 장에서 몇 가지 거듭제곱함수의 미분계수를 구해보았습니다. 이 작업을 일반화합니다.

첫째, 특정 점에서 미분계수를 일일이 계산하는 것이 아니라, 주어진 함수의 모든 점에서의 미분계수를 한꺼번에 계산합니다. 이를 **도함수**(derivative)라 하고, 도함수를 구하는 과정을 **미분**(differentiation)이라고 합니다.

둘째, 거듭제곱함수의 도함수를 계산하는 일반 공식을 알아봅니다. 이를 **거듭제곱규칙**(power rule)이라고 합니다.

셋째, (도함수를 알고 있는) 여러 함수를 결합하여 만든 새로운 함수에 대해 쉽게 도함수를 알아내는 기본 **미분규칙**들을 수립합니다. 이를 통해 모든 다항함수를 미분할 수 있습니다.

주요 개념

- 수학: 도함수, 거듭제곱규칙, 상수곱규칙, 합차규칙
- 경제학: 한계생산, 한계비용, 고정비용, 한계수입

주요 결과

- 단항식 x^n 의 도함수는

$$(x^n)' = nx^{n-1} \qquad \text{(거듭제곱규칙)}$$

- 다항함수 $f(x) = a_0 + a_1 x + a_2 x^2 + \cdots + a_n x^n$ 의 도함수는

$$f'(x) = a_1 + 2a_2 x + \cdots + na_n x^{n-1}$$

도함수

앞 장에서 만난 **미분계수**는 함수 그래프의 어떤 한 점에서 접선의 기울기입니다. 함수 $y = f(x)$에 대해서 특정한 독립변숫값 $x = x_0$을 지정하면 그 점 $(x_0, f(x_0))$에서 미분계수를

$$f'(x_0) = \lim_{x_1 \to x_0} \frac{f(x_1) - f(x_0)}{x_1 - x_0} = \lim_{\Delta x \to 0} \frac{f(x_0 + \Delta x) - f(x_0)}{\Delta x} \qquad (x_0 \text{에서 미분계수})$$

로 계산합니다. 미분계수를 구하려면 위의 극한(limit)값을 계산해야 합니다.

미분계수는 하나의 숫자 $f'(x_0)$으로 계산됩니다. 그런데 위의 공식에서 x_0은 임의로 택한 x의 값입니다. 따라서 $f'(x_0)$에서 x_0을 변수 x로 대체하면, 변수 x를 가진 식 $f'(x)$가 됩니다.

예컨대 $f(x) = x^2$일 때 $x = x_0$에 대해 미분계수는 $f'(x_0) = 2x_0$임을 앞 장에서 계산했습니다. 그렇다면 임의의 값 x_0을 그저 변수이름 x로 대체할 경우 $f'(x) = 2x$가 되고 이 공식을 이용하면 임의의 x 값에 대해 미분계수를 계산할 수 있습니다. 그런데 이 x는 원래 함수 $f(x)$의 독립변수이기도 합니다. 같은 독립변수 x를 사용하는 새로운 함수 $f'(x)$가 도출되었습니다. 이를 $f(x)$로부터 '도출'(derive)된 **도함수**(derivative)라고 합니다.

> [정의] 함수 $y = f(x)$의 **도함수**는 정의역의 모든 x마다 그 점에서의 미분계수를 알려주는 함수 $f'(x)$이며, 다음과 같이 정의할 수 있다.
>
> $$f'(x) = \lim_{\Delta x \to 0} \frac{f(x + \Delta x) - f(x)}{\Delta x}$$

미분가능

도함수도 이름이 '함수'이므로 수학적으로 함수가 되어야 합니다. 즉 $f'(x)$이라고 적었을 때, 정의역의 모든 x값마다 미분계수 $f'(x)$가 단 1개 대응되어야 합니다. 앞에서 도출한 x^2의 도함수의 경우 $2x$라는 공식은 이미 알려진 함수식이며 x값마다 단 1개의 값이 대응되므로 도함수가 맞습니다. 하지만 모든 함수가 도함수를 가지는 것은 아닙니다. 즉 미분계수가 점마다 단 1개로 계산되지 않는 경우에는 도함수를 구성할 수 없습니다.

정의역의 모든 점에서 미분계수를 단 1개로 계산할 수 있고, 그래서 도함수를 '함수'로 도출하는 경우 함수가 **미분가능**(differentiable)하다고 말합니다. 우리가 다루게 될 기초 함수들(다항함수, 유리함수 등등)은 대부분 미분가능합니다. 고교 수학에서 공부한대로 미분가능하지 않은 함수로는 불연속인 함수, 그리고 연속이지만 $y = |x|$와 같이 특정한 점($x = 0$)에서 미분계수가 1개로 정의되지 않는 함수가 있습니다.

참고 **도함수의 표기법**

도함수의 표기법은 상황과 목적에 따라 다양합니다. 널리 사용되는 표기법들을 이 책에서도 사용하겠습니다. (프라임은 라그랑지의 표기법, 분수는 라이프니츠의 표기법입니다.)

- y': 종속변수 기호에 $'$(프라임, prime) 기호를 붙임

- f': 함수 기호에 $'$ 기호를 붙임

- $f'(x)$: f'에 독립변수 이름을 추가로 표시해 x의 함수임을 강조

- $\dfrac{dy}{dx}$: 미분계수의 계산법인 $\lim\limits_{\Delta x \to 0} \dfrac{\Delta y}{\Delta x}$ 를 형상화, dx는 $\Delta x \to 0$를, dy는 그에 따른 $\Delta y \to 0$를 나타냄

- $\dfrac{df}{dx}$: 종속변수 기호 y 대신 함수 기호 f를 사용

- $\dfrac{df}{dx}(x)$: 도함수도 x의 함수임을 강조

참고로 뉴턴은 변수 위에 점을 찍어서 $\dot{y}$로 썼습니다. 지금도 물리학이나 미분방정식에서는 많이 쓰는 방식이고, 주로 독립변수가 시간(t)일 때 씁니다. 즉 $\dot{y} = \dfrac{dy}{dt}$ 입니다.

한편 '미분하기'라는 계산을 나타내는 기호로 $\dfrac{d}{dx}$ 를 쓰기도 합니다. 즉 $\dfrac{d}{dx}$ 는 "x로 미분하시오"라는 명령어로 이해하면 됩니다. 예를 들어 $f(x) = x^2$ 일 때

$$\frac{d}{dx}f = \frac{d}{dx}x^2 = 2x$$

앞에서 우리는 몇 가지 간단한 경우들에 대해 거듭제곱함수 $y = x^n$ 의 형태를 살펴보고, 특히 미분계수를 계산해 보았습니다. 그 결과에서 x_0을 x로 다시 적으면 도함수입니다.

$$n = 1 \qquad (x)' = 1$$
$$n = 2 \qquad (x^2)' = 2x$$
$$n = 1/2 \qquad (x^{1/2})' = \frac{1}{2\sqrt{x}} = \frac{1}{2x^{1/2}} = \frac{1}{2}x^{-1/2}$$
$$n = -1 \qquad (x^{-1})' = -\frac{1}{x^2} = -x^{-2}$$

4.1.1 경제학의 한계 개념과 도함수

경제학에는 '한계'(marginal)로 시작되는 용어가 아주 많습니다. 이들은 미분계수 또는 도함수라고 생각하면 됩니다. 제2장에서 등장했던 **한계소비성향**은 케인즈 소비함수 $C = C_0 + bY$ 의 기울기 b였습니다. 만약 소비함수가 1차함수가 아니라면 $C(Y)$에 대해 그 도함수 $C'(Y)$로 소득수준 Y일 때의 한계소비성향을 계산할 수 있습니다.

그 외에도 경제학에는 한계비용, 한계수입, 한계생산, 한계효용, 한계대체율 등등 많이 등장하는데 이들도 모두 미분계수/도함수입니다. 도함수는 미분계수를 알려주고, 미분계수는 독립변수가 아주 조금 변할 때 종속변수가 그의 몇 배나 반응하는지를 알려주는 개념입니다. 따라서 경제학에서 '한계'가 붙은 개념이 함수 형태로 등장하면 독립변숫값이 아주 조금 변할 때, 종속변수가 그 몇 배나 반응하는지를 알 수 있습니다.

예 4.1

생산함수 $Q = f(L)$은 노동투입시간이 L일 때 생산량 Q를 계산해주는 식입니다. 생산함수의 미분계수는 한계생산(marginal product), 도함수는 한계생산함수(marginal product function)라고 합니다. (한계생산을 한계생산성(marginal productivity)이라고 부르는 경우도 있습니다.) 해석은 노동투입시간이 아주 조금 늘어날 때, 재화 생산량은 얼마나 늘어나는지를 나타냅니다. $Q = \sqrt{L}$이라면 한계생산은 $(\sqrt{L})' = \dfrac{1}{2\sqrt{L}}$ 입니다. 예를 들어 $L = 1$일 때 한계생산은 $1/2$, $L = 4$일 때 한계생산은 $1/4$입니다. 즉 투입노동시간이 1에서 조금 늘어나면 늘어난 시간의 약 0.5배만큼 생산이 늘고, 노동시간이 4에서 조금 늘어나면 늘어난 시간의 약 0.25배만큼 생산이 늘어납니다.

예 4.2

비용함수 $C(Q)$는 재화 생산량 Q에 들어가는 비용을 알려주는 함수입니다. 비용함수의 미분계수를 한계비용(marginal cost), 도함수를 한계비용함수(marginal cost function)라고 합니다. 영어 약자를 따서 MC라고 표기합니다. 재화 생산량을 아주 조금 늘리기 위해서 추가로 들어가는 비용이 얼마나 되는지를 나타냅니다. $C(Q) = Q^2$이라면 한계비용은 $\mathrm{MC}(Q) = (Q^2)' = 2Q$가 됩니다. 예를 들어 $Q = 1$이면 한계비용은 2, $Q = 2$이면 한계비용은 4입니다. 다음 표에 Q를 아주 조금 늘린 경우 비용 변화를 계산해 보았습니다. ΔQ가 작아질수록 한계비용값과 비슷해집니다.

	생산량 Q	비용 $C = Q^2$	기울기 $\Delta C/\Delta Q$	한계비용 $\mathrm{MC} = C' = 2Q$
	1	1		2
$\Delta Q = 0.1$	1.1	1.21	2.1	
$\Delta Q = 0.01$	1.01	1.0201	2.01	
$\Delta Q = 0.001$	1.001	1.002001	2.001	
	2	4		4
$\Delta Q = 0.1$	2.1	4.41	4.1	
$\Delta Q = 0.01$	2.01	4.0401	4.01	
$\Delta Q = 0.001$	2.001	4.004001	4.001	

4.2 n이 자연수일 때 거듭제곱규칙

거듭제곱규칙(power rule)은 x^n의 도함수를 알려주는 공식으로 다음과 같습니다.

> **결과 4.1 거듭제곱규칙**: $(x^n)' = nx^{n-1}$ (단, n은 임의의 실수 상수)

이 공식에 $n = 1, 2, ^1/_2, -1$을 대입해보면 알고 있는 결과와 같음을 확인할 수 있습니다. 거듭제곱규칙은 n이 임의의 실수일 때 적용되지만, 다항함수 미분을 위해서는 일단 n이 자연수일 때 즉 x, x^2, x^3, $\cdots$인 경우로 제한해도 됩니다. 이 경우에 대해서 규칙이 성립하는 것은 제법 쉽게 증명할 수 있습니다. (이 증명은 참고로 제시하며 꼭 알 필요는 없습니다.)

증명 ....

먼저 $x_1^n - x_0^n$이 다음과 같이 인수분해된다는 것을 확인합시다.

$$
\begin{aligned}
x_1^n - x_0^n &= (x_1 - x_0)(x_1^{n-1} + x_1^{n-2}x_0 + x_1^{n-3}x_0^2 + \cdots + x_1 x_0^{n-2} + x_0^{n-1}) \\
&= \boxed{x_1^n + x_1^{n-1}x_0 + x_1^{n-2}x_0^2 + \cdots + x_1^2 x_0^{n-2} + x_1 x_0^{n-1}} \\
&\quad \boxed{-x_1^{n-1}x_0 - x_1^{n-2}x_0^2 - \cdots - x_1^2 x_0^{n-2} - x_1 x_0^{n-1}} - x_0^n
\end{aligned}
$$

이제 (x_0, x_0^n)과 (x_1, x_1^n) 사이의 기울기를 계산해보면

$$
\begin{aligned}
\boxed{x_0 \Rightarrow x_1 \text{의 기울기}} &= \frac{y_1 - y_0}{x_1 - x_0} = \frac{x_1^n - x_0^n}{x_1 - x_0} \\
&= \frac{(x_1 - x_0)(x_1^{n-1} + x_1^{n-2}x_0 + \cdots + x_1 x_0^{n-2} + x_0^{n-1})}{x_1 - x_0} \\
&= x_1^{n-1} + x_1^{n-2}x_0 + \cdots + x_1 x_0^{n-2} + x_0^{n-1}
\end{aligned}
$$

이고 $y'(x_0)$은 $x_1 \to x_0$일 때의 극한이므로 위 식에 $x_1 = x_0$을 대입하면

$$
y'(x_0) = \underbrace{x_0^{n-1} + x_0^{n-1} + \cdots + x_0^{n-1} + x_0^{n-1}}_{n개} = nx_0^{n-1}
$$

입니다. 물론 x_0은 임의의 점이므로 x_0을 x로 대체할 수 있습니다. 따라서

$$
(x^n)' = nx^{n-1}, \quad n = 1, 2, 3, \ldots
$$

위의 인수분해식은 n이 자연수일 때 적용되므로 '$n = 1, 2, 3, \ldots$'이라는 단서가 붙었습니다. ◀

예 4.3

$$(x^3)' = 3x^2, \quad (x^4)' = 4x^3, \quad (x^{50})' = 50x^{49}, \quad (x^{100})' = 100x^{99}$$

n이 음의 정수인 경우나, 분수인 경우도 앞 장에서 $1/x$이나 $\sqrt{x}$의 미분계수를 계산했던 것을 참조해서 위의 증명을 조금 수정하면 증명할 수 있습니다. 앞으로 제9장에서 고급기법을 사용해서 한꺼번에 증명할 것이므로 생략합니다.

예 4.4

n이 음의 정수일 때 몇 가지 경우에 거듭제곱규칙을 적용해보면

$$\left(\frac{1}{x}\right)' = (x^{-1})' = -x^{-2} = -\frac{1}{x^2}$$

$$\left(\frac{1}{x^2}\right)' = (x^{-2})' = -2x^{-3} = -\frac{2}{x^3}$$

$$\left(\frac{1}{x^3}\right)' = (x^{-3})' = -3x^{-4} = -\frac{3}{x^4}$$

n이 분수형태일 때는

$$(\sqrt{x})' = (x^{1/2})' = \frac{1}{2}x^{-1/2} = \frac{1}{2\sqrt{x}}$$

$$(\sqrt[3]{x})' = (x^{1/3})' = \frac{1}{3}x^{-1/3} = \frac{1}{3\sqrt[3]{x}}$$

$$(x\sqrt{x})' = (x^{3/2})' = \frac{3}{2}x^{1/2} = \frac{3}{2}\sqrt{x}$$

거듭제곱규칙의 직관적 이해: $n = 2$의 경우

$(x^2)' = 2x$ 즉 제곱함수의 도함수는 $2x$입니다. 그런데 왜 그럴까요? 제곱함수는 그래프의 기울기가 점점 가팔라지는 모양이므로 도함수가 증가함수로 나온 것은 자연스럽습니다. 그런데 기울기가 증가하는 정도가 일정하게 (x가 1증가할 때마다 미분계수는 2씩 증가) 나타납니다. 왜 하필 2라는 숫자가 나오고, 왜 미분계수는 하필 x에 비례하는지 아래 그림으로 이해해 봅시다.

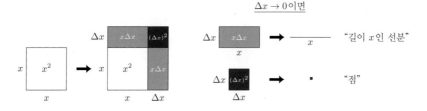

[그림 4.1] $(x^2) \Rightarrow (x + \Delta x)^2$

x^2의 도함수(미분계수)는 $x \Rightarrow x + \Delta x$로 변했을 때 x^2은 Δx의 몇 배나 변하는지를 나타냅니다. x^2은 각 변의 길이가 x인 정사각형의 면적입니다. 한편 $x + \Delta x$로 변한 결과인 $(x + \Delta x)^2$는 각 변의 길이를 Δx씩 늘려준 더 큰 정사각형의 면적입니다. (편의상 $\Delta x > 0$인 경우를 생각하겠습니다.)

면적이 늘어난 부분은 크게 3곳으로 그림에 칠해져 있습니다. 사각형의 위에 누운 직사각형은 높이가 Δx이고 밑변이 x이므로 $x\Delta x$의 면적입니다. 오른쪽에 서 있는 직사각형은 높이가 x이고 밑변이 Δx여서 또 $x\Delta x$의 면적입니다. 한편 오른쪽 위 구석에 작은 정사각형은 $(\Delta x)^2$의 면적입니다.

이제 Δx를 0에 가깝게 작게 만들면, 사각형 위와 오른쪽에 붙은 직사각형은 길이만 있는 '선분'이 됩니다. 그 길이는 각각 x입니다. 구석의 정사각형은 너무나 작아져서 면적이 없는 '점'이 됩니다. 즉 $\Delta x \to 0$만큼 각 변이 늘어날 때, 새로 생기는 면적은 위쪽의 선분 x와 오른쪽의 선분 x, 더하면 $2x$입니다.

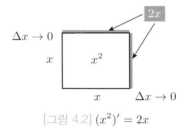

[그림 4.2] $(x^2)' = 2x$

거듭제곱규칙의 직관적 이해: $n = 3$의 경우

똑같은 논리로 $(x^3)' = 3x^2$도 설명할 수 있습니다. 이번에는 각 변의 길이기 x인 정육면체의 부피가 x^3이고, 이 정육면체의 각 변의 길이를 아주 조금 $\Delta x \to 0$만큼 늘려준다고 생각하면 됩니다. 이는 그림으로 표현하면 두께가 거의 없는 얇은 종잇장을 세 군데 붙여주는 셈이고, 각 종잇장의 면적은 x^2입니다. x^2이 3개 더해지니까 결과는 $3x^2$입니다.

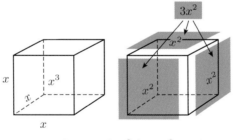

[그림 4.3] $(x^3)' = 3x^2$

더 이상 그림으로 그릴 수는 없지만 n이 더 높아져도 비슷한 논리로 x^n보다 한 차원 낮은 x^{n-1}이 n개 추가되는 상황을 상상해보면 $(x^n)' = nx^{n-1}$도 어느 정도 이해될 것입니다.

이 장에서 우리의 목표는 다항함수를 미분하는 것입니다. 다항함수는 다음의 형태를 갖습니다(아래에서 $a_0, a_1, \ldots, a_n$는 어떤 상수).

$$a_0 + a_1x + a_2x^2 + \cdots + a_nx^n \tag{다항함수}$$

다항함수는 여러 개의 항으로 구성되는데 각 항은 어떤 상수 a_k에 대해 a_kx^k의 형태이고, 이 항들을 모두 더하거나 뺀 결과물이 다항함수인 것입니다.

이 중에서 x^k는 거듭제곱규칙에 따라 미분할 수 있습니다. 따라서 다항함수를 미분하기 위해서 우리에게 필요한 것은 (1) 어떤 함수에 상수를 곱했을 때 미분하는 법, (2) 어떤 2개 이상의 함수들을 더하거나 뺐을 때 미분하는 법입니다.

이 2가지는 매우 이해하기 쉽습니다. 다음 **미분규칙 (1)**과 (2)로 제시합니다. 이 규칙은 거듭제곱함수가 아니더라도 모든 함수에 적용됩니다. 사실 여러 개의 함수에 대해서 결합하는 방식은 (1) 상수곱, (2) 덧셈/뺄셈 외에도 (3) 곱셈, (4) 합성 및 (5) 나눗셈이 있습니다. 이는 제2부에서 고급 미분규칙으로 소개하겠습니다.

4.3.1 미분규칙 (1) 함수의 상수곱

어떤 함수 $f(x)$가 미분가능하고 그것의 도함수 $f'(x)$를 이미 알고 있다고 합시다. 그렇다면 어떤 상수 c를 $f(x)$에 곱해서 만든 새로운 함수 $cf(x)$를 어떻게 미분하면 될까요? 답은 먼저 $f(x)$부터 미분하고 그 결과에 c를 곱하면 됩니다.

> 결과 4.2 미분가능한 함수 $f(x)$의 도함수가 $f'(x)$이고 c는 임의의 상수일 때
>
> **미분규칙 (1) [상수곱규칙]**: $(cf(x))' = cf'(x)$

이 규칙의 증명은 그다지 어렵지 않습니다.[7] 논리는 다음 그림처럼 이해할 수 있습니다.

---

[7] 다음과 같습니다. 하지만 이 증명은 극한 계산에서 상수곱을 나중에 해도 된다는 사실을 이용하는데, 그 사실을 증명하려면 극한에 대한 엄밀한 논의가 필요합니다.

$$\begin{aligned}
(cf(x))' &= \lim_{\Delta x \to 0} \frac{cf(x+\Delta x) - cf(x)}{\Delta x} = \lim_{\Delta x \to 0} \frac{c(f(x+\Delta x) - f(x))}{\Delta x} \\
&= \lim_{\Delta x \to 0} c\frac{f(x+\Delta x) - f(x)}{\Delta x} = c\underbrace{\lim_{\Delta x \to 0} \frac{f(x+\Delta x) - f(x)}{\Delta x}}_{=f'(x)} \\
&= cf'(x)
\end{aligned}$$

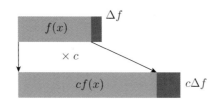

[그림 4.4] 상수곱규칙의 이해

도함수는 미분계수를 구하는 것이고 미분계수는 독립변수가 아주 조금(Δx) 변할 때 함수의 값이 얼마나(Δf) 변하는지를 나타냅니다. 즉 $f \Rightarrow f + \Delta f$. 그런데 함수 전체에 상수 c를 곱해준다면 함수의 변화(Δf)에도 똑같이 c가 곱해지고 따라서 미분계수에도 c가 곱해지는 것입니다. 즉 $cf \Rightarrow c(f + \Delta f) = cf + c\Delta f$. 이 성질은 1차함수에 대해서는 이미 우리가 당연하게 생각하는 것입니다. 기초 정비례식 $y = x$는 기울기 1인데, 여기에 상수 c를 곱해준 정비례식 $y = cx$는 기울기 c를 갖습니다.

이제 **거듭제곱규칙**과 **상수곱규칙**을 결합하면 우리는 모든 단항함수를 미분할 수 있습니다.

$$(cx^n)' = cnx^{n-1} \hspace{3cm} \text{(단항함수의 도함수)}$$

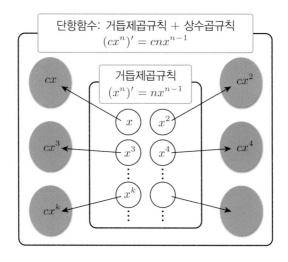

[그림 4.5] 모든 단항함수를 미분할 수 있다

$(2x^3)' = 3 \times 2x^2 = 6x^2, \quad (\sqrt{3}x^3)' = 3\sqrt{3}x^2, \quad (\frac{1}{5}x^5)' = 5 \times \frac{1}{5}x^4 = x^4$

특히 $(\frac{1}{n+1}x^{n+1})' = (n+1) \times \frac{1}{n+1}x^n = x^n$ 이 성립하는데, 이는 나중에 적분에서 유용합니다.

- 생산함수가 $f(L) = \sqrt{L}$ 일 때, 한계생산은 $f'(L) = \dfrac{1}{2\sqrt{L}}$ 입니다. 만약 같은 노동시간 투입 L에 대해서 예전보다 생산량이 2배가 되게 하는 신기술이 있다면 새로운 생산함수는 $g(L) = 2f(L) = 2\sqrt{L}$일 것입니다. 새로운 생산함수의 한계생산은 $g'(L) = 2 \times \dfrac{1}{2\sqrt{L}} = \dfrac{1}{\sqrt{L}}$ 이 됩니다. 생산량이 모두 2배 되었으니, 특정 상황에서 노동시간을 늘릴 때 추가되는 재화 생산량도 2 배가 됩니다.

- 비용함수가 $C(Q) = Q^2$ 인데 이 비용은 달러(\$)로 측정한 것이고, 환율이 달러당 천원 즉 ₩1000/\$라고 해봅시다. 그렇다면 원화로 표시한 비용함수는 $C_W(Q) = 1000Q^2$ 이 될 것이고 이제 한계비용은 $C_W'(Q) = 2000Q$가 됩니다. 화폐를 달러에서 원화로 환산하기 위해서 1000을 곱해야 하므로, 같은 생산량에 대해 비용도 1,000배가 되고, 한계비용도 1,000배가 됩니다.

4.3.2 미분규칙 (2) 함수끼리의 합차

이제 두 개의 함수 $f(x)$, $g(x)$가 미분가능하고 그 도함수 $f'(x)$ $g'(x)$를 이미 알고 있다고 합시다. 그렇다면 두 함수를 더하거나 빼서 만든 새로운 함수 $f(x) \pm g(x)$를 어떻게 미분할까요? 이번에도 답은 먼저 각각 미분하고 그 결과를 서로 더하거나 빼면 됩니다.

> 결과 4.3 미분가능한 $f(x), g(x)$의 도함수가 각각 $f'(x), g'(x)$일 때
> **미분규칙 (2) [합차규칙]**: $(f(x) \pm g(x))' = f'(x) \pm g'(x)$

이 규칙 또한 증명은 쉬운 편입니다.[8] x가 아주 조금 Δx만큼 변할 때, $f(x)$와 $g(x)$는 각각 Δf와 Δg씩 반응하므로, f와 g의 값을 합한 결과물의 반응은 각 반응의 합이 되는 것

---

8) 이 증명은 극한 계산에서 덧셈/뺄셈을 나중에 해도 된다는 사실을 이용합니다.

$$(f(x) \pm g(x))^2 = \lim_{\Delta x \to 0} \frac{f(x + \Delta x) \pm g(x + \Delta x) - (f(x) \pm g(x))}{\Delta x}$$
$$= \lim_{\Delta x \to 0} \frac{f(x + \Delta x) - f(x) \pm (g(x + \Delta x) - g(x))}{\Delta x}$$

이 자연스럽습니다. 이 계산은 이미 1차함수에서 성립하는 것으로 확인되었던 것입니다. 1차함수는 일반적으로 상수항과 1차항의 '합'으로 표현되고, 상수항의 미분계수는 0이므로 언제나 1차항의 계수가 직선의 기울기로 나타납니다. $(a + bx)' = (a)' + (bx)' = 0 + b = b$.

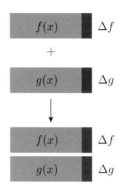

[그림 4.6] 합차규칙의 이해

4.3.3 다항함수의 도함수

드디어 우리는 여러 거듭제곱함수에 적당한 상수들을 곱한 것의 합 또는 차인 모든 다항함수를 미분할 준비가 되었습니다.

결과 4.4

다항함수 $f(x) = a_0 + a_1 x + a_2 x^2 + a_3 x^3 + \cdots + a_n x^n$ 의 도함수는

$$f'(x) = a_1 + 2a_2 x + 3a_3 x^2 + \cdots n a_n x^{n-1}$$

예 4.7

- 이차함수 일반형 $a + bx + cx^2$ 의 도함수는

$$(a + bx + cx^2)' = b + 2cx$$

$$= \underbrace{\lim_{\Delta x \to 0} \frac{f(x + \Delta x) - f(x)}{\Delta x}}_{=f'(x)} \pm \underbrace{\lim_{\Delta x \to 0} \frac{g(x + \Delta x) - g(x)}{\Delta x}}_{=g'(x)}$$
$$= f'(x) \pm g'(x)$$

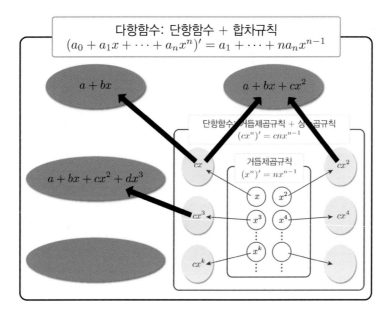

[그림 4.7] 이제 모든 다항함수를 미분할 수 있다

따라서 예를 들어 $(3 + 2x + 5x^2)' = 2 + 10x$

- 삼차함수 일반형 $a + bx + cx^2 + dx^3$ 의 도함수는

$$(a + bx + cx^2 + dx^3)' = b + 2cx + 3dx^2$$

따라서 예를 들어 $(1 + 4x + 2x^2 + \frac{1}{3}x^3)' = 4 + 4x + x^2$

예 4.8

비용함수가 $C(Q) = f + cQ$라면 상수항(절편) f는 생산량이 0일 때 발생하는 비용으로 고정비용(fixed cost)이라고 합니다. 이 비용함수의 도함수는 $C'(q) = c$로 상수인데, 비용함수가 1차함수이므로 사실 그 기울기이고 상수항이 없는 경우와 동일합니다. 즉 한계비용에는 고정비용이 반영되지 않습니다.

$C(Q) = f + \dfrac{1}{2}cQ^2$ 의 한계비용을 식으로 도출하시오.

한계비용이란 비용함수의 도함수이므로 $\text{MC}(Q) = C'(Q) = cQ$ 입니다. 역시 고정비용 f 는 반영되지 않았습니다. 한계비용이 상수였던 예와 달리, 이 비용함수의 한계비용은 생산량에 대해 증가함수입니다. 한계비용함수가 증가함수인 경우, 한계비용 체증이라고도 말합니다. 여기서 '체증'이란 (수량 증가와 함께) 점점 증가한다는 뜻으로, 수학적으로는 증가함수와 같은 의미입니다.

참고 꼭 그럴 필요는 없지만 비용함수식에 굳이 $\dfrac{1}{2}$ 을 넣은 것은 한계비용함수식을 간단하게 만들기 위해서입니다. 이 경우 c 는 한계비용함수의 기울기를 나타내는 상수가 됩니다.

예 4.9

수요곡선이 직선 $P = a - bQ$ 라면, 판매자의 입장에서 Q 를 판매하고자 할 때 $P = a - bQ$ 의 가격을 매긴다는 것입니다. 실제로 $P = a - bQ$ 의 가격을 매겨서 Q 를 판매할 때 얻는 수입(매출)은 $R(Q) = P \times Q = (a - bQ)Q = aQ - bQ^2$ 로 판매량 Q 의 2차함수입니다.

수입함수 $R(Q)$ 의 도함수는 $R'(Q) = a - 2bQ$ 로 계산됩니다. 경제학에서 수입함수의 도함수를 뭐라고 부를까요? 한계수입(marginal revenue)입니다. 그 의미는 판매량을 조금 늘릴 때 수입(매출)이 그 몇 배나 늘어나는지 입니다.

연습문제

4-1 다음 함수들을 미분하시오.

    (a) $y = 100 + \dfrac{1}{2}x^2 + \dfrac{2}{3}x^3$

    (b) $y = x^2 + 2\sqrt{x}$

    (c) $y = x + \dfrac{1}{x}$

4-2 다음 비용함수에 대해 한계비용함수를 도출하시오.

    (a) $C(Q) = 10 + 2\sqrt{Q}$

    (b) $C(Q) = 1 + 100Q^2$

    (c) $C(Q) = Q^3 - 30Q^2 + 300Q$

4-3 기업의 이윤은 수입 $R(Q)$에서 비용 $C(Q)$를 뺀 것이다. 즉 이윤을 π라고 할 때 $\pi(Q) = R(Q) - C(Q)$이다. 이윤함수의 도함수는 한계이윤함수이다. 다음의 수입함수 $R(Q)$와 비용함수 $C(Q)$에 대해 한계이윤함수를 도출하시오.

    (a) $R(Q) = 100Q$, $C(Q) = 50 + \dfrac{1}{2}Q^2$

    (b) $R(Q) = 10Q - Q^2$, $C(Q) = 1 + 5Q$

TIP '한계' 개념의 역사

더 자세한 내용은
https://sites.google.com/ewha.ac.kr/mathecon/texts/readings/
marginal

Chapter 05

미분 활용 (1)
함수의 그래프 및 역도함수

제5장에서는 ···

이 장에서는 미분의 응용과 확장으로서 함수의 그래프 그리기와 적분법을 공부합니다. 미분계수는 함수의 증가/감소를 알려주기 때문에 부호를 알면 그래프의 전반적인 모양을 알수 있습니다. 또한 도함수의 미분계수, 즉 함수의 이계 미분계수를 이용하면 함수 그래프의 모양을 좀 더 정교하게 그릴 수 있습니다.

한편 적분은 미분의 반대 방향 계산으로, 주어진 도함수로부터 원래 함수(역도함수)를 알아내는 과정입니다. 미분의 기본규칙을 활용해서 다항함수를 쉽게 적분할 수 있습니다.

주요 개념

- 수학: 이계도함수, 볼록, 오목, 역도함수, 적분상수, 부정적분

- 경제학: 비용곡선, 한계비용곡선

주요 결과

- 함수 $y = f(x)$의 그래프 그리기

    - 일계도함수 $f'(x)$의 부호로 증가/감소를 판별
    - 이계도함수 $f''(x)$의 부호로 볼록/오목을 판별

- 역도함수 구하기 (부정적분)

    - 거듭제곱함수의 적분 $\int x^n dx = \dfrac{1}{n+1}x^{n+1} + C$
    - 함수의 상수곱의 적분 $\int cf\, dx = c \int f dx$
    - 함수의 합차의 적분 $\int f \pm g\, dx = \int f\, dx \pm \int g\, dx$

5.1 함수의 그래프 그리기

5.1.1 도함수를 사용해 함수의 증가/감소 파악하기

도함수는 함수의 모든 점에서 미분계수 즉 접선 기울기를 알려줍니다. 이 정보를 사용해서 함수의 그래프의 대략의 모양(증가하는 부분, 감소하는 부분)을 알 수 있습니다. 즉 $y' > 0$ 인 부분은 y가 증가($\nearrow$), $y' < 0$인 부분은 y가 감소($\searrow$)인 것이죠.

예 5.1

$y = x^2$일 때 $y' = (x^2)' = 2x$입니다. $x > 0$이면 $y' > 0$이고 이는 y가 증가함을 의미합니다. 한편 $x < 0$이면 $y' < 0$이고 y가 감소함을 의미합니다. 전체적으로 보면 x가 음수일 때는 감소하다가, x가 양수이면 증가하는 모양으로 바뀝니다. 기울기 부호가 바뀌는 점 $x = 0$에서 $y' = 0$이고, 이 점에서는 순간적으로 그래프가 평평합니다. 이를 다음과 같은 표를 작성해서 나타낼 수 있습니다. 우리가 알고 있는 $y = x^2$ 그래프의 전반적인 특징과 일치합니다.

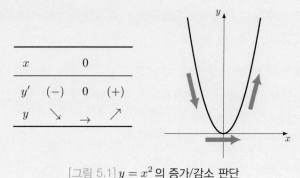

x		0	
y'	$(-)$	0	$(+)$
y	$\searrow$	$\rightarrow$	$\nearrow$

[그림 5.1] $y = x^2$의 증가/감소 판단

심지어 한발 더 나가서, 도함수도 함수이므로, 도함수의 도함수를 통해 원래 함수의 모양을 더 정교하게 나타낼 수 있습니다.

이계도함수

먼저 도함수의 도함수를 정의해보죠. 어떤 미분가능한 함수 $f(x)$의 도함수가 $f'(x)$라고 합시다. 또한 $f'(x)$도 미분가능하다고 합시다. 이제 $f'(x)$의 도함수를 원래 함수 $f(x)$의 **이계도함수**(second-order derivative)라고 합니다. 함수를 한번만 미분한 그냥 도함수 $f'(x)$는 **일계도함수**(first-order derivative)라고 부를 수 있습니다.

이계도함수의 표기

$y = f(x)$의 이계도함수도 여러 가지 기호로 표기할 수 있습니다.

$$y'', \quad f'', \quad y''(x), \quad f''(x), \quad \frac{d^2y}{dx^2}, \quad \frac{d^2f}{dx^2}$$

분수 형태는 위첨자 2의 위치가 좀 이상하게 여겨질 수 있는데, 다음과 같은 과정을 생각하면 됩니다. $\frac{d}{dx}$를 'x로 미분하시오'라는 명령어로 보면, 이 명령어를 2번 적용한 것이므로

$$\frac{d}{dx}\frac{d}{dx}y = (\frac{d}{dx})^2 y = \frac{d^2}{(dx)^2}y = \frac{d^2}{dx^2}y$$

분모에 있는 dx^2는 d와 x^2의 결합이 아니고, dx 전체의 제곱이라는 뜻입니다.

고계도함수

마찬가지 방법으로 삼계, 사계 등 고계도함수를 정의할 수 있습니다. 위에서 임의의 n차 다항함수의 도함수를 공식으로 제시했습니다. 그런데 거듭제곱규칙에 따라 n차 다항함수를 미분하면 $(n-1)$차 다항함수가 됩니다. 여전히 다항함수이므로 또 미분가능합니다. 즉 다항함수는 무한정 미분가능한 셈입니다.

5.1.2 일계도함수와 이계도함수를 사용해 그래프 그리기

이계도함수는 도함수의 도함수이므로, 도함수 접선의 기울기 및 도함수의 그래프 모양을 알려줍니다. 하지만 지금 우리는 도함수가 아니라 원래 함수의 그래프에 관심이 있죠. $y'' > 0$이라는 것은 도함수 y'이 증가함수라는 것이고, 이는 y의 접선 기울기가 (x가 증가할 때, 즉 오른쪽으로 이동할 때) 점점 더 커진다는 것입니다.

그런데 y'이 증가함수인 것만 알지 y'의 값이 양수인지 음수인지는 $y'' > 0$으로는 알 수 없습니다. 따라서 $y'' > 0$이더라도 $y' > 0$인 경우와 $y' < 0$인 경우를 나누어 생각할 필요가 있습니다. $y'' < 0$인 경우도 마찬가지입니다. y'가 감소함수이고 y의 접선 기울기는 점점 작아지는데, 이를 다시 $y' > 0$인 경우와 $y' < 0$인 경우로 나누어 따져야 합니다. 물론 $y' = 0$이거나 $y' = 0$인 경우도 있습니다만, 일단 무시하고, 4가지 경우를 나눠보면 다음 표와 같습니다.

$y' > 0$, $y'' > 0$이면 y는 증가($\nearrow$)하면서 기울기가 커져서 점점 가팔라지는 형태($\nearrow$)입니다. $y' < 0$인데 $y'' > 0$이면 이번에는 y가 감소($\searrow$)하는데 기울기가 커집니다. 음수인 기울기가 커진다는 것은 기울기의 절댓값은 작아져서 점점 완만해진다는 것($\searrow$)입니다.

마찬가지로 $y'' < 0$이면 기울기가 감소하므로 $y' > 0$일 때는 증가함수($\nearrow$)인데 양의 기울

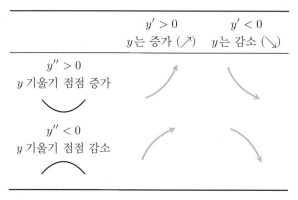

	$y' > 0$ y는 증가 (↗)	$y' < 0$ y는 감소 (↘)
$y'' > 0$ y 기울기 점점 증가		
$y'' < 0$ y 기울기 점점 감소		

[표 5.1] 일계도함수, 이계도함수 부호와 함수의 그래프

기가 작아지므로 완만해지고(↗), $y' < 0$일 때는 감소함수(↘)이면서 음수 기울기가 작아지므로 절댓값은 커져서 가팔라집니다(↘).

예 5.2

$y = x^2$에 대해서 이계도함수까지 구해서 더 정교한 그래프 모양을 알아보면 $y' = 2x$에서 $y'' = 2 > 0$이므로 y의 그래프는 전체적으로 기울기가 증가하는 모양입니다.

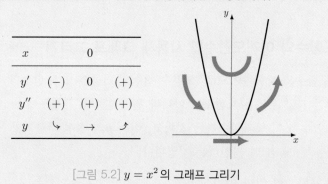

x		0	
y'	$(-)$	0	$(+)$
y''	$(+)$	$(+)$	$(+)$
y	↘	→	↗

[그림 5.2] $y = x^2$의 그래프 그리기

함수의 볼록과 오목

$y'' > 0$일 때 y의 함수 그래프는 기울기가 점점 증가하는 모양입니다. 수학에서는 이런 경우를 **볼록**(convex)이라고 부릅니다. 반대로 $y'' < 0$이면 기울기가 점점 감소하는 그래프이고, 이런 경우를 **오목**(concave)이라고 부릅니다. 일상에서 쓰는 볼록, 오목의 의미와 좀 헷갈리는데, 수학에서 정의한 용례는 다음의 그림처럼 기억하는 것이 좋겠습니다. 그래프 아래 사람이 그래프를 쳐다본다고 하면 볼록 그래프는 자신을 향해 볼록 튀어나와 있고, 오목 그래프는 자신에게서 오목하게 꺼져 있는 셈입니다.

이차함수는 $y = a + bx + cx^2$의 형태를 갖는데, $y' = b + 2cx$이고 $y'' = 2c$이므로 c의 부호에 따라 $c > 0$이면 볼록, $c < 0$이면 오목이 됩니다. 즉 $c > 0$이면 그래프가 $\smile$의 형태, $c < 0$이면 $\frown$의 형태입니다.

예제 5.1

$y = x^3$의 그래프를 일계도함수와 일계도함수를 이용하여 그리시오.

$y' = 3x^2 \geq 0$이고 $y'' = 6x$입니다. 따라서 ($x = 0$을 제외하고는) 증가함수이고, $x < 0$일 때는 오목, $x > 0$일 때는 볼록인 모양입니다. $x = 0$일 때 $y = 0$이므로 원점 $(0, 0)$을 지나갑니다.

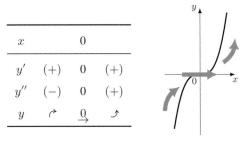

[그림 5.3] $y = x^3$의 그래프 그리기

예제 5.2

$y = \sqrt{x}$의 그래프를 일계도함수와 일계도함수를 이용하여 그리시오.

제곱근함수 $\sqrt{x}$는 $x \geq 0$에 대해서만 정의되고, 그 도함수는 분모에 x가 들어가서 $x > 0$에 대해서만 정의됩니다. $y' = \frac{1}{2}x^{-1/2} = \frac{1}{2\sqrt{x}} > 0$이고 $y'' = -\frac{1}{2} \times \frac{1}{2}x^{-3/2} = -\frac{1}{4x^{3/2}} < 0$이므로, 증가함수($\nearrow$)이면서 기울기가 완만해지는($\curvearrowright$) 우리가 알고 있는 모양이 맞습니다.

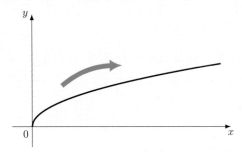

[그림 5.4] $y = \sqrt{x}$의 그래프 그리기

$y = 1/x$의 그래프를 일계도함수와 일계도함수를 이용하여 그리시오.

$x \neq 0$에 대해서만 정의됩니다. $y' = -\frac{1}{x^2} < 0$이므로 전반적으로 감소함수($\searrow$)의 모양입니다. $y'' = (-2) \times (-\frac{1}{x^3}) = \frac{2}{x^3}$이므로 $x > 0$일 때는 볼록($\curvearrowright$), $x < 0$일 때는 오목($\curvearrowleft$)입니다. 또한 $x > 0$이면서 $x \to 0$일 때 함숫값은 0보다 크면서 발산하므로 $\lim\limits_{x \to 0+} \frac{1}{x} = \infty$이고, $x < 0$의 경우 0보다 작으면서 발산하므로 $\lim\limits_{x \to 0-} \frac{1}{x} = -\infty$가 되어 아래와 같은 그래프가 완성됩니다.

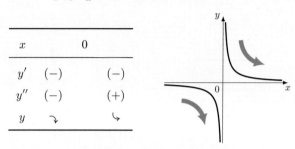

x		0	
y'	$(-)$		$(-)$
y''	$(-)$		$(+)$
y	$\curvearrowleft$		$\curvearrowright$

[그림 5.5] $y = 1/x$의 그래프 그리기

5.2 응용: 비용곡선, 한계비용곡선

비용곡선(cost curve)은 비용함수 $C(Q)$의 그래프입니다. 즉 생산량 Q를 가로축에 두고, Q를 생산하는 데 들어가는 비용을 세로축에 둔 그림입니다. 마찬가지로 한계비용곡선(marginal cost curve)은 한계비용함수 $MC(Q)$의 그래프로, 가로축에 생산량 Q를, 세로축에 한계비용을 둔 그림입니다. 비용곡선과 한계비용곡선의 사례를 몇 가지 보겠습니다.

> 주의 비용의 단위는 화폐($, ₩ 등)입니다. 비용함수의 기울기 개념($\Delta C / \Delta q$)에 기초한 한계비용(미분계수)의 단위는 재화개수당 화폐($/개, ₩/개 등)입니다. 따라서 비용곡선과 한계비용곡선은 같은 평면상에 함께 그릴 수 없습니다. 각각 Q를 가로축으로 하는 별개의 그림으로 그려야 합니다.

참고 앞서 수요곡선과 수요함수는 다른 개념, 사실은 서로 역함수라고 설명했습니다. 수요함수는 $Q(P)$, 수요곡선은 $P(Q)$의 형태입니다. 비용함수 및 한계비용함수는 독립변수가 Q이기 때문에 수요곡선과 같은 평면에 그릴 수 있습니다. (즉 비용곡선은 비용함수의 역함수가 아니라, 그냥 비용함수의 그래프입니다.) 마셜이 수요를 그림으로 그릴 때 굳이 Q를 가로축으로 삼은 것은 한계비용곡선과 함께 그리기 위해서라고 볼 수도 있습니다. 이윤극대화 모형(제15장)에서 살펴보겠지만 수요-공급 모형에서 공급곡선은 한계비용곡선에서 도출됩니다.

5.2.1 비용이 1차함수인 경우: 비용곡선은 직선, 한계비용곡선은 수평선

비용함수가 만약 (상수항 즉 고정비용이 없는) 1차함수(정비례함수)라면 한계비용은 모든 생산량에 대해 상수입니다. 즉 만약 어떤 상수 c에 대해 $C(Q) = cQ$라면 $\text{MC}(Q) = C'(Q) = c$(상수)입니다. 모형에서 상수 c는 그대로 한계비용을 나타내는 지표가 됩니다. 그림을 그려보면 아래와 같습니다. 비용곡선은 원점을 통과하는 직선입니다. 한계비용곡선은 수평선이고, 그 높이 c는 비용함수에서 $Q = 1$일 때의 비용(단위비용)과 같습니다.

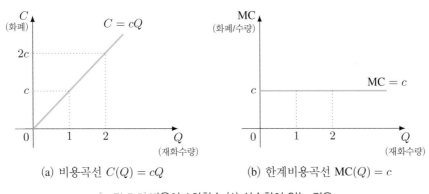

(a) 비용곡선 $C(Q) = cQ$ (b) 한계비용곡선 $\text{MC}(Q) = c$

[그림 5.6] 비용이 1차함수 (1) 상수항이 없는 경우

다시 한번 비용함수와 한계비용함수를 서로 다른 평면에 따로 그린 점에 주의해주세요. 두 경우 모두 독립변수는 생산량 Q이지만 종속변수의 단위가 다릅니다. 비용의 단위는 화폐(원, 달러 등)로 측정되지만, 한계비용은 $\Delta C / \Delta Q$의 극한값을 계산한 것이므로 '화폐단위 ÷ 재화수량단위'(원/개, 달러/상자 등)로 측정됩니다.

만약 상수항(고정비용)이 있는 1차함수 $C(Q) = f + cQ$라면 어떨까요? 한계비용을 구하기 위해 미분해보면 $\text{MC}(Q) = C'(Q) = c$로 또 상수 c입니다. 즉 고정비용은 한계비용에 반영되지 않습니다.

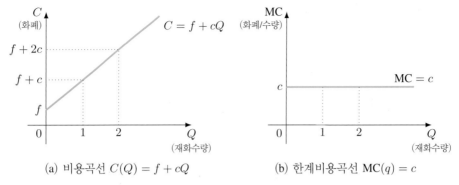

(a) 비용곡선 $C(Q) = f + cQ$ (b) 한계비용곡선 $\mathrm{MC}(q) = c$

[그림 5.7] 비용이 1차함수 (2) 상수항이 있는 경우

5.2.2 비용이 2차함수인 경우

이번에는 2차함수인 경우를 보겠습니다. 비용이 $C(Q) = f + \frac{1}{2}cQ^2$의 형태라면 한계비용은 $\mathrm{MC}(Q) = C'(Q) = 2 \times \frac{1}{2}cQ = cQ$로 기울기가 c인 1차함수(직선)입니다. 이 모형에서 c는 한계비용곡선의 기울기를 나타내는 지표가 됩니다. 비용곡선은 기울기가 점점 가팔라지는 형태이고, 한계비용이 체증하는 증가함수 형태입니다.

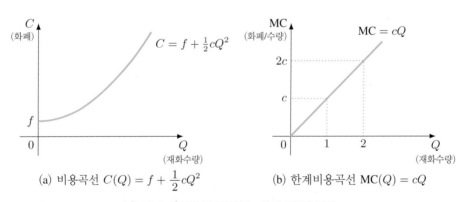

(a) 비용곡선 $C(Q) = f + \dfrac{1}{2}cQ^2$ (b) 한계비용곡선 $\mathrm{MC}(Q) = cQ$

[그림 5.8] 비용이 2차함수, 한계비용이 체증

예 5.3

비용함수가 $C(Q) = Q^3 - 30Q^2 + 300Q$일 때 비용곡선과 한계비용곡선을 그려봅시다. 비용곡선을 그리기 위해서 $C'(Q)$와 $C''(Q)$를 도출하고 부호를 판단합니다.

$$C'(Q) = 3Q^2 - 60Q + 300 = 3(Q^2 - 20Q + 100) = 3(Q - 10)^2 \geq 0$$
$$C''(Q) = 6Q - 60 = 6(Q - 10) \gtreqless 0 \Longleftrightarrow Q \gtreqless 10$$

이므로 비용곡선은 전반적으로 증가(↗)하는 모양입니다($Q = 10$에서만 잠시 평평한 모습이 나타납니다). 또한 $Q < 10$일 때는 오목(↗), $Q > 10$일 때는 볼록(↗)입니다. $C(0) = 0$이고 $C(10) = 1000$이니, 그래프를 그려보면 다음과 같습니다.

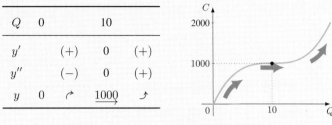

Q	0		10	
y'		(+)	0	(+)
y''		(−)	0	(+)
y	0	↗	$\underline{1000}$ →	↗

[그림 5.9] 비용곡선

한편 한계비용곡선은 위에서 도출한 $C'(Q)$의 그래프입니다. 역시 이 함수의 도함수($C''(Q)$) 및 이계도함수($C'''(Q)$)를 사용해서 그릴 수 있지만, 사실 $(10, 0)$을 꼭짓점으로 갖는 간단한 이차함수이므로 다음과 같은 모양임을 알 수 있습니다.

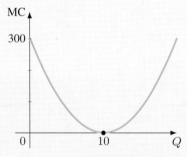

[그림 5.10] (U자형) 한계비용곡선

이렇게 한계비용이 체감(↘)하다가 체증(↗)하는 형태로 바뀌어서, 펼쳐진 U자처럼 생긴 한계비용곡선은 경제학에서 중요한 역할을 합니다.

5.3 역도함수와 적분상수

미분가능한 함수는 단 1개의 도함수가 짝으로 있습니다. 어떤 함수와 그것의 도함수를 연결해주는 규칙은 그 자체로 일종의 '함수'로 볼 수 있습니다. $\frac{d}{dx}$를 "x로 미분하시오"라는 명령어로 생각한다면, 이 명령어는 함수 $f(x)$에 적용되고 답으로 $f'(x)$를 내놓습니다.

$$\frac{d}{dx} f(x) = f'(x)$$

예를 들어 $\frac{d}{dx}x = 1$, $\frac{d}{dx}x^2 = 2x$, $\frac{d}{dx}x^3 = 3x^2$ 등입니다. 다시 말해서, $\frac{d}{dx}$ 라는 '함수'의 독립변수 자리에는 x, x^2, x^3 등의 함수가 들어가고 종속변수의 자리에는 그것의 도함수들이 나옵니다. 독립변수 자리에 미분가능한 함수가 들어가면 도함수가 단 1개 나오기 때문에 $\frac{d}{dx}$ 는 수학적으로 함수가 맞습니다. 변수 자리에 함수가 들어가는, 함수의 함수인 셈입니다.

함수에 대해서 우리는 독립변수와 종속변수의 역할을 바꾼 역함수를 떠올려볼 수 있습니다. 다시 말해서 이미 미분이 된 도함수를 넣어주면, 미분하기 이전의 원래 함수를 알려주는 관계 말입니다. 미분해서 1이 나왔다면 원래 x였겠구나, $2x$가 나왔다면 원래 x^2였겠구나, $3x^2$이 나왔다면 원래 x^3였겠구나하고 찾을 수 있다는 거죠. 이렇게 미분을 반대 방향으로 적용해서 답으로 얻은 함수, 즉 f'의 원래 함수 f를 가리켜서 f'의 **역도함수**라고 합니다. 다시 말해서 f의 도함수는 f'이고, f'의 역도함수는 f입니다.

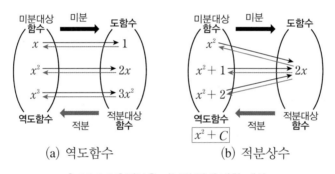

(a) 역도함수   (b) 적분상수

[그림 5.11] 적분은 미분의 반대 방향 계산

그런데 함수가 역함수를 가지려면 일대일이어야 합니다. 미분 $\frac{d}{dx}$ 은 일대일인가요? 다시 말해서, 서로 다른 함수를 미분하면 항상 서로 다른 도함수가 나오나요? 아쉽게도 아닙니다. x^2만 도함수가 $2x$인 것이 아니고, x^2+1의 도함수도 $2x$, x^2+2의 도함수도 $2x$입니다. x^2에 상수를 더한 함수들은 모두 같은 도함수를 가집니다. (상수는 미분 과정에서 사라지니까요.)

다시 말해서 미분의 결과가 $2x$인 것만 갖고는 원래 문제가 x^2이었는지, x^2+1이었는지 알 수가 없습니다. 다행히도 확실히 하나 알 수 있는 것은 역도함수들이 모두 공통된 형태 즉 x^2에다가 어떤 상수를 더한 형태를 갖는다는 것입니다.

이제 x^2+C의 형태를 가진 모든 함수를 그냥 같은 가족으로 쳐준다면, 우리는 미분의 반대 방향 계산을 할 수는 있게 되는 셈입니다. 이것을 **부정적분**(indefinite integration)이라고 합니다. 답이 하나로 정해지지 않으므로 '부정'이라고 부르는데, 그래도 형태는 정해집니다.

기호로 다음과 같이 표기합니다.

$$\frac{d}{dx}f(x) = f'(x) \quad \Longleftrightarrow \quad f(x) + C = \int f'(x) \, dx$$

적분상수 C에는 임의의 숫자가 들어갈 수 있습니다. (적분상수 기호 또한 K라든지, A라든지 아무거나 써도 됩니다.) 설명의 편의상 앞으로는 적분상수를 제외한 $f(x)$ 부분을 역도함수라고 지칭하겠습니다. 즉 부정적분의 결과는 '역도함수 + 적분상수'입니다.

부정적분 기호에 대하여

부정적분은 미분의 반대 방향 계산입니다. 'x로 미분하시오'를 $\frac{d}{dx}$로 표기하면, dx는 'x로' d는 '미분하시오'를 뜻하는 것으로 생각할 수 있겠죠. 이제 그 반대 방향 기호를 만들고자 하는데 $(\frac{d}{dx})^{-1} = \frac{dx}{d} = \frac{1}{d}dx$에서 $\frac{1}{d} = \int$로 놓은 셈입니다. $\int$는 '부정적분하시오', 뒤에 따라오는 dx는 'x로'라고 읽으면 되는 것이죠.

마치 함수와 역함수를 합성하는 것처럼 미분과 적분을 차례로 적용해주면, 2가지 효과는 상쇄될 것입니다. 다만 적분을 나중에 적용하면 적분상수가 생긴다는 점만 다릅니다.

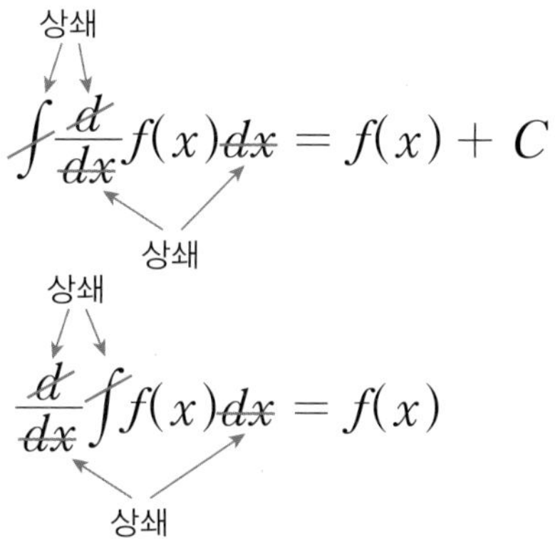

$$\int \frac{d}{dx}f(x)dx = f(x) + C$$

$$\frac{d}{dx}\int f(x)dx = f(x)$$

[그림 5.12] 미분과 적분의 상쇄

> 참고 만약 함수에 대해 추가 조건이 주어진다면 적분상수의 값이 하나로 결정될 수 있습니다. 예를 들어, $2x$의 역도함수이면서 절편이 1인 함수를 구하라고 했다면, 즉 $f(0) = 1$이고 $f'(x) = 2x$라면 $\int f(x)dx = x^2 + 1$입니다.

5.4 적분의 기본규칙과 다항함수의 부정적분

다항함수의 미분을 잘 알고 있으면 다항함수의 적분도 어려울 것이 없습니다. 다항함수의 미분을 위해 필요했던 규칙들, 거듭제곱규칙, 상수곱규칙과 합차규칙이 반대 방향으로 적분에도 적용된다는 것만 이해하면 됩니다.

결과 5.1 **적분의 거듭제곱규칙**

$$\int x^n \, dx = \frac{1}{n+1} x^{n+1} + C$$

증명

우변의 적분결과 식을 미분해보면 바로 알 수 있습니다.

$$(\frac{1}{n+1} x^{n+1} + C)' = (n+1)\frac{1}{n+1} x^n + 0 = x^n \qquad \blacktriangleleft$$

결과 5.2

적분의 기본규칙 (1) 상수곱

$$\int c f(x) \, dx = c \int f(x) \, dx$$

적분의 기본규칙 (2) 합차

$$\int f(x) \pm g(x) \, dx = \int f(x) \, dx \pm \int g(x) \, dx$$

이 규칙들 또한 굳이 증명이 필요 없을 정도로 명백할 것입니다.

예 5.4

$$\int dx = \int 1 \, dx = x + C$$

$$\int a \, dx = ax + C$$

$$\int (a + bx) dx = ax + \frac{1}{2} bx^2 + C$$

$$\int (a + bx + cx^2) dx = ax + \frac{1}{2} bx^2 + \frac{1}{3} cx^3 + C$$

다음을 계산하시오.

(a) $\int \sqrt{x} - \dfrac{1}{x^2}\ dx$ (b) $\int (x-1)(x-2)\ dx$

(a) $\sqrt{x} = x^{1/2}$이므로 적분의 거듭제곱규칙을 사용하면

$$\int \sqrt{x}\ dx = \frac{1}{\frac{1}{2}+1}x^{\frac{1}{2}+1} + C = \frac{2}{3}x^{3/2} + C$$

역시 $1/x^2 = x^{-2}$이므로 적분의 거듭제곱규칙을 사용하면

$$\int \frac{1}{x^2}\ dx = \frac{1}{-2+1}x^{-2+1} + C = -x^{-1} + C = -\frac{1}{x} + C$$

따라서 (적분상수는 하나로 합칠 수 있음)

$$\int \sqrt{x} - \frac{1}{x^2}\ dx = \frac{2}{3}x^{3/2} + \frac{1}{x} + C$$

(b) $(x-1)(x-2) = x^2 - 3x + 2$이므로

$$\int (x-1)(x-2)\ dx = \int x^2 - 3x + 2\ dx = \frac{1}{3}x^3 - \frac{3}{2}x^2 + 2x + C$$

$MC(Q) = cQ$일 때 비용함수를 도출하시오.

주어진 한계비용함수를 일단 부정적분하면

$$C(Q) = \int cQ\ dQ = \frac{1}{2}cQ^2 + C$$

인데, $C(0) = C$가 되어야 합니다. 만약 $Q = 0$일 때의 비용 즉 고정비용이 f라면 적분상수는 $C = f$로 결정되는 것입니다. 따라서

$$C(Q) = \frac{1}{2}cQ^2 + f$$

가 주어진 식을 한계비용으로 갖는 비용함수입니다.

연습문제

5-1 다음을 계산하시오.

(a) $\int 2\,dx =$

(b) $\int x^2 + 3\,dx =$

(c) $\dfrac{d}{dx} \int x^2 + 3\,dx =$

5-2 다음의 한계비용함수에 대해 비용함수를 도출하시오. 단, 고정비용은 상수 $F > 0$ 이다.

(a) $\text{MC}(Q) = 3$

(b) $\text{MC}(Q) = 100Q$

(c) $\text{MC}(Q) = 3Q^2 - 60Q + 300$

5-3 다음의 한계수입함수에 대해 수입함수를 도출하시오. 단, $Q = 0$일 때 수입은 0이다.

(a) $\text{MR}(Q) = 100 - 2Q$

(b) $\text{MR}(Q) = 100 - 2Q^2$

Chapter 06

미분 활용 (2)
변화율, 탄력성, 미분량

제6장에서는 ···

기울기는 지금까지 했던 논의의 기둥이 되는 핵심 개념입니다. **변화율** 개념을 사용해서 기울기의 의미를 다시 짚어보고, 기울기 개념의 변형으로서 경제분석에서 많이 쓰이는 **탄력성**을 알아봅니다. 어떤 함수가 주어지면 미분계수 및 도함수를 도출하는 것이 미분법입니다. 거꾸로 미분계수 또는 도함수가 먼저 주어지면 함수의 변화량을 계산할 수 있습니다. 이를 위해 **미분량**이라는 개념을 소개합니다.

주요 개념

- 변화량, 변화율, 탄력성, 미분량

6.1 변화량, 변화율

우리가 기울기라고 부른 것을 변화율(rate of change)이라고 부르기도 합니다. 변화[량]의 비율(ratio)이라는 뜻입니다. 비율이란 2가지 양 사이의 상대적인 크기로, 나눗셈 또는 분수로 나타냅니다. 즉 A, B 사이의 비율은 $\dfrac{A}{B}$ 로 계산합니다. $\dfrac{A}{B} = k$ 면 A 가 B 의 k 배입니다.

예컨대 $A = 20$, $B = 10$ 이면 $\dfrac{A}{B} = 2$ 입니다. A 의 크기가 B 에 비해 2배입니다. 여기서 비율 2의 의미는 B 를 10에서 1로 줄인다면 A 의 값은 2일 것이라는 말입니다. 마찬가지로 $A = 0.2$, $B = 0.1$ 이어도 비율은 2인데, 이번에는 B 를 0.1에서 1로 늘리면 A 는 2가 될 것이라는 말입니다. A 와 B 의 관계가 일정한 비례(직선)라는 가정 하에서 나오는 것이죠.

무엇을 A, B 로 삼을 것이냐에 따라 다양한 비율의 개념이 가능합니다. 변화율은 변화량들 사이의 비율입니다. 변화량은 어떤 변수의 값이 변화한 크기를 나타낸다고 보면 어렵지 않은 개념입니다. 변수 x의 값이 x_0에서 x_1로 변할 때 변화량은 $x_1 - x_0$이고, 보통 $\Delta x = x_1 - x_0$이라고 표기합니다. 다음에 소개할 개념과 대비시키기 위해서 우리는 이것을 **절대변화량**(absolute change)이라고 부르겠습니다.

$$\Delta x = x_1 - x_0 \qquad \text{(변수 } x \text{의 절대변화량)}$$

한편 변수 x의 **상대변화량**(relative change)은 비율입니다. (상대변화량을 사용해서 다시 새로운 비율을 정의할 것이기 때문에 '율'이라는 용어를 일부러 피했습니다.) 상대변화량은 절대변화량 Δx가 변화 이전 값 x_0의 몇 배인지를 (비율로) 계산합니다. 즉,

$$\frac{\Delta x}{x_0} = \frac{x_1 - x_0}{x_0} \qquad \text{(변수 } x \text{의 상대변화량)}$$

예컨대 $x = 200 \to 202$로 변화했다면 절대변화량은 $\Delta x = 2$이고, 상대변화량은 $2/200 = 0.01$입니다. 흔히 우리는 상대변화량을 100단위 기준으로 변환해서 **백분율**(퍼센트, percentage)로 사용합니다.

$$\frac{\Delta x}{x_0} \times 100 \qquad \text{(상대변화량의 백분율)}$$

즉 $x = 200 \to 202$의 상대변화량을 백분율로 표현하면 1%입니다.

> 참고 1%란 1/100 즉 분모가 100일 때 분자가 1이라는 뜻입니다. (% 라는 기호 자체가 "/100"을 축약한 것입니다.) A/B는 B가 1일 때 A의 값을 가리키는 것인데, 백분율(퍼센트)은 B가 100일 때 A의 값을 가리키는 것이고 따라서 A/B에다가 100을 곱합니다.
> 흔히 %를 단위 중 하나로 취급하지만, 엄밀히 말해서 %는 단위가 아닙니다. 절대변화량 Δx는 변수 x의 고유단위를 갖지만, 상대변화량 및 백분율은 고유단위를 갖지 않습니다. 예컨대 x가 커피의 수량이라면 '잔'의 단위를 가질 수 있고, Δx의 단위도 '잔'입니다. 그런데 Δx와 x가 모두 '잔'의 단위를 가지므로 상대변화량 $\Delta x/x_0$은 단위가 없는 (순수한) 숫자입니다. 굳이 단위를 만들어 붙이자면 '배'라고 할 수 있겠죠. 백분율은 상대변화량에 다시 100을 곱한 숫자이고, 굳이 단위를 붙이자면 '$^1\!/_{100}$ 배'인 셈입니다. 커피가 200잔에서 202잔으로 변했을 때, 절대변화량은 2잔, 상대변화량은 [원래 잔수인 200잔의] 0.01(배), 백분율로는 1%인데 이는 1($/_{100}$ 배) 즉 원래 커피 수량이 100잔이었다면 변화량이 1잔이었을 거라는 뜻입니다.

이제 비율이 무엇인지 알았고, (절대 및 상대)변화량이 무엇인지 알았으니, 변화율을 정의할 수 있겠습니다. **변화율**, 좀 더 정확하게 **절대변화율**은 두 변수에 대해 각각의 절대변화량들의 비율을 계산한 것입니다. x와 y라는 변수가 각각 $\Delta x = x_1 - x_0$와 $\Delta y = y_1 - y_0$만큼

변했다고 할 때, (x를 기준으로 한) 변화율은

$$\frac{\Delta y}{\Delta x} = \frac{y_1 - y_0}{x_1 - x_0} \qquad \text{(변화율)}$$

입니다. 우리가 두 점 (x_0, y_0)과 (x_1, y_1) 사이의 기울기로 정의했던 것과 같은 개념입니다. y의 절대변화량 Δy가 x의 절대변화량 Δx에 비해 몇 배인지를 나타냅니다.

> **참고** 변화율의 단위는 y의 고유단위 ÷ x의 고유단위가 됩니다. 예를 들어, x가 커피의 수량(잔)이고, y가 도넛의 수량(상자)이라면 $\Delta y / \Delta x$의 단위는 상자/잔입니다.

미분계수는 $\Delta x \to 0$일 때의 변화율입니다. x가 무한히 조금 변했을 때 y가 몇 배나 변했는지를 계산한 것입니다. 한계변화율이라고 부를 수 있습니다.

$$\lim_{\Delta x \to 0} \frac{\Delta y}{\Delta x} \qquad \text{(한계변화율)}$$

(x가 시간변수라면, 매우 짧은 순간 동안의 변화율이므로 순간변화율이라고 말합니다.)

한편, 절대변화량끼리의 비율 말고도 새로운 변화율 개념을 만들어볼 수 있습니다. 이런 새로운 변화율 또한 경제학에서 많이 사용됩니다. 방금 정의한 절대변화율과 어떤 차이가 있는지를 수학적으로 잘 구분해두면 좋겠습니다.

유머: 과속운전자의 변명

변화율이라는 말은 변화의 속도(빠르기)라는 뜻으로 사용되기도 합니다. 영어사전에서 rate를 찾아보면 첫 번째 뜻은 속도, 두 번째 뜻이 비율일 정도입니다(옥스퍼드 영한사전). 미분이 처음 발명되고 응용된 것이 물리학에서 '운동'을 다루기 위해서였기 때문입니다. 변화율을 계산할 때 분모에 시간 변수를 두면, 즉 분모가 Δt이면 분자의 수량이 단위시간당 변화한 빠르기를 나타내게 됩니다. 가장 친숙한 것은 말 그대로 물리적 속력 즉 이동거리/시간입니다. (물리학에서는 속력과 속도를 구분합니다. 여기서는 그냥 같은 뜻으로 쓰겠습니다.)

파인만의 물리학 강의 제1권(8장 2절 속력)에는 다음과 같은 유머가 나옵니다(편의상 영어원문을 적당히 편집했습니다). 비율 개념이 얼마나 까다로운지를 보여줍니다.

> 경찰이 과속하던 운전자를 세워서 이야기합니다. "방금 1시간에 60마일(시간당 60마일, 60 mph)로 과속하셨습니다." 운전자는 대답하죠. "그럴 리가 없는데요 경관님. 전 겨우 7분간 운전했는 걸요. 1시간을 운전하지 않는데 어떻게 1시간에 60마일을 갔겠어요?" 경찰이 말합니다. "선 생님이 60마일을 가셨다는 게 아니고, 만약 이 속도로 1시간을 운전하셨다면 60마일을 가셨을 거란 말입니다." 운전자는 대답합니다. "하지만 전 이미 엑셀러레이터에서 발을 뗐어요. 1시간이 되어도 60마일은 못 갔을 거에요."

60 mph라는 것은, 실제로 얼마 동안 운전했든지 간에, 만약 같은 빠르기로 1시간 동안 운전했더라면 60 마일을 이동했을 것이라는 뜻입니다.

6.2 미분계수의 확장: 탄력성

앞서 정의한 변화율은 절대변화량들 사이의 비율 즉 $\Delta y/\Delta x$였습니다. 한편 상대변화량은 (그 자체로 비율인데) 각각 $\Delta y/y_0$과 $\Delta x/x_0$입니다. 이제 상대변화량들끼리의 비율을 계산해볼 수 있습니다. 이것을 **상대변화율**이라고 불러보겠습니다.

$$\frac{\Delta y/y_0}{\Delta x/x_0} = \frac{\Delta y}{\Delta x} \times \frac{x_0}{y_0} \qquad \text{(상대변화율)}$$

'y의 단위 $\div$ x의 단위'를 단위로 갖는 절대변화율 $\Delta y/\Delta x$에 비해서, 상대변화율은 고유 단위를 갖지 않습니다. 분자와 분모에 있는 각각의 상대변화량은 그 변숫값의 변화량을 원래 값 대비 몇배인지로 나타낸 것입니다. 상대변화량끼리의 비율인 상대변화율은 y의 상대변화량이 x의 상대변화량에 비해 몇 배인지를 계산합니다.

예 6.1

커피의 단위가격이 1,000원 오를 때 커피 수요량은 400잔 감소하였고, 도넛의 단위가격이 200원 오를 때 도넛 수요량이 1,000상자 감소했다고 합니다. 커피와 도넛 중 어느 것의 수요량이 가격에 더 민감하게 반응한 것일까요?

가격과 수요량의 절대변화량이 정보로 주어졌습니다. 커피 수요함수의 기울기(절대변화율)는 $-400/1,000 = -0.4$(잔/원)이고, 도넛 수요함수의 기울기(절대변화율)는 $-1,000/200 = -5$(상자/원)입니다. 기울기의 크기(절댓값)로 보면 도넛 쪽이 훨씬 큽니다. 똑같이 1원씩 가격이 올랐더라면, 커피는 0.4잔 줄고, 도넛은 5상자 줄어들었을 것입니다. 하지만 -0.4(잔/원)과 -5(상자/원)은 서로 단위가 다른 수치이기 때문에 직접 비교가 곤란합니다. 예를 들어, 커피를 조금 작은 잔에 담거나, 도넛을 좀 더 큰 상자에 담는다면 이 수치들은 다시 바뀝니다.

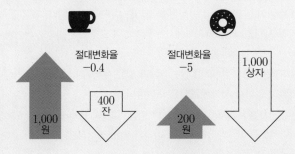

[그림 6.1] 절대변화율 비교

한편 상대변화량 및 상대변화율을 계산해보려면, 변화 이전의 원래 값이 필요합니다. 커피는 원래 10,000원에 1,000잔이 수요량이었고, 도넛은 1,000원에 10,000상자가 수요량이었다고 해봅시다.

그렇다면 커피 단위가격의 상대변화량은 1,000/10,000 = 0.1, 커피 수요량의 상대변화량은 −400/1,000 = −0.4이고, 상대변화율은 −0.4/0.1 = −4입니다. 상대변화량 및 상대변화율에는 고유단위가 없습니다. 군이 해석하자면, 커피 가격은 원래 가격대비 0.1배(10%) 증가했고, 커피 수요량은 원래 수요량 대비 0.4배(40%) 감소했으며, 커피 수요량의 상대변화량은 커피 가격 상대변화량의 4배(가격 1%당 수요량 4%) 감소한 것입니다.

마찬가지로 도넛에 대해 계산해보면 가격의 상대변화량은 200/1,000 = 0.2, 수요량의 상대변화량은 −1,000/10,000 = −0.1, 상대변화율은 −0.1/0.2 = −0.5입니다. 즉 도넛 가격은 원래 가격 대비 0.2배(20%) 증가했고, 도넛 수요량은 원래 수요량 대비 0.1배(10%) 감소했으며, 따라서 도넛 수요량의 상대변화량은 도넛 가격 상대변화량의 0.5배(가격 1%당 수요량 0.5%) 감소했습니다.

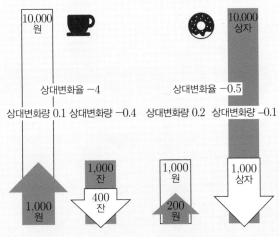

[그림 6.2] 상대변화율 비교

두 재화의 가격변화를 같은 상대적 배수로 맞출 경우, 예를 들어 커피와 도넛의 가격 모두 원래 가격 대비 각각 1% 증가한다고 상상해볼 경우, 커피의 수요량은 (원래 수요량대비) 4% 감소하는 반면, 도넛 수요량은 겨우 0.5% 감소하는 데 그칠 것입니다. 동일한 배율의 가격 변화에 대해서는 커피 수요량이 훨씬 더 민감하게 반응합니다.

절대변화율은 두 변수의 고유단위를 보존하면서 변화량의 비율을 알려줍니다. 주어진 함수 그래프의 기울기를 알려주는 것입니다. 다만 고유단위의 측정방식을 다르게 한다면, 그 값도 달라집니다. 또한 서로 다른 대상(예를 들면 재화)의 기울기들을 직접 비교하기에 곤란한 점이 있습니다. 상대변화율은 고유단위에 의존하지 않고, 상대적인 변화량을 기준으로 계산하기 때문에 고유단위 측정을 다르게 하더라도 같은 값이 나오고, 서로 다른 대상들 사이에 비교도 가능합니다.

그래서 경제학에서는 함수의 기울기(절대변화율) 뿐 아니라 상대변화율도 중요한 분석도구로 활용합니다. 이것을 **탄력성**(elasticity)이라고 합니다. 탄력성은 무한히 작은 변화에 대한 상대변화율의 극한값으로 정의합니다.

> [정의] 두 변수 A, B에 대하여 A의 B 탄력성(B elasticity of A)이란 B의 변화량이 무한히 작을 때 B의 상대변화량에 대한 A의 상대변화량의 비율(상대변화율)의 극한값이다.
>
> $$A의 B 탄력성 = \lim_{\Delta B \to 0} \frac{\Delta A}{\Delta B} \cdot \frac{B}{A} = \frac{dA}{dB} \cdot \frac{B}{A}$$

기초 수준의 교재에서는 탄력성을 극한이 아닌 상대변화율로 정의하는 경우도 있습니다. 하지만 대부분의 경제모형에서 탄력성은 위와 같이 극한값으로 정의됩니다. A의 B 탄력성은 더 풀어서, B의 변화에 대한 A의 탄력성이라고 말할 수도 있습니다.

예 6.2

A = 어떤 재화의 수요량이라 할 때

- B = 그 재화의 가격이면, 재화의 자기가격탄력성이라 합니다. 줄여서 가격탄력성이라 하고, 심지어 아무 수식어 없이 탄력성이라고 하면 이 개념입니다.
- B = 타 재화의 가격이면, 재화의 교차가격탄력성, 혹은 줄여서 교차탄력성이라 합니다.
- B = 소비자의 소득이면, 재화의 소득탄력성이라 합니다.

예제 6.1

다음의 경우에 대해 각각 수요의 가격탄력성을 계산하시오.

(a) 수요함수 $Q = 100 - P$이고, 가격이 $P = 50$일 때

(b) 수요함수 $Q = 100 - P$이고, 가격이 $P = 60$일 때

(c) 수요곡선 $P = 100 - Q$이고, 가격이 $P = 40$일 때

(d) 수요함수 $Q = 100 - P^2$이고, 가격이 $P = 5$일 때

(a) $dQ/dP = -1$이고, $P = 50$일 때 $Q = 50$이므로 $\dfrac{dQ}{dP} \cdot \dfrac{P}{Q} = -1 \times 50/50 = -1$입니다.

(b) 역시 $dQ/dP = -1$이고, $P = 60$일 때 $Q = 40$이므로 $\dfrac{dQ}{dP} \cdot \dfrac{P}{Q} = -1 \times 60/40 = -1.5$입니다.

(c) 주어진 수요곡선은 결국 $Q = 100 - P$의 수요함수입니다. $dQ/dP = -1$이고 $P = 40$일 때 $Q = 60$이므로 $\dfrac{dQ}{dP} \cdot \dfrac{P}{Q} = -1 \times \dfrac{40}{60} = -2/3$입니다.

(d) $dQ/dP = -2P$이고 $P = 5$일 때 $Q = 100 - 25 = 75$이므로 $\dfrac{dQ}{dP} \cdot \dfrac{P}{Q} = -2 \times 5 \times 5/75 = -2/3$입니다.

혼합변화율

절대변화량들끼리의 비율 $\dfrac{\Delta y}{\Delta x}$ 를 절대변화율 또는 그냥 변화율이라고 부르고, 상대변화량들끼리의 비율 $\dfrac{\Delta y}{\Delta x} \cdot \dfrac{x}{y}$ 를 상대변화율 또는 (극한의 경우) 탄력성이라고 부르기로 했습니다. 그런데 두 변수 중 하나는 절대변화량을, 또 하나는 상대변화량을 택하여 비율로 만들면 어떨까요? 2가지 종류의 변화량이 혼합된 비율이므로, 혼합변화율이라고 불러보겠습니다. (이 책에서만 붙인 이름입니다.)

분자에는 상대변화량 $\Delta y/y$를 놓고, 분모에는 절대변화량 Δx를 놓은 혼합변화율은

$$\frac{\Delta y/y}{\Delta x} \tag{혼합변화율}$$

입니다. 분자는 고유단위가 없고, 분모는 x의 단위를 가집니다. 해석하자면 x가 1단위 변할 때, y는 원래 값의 몇 배만큼 변하는지, 혹은 (100을 곱한다면) 몇 %만큼 변하는지를 나타냅니다.

억지로 만든 개념이 아니라 가끔 경제모형 분석에서 등장하는 비율입니다. 보통은 특별한 명칭 없이 등장하므로, 이 책에서는 이 개념이 등장할 때 혼합변화율이라고 지칭하겠습니다.

6.3 미분계수의 활용: 미분량

6.3.1 직선의 기울기의 의미와 활용

함수 $y = f(x)$의 기울기는 독립변수 x와 종속변수 y의 절대변화량 사이의 비율, 즉 절대변화율입니다. 직선(1차함수)의 특징은 이 비율값이 모든 점에 대해 동일하다는 것입니다. 따라서 기울기는 그 직선을 나타내는 하나의 '대표수량'입니다. (또 하나의 대표수량은 절편이고, 기울기와 절편만 알면 그 직선을 모두 파악한 셈입니다.)

기울기는 2가지 방식으로 해석이 가능합니다.

> 해석 1: 독립변수 변화량에 비교할 때 종속변수의 변화량이 '몇 배'인가?
>
> 해석 2: 독립변수가 1단위 변할 때, 종속변수는 '몇 단위' 변하는가?

직선 위의 어느 점에서든 기울기의 값은 모두 같기 때문에, 직선에 한해서 해석 1 = 해석 2

입니다. 이를 이용하면 직선의 기울기 정보를 활용해서, 직선 위에서 한 점을 오른쪽으로 이동시킬 때 정확하게 어디로 움직일지 예측이 가능합니다.

즉, 직선의 방정식이 $y = a + bx$로 주어지면 기울기가 b이고, 직선 위의 점 (x_0, y_0)에서 오른쪽으로 1단위 움직이면, 위/아래로 b단위 움직여서 $(x_0 + 1, y_0 + b)$가 됩니다. 오른쪽으로 Δx단위 움직이면 위/아래로 $b\Delta x$만큼 움직여서 $(x_0 + \Delta x, y_0 + b\Delta x)$가 됩니다.

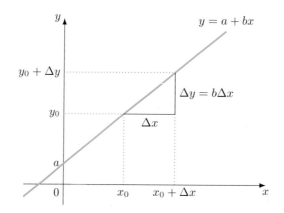

[그림 6.3] 기울기를 사용한 직선 상의 이동계산

예 6.3

기울기 2인 직선 위의 점 $(3, 7)$에서 오른쪽으로 5단위 움직이면 $(3 + 5, 7 + 2 \times 5) = (8, 17)$로 이동합니다.

6.3.2 곡선의 미분계수의 의미와 활용

미분계수는 기울기를 곡선으로 확장한 개념이라 할 수 있습니다. 곡선 위에서 두 점 사이의 기울기를 계산해보면 어느 두 점을 어디에 얼마나 멀리 잡느냐에 따라 값이 달라집니다. 미분계수는 출발점을 결정한 후, 그 점에서의 변화폭을 무한히 작게 만들어서 계산한 기울기로서, 곡선의 한 점에서 그은 접선의 기울기입니다.

정확하게 말하자면 미분계수는 곡선 자체의 기울기가 아니라, 곡선의 한 점에서 그은 접선의 기울기입니다. 즉 미분계수는 독립변수와 종속변수가 출발점에서 그은 접선을 따라서 움직인다고 '가정'할 때의 절대변화율인 것입니다.

이제 미분계수는 기울기와 비교하여 해석이 어떻게 달라지는가 봅시다.

해석 1: 독립변수 변화량에 비교할 때 종속변수의 변화량이 '몇 배'인가? (X)

　　　→ 독립변수가 조금 변할 때, (역시 조금 변하는) 종속변수의 변화량은 '몇 배'인가?

해석 2: 독립변수가 1단위 변할 때, 종속변수는 '몇 단위' 변하는가? (X)

　　　→ 독립변수가 1단위 변할 때, 접선 위에서 움직인다면 종속변수는 '몇 단위' 변하는가?

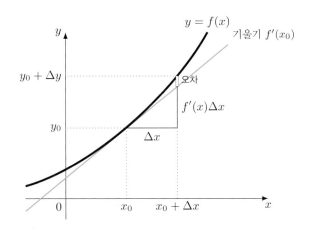

[그림 6.4] 미분계수를 사용한 접선 상의 이동계산

미분계수를 알더라도 실제 곡선상에서 어디로 이동할지는 알 수 없지만, 접선 위의 어디로 갈지는 알 수 있습니다. 또한 접선은 곡선에 접하므로, 접점의 근처에서는 곡선과 가깝게 붙어 있습니다. 따라서 곡선 위에서의 진짜 이동에 대한 예측을, 접선 위의 이동으로 대신해서 근사계산할 수 있습니다. 이 계산의 오차는 접점에서 가까울수록 작고, 멀수록 큽니다.

예 6.4

$y = x^2$ 위의 점 $(2, 4)$를 생각해 봅시다. 이때 접선의 기울기 즉 미분계수는 $(x^2)' = 2x$에 $x = 2$를 대입하여 4입니다.

만약 $x = 2$에서 $\Delta x = 0.1$만큼 움직인다면, 접선을 따라 움직일 경우 $4 \times 0.1 = 0.4$만큼 위로 이동합니다. 즉 새로운 y 값은 $4 + 0.4 = 4.4$입니다. 실제 곡선상에서 이동한 값은 $(2.1)^2 = 4.41$입니다. 오차는 -0.01입니다. (실제 값을 과소추정합니다.)

한편 만약 $\Delta x = 1$만큼 움직인다면, 접선을 따라 움직일 경우 $4 \times 1 = 4$만큼 이동하여 새로운 y 값은 $4 + 4 = 8$입니다. 실제 곡선상에서 이동한 값은 $3^2 = 9$입니다. 오차는 -1로 제법 큽니다.

6.3.3 미분량 $dy = f'(x)dx$

미분계수를 활용한 곡선상의 변화에 대한 계산과정을 발전시켜 새로운 개념을 정의합니다. 미분량(differential)입니다.

> [정의] 미분가능한 함수 $y = f(x)$의 $x = x_0$에서의 미분량(differential)은 임의의 변화량 dx에 대해 x_0에서의 미분계숫값과 dx의 곱이다. 즉
>
> $$dy = f'(x_0)\,dx$$
>
> 로 정의된다. 임의의 x 값에 대해 미분량은 $dy = f'(x)\,dx$이다. dy는 df로도 표기할 수 있다.

곡선에서 미분계수는 점마다 다릅니다. 각 점의 미분계수를 표시해주는 규칙이 바로 도함수 $f'(x)$입니다. 미분량은 이 도함수에 x의 변화량 dx를 곱해준 것입니다.

> 주의 미분량이라는 용어는 다른 책에서는 거의 사용하지 않습니다. 대한수학회의 공식 용어는 미분입니다. 종속변숫값의 절대변화량에 해당되고, 미분계수를 활용하여 계산하기 때문에 미분량이라고 부르는 것이 적절하다고 생각합니다. ('미분소'라고 부르기도 합니다.)
> dx는 x의 변화량, dy는 y의 변화량을 나타냅니다. Δx, Δy라는 절대변화량의 기호 대신 dx, dy를 쓴 것은 일반적인 변화가 아니라 Δx는 충분히 작은 변화이고, Δy는 미분계수를 사용한 접선 상의 변화임을 강조하기 위해서입니다. (이 기호는 다른 책에서도 보통 사용합니다.) 즉 $\Delta x \to 0$이면 dx이고, $\Delta y \to 0$이면 dy라고 생각하면 되겠습니다.

x값에 대해 임의의, 하지만 상당히 작은 변화 dx가 주어지면 그 결과 나타나는 y의 변화 dy를 미분량이라고 부르는 것입니다. 미분계수를 정의할 때는 출발점 x_0와 변화 Δx에 대해 변화율(기울기)을 계산한 후에, $\Delta x \to 0$으로 가는 극한값을 계산함으로써 Δx에 대한 고려를 없애버렸는데, 미분량은 미분계수에다가 Δx를 도로 곱하는 셈입니다. 앞에서 본대로 Δx가 충분히 작다면, 그 결과는 (접선상에서 이루어지지만) 곡선상의 계산결과를 약간의 오차와 함께 대신해주는 것입니다.

도함수 기호와 미분량 기호

도함수를 나타내는 (라이프니츠의) 기호는 $\dfrac{dy}{dx}$이고, 평소 우리가 편하게 사용하는 (라그랑지의) 기호는 $f'(x)$입니다. 즉

$$\frac{dy}{dx} = f'(x)$$

입니다. 좌변의 기호는 사실 분수가 아닙니다. $\dfrac{\Delta y}{\Delta x}$ 라는 분숫값들에 대해 계산한 극한 $\dfrac{dy}{dx} = \lim\limits_{\Delta x \to 0} \dfrac{\Delta y}{\Delta x}$ 이고, dy와 dx는 분리될 수 없습니다.

하지만 $\dfrac{dy}{dx}$ 를 마치 분수인 것처럼 취급해서 위 식의 양변에 dx를 곱해준다면

$$dx \times \frac{dy}{dx} = dy = f'(x)\,dx$$

가 되어 미분량의 정의식을 얻습니다. 실제로 라이프니츠는 무한히 작은 변화량 dx, dy를 따로 떼어서 이런 식으로 계산하는 데 사용했습니다.

예 6.5

몇 가지 간단한 함수들에 대해 미분량을 공식으로 도출해 봅시다.

$y = f(x) = a + bx$, 즉 1차함수라면, $f'(x) = b$로 상수이고, 미분량은 (임의의 dx에 대해) $dy = b\,dx$ 입니다. 직선이므로 어떤 점에서 계산하든 미분계수도 같고, 미분량도 같습니다.

$y = x^2$ 이라면 $(x^2)' = 2x$이고, 미분량은 $dy = 2x\,dx$입니다. $x = 2$에서의 미분량은 $dy = 4\,dx$ 입니다.

$y = \sqrt{x}$이라면 $(\sqrt{x})' = \dfrac{1}{2\sqrt{x}}$ 이고 $dy = \dfrac{1}{2\sqrt{x}}\,dx$입니다. $x = 4$에서의 미분량은 $dy = \dfrac{1}{4}\,dx$ 입니다.

예제 6.2

다음의 값들을 적당한 함수에 대한 미분량을 사용해서 계산하고, 실제 값과의 오차를 알아보시오.

(a) $(2.01)^2$ (b) $\sqrt{4.01}$ (c) $\sqrt{3.99}$

(a) 함수 $y = x^2$ 의 미분량을 $x_0 = 2$, $dx = 0.01$에 대해 적용하면 됩니다. 미분계수는 $2x_0 = 4$ 이고, 미분량은 $dy = 4\,dx = 4 \times 0.01 = 0.04$이므로 $(2.01)^2 \approx 4 + 0.04 = 4.04$로 근사계산할 수 있습니다. 실제 값은 $(2.01)^2 = 4.0401$ 입니다. 오차는 -0.0001 입니다.

(b) $y = \sqrt{x}$의 미분량을 $x_0 = 4$, $dx = 0.01$에 대해서 적용하면 됩니다. 미분계수는 $\dfrac{1}{2\sqrt{x_0}} = \dfrac{1}{4}$ 이고, 미분량은 $dy = \dfrac{1}{4}\,dx = 4 \times 0.01 = 0.0025$이므로 $\sqrt{4.01} \approx 2 + 0.0025 = 2.0025$로 근사 계산할 수 있습니다. 실제 값은 (계산기로 계산해보면) 대략 2.002498로 오차는 대략 $+0.000002$ 입니다. (실제 값을 과다추정합니다. 그래프의 모양을 보면 왜 미분량이 과다추정하는지 이해할 수 있습니다.)

(c) 이번에도 $y = \sqrt{x}$와 $x_0 = 4$에 대해서 계산하되, $dx = -0.01$을 적용합니다. 미분량은 $dy = \dfrac{1}{4}\,dx = \dfrac{1}{4} \times (-0.01) = -0.0025$이므로 $\sqrt{3.99} \approx 2 - 0.0025 = 1.9975$로 근사계산할 수 있습니다. 실제 값은 (계산기로 계산해보면) 대략 1.997498로 오차는 대략 $+0.000002$입니다.

연습문제

6-1 다음의 함수들에 대해 $x_0 = 1$에서 $x_1 = 4$로 변할 때, x와 y의 절대변화율 및 상대변화율을 계산하시오.

    (a) $y = 10 - x$

    (b) $y = x^2$

    (c) $y = \sqrt{x}$

    (d) $y = \dfrac{100}{x}$

6-2 다음의 수요함수 또는 수요곡선에 대해서 수요의 가격탄력성을 공식으로 (즉, 임의의 가격 P_0에 대하여) 도출하시오.

    (a) $Q = a - bP$

    (b) $P = a - bQ$

    (c) $Q = 100 - P^2$

    (d) $P = 100 - \sqrt{Q}$

6-3 다음의 값들을 적당한 함수에 대한 미분량을 사용해서 계산하고, 실제 값과의 오차를 알아보시오.

    (a) $(4.01)^2$

    (b) $(3.99)^2$

    (c) $\sqrt{9.01}$

    (d) $\sqrt{8.99}$

    (e) $\dfrac{100}{99}$

제2부에서는 함수와 미적분에 대해 조금 더 발전된 내용을 공부합니다. 이 내용도 대부분 고교 수학에서 선택적으로 다루는 것이지만, 이 책의 독자는 고교 수학에서 이 내용을 공부하지 않았거나 잊었다고 가정하고 설명하겠습니다. 단순한 다항함수를 넘어서는 좀 더 복잡한 함수를 미분하거나 적분하기 위한 여러 가지 고급 기법들을 공부합니다. 또한 경제학에서 매우 중요한 자연지수함수와 자연로그함수를 살펴봅니다. 제1부와 제2부를 통해 함수와 미적분을 다지고 나면, 책의 후반부에서 본격적인 경제모형들을 공부하게 될 것입니다.

Chapter 07

미분의 고급규칙 (1)
함수곱, 합성함수의 도함수

제7장에서는 ....

미분의 기본규칙(상수곱규칙, 합차규칙)에서 본대로 상수를 곱하거나, 함수끼리 더하는 것은 미분 과정에 아무 어려움을 일으키지 않습니다. $af(x) + bg(x)$를 미분하면 $af'(x) + bg'(x)$ 입니다. 여기에 **거듭제곱규칙** $(x^n)' = nx^{n-1}$을 보태면 모든 다항함수를 미분할 수 있습니다.

그런데 함수끼리 곱하거나 나눈 것의 미분은 생각보다 복잡합니다. 그래서 이번 장은 먼저 함수곱($f(x)g(x)$)을 미분에서 어떻게 다루는지 알아봅니다. 함수곱의 미분법은 **곱규칙**(product rule)인데 그 자체로 경제모형 분석에 자주 등장합니다.

자연스러운 다음 순서는 함수몫 즉 분수함수($f(x)/g(x)$)의 미분법인 **몫규칙**(quotient rule) 인데, 이를 도출하기 위해서 먼저 공부해야 하는 것이 있습니다. 합성함수($f \circ g(x)$)의 미분법인 **연쇄규칙**(chain rule)입니다. 몫규칙은 다음 장에서 연쇄규칙을 사용해서 설명합니다.

이번 장에서 공부하는 **곱규칙**과 **연쇄규칙**은 앞으로의 공부에서 아주 중요하므로 잘 연습해 두기를 바랍니다.

주요 개념

- 수학: 곱규칙, 합성함수, 항등함수, 연쇄규칙
- 경제학: 한계수입

주요 결과

- 곱규칙: $(f \cdot g)' = f' \cdot g + f \cdot g'$
- 연쇄규칙: $(f \circ g)' = f' \cdot g'$

7.1 함수곱의 미분: 곱규칙

상수곱규칙이나 합차규칙을 떠올려보면 혹시 $(f(x)g(x))' \overset{?}{=} f'(x)g'(x)$이 아닐까 생각할 수 있습니다. 안타깝게도 아닙니다. 오해하지 않도록 여기 기록해두겠습니다.

$$(f(x)g(x))' \neq f'(x)g'(x) \qquad \text{(주의!)}$$

함수곱의 미분공식은 조금 더 복잡한 형태를 가집니다.

> 결과 7.1 미분가능한 함수 $f(x)$, $g(x)$의 도함수가 각각 $f'(x)$, $g'(x)$라고 할 때
> **미분규칙(3) [곱규칙]**: $(f(x)g(x))' = f'(x)g(x) + f(x)g'(x)$

증명은 어렵지 않으나 식으로만 볼 때 이해에 큰 도움이 되지는 않는 것 같습니다.[9] 대신 증명과정을 그림으로 설명해보겠습니다.[10]

곱규칙의 이해

x의 어떤 값을 지정하면 $f(x)$와 $g(x)$는 각각 숫자이고, 두 숫자의 곱 $f(x)g(x)$는 각 숫자를 높이와 밑변으로 가지는 직사각형의 면적으로 나타낼 수 있습니다. 이제 x를 조금(Δx) 변화시키면 $f(x)$와 $g(x)$가 각각 Δf와 Δg씩 변할 것입니다. (그림에는 두 수 모두 늘어난 것으로 되어 있습니다.) 그러면 직사각형 $f(x)g(x)$에 대해서 위쪽에는 높이가 Δf이고 밑변은 $g(x)$인 얇고 납작한 직사각형이 보태지고, 오른쪽으로는 높이가 $f(x)$이고 밑변이 Δx인 얇고 길쭉한 직사각형이 보태집니다. 가장자리에 $\Delta f \cdot \Delta g$에 해당되는 작은 사각형은 높이도 밑변도 매우 작은 값이므로 무시해도 됩니다. ($\Delta x \to 0$이면 Δf와 Δg도 $\to 0$인데, 둘을 곱한 값 $\Delta f \Delta g$는 훨씬 더 빨리 $\to 0$에 다가갑니다. 예를 들어, $\Delta f = 0.01$, $\Delta g = 0.01$이면 $\Delta f \Delta g = 0.0001$입니다.) 다시 말해서 $\Delta x \to 0$일 때 위와 오른쪽에 붙은 얇은 직사각형들은 사실상 길이만 있는 '선'이라고 생각하고, 가장자리의 정사각형은 면적이 없는 '점'이라고 생각하면 됩니다.

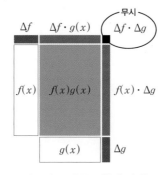

[그림 7.1] 곱규칙의 이해

---

9) 김성현, 『경제수학 강의 3판』, 한빛아카데미, 2023의 5.3절 108쪽에 나와 있습니다. 그외 교재나 인터넷 검색에서도 쉽게 찾아볼 수 있을 것입니다.

10) 이 설명은 제4장 62쪽의 거듭제곱규칙의 직관적 이해 설명과 비슷한 부분이 있습니다.

Δx의 변화로 인해 직사각형의 면적은 위에 $\Delta f \cdot g(x)$만큼, 옆에 $f(x) \cdot \Delta g$만큼 변화가 일어납니다. 변화율은

$$\frac{\Delta(f(x)g(x))}{\Delta x} = \frac{\Delta f \cdot g(x) + f(x) \cdot \Delta g}{\Delta x} = \frac{\Delta f}{\Delta x} \cdot g(x) + f(x) \cdot \frac{\Delta g}{\Delta x} \longrightarrow f'(x)g(x) + f(x)g'(x)$$

즉 $f(x)$에 일어난 변화 Δf는 $g(x)$의 크기만큼 확대되어 적용되고, $g(x)$에 일어난 변화 Δg는 $f(x)$의 크기만큼 확대되어 적용됩니다. 이것이 곱규칙입니다.

예 7.1

앞서 증명했던 (자연수 지수의) 거듭제곱규칙을 곱규칙의 도움을 받아 다시 도출해보겠습니다.

x^2은 x와 x의 곱이므로, $(x^2)' = (x)'x + x(x)' = 1x + x1 = 2x$로 확인됩니다.

마찬가지로 x^3은 x^2과 x의 곱이므로 $(x^3)' = (x^2)'x + x^2(x)' = 2xx + x^21 = 2x^2 + x^2 = 3x^2$이 맞습니다. 같은 방식으로 x^4은 x^2과 x^2의 곱, 또는 x^3과 x의 곱으로 계산할 수 있습니다.

이런 식으로 반복하면 임의의 n에 대해 x^n을 미분할 수 있게 됩니다. 예컨대 어떤 k까지 $(x^k)' = kx^{k-1}$임을 확인했다고 합시다. 그렇다면 그 다음 $(k+1)$에 대해서 $x^{k+1} = x^k \cdot x$이므로 $(x^{k+1})' = (x^k)'x + x^k(x)' = kx^{k-1}x + x^k = kx^k + x^k = (k+1)x^k$가 되어 $(k+1)$에 대해서도 거듭제곱규칙이 성립하고, 같은 논리가 반복되어 모든 자연수 n에 대해서 $(x^n)' = nx^{n-1}$임을 추론할 수 있습니다. 이렇게 증명하는 것을 수학적 귀납법이라고 하죠. 이 증명도 n이 자연수일 때에만 적용됩니다. 약간 수정하면 n이 음의 정수이거나 유리수인 경우도 증명할 수 있습니다.

예제 7.1

다음 함수들을 곱규칙을 사용하여 미분하시오.

(a) $(x+1)(x-1)$ (b) $(2x+1)^2$ (c) $(x-1)(x^2+x+1)$

(a) $[(x+1)(x-1)]' = (x+1)'(x-1) + (x+1)(x-1)' = (x-1) + (x+1) = 2x$

물론 곱규칙을 쓰지 않더라도 $(x+1)(x-1) = x^2 - 1$이므로 미분하면 $2x$가 맞습니다.

(b) $[(2x+1)^2]' = [(2x+1)(2x+1)]' = (2x+1)'(2x+1) + (2x+1)(2x+1)' = 2 \times 2(2x+1) = 4(2x+1)$. 역시 곱규칙 쓰지 않고 직접 전개하면 $(2x+1)^2 = 4x^2 + 4x + 1$이므로 결과 $8x + 4$ 가 맞습니다.

(c) $[(x-1)(x^2+x+1)]' = (x-1)'(x^2+x+1) + (x-1)(x^2+x+1)' = (x^2+x+1) + (x-1)(2x+1) = x^2 + x + 1 + 2x^2 - x - 1 = 3x^2$

$(x-1)(x^2+x+1) = x^3 - 1$이므로 미분하면 $3x^2$인 것이 맞습니다.

곱규칙은 2개의 함수를 곱한 경우에 대해 제시되었지만, 3개 이상의 함수를 곱한 경우더라도 같은 과정을 반복해서 적용할 수 있습니다. 예를 들어, f, g, h의 3개의 함수가 곱해진 것을 미분한다면, 둘씩 묶어서 곱규칙을 적용하면 됩니다.

$$(f \cdot g \cdot h)' = ((f \cdot g) \cdot h)' = (f \cdot g)' h + (f \cdot g) \cdot h' = (f' \cdot g + f \cdot g') \cdot h + f \cdot g \cdot h' = f' \cdot g \cdot h + f \cdot g' \cdot h + f \cdot g \cdot h'$$

결과적으로 3개 함수를 곱한 것의 도함수는, 각 함수를 차례로 미분한 것에 나머지 함수들을 곱한 것들을 모두 더해준 것입니다.

$(f(x))^n$의 미분

n개의 함수가 곱해진 것에도 곱규칙을 반복해서 적용할 수 있는데, 특히 같은 함수를 n번 곱한 경우를 생각해봅시다. 그렇다면 곱규칙의 반복 적용의 결과로, 한번 미분한 $f'(x)$와 나머지 $(n-1)$개의 $f(x)$를 곱한 것들을 모두 더하면 되는데, 그런 항들이 모두 n개입니다. 즉

$$[(f(x))^n]' = f'(x)(f(x))^{n-1} + f(x)f'(x)(f(x))^{n-2} + \cdots (f(x))^{n-1}f'(x) = n(f(x))^{n-1}f'(x)$$

앞 예제의 (b)에서 $[(2x+1)^2]' = 4(2x+1)$임을 보았는데 위의 공식을 바로 적용하면

$$[(2x+1)^2]' = 2(2x+1)^{2-1} \times (2x+1)' = 4(2x+1)$$

입니다. 이 공식은 사실 잠시 후 공부할 합성함수의 연쇄규칙(chain rule)의 한 사례입니다.

7.2 곱규칙의 응용: 한계수입곡선과 수요곡선

제4장에서 한계수입을 계산해본 적 있습니다. 한계수입(marginal revenue)이란 수입함수의 도함수이고, 수입함수는 기업의 수입(= 가격 × 판매량)을 판매량의 함수로 나타낸 것입니다. 수요곡선이 $P(Q)$일 때 수입은 $R(Q) = P(Q)Q$입니다. 수입함수는 2가지 Q의 함수, 즉 가격을 Q의 함수로 나타낸 수요곡선($P(Q)$)과 판매량의 1차함수(Q)의 곱입니다.

수입함수의 일반형태를 Q로 미분하면 한계수입함수의 일반형태를 얻습니다.

$$\mathrm{MR}(Q) = \frac{d}{dQ}(P(Q)Q) = P'(Q)Q + P(Q) \cdot 1 = P'(Q)Q + P(Q)$$

큰 상관은 없지만 두 항의 순서를 바꾸어서

$$\mathrm{MR}(Q) = P(Q) + P'(Q)Q$$

라고 하겠습니다. 또한 **수요의 법칙**이 성립한다고 가정하겠습니다. 즉 $P'(Q) < 0$입니다. 그렇다면 모든 $Q > 0$에 대해 $\mathrm{MR}(Q) < P(Q)$입니다. 이는 한계수입을 그림으로 그렸을 때 수요곡선보다 아래쪽에 위치한다는 말입니다.

예 7.2

$P(Q) = a - bQ$라면 $R(Q) = (a - bQ)Q = aQ - bQ^2$이고 $\mathrm{MR}(Q) = a - 2bQ$임을 이미 69쪽에서 계산해 보았습니다. 그림으로 그려보면 아래와 같습니다.

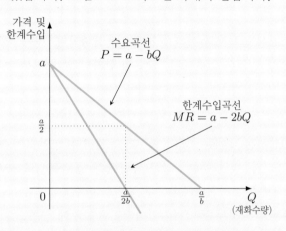

[그림 7.2] 직선 수요곡선과 한계수입곡선

한계수입곡선은 직선인 수요곡선과 세로축 절편이 같고, 기울기는 정확하게 2배인 우하향 직선입니다. 기울기가 2배라는 성질은 수요곡선이 직선일 때만 나타납니다. 한계수입곡선이 가로축 아래에까지 그려져 있습니다. 즉 $Q > \frac{a}{2b}$의 영역에서는 한계수입이 음수입니다. 판매 수량을 너무 많이 늘려주면, 가격이 양수임에도 불구하고 추가되는 수입은 오히려 감소할 수 있습니다.

한계수입의 경제학적 해석

한계수입이 수요곡선보다 아래에 위치하는 이유, 음이 되기도 하는 이유를 이해하기 위해서 한계수입함수의 구성요소들을 해석해볼 필요가 있습니다. $\mathrm{MR}(Q) = P(Q) + P'(Q)Q$에서 첫 번째 항 $P(Q)$는 수량 Q에서 받을 수 있는 가격입니다. 만약 $P'(Q) = 0$이었다면 즉 수요곡선이 수평이었다면, 기업은 같은 가격에서 마음껏 판매량을 늘릴 수 있고, 판매량이 1단위 늘어날 때마다 정확하게 가격만큼 수입이 늘어날 것이므로 한계수입은 곧 가격과 일치할 것입니다. 즉 $P(Q) = \overline{P}$(상수)라면 $R(Q) = \overline{P}Q$이고 $\mathrm{MR}(Q) = \overline{P}$(상수)가 되어 $\mathrm{MR}(Q) = P(Q)$가 성립합니다. 하지만 $P'(Q) < 0$이라면 판매량을 늘리기 위해서 가격이 내려가야 합니다. 현재의 Q와 $P(Q)$로부터 판매량을 조금 늘리려면 가격은 단위당 $P'(Q) < 0$만큼 떨어뜨려야 합니다. 그런데 이 가격 하락은 늘어나는 판매량에만 적용되는 것이 아니고 모든 판매량에 적용되므로

떨어져야 하는 가격으로 인해 줄어드는 수입은 $P'(Q)Q < 0$인 것입니다. Q가 늘어나면 $P(Q)$는 값이 작아지고, 음수인 $P'(Q)Q$는 절댓값이 커지므로 한계수입이 0보다 작아질 수 있습니다. 즉 더 많이 팔수록 오히려 수입이 줄어들 수 있습니다.

7.3 합성함수의 미분: 연쇄규칙

7.3.1 합성함수

두 함수를 결합하는 방식으로 서로 더하거나 빼거나 곱하거나 나누는 것 외에도, 합성(composition)이라는 흥미로운 것이 있습니다. 함수의 합차나 곱몫을 논할 때는 같은 독립변수 x를 공유하는 두 함수의 값 $f(x)$, $g(x)$를 가지고 $f(x) \pm g(x)$라든지 $f(x)g(x)$나 $f(x)/g(x)$를 만듭니다. 물론 함수의 값은 모두 y라는 하나의 종속변수로 나타낼 수 있습니다.

하지만 두 함수를 합성하는 데에는 3개의 변수가 동원됩니다. 3개를 구분하기 위해서 차례로 x, y, z라고 하겠습니다. 한 함수는 x, y를 독립변수, 종속변수로 가지고 또 다른 함수는 y, z을 독립변수, 종속변수로 가집니다. 즉 두 함수는 변수 y를 공유하는데, y가 한 쪽에서는 종속변수이고 다른 쪽에서는 독립변수입니다. 두 함수에 공통으로 등장하는 y를 중개변수(intermediate variable)라고 부릅시다. 중개변수는 합성과정에서 두 함수를 중개(연결)해줍니다. 중개변수 y는 합성과정에서만 사용되고, 최종 합성된 함수에서는 보이지 않습니다.

따라서 $y = g(x)$이고 $z = f(y)$일 때 합성함수는

$$z = f \circ g(x) = f(y)\big|_{y=g(x)} = f(g(x)) \tag{7.1}$$

가 됩니다. 보통 합성함수를 $f \circ g$라고 표기하는데 이는 간편한 기호이지만, 합성의 과정이 눈에 잘 드러나지 않기 때문에, $f(\cdots)$의 속에 $g(x)$를 집어넣는 (7.1)의 마지막 기호를 주로 쓰겠습니다. 최종 합성함수 $f(g(x))$에서 $g(x)$가 $f(\cdot)$의 속에 담겨 있기 때문에 $g(x)$를 속함수(inside function), $f(y)$를 겉함수(outside function)라고 합니다. (7.1)의 중간 부분에는 좀 번거롭게 생긴 다음과 같은 식이 있습니다.

$$f(y)\big|_{y=g(x)} \tag{7.2}$$

겉함수 $f(y)$에서 y에다가 속함수의 값인 $f(x)$를 대입해주라는 뜻입니다. 중개변수 y를 숨기지 않고 중개 과정을 보여주기 때문에 설명 과정에서 사용하겠습니다.

주의 아무 함수나 가져다 합성하는 것은 아닙니다. 고교 수학에서 공부한 대로 두 함수를 합성하기 위해서는 속함수의 치역이 겉함수의 정의역에 포함되어야 합니다. f와 g에서 두 함수의 역할(겉함수, 속함수)을 바꾸면 합성 결과물이 달라지거나 심지어 합성이 불가능할 수도 있습니다. 즉 일반적으로 $f \circ g \neq g \circ f$이며 심지어 $f \circ g$가 가능하더라도 $g \circ f$는 불가능할 수 있습니다. 특히 방향을 바꾸어 합성하는 것이 가능하려면 두 함수가 $y = f(x)$와 $x = g(y)$처럼 서로 독립변수와 종속변수가 반대인 상황이어야 합니다.

예 7.3

(a) $z = f(y) = y^2$이고 $y = g(x) = x - 1$인 경우 f와 g는 f를 겉함수로만 합성가능하며

$$z = f \circ g(x) = f(y)\big|_{y=x-1} = f(x-1) = (x-1)^2$$

이 합성함수입니다. $g \circ f$로 합성하려고 하면, 겉함수는 $y = g(x)$의 형태라서 x에 대입할 것이 필요한데, $z = f(y)$에서 나오는 값은 z라서 $g(x)$에 들어갈 수가 없습니다.

예를 들어 x는 기술자가 작업장에서 보내는 총시간이고, z는 생산량이라고 해봅시다. 작업장에서 보내는 모든 시간을 실제 생산에 사용하는 것이 아니라, 1시간은 작업준비 및 마무리 등에 써야한다면 실제 작업시간은 $y = x - 1$입니다. 생산함수는 실제 작업시간 y에 대해 $z = y^2$입니다. 그렇다면 합성함수는 실제 작업시간이 아니라 기술자가 작업장에서 보내는 총시간 x의 함수로서 $z = (x-1)^2$이 되는 것입니다.

이 경우 $g \circ f$라는 합성함수는 작성할 수 없습니다. $f(y) = y^2$는 실제 작업시간이 y일 때 생산량이 y^2임을 알려줍니다. 그런데 y^2을 $g(x)$에 대입하는 것은 불가능합니다. $y^2 = z$는 생산량이고, $g(x)$에 들어가야 하는 x는 작업장에서 보내는 총시간이니까요.

(b) $x = f(y) = y^2$이고 $y = g(x) = x - 1$인 경우에는 $f \circ g$와 $g \circ f$가 모두 가능합니다. 하지만 그 결과물은 서로 다릅니다.

$$\boxed{x =} \; f \circ g(x) = f(y)\big|_{y=x-1} = (x-1)^2$$
$$\boxed{y =} \; g \circ f(y) = g(x)\big|_{x=y^2} = y^2 - 1$$

입니다. 두 합성함수는 공식의 내용이 다를 뿐 아니라, 사용하는 변수도 다릅니다. $g(x)$를 속함수로 사용하면 투입되는 독립변수가 x이고 먼저 1을 빼준 후에 전체를 제곱하여 $(x-1)^2$입니다. $f(y)$를 속함수로 사용하면 투입 독립변수는 y이고 이를 먼저 제곱한 후 1을 빼주어 $y^2 - 1$입니다.

주의 식에서 상자를 친 부분이 혼란스러울 수 있습니다. 합성함수에는 3개의 변수가 필요한데, 변수가 x, y의 2개 뿐이라서 생긴 혼란입니다. 식 오른쪽의 x나 y는 합성함수의 독립변수, 즉 계산을 위해 처음에 값이 투입되는 자리이고, 왼쪽의 상자 속 x, y는 합성함수의 종속변수로 최종 산출되는 값입니다. f와 g의 2가지 계산을 거치는데 원래 x, y와 같은 값이 나온다는 보장이 없죠.

최종 종속변수를 다른 기호로 바꾸어 적으면 조금 덜 혼란스럽겠습니다.

$$z = f \circ g(x) = f(y)\big|_{y=x-1} = (x-1)^2$$
$$w = g \circ f(y) = g(x)\big|_{x=y^2} = y^2 - 1$$

(c) 이번에는 $x = f(y) = y^2$과 $y = h(x) = \sqrt{x}$를 양방향으로 합성해보면 어떨까요? 우선 수학적으로 $x \geq 0$이고, $y = \sqrt{x} \geq 0$입니다.

$$\boxed{x =} f \circ h(x) = f(y)\big|_{y=\sqrt{x}} = (\sqrt{x})^2 = x$$
$$\boxed{y =} h \circ f(y) = g(x)\big|_{x=y^2} = \sqrt{y^2} = |y| = y$$

이 경우에는 x가 투입되면 x가 나오고, y가 투입되면 y가 나옵니다. 이런 함수를 **항등함수**(identity function)라고 하죠. 항등함수는 투입된 독립변숫값이 그대로 종속변숫값으로 산출되는 $I(x) = x$ 형태의 함수입니다. 이 예에서 $f \circ h(x) = I(x)$이고, $h \circ f(y) = I(y)$입니다. 이는 f와 g가 서로 역함수이기 때문에 그렇습니다.

예를 들어, y가 노동투입시간이고 x는 생산량이라고 할 때 $x = f(y) = y^2$는 생산함수입니다. 한편 그 역함수인 $y = h(x) = \sqrt{x}$는 생산량이 x일 때 투입되어야 하는 노동시간 y를 나타내는 요소요구량함수입니다. $h \circ f(y)$는 노동투입시간이 y일 때 생산되는 수량 y^2를 만들어내기 위해서 요구되는 노동투입시간입니다. 애초에 시작한 노동시간 y가 맞겠지요. 마찬가지로 $f \circ h(x)$는 생산량 x를 위해 요구되는 노동시간 $\sqrt{x}$를 실제로 투입하면 얻어지는 생산량으로 원래 목표로 했던 x가 될 것입니다.

예제 7.2

(a) $z = f(y) = y^2 + 1$이고 $y = g(x) = 2x - 1$인 경우 함수를 합성하고 x로 미분하시오.

(b) $x = f(y) = y^2 + 1$이고 $y = g(x) = 2x - 1$인 경우 함수를 양방향으로 합성하고 각각의 독립변수로 미분하시오.

(a) 두 함수에 공통으로 등장하는 y를 중개변수로 하는 합성함수는 $z = f(g(x)) = (2x-1)^2 + 1 =$

$4x^2 - 4x + 2$입니다. 미분하면 $\dfrac{dz}{dx} = 8x - 4$입니다.

(b) 먼저 $g(x)$를 속함수로 합성하면 (a)에서 했던 것과 마찬가지입니다. 다만 합성함수의 독립변수가 x인데, 종속변수가 다시 x가 되는 셈이므로 기호 표기에 곤란한 점이 있어서 함수 이름을 따로 정해서 $A(x) = f \circ g(x) = f(g(x))$라고 해보면 계산한 대로 $A(x) = 4x^2 - 4x + 2$이고 $A'(x) = 8x - 4$입니다.

한편 이번에는 $f(y)$를 속함수로 합성한다면 새로운 합성함수는 $B(y) = g \circ f(y) = g(f(y)) = 2(y^2 + 1) - 1 = 2y^2 + 1$이고 미분하면 $B'(y) = 4y$입니다.

예제 7.3

생산함수가 $Q = \sqrt{L}$이고 노동의 시간당 임금이 w일 때 비용함수는 $C(Q) = wQ^2$이다. 비용함수의 역함수를 구하고, 비용함수와 그 역함수를 (양방향) 합성하시오. 결과를 해석하시오.

비용함수의 종속변수를 C라고 표시한다면 $C = wQ^2$이고, 그 역함수는 Q에 대해서 풀이하여 $Q = \sqrt{C/w}$입니다. 수학적으로 $w > 0$이고 $Q \geq 0$, $C \geq 0$이어야 할 것입니다.

비용함수 $C = wQ^2$는 임금이 시간당 임금이 w일 때 Q의 수량을 생산하려면 필요한 비용을 계산해줍니다. 역함수 $Q = \sqrt{C/w}$는 역시 시간당 임금이 w일 때 C의 비용을 들여서 생산할 수 있는 수량을 알려줍니다.

비용함수를 속함수로 합성한다면 $C = wQ^2$를 역함수에 대입하므로

$$Q = \sqrt{\frac{C}{w}}\bigg|_{C=wQ^2} = \sqrt{\frac{wQ^2}{w}} = \sqrt{Q^2} = Q$$

함수와 역함수를 합성했기 때문에 항등함수가 나왔습니다. 해석해보면 Q를 생산하기 위해 필요한 비용은 $C = wQ^2$이고, 이 비용을 들여서 실제 생산한다면 결과로 얻는 생산량이 Q입니다.

이번에는 비용함수를 겉함수로 합성한다면 $Q = \sqrt{C/w}$를 겉함수인 비용함수에 대입해주면 됩니다.

$$C = wQ^2\bigg|_{Q=\sqrt{C/w}} = w(\sqrt{\frac{C}{w}})^2 = w\frac{C}{w} = C$$

로 이번에는 C를 변수로 하는 항등함수입니다. 해석해보면 C의 비용을 들일 때 얻는 생산량 $Q = \sqrt{C/w}$를 실제로 생산하려면 비용 C가 필요하다는 것입니다.

7.3.2 연쇄규칙

적절히 정의된 변수 x, y, z와 미분가능한 함수 $z = f(y)$, $y = g(x)$에 대해서 합성함수 $z = f \circ g(x)$를 x로 미분하고자 합니다. 과정을 말로 따져보면, x가 투입되면 $y = g(x)$가 일단 산출된 후, 이 값을 다시 $f(y)$에 대입해서 얻는 최종값이 $z = f \circ g(x)$입니다. 이제 z를 x로 미분한다는 것은, 'x가 아주 조금($\Delta x \to 0$) 변할 때 최종 z의 변화($\Delta z \to 0$)는 Δx의 몇 배일까?'를 알아보려는 것입니다.

쉬운 예로 두 함수 모두 1차함수 $z = 3y$, $y = 2x$라고 해봅시다. x에서 y가 될 때 값이 2배되고, y에서 z가 될 때 다시 3배됩니다. 그럼 최종 몇 배가 되는 거죠? $3 \times 2 = 6$배입니다. 단계별 배율이 곱해져서 최종 배율이 나옵니다. 각 변화가 연쇄적으로 일어나면서 첫 단계 변화(2배)가 그다음 단계 변화(3배)만큼 확대되기 때문에 그렇습니다.

연쇄규칙(chain rule)은 아마도 미분법에서 가장 중요한 규칙으로서, 곱하기로 계산되는 위의 방법을 합성함수의 일반 미분에도 사용할 수 있다는 것입니다. 일차함수끼리라면 그냥 기울기를 서로 곱하면 되는데, 일차함수가 아니라면 각각의 미분계수를 곱해주면 됩니다.

> 결과 7.2 $z = f(y)$와 $y = g(x)$가 각각 미분가능하여 도함수 $f'(y)$, $g'(x)$를 가질 때 합성함수 $z = f \circ g(x)$를 미분하면
>
> **미분규칙(4) [연쇄규칙]**: $(f \circ g(x))' = f'(y)\big|_{y=g(x)} \cdot g'(x) = f'(g(x)) \cdot g'(x)$ 또는
>
> $$\frac{dz}{dx}(x) = \frac{dz}{dy}(y)\bigg|_{y=g(x)} \cdot \frac{dy}{dx}(x)$$

앞에서 봤던 일차함수의 예는 바로 확인 가능합니다. $f(y) = 3y$, $g(x) = 2x$일 때 $f \circ g(x) = 3(2x) = 6x$이고 이를 x로 미분하면 6입니다. 이 결과는 연쇄법칙을 적용하면, $f'(y) = 3$, $g'(x) = 2$이므로 두 수의 곱 $3 \times 2 = 6$과 같습니다.

예전에 **곱규칙**을 제시할 때 $(f(x) \cdot g(x))' \neq f'(x) \cdot g'(x)$이라는 것을 강조했습니다. 함수의 값(종속변숫값)끼리 곱하는 곱셈을 미분한 것은 미분한 것끼리의 곱셈이 아닙니다. 한편 연쇄법칙을 보면 $(f \circ g(x))' = f'(y) \cdot g'(x)$로 두 함수의 미분한 것끼리의 곱셈이 맞습니다. 어떻게 보면, 함수의 합성이 진정한 의미에서 함수들의 곱인 것이죠. 곱규칙에서는 (직사각형 그림으로 설명했던 것처럼) x가 변할 때 $f(x)$와 $g(x)$가 동시에 서로 다른 방향으로 변하므로, $f'(x)$에는 $g(x)$가 곱해지고 $g'(x)$에는 $f(x)$가 곱해져서 두 효과를 더해야 합니다. 한편 연쇄규칙에서는 x가 변하면 $g(x)$가 먼저 변한 후, 그 변화가 다시 $f(y)$에 연쇄적으로 전달되므로 최종 변화는 두 변화의 곱으로 나타납니다.

[예제 7.2]에서 요구했던 미분을 연쇄법칙을 적용해서 해보겠습니다.

(a) $f(y) = y^2 + 1$이고 $g(x) = 2x - 1$일 때 $f'(y) = 2y$이고 $g'(x) = 2$이므로

$$(f \circ g)'(x) = f'(y)\big|_{y=g(x)} \cdot g'(x) = 2y\big|_{y=2x-1} \times 2 = 4(2x - 1) = 8x - 4$$

(b) 이번에는 (a)의 함수들에 대해 $g \circ f$를 미분해봅니다. 순서만 바꾸어 곱하면 됩니다.

$$(g \circ f)'(y) = g'(x)\big|_{x=f(y)} \cdot f'(y) = 2 \times 2y = 4y$$

거듭제곱규칙과 **연쇄규칙**을 함께 사용하면 다음의 매우 쓸모 있는 공식을 얻습니다.

결과 7.3 $f(x)$가 미분가능하여 그 도함수가 $f'(x)$일 때

$$\frac{d}{dx}(f(x))^n = n(f(x))^{n-1} \cdot f'(x)$$

증명 ....

$z = (f(x))^n$은 겉함수 $z = y^n$과 속함수 $y = f(x)$의 합성함수이고, 거듭제곱규칙에 의해 $\frac{dz}{dy} = ny^{n-1}$이므로 연쇄규칙에 의해

$$\frac{dz}{dx} = \frac{dz}{dy}\big|_{y=f(x)} \cdot \frac{dy}{dx} = ny^{n-1}\big|_{y=f(x)} \cdot f'(x) = n(f(x))^{n-1} \cdot f'(x) \qquad \blacktriangleleft$$

....

위 결과를 사용하면 다음과 같이 쉽게 계산할 수 있습니다.

(a) $((x + 1)^2)' = 2(x + 1) \times (x + 1)' = 2(x + 1) \times 1 = 2(x + 1)$

(b) $((x^2 + 1)^2)' = 2(x^2 + 1) \times (x^2 + 1)' = 2(x^2 + 1) \times 2x = 4x(x^2 + 1)$

(c) $((x^3 + 1)^2)' = 2(x^3 + 1) \times (x^3 + 1)' = 2(x^3 + 1) \times 3x^2 = 6x^2(x^3 + 1)$

(d) $((x^2 + 1)^3)' = 3(x^2 + 1)^2 \times (x^2 + 1)' = 3(x^2 + 1)^2 \times 2x = 6x(x^2 + 1)^2$

연쇄규칙은 다음 장에서, 그리고 그 이후에 이 책에서 계속해서 활용하게 될 것입니다.

연습문제

7-1 다음을 곱규칙을 사용해서 계산하시오.

    (a) $[(x-1)(x^2+x+1)]' =$

    (b) $[(x^2+1)(x^3+1)]' =$

    (c) $[(x-1)(x+1)(x+2)]' =$

7-2 수요곡선이 $P(Q) = a - bQ^2$ 일 때 수입함수와 한계수입함수를 공식으로 도출하시오. 한계수입곡선을 그림으로 그리면 수요곡선 아래쪽에 위치함을 확인하시오.

7-3 다음의 주어진 함수들을 합성하고 그 결과를 x로 미분하시오.

    (a) $z = f(y) = y^3, \ y = g(x) = x^2 + 1$

    (b) $z = f(y) = y^2 + 1, \ y = g(x) = x^3$

    (c) $z = f(y) = (y+1)(y+2), \ y = g(x) = x^2 - 1$

    (d) $z = f(y) = y^2 - 1, \ y = g(x) = (x+1)(x+2)$

7-4 바로 앞문제를 연쇄규칙을 사용해서 다시 풀어보시오.

7-5 다음을 계산하시오.

    (a) $((x^2+2)^{100})' =$

    (b) $((x^{100}+2)^2)' =$

Chapter 08

미분의 고급규칙 (2)
함수몫(분수함수), 역함수의 도함수

제8장에서는 ....

이제 두 함수 사이의 몫, 즉 분자와 분모에 함수가 든 분수함수의 미분법을 공부하겠습니다. 보통 다항함수가 분자 및 분모에 들어있는 함수를 유리함수라고 합니다. 지금까지 우리는 계속 다항함수로 구성된 함수들을 주로 다루고 있지만, 주요 미분규칙들은 다항함수가 아니더라도 적용됩니다. 따라서 다항함수가 아니더라도 분자, 분모에 함수가 든 일반적 형태를 분수함수라고 하겠습니다. 분수함수의 미분법은 **몫규칙**인데, 앞장에서 공부한 **곱규칙**과 **연쇄규칙**을 이용하면 쉽게 도출할 수 있습니다. 연쇄규칙을 활용한 또 하나의 기법으로 역함수의 미분법도 알아봅니다.

주요 개념

- 수학: 몫규칙, 역함수의 미분계수
- 경제학: 평균비용, 가격탄력성

주요 결과

- $\left(\dfrac{1}{g}\right)' = -\dfrac{g'}{g^2}$

- $\left(\dfrac{f}{g}\right)' = \dfrac{f'g - fg'}{g^2}$

- $y = f(x)$이고, $x = f^{-1}(y) = g(y)$일 때,

$$\frac{d}{dy}(f^{-1}(y)) = \left.\frac{1}{f'(x)}\right|_{x=g(y)}$$

분수함수는 $\dfrac{f(x)}{g(x)}$ 의 형태를 갖습니다. 먼저 분모에만 함수가 든 형태를 보겠습니다.

8.1.1 $\dfrac{1}{g(x)}$ 형태의 함수

$A(x) = \dfrac{1}{g(x)}$ 를 미분하고자 합니다. 여기서 물론 $g(x) \neq 0$이어야 하고, 미분가능하여 도함수가 $g'(x)$라고 하겠습니다. $A(x)$는 사실 합성함수입니다. 속함수는 $y = g(x)$이고, 겉함수는 $1/y$인 형태입니다. 따라서 연쇄규칙을 적용하면

$$(\frac{1}{g(x)})' = (\frac{1}{y})'\big|_{y=g(x)} \times g'(x) = -\frac{1}{y^2}\big|_{y=g(x)} \times g'(x) = -\frac{g'(x)}{[g(x)]^2} \tag{8.1}$$

가 됩니다. 여기서 반비례함수 $1/y$의 도함수는 $-1/y^2$라는 것을 이용했습니다. 분모에 함수가 있는 역수 형태의 함수의 도함수는 먼저 앞에 음의 부호를 붙인 후 분모를 제곱해주고, 분모의 도함수를 분자에 얹으면 됩니다.

예 8.1

$(\dfrac{1}{x^2})' = -\dfrac{(x^2)'}{(x^2)^2} = -\dfrac{2x}{x^4} = -\dfrac{2}{x^3}$ (x^{-2}에 거듭제곱규칙을 적용한 것과 같은 결과입니다.)

$(\dfrac{1}{x^2+1})' = -\dfrac{(x^2+1)'}{(x^2+1)^2} = -\dfrac{2x}{(x^2+1)^2}$

$(\dfrac{1}{(x^2+1)^2})' = -\dfrac{[(x^2+1)^2]'}{(x^2+1)^4} = -\dfrac{2(x^2+1) \times 2x}{(x^2+1)^4} = -\dfrac{4x}{(x^2+1)^3}$

8.1.2 $\dfrac{f(x)}{g(x)}$ 형태의 함수

이제 일반 분수함수 형태 $B(x) = \dfrac{f(x)}{g(x)}$ 를 다룰 준비가 되었습니다. $g(x) \neq 0$이고, $f(x)$, $g(x)$ 모두 미분가능하여 도함수가 $f'(x)$, $g'(x)$라고 할 때

$$B(x) = \frac{f(x)}{g(x)} = f(x) \times \frac{1}{g(x)}$$

이므로 위 식에 **곱규칙**을 적용하면 됩니다. 즉 (8.1)을 참조하면

$$(\frac{f(x)}{g(x)})' = f'(x) \times \frac{1}{g(x)} + f(x) \times (\frac{1}{g(x)})' = f'(x) \times \frac{1}{g(x)} + f(x) \times (-\frac{g'(x)}{[g(x)]^2}) = \frac{f'(x)g(x) - f(x)g'(x)}{[g(x)]^2}$$

가 공식입니다. **곱규칙**과 비슷하게 두 함수 중 하나만 미분한 것과 나머지 함수를 곱하는데, 이번에는 뺄셈이 등장하고, 분모 함수를 제곱해줍니다.

$$\left(\frac{x}{x^2+1}\right)' = \frac{(x)'(x^2+1) - x(x^2+1)'}{(x^2+1)^2} = \frac{(x^2+1) - x \times 2x}{(x^2+1)^2} = \frac{1-x^2}{(x^2+1)^2}$$

$$\left(\frac{x}{(x^2+1)^2}\right)' = \frac{(x)'(x^2+1)^2 - x[(x^2+1)^2]'}{(x^2+1)^4} = \frac{(x^2+1)^2 - x \times 2(x^2+1) \times 2x}{(x^2+1)^4}$$

$$= \frac{(x^2+1) - 4x^2}{(x^2+1)^3} = \frac{1-3x^2}{(x^2+1)^3}$$

$$\left(\frac{x^2}{(x^2+1)^2}\right)' = \frac{(x^2)'(x^2+1)^2 - x^2[(x^2+1)^2]'}{(x^2+1)^4} = \frac{2x(x^2+1)^2 - x^2 \times 2(x^2+1) \times 2x}{(x^2+1)^4}$$

$$= \frac{2x(x^2+1) - 4x^3}{(x^2+1)^3} = \frac{2x - 2x^3}{(x^2+1)^3} = \frac{2x(1-x^2)}{(x^2+1)^3}$$

결과 8.1 미분가능한 함수 $f(x)$, $g(x)$의 도함수가 각각 $f'(x)$, $g'(x)$라고 할 때

미분규칙(5) [몫규칙]:

$$\left(\frac{1}{g(x)}\right)' = -\frac{g'(x)}{[g(x)]^2}, \qquad 단\ g(x) \neq 0$$

$$\left(\frac{f(x)}{g(x)}\right)' = \frac{f'(x)g(x) - f(x)g'(x)}{[g(x)]^2}, \quad 단\ g(x) \neq 0$$

8.2 응용: 평균비용함수, 평균비용곡선

8.2.1 평균비용

평균비용(average cost)이란 비용을 생산량으로 나눈 값입니다. 즉 **평균비용함수**(average cost function)는 비용함수 $C(Q)$를 생산량 Q로 나누어준 것입니다.

$$AC(Q) = \frac{C(Q)}{Q} \qquad\qquad (\text{평균비용함수})$$

생산량 $Q = Q_0$에서 평균비용이란 Q_0를 생산하기 위해 들어간 총비용 $C(Q_0)$을 생산량 Q_0으로 나누어준 것으로, 생산된 재화 1단위당 비용을 계산한 것입니다.

(a) $C(Q) = 10Q$라면 $\mathrm{AC}(Q) = \dfrac{C(Q)}{Q} = 10$

(b) $C(Q) = 10Q + 5$라면 $\mathrm{AC}(Q) = \dfrac{C(Q)}{Q} = 10 + \dfrac{5}{Q}$

(c) $C(q) = 5Q^2 + 5$라면 $\mathrm{AC}(Q) = \dfrac{C(Q)}{Q} = 5Q + \dfrac{5}{Q}$

(d) $C(Q) = \sqrt{Q}$라면 $\mathrm{AC}(Q) = \dfrac{C(Q)}{Q} = \dfrac{1}{\sqrt{Q}}$

위 예에서 평균비용함수의 특징을 몇 가지 알 수 있습니다. 첫째, 비용이 상수항 없는 일차함수 형태라면 평균비용은 상수(비용함수의 기울기)입니다.

둘째, 비용에 상수항 즉 **고정비용**이 포함되어 있다면, 평균비용에는 분모에 Q가 들어있는 항이 발생합니다. 즉 비용함수를 상수항(고정비용) FC와 나머지 Q의 함수(가변비용) $VC(Q)$로 나누어 $C(Q) = VC(Q) + FC$로 표시한다면

$$\mathrm{AC}(Q) = \frac{C(Q)}{Q} = \frac{VC(Q)}{Q} + \frac{FC}{Q} = AVC(Q) + AFC(Q)$$

가 됩니다. 여기서 Q의 함수인 가변비용을 Q로 나누어준 것을 **평균가변비용**(average variable cost)이라 하고, 상수인 고정비용을 Q로 나누어준 것을 **평균고정비용**(average fixed cost)라 하며, 평균고정비용은 항상 '상수$\div Q$' 형태를 가집니다.

셋째, 평균가변비용은 가변비용이 일차함수이면 상수, 아닌 경우 (c)에서처럼 증가함수일 수도 있고 (d)에서처럼 감소함수일 수도 있습니다.

평균고정비용(상수$\div Q$)과 평균가변비용(상수 또는 증가 또는 감소)을 합한 전체 평균비용함수는 다양한 형태의 그래프를 가질 수 있습니다. 수학적으로는 평균비용함수의 구체적 형태를 알면 쉽게 그래프를 그릴 수 있지만, 다양한 그래프의 유형이 어떤 경우에 발생하는지를 경제학적으로 이해하는 것도 중요합니다. 이를 위해서는 평균비용의 의미에 대해서 좀 더 생각해보고, 평균비용과 한계비용 사이의 관계를 따져보는 것이 필요합니다.

먼저 비용함수의 그래프인 비용곡선에서 평균비용을 어떻게 알아낼 수 있는지를 통해서 평균비용의 의미를 다시 따져보겠습니다.

평균은 익숙한 개념이지만, 그래도 평균비용이 어떤 의미인지 조금 자세히 따져보겠습니다. 그림으로 보는 것이 도움이 됩니다([그림 8.1]).

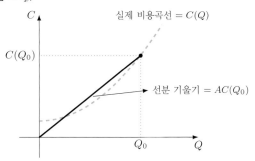

[그림 8.1] 비용곡선에서 평균비용 알아내기

가로축을 생산량 Q, 세로축을 비용 $C(Q)$로 하는 평면 위에 생산량 Q_0와 비용 $C(Q_0)$에 해당하는 점을 찍어보면, 그 점과 원점을 연결한 선분의 기울기가 곧 Q_0에서의 평균비용입니다.

$$\mathrm{AC}(Q_0) = \frac{C(Q_0)}{Q_0} = \frac{C(Q_0) - 0}{Q_0 - 0}$$

[그림 8.1]에는 비용곡선도 점선으로 그려져 있는데, $Q = 0$일 때에도 고정비용이 발생하여 세로축 절편이 양수이고, 생산량 증가에 따라서 비용이 점점 더 가파르게 증가하는 형태입니다. 즉 한계비용이 증가하고 있어서, 생산량이 증가함에 따라 추가되는 비용이 점점 증가하고 있습니다.

하지만 평균비용은 실제 비용곡선의 이런 형태를 무시하고, 원점에서 출발하는 직선을 따라 비용이 발생한다고 '가정'하고 그 일정한 기울기를 계산한 셈입니다. 즉 고정비용의 존재 및 계속해서 변하는 한계비용의 특징을 모두 뭉뚱그려서, 마치 단위마다 똑같은 비용이 들어간 것처럼 취급할 때 그 단위당 비용을 계산한 것입니다.

예 8.4

$C(10) = 150$이라면 총 10단위 재화를 만드는 데 150의 비용이 들었는데, 이 150의 비용 속에는 고정비용도 있을 수 있고, 생산량마다 서로 다른 비용이 들었을 수도 있지만, 뭉뚱그려서 일정한 단위당 비용이 들었다고 상상하여 1단위당 $150 \div 10 = 15$의 비용이 들었다고 이해하는 것입니다.

한편, 현 생산량이 $Q_0 = 10$이고 평균비용이 $\mathrm{AC}(10) = 15$라는 정보가 주어진다면, 우리는 $Q_0 = 10$을 만드는 데 들어간 총비용이 $C(10) = \mathrm{AC}(10) \times 10 = 15 \times 10 = 150$임을 알 수 있습니다. 평균비용 수치는 현 생산량에서의 총비용 수준에 대한 정보를 담고 있지만, 비용 구조의 복잡한 형태는 무시하므로 $Q_0 = 10$에서 생산량에 변화를 줄 경우 비용이 어떻게 될 것인지에 대해서는 전혀 정보가 없습니다.

8.2.2 평균비용과 한계비용

평균비용과 한계비용은 함께 사용되는 중요한 개념입니다. 비교를 위해 **한계비용함수**(marginal cost function)를 다시 적어보면

$$MC(Q) = \frac{dC(Q)}{dQ} \qquad \text{(한계비용함수)}$$

입니다. 한계비용은 생산량의 변화에 따른 비용의 변화를 계산한 것이므로 매 단위당 들어간 비용을 측정하는 개념입니다. 즉 평균비용과 한계비용의 단위는 모두 '화폐 ÷ 재화 수량'입니다.

그런데 한계비용은 '변화'에 대한 정보를 담고 있지만 그 대신 총비용 수준에 대한 정보는 알려주지 않습니다. 만약 고정비용이 존재한다면 평균비용은 그 값을 평균고정비용으로 포함시켜 계산하지만, (상수는 미분과정에서 사라지므로) 한계비용은 고정비용을 무시하고 계산합니다. 또한 특정 생산량에서의 한계비용값은 그 외의 생산량에서의 비용 구조에 대한 정보를 알려주지 않습니다.

예 8.5

만약 $MC(10) = 20$이라면 현재 생산량이 $Q_0 = 10$인 상황에서 생산량의 변화를 아주 조금 ΔQ 만큼 준다면 대략 $20\Delta Q$ 정도 비용의 변화가 있을 것임을 알려줍니다. $\Delta Q = 0.1$로 새로운 생산량이 $Q = 10.1$가 되면 대략 $\Delta C = 20 \times 0.1 = 2$로 $C(10)$보다 대략 2 정도 비용값이 증가할 것입니다. 하지만 $MC(10) = 20$이라는 수치로는 $C(0)$의 값 즉 고정비용 수준도 알 수 없고, 생산량 10에서의 총비용 $C(10)$의 값도 알 수 없습니다.

한계비용은 현재 비용 수준과 상관없이 변화를 줄 때 '미래'에 발생할 비용 변화를 알려주고, 평균비용은 '미래'에 발생할 변화와 상관없이 현재 비용수준에 도달하게 된 '과거'의 실적을 요약하고 있습니다. 특히 그 '과거'가 0에서 출발하는 정비례 일차함수였던 것처럼 생각하고 계산합니다. 결국 단위당 비용 정보를 사용해서 비용구조를 제대로 파악하기 위해서 우리는 평균비용과 한계비용을 모두 알아야 할 것입니다.

예컨대 $AC(10) = 15$이고 $MC(10) = 20$이라면 우리는 현재 비용이 $C(10) = 15 \times 10 = 150$ 임을 알 수 있고, 현 상태에서 0.1의 생산량 변화를 주어 10.1을 생산하는 경우 그 비용은 대략 $C(10.1) \approx 150 + 20 \times 0.1 = 152$가 될 것이라고 계산할 수 있습니다.

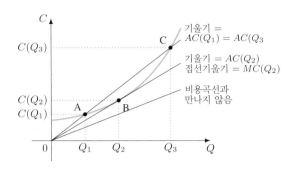

[그림 8.2] 비용곡선상의 여러 점에서 알아낸 평균비용 수준

8.2.3 몫규칙으로 알아보는 평균비용곡선의 형태

가로축을 생산량 Q로 하고, 세로축에 단위당 비용을 표시한 평면 위에 $AC(Q)$를 그림으로 그리면 평균비용곡선이 됩니다. 한계비용곡선과 마찬가지로, 평균비용곡선은 비용곡선과 같은 평면상에 그리면 안됩니다. 비용곡선의 세로축은 '화폐' 단위이고, 한계비용곡선이나 평균비용곡선의 세로축은 '화폐 ÷ 재화수량' 단위입니다. 한편 한계비용과 평균비용은 같은 단위를 가지므로 같은 평면상에 함께 그려도 됩니다.

평균비용곡선의 모양은 [그림 8.1]에서 본대로 비용곡선 위의 각 점을 원점과 연결한 선분의 기울기로부터 알아낼 수 있습니다. 예컨대 [그림 8.2]에서 Q_1, Q_2, Q_3에 대해 각각 평균비용을 알아볼 수 있는데 이는 각각 점 A, B, C와 원점을 연결한 선분의 기울기입니다.

예 8.6

[그림 8.2]에서 알 수 있는 것들로는 점 A와 점 C가 같은 정비례 직선상에 있어서 $AC(Q_1) = AC(Q_3)$이라는 것과 점 B를 지나가는 직선의 기울기는 좀 더 작으므로 $AC(Q_1) = AC(Q_3) > AC(Q_2)$라는 것이 있습니다.

그림에 표시된 점 외에도 마찬가지 방법으로 원점과 연결하는 선분의 기울기를 계산해보면 $Q < Q_2$일 때는 평균비용이 점점 낮아지다가($AC \searrow$), $Q > Q_2$에서는 평균비용이 점점 높아집니다 ($AC \nearrow$). 즉 점 B에서의 평균비용 $AC(Q_2)$가 평균비용의 최저 수준일 것입니다. 이는 $AC(Q_2)$ 보다 기울기가 더 작은 직선을 원점에서 그려보면 비용곡선과 전혀 만나지 않는다는 것으로 확인할 수 있습니다.

여기서 주목할만한 사실은 점 B를 지나가는 직선은 Q_2에서 비용곡선의 접선이기도 하다는 것입니다. 비용곡선의 접선 기울기는 곧 한계비용이므로, Q_2에서는 $MC(Q_2) = AC(Q_2)$라는 말입니다.

수학적으로 평균비용곡선의 그래프를 정확하게 그리기 위해서 그 도함수를 도출해보면 도움이 됩니다. 평균비용함수는 분수함수 형태이므로 **몫규칙**을 활용하면 됩니다.

$$\mathrm{AC}'(Q) = (\frac{C(Q)}{Q})' = \frac{C'(Q)Q - C(Q)(Q)'}{Q^2} = \frac{\mathrm{MC}(Q)Q - C(Q)}{Q^2}$$
$$= \frac{\mathrm{MC}(Q) - C(Q)/Q}{Q} = \frac{\mathrm{MC}(Q) - \mathrm{AC}(Q)}{Q} \tag{8.2}$$

(8.2)에 따르면 평균비용곡선의 기울기는 한계비용과 평균비용 사이의 격차에 따라 달라집니다. $\mathrm{MC}(Q) < \mathrm{AC}(Q)$이면 $\mathrm{AC}'(Q) < 0$이므로 평균비용곡선은 우하향(AC ↘)합니다. [그림 8.2]의 점 A를 보면 원점과 연결한 선분의 기울기($\mathrm{AC}(Q_1)$)에 비해 점 A에서 곡선에 그은 접선의 기울기($\mathrm{MC}(Q_1)$)가 낮습니다. 점 C는 반대로 $\mathrm{AC}(Q_3) < \mathrm{MC}(Q_3)$이며 평균비용곡선은 우상향(AC ↗)할 것입니다. 정리해보면 다음 표와 같습니다.

한계비용과 평균비용	평균비용의 기울기	평균비용곡선의 형태
MC < AC	(−)	우하향(↘)
MC = AC	0	수평(→)
MC > AC	(+)	우상향(↗)

[표 8.1] 한계비용과 평균비용 간의 격차에 따른 평균비용곡선의 형태

평균과 한계 사이의 관계

(8.2)는 평균비용과 한계비용에 대한 식이지만, '비용' 대신에 다른 어떤 개념이 들어가더라도 성립합니다. 비용 대신 수입, 이윤, 편익 등의 개념을 넣더라도 비슷한 관계가 성립합니다. 예를 들어 현재의 평균수입에 비해 한계수입이 낮으면, 평균수입도 떨어집니다. 수입함수는 $R(Q) = P(Q)Q$이므로, 평균수입은 $\mathrm{AR}(Q) = P(Q)Q/Q = P(Q)$로 가격 즉 수요곡선입니다. 따라서 평균수입의 기울기 즉 수요곡선의 기울기는

$$\mathrm{AR}'(Q) = P'(Q) = \frac{\mathrm{MR}(Q) - \mathrm{AR}(Q)}{Q} = \frac{\mathrm{MR}(Q) - P(Q)}{Q}$$

가 되고 이 식을 재정리하면

$$\mathrm{MR}(Q) = P(Q) + \mathrm{AR}'(Q)Q = P(Q) + P'(Q)Q$$

로 이미 앞에서 얻었던 한계수입함수의 공식이 됩니다. 즉 한계수입곡선이 수요곡선의 아래라는 것과 수요곡선이 우하향한다는 것 사이에 밀접한 관계가 있습니다.

경제학적인 맥락이 아니더라도, 예컨대 야구에서 현재 타율(타수당 평균안타)이 3할(0.3)인 타자가 오늘 5타수 2안타(0.4)를 기록하면 타율이 올라갑니다. 두 번의 시험에서 얻은 평균점수가 80점인 학생이 세 번째 시험에서 90점을 받으면 평균이 올라갑니다. 실내 온도가 30도라 너무 덥다면, 에어컨을 틀어 (30도보다) 낮은 공기를 공급해야 온도가 내려갑니다.

$C(Q) = 10Q$라면 $\text{MC}(Q) = C'(Q) = 10$(상수)이고 $\text{AC}(Q) = C(Q)/Q = 10Q/Q = 10$(상수)이며 $\text{MC}(Q) = \text{AC}(Q)$입니다. (8.2)에 따르면 $\text{MC} = \text{AC}$일 때 AC가 평평해야 하는데, 실제로 상수함수의 그래프이므로 수평선입니다.

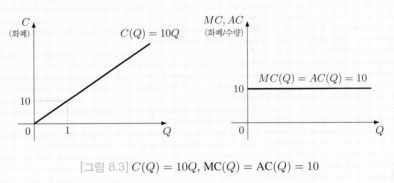

[그림 8.3] $C(Q) = 10Q$, $\text{MC}(Q) = \text{AC}(Q) = 10$

$C(Q) = 10Q + 5$라면 $\text{MC}(Q) = C'(Q) = 10$(상수)이고 $\text{AC}(Q) = \dfrac{C(Q)}{Q} = 10 + \dfrac{5}{Q}$입니다. 한계비용은 앞 예제와 같이 값 10인 상수함수인 반면, 평균비용은 $\text{AC}(Q) > \text{MC}(Q)$이고 Q가 커질 때 $\text{AC}(Q) \to \text{MC}(Q)$로 수렴합니다. 역시 (8.2)에 따르면 $\text{AC} > \text{MC}$이므로 AC가 전반적으로 감소하는 형태입니다. 평균가변비용(AVC)은 한계비용과 마찬가지로 상수 10인데, 평균고정비용이 Q의 반비례함수이기 때문에 이런 모양이 나타나는 것입니다.

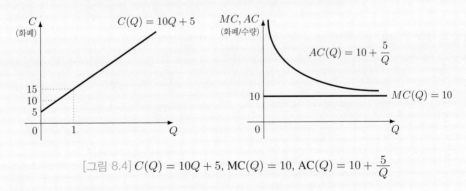

[그림 8.4] $C(Q) = 10Q + 5$, $\text{MC}(Q) = 10$, $\text{AC}(Q) = 10 + \dfrac{5}{Q}$

참고 평균비용곡선이 하락하는 형태일 때 즉 평균비용이 생산량 증가에 따라 감소할 때 **규모의 경제**(economies of scale)가 있다고 말합니다. 위 예제는 규모의 경제가 발생하는 중요한 요인 하나가 고정비용의 존재임을 알려줍니다.

$C(Q) = 5Q^2 + 5$라면 $\mathrm{MC}(Q) = C'(Q) = 10Q$로 기울기 10인 직선이고, $\mathrm{AC}(Q) = \dfrac{C(Q)}{Q} = 5Q + \dfrac{5}{Q}$가 됩니다. 평균비용함수의 공식이 비교적 단순하므로 일계 및 이계도함수를 통해 그래프를 정확하게 그릴 수도 있습니다. 즉 $\mathrm{AC}'(Q) = 5 - \dfrac{5}{Q^2}$에서 $Q = 1$일 때 평균비용이 평평하고, $Q < 1$일 때는 감소, $Q > 1$일 때는 증가임을 알 수 있습니다. 또한 $\mathrm{AC}''(Q) = \dfrac{10}{Q^3} > 0$이므로 평균비용곡선의 전반적인 형태는 볼록입니다.

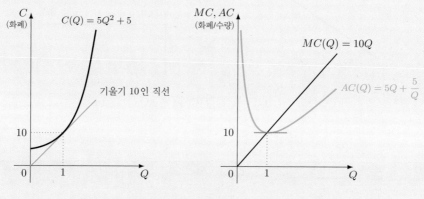

[그림 8.5] $C(Q) = 5Q^2 + 5$, $\mathrm{MC}(Q) = 10Q$, $\mathrm{AC}(Q) = 5Q + \dfrac{5}{Q}$

하지만 $\mathrm{AC}(Q)$ 공식을 직접 미분하지 않더라도 (8.2)를 활용하면 평균비용곡선의 모양을 추론할 수 있습니다. 우선 $\mathrm{MC}(Q) = 10Q$와 $\mathrm{AC}(Q) = 5Q + \dfrac{5}{Q}$가 같아지는 점을 찾아보면

$$10Q = 5Q + \frac{5}{Q} \implies 5Q = \frac{5}{Q} \implies Q = 1$$

이고 이때 평균비용 기울기가 0임을 알 수 있습니다. 이는 [그림 8.5]의 왼쪽 그림에서 $Q = 1$일 때 원점과 연결한 선분의 기울기가 10이면서 곧 접선이기도 한 것으로부터도 확인됩니다. 한편 $\mathrm{MC}(Q) - \mathrm{AC}(Q) = 10Q - 5Q - \dfrac{5}{Q} = \dfrac{5(Q^2 - 1)}{Q}$이므로 $Q < 1$이면 $\mathrm{MC} < \mathrm{AC}$이므로 평균비용이 하락하고, $Q > 1$이면 $\mathrm{MC} > \mathrm{AC}$이므로 평균비용이 상승할 것입니다.

$C(Q) = Q^3 - 30Q^2 + 300Q$일 때 평균비용곡선의 형태를 (8.2)를 활용해서 파악하시오.

$\mathrm{MC}(Q) = C'(Q) = 3Q^2 - 60Q + 300$이고 $\mathrm{AC}(Q) = \dfrac{C(Q)}{Q} = Q^2 - 30Q + 300$이므로

$$\mathrm{MC}(Q) - \mathrm{AC}(Q) = 2Q^2 - 30Q = 2Q(Q - 15)$$

이므로 $Q > 0$일 때 $Q < 15$이면 $\mathrm{MC}(Q) < \mathrm{AC}(Q)$, $Q > 15$이면 $\mathrm{MC}(Q) > \mathrm{AC}(Q)$이고 $\mathrm{MC}(15) = \mathrm{AC}(15)$입니다. 즉 평균비용곡선은 $Q < 15$일 때는 감소함수($\searrow$) 모양이다가 $Q = 15$에서 평평하고 $Q > 15$이면 증가함수($\nearrow$) 모양일 것입니다.

한계비용과 평균비용 모두 간단한 이차함수이므로 그래프를 쉽게 그릴 수 있습니다. 한 평면 위에 그려보면 다음 그림과 같습니다.

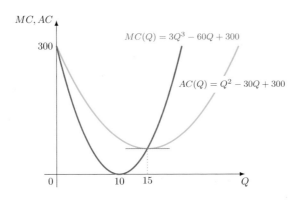

[그림 8.6] 한계비용과 평균비용

어떤 함수 $y = f(x)$가 일대일이어서 역함수를 갖는다고 합시다.

> **주의** 고교 수학에서는 역함수 $x = f^{-1}(y)$에서 다시 x와 y의 위치를 바꾸어 $y = f^{-1}(x)$로 적도록 하는 경우가 많습니다. 하지만 그렇게 바꾸는 순간 x는 원래 함수의 x와는 구분되는 다른 존재입니다. 이 책에서는 주어진 함수 $y = f(x)$에서 변수의 정체를 지켜주기로 합니다. 즉 역함수는 원래 종속변수였던 y가 이제는 독립변수의 역할을 하는 $x = f^{-1}(y)$입니다.

역함수는 $x = f^{-1}(y) = g(y)$로 적을 수 있습니다. 역함수를 독자적인 함수로 취급하기 위해 $g(\cdot)$라는 별도의 기호를 도입했습니다. 역함수와 원래 함수를 합성하면 항등함수이므로 $g \circ f(x) = x$입니다. 이제 $g \circ f(x) = x$의 양변을 x로 미분해보겠습니다. 우변의 x는 미분하면 그냥 1입니다. 한편 좌변은 겉함수가 $g(y)$이고 속함수는 $y = f(x)$인 합성함수입니다. 연쇄규칙을 적용하여 좌변을 x로 미분하면

$$\frac{d}{dx} g \circ f(x) = g'(y)\big|_{y=f(x)} \times f'(x) = g'(f(x))f'(x)$$

가 됩니다. 이것이 우변의 미분결과인 1과 같아야 하므로

$$g'(f(x))f'(x) = 1 \implies g'(f(x)) = \frac{1}{f'(x)}$$

입니다. 말로 해보면 역함수의 미분계수는 미분계수의 역수라는 것입니다.

> **주의** $g'(f(x))$를 계산할 때 주의할 점이 있습니다. 식에 변수 x가 보이기 때문에 g를 x로 미분한 것으로 오해할 수 있는데 그렇지 않습니다. f의 역함수인 g는 y의 함수로 $g(y)$이고, 따라서 $g(y)$를 y로 먼저 미분하여 $g'(y)$를 얻은 후에 y에다가 $y = f(x)$를 대입합니다.

식을 기호를 달리 하여 다시 적어보면

$$\left.\frac{df^{-1}}{dy}(y)\right|_{y=f(x)} = \frac{1}{\dfrac{df}{dx}(x)} \quad \text{즉} \quad \left.\frac{dx}{dy}(y)\right|_{y=f(x)} = \frac{1}{\dfrac{dy}{dx}(x)}$$

라고 할 수 있습니다. 먼저 y로 미분($\frac{d}{dy}$)한 후에 $y = f(x)$를 대입한다는 것을 다시 한번 강조했습니다. 그런 과정을 기억한다는 전제로 오른쪽 식을 더 단순하게 써보면

$$\frac{dx}{dy} = \frac{1}{\dfrac{dy}{dx}}$$

가 되어 비교적 직관적이고 기억하기 좋은 형태가 됩니다. 기본적으로 역함수는 원래 그래프의 X축과 Y축을 바꾸어주는 셈이니, 기울기 또한 역수로 바뀌는 것이 자연스럽습니다.

결과 8.2

$y = f(x)$의 역함수가 존재하여 $x = f^{-1}(y) = g(y)$라고 할 때
미분규칙(6) [역함수]:

$$g'(f(x)) = \frac{1}{f'(x)}$$

(단, $g'(f(x))$는 g를 y로 미분한 후 $y = f(x)$에서 계산한 미분계수, 즉 $g'(f(x)) = \left.\frac{df^{-1}}{dy}(y)\right|_{y=g(x)}$ 이다.)

간단한 일차함수 예부터 봅시다. $y = f(x) = 10 - 2x$의 역함수는 $x = g(y) = 5 - 0.5y$입니다. $f'(x) = -2$이고 $g'(y) = -0.5$입니다. 두 수는 서로 역수입니다. 일차함수이므로 미분계수는 상수이고, 따라서 먼저 y로 미분한 후 $y = f(x)$를 대입한다는 과정 필요 없이, 함수의 기울기와 역함수의 기울기가 서로 역수임을 확인할 수 있습니다.

$$g'(y) = -0.5 = \frac{1}{-2} = \frac{1}{f'(x)}$$

이차함수 $y = f(x) = x^2$(단, $x \geq 0$)의 역함수는 $x = g(y) = \sqrt{y}$입니다. 함수의 도함수는 $f'(x) = 2x$이고, 역함수의 도함수는 일단 y에 대해 $g(y)$를 미분해보면 $g'(y) = \frac{1}{2\sqrt{y}}$입니다. 이제 $y = f(x) = x^2$를 대입해보면

$$g'(f(x)) = \frac{1}{2\sqrt{f(x)}} = \frac{1}{2\sqrt{x^2}} = \frac{1}{2x} = \frac{1}{f'(x)}$$

가 맞습니다. 구체적으로 $x = 2$일 때 $y = 4$인데, 이때 함수의 미분계수는 $f'(2) = 2 \times 2 = 4$이고, 역함수의 미분계수는 $g'(4) = \frac{1}{2\sqrt{4}} = \frac{1}{4}$로 서로 역수가 맞습니다.

$y = \dfrac{x^2}{x^2 + 1}$는 $x > 0$에 대해서 단조함수임을 확인하고, $x = 1$일 때 그 역함수의 미분계수를 계산하시오.

몫규칙을 사용해서 일계도함수를 계산하면

$$y' = \frac{2x(x^2 + 1) - x^2 \times 2x}{(x^2 + 1)^2} = \frac{2x^3 + 2x - 2x^3}{(x^2 + 1)^2} = \frac{2x}{(x^2 + 1)^2} > 0$$

이므로 $x > 0$에 대해 단조증가함수이고, 따라서 역함수를 가질 것입니다. $x = 1$일 때 역함수의 미분계수는, 역함수 및 그 도함수를 도출하지 않더라도, $y'(1) = \dfrac{2}{(1^2 + 1)^2} = \dfrac{1}{2}$의 역수인 2일 것입니다.

실제로 역함수를 도출해서 확인해봅시다. 계산이 복잡하니 주의하세요.

$$y = \frac{x^2}{x^2+1} \implies (x^2+1)y = x^2 \implies (y-1)x^2 = -y \implies x^2 = \frac{y}{1-y} \implies x = \sqrt{\frac{y}{1-y}}$$

가 역함수입니다($x > 0$이므로 양의 제곱근만 취했습니다). 이 식은 제곱근 기호 속에 분수 형태 함수가 들어있어 미분하기 까다로운 편입니다. 몫규칙을 차근차근 적용해보면

$$x' = \frac{(\sqrt{y})'\sqrt{1-y} - \sqrt{y}(\sqrt{1-y})'}{(\sqrt{1-y})^2} = \frac{\frac{1}{2\sqrt{y}}\sqrt{1-y} - \sqrt{y}\frac{-1}{2\sqrt{1-y}}}{1-y} = \frac{\frac{\sqrt{1-y}}{2\sqrt{y}} + \frac{\sqrt{y}}{2\sqrt{1-y}}}{1-y}$$

더 정리할 수도 있으나 미분계수는 계산 가능한 수준이므로 멈추겠습니다. 계산 과정에서 -1 로 표시된 부분은, $\sqrt{1-y}$를 y로 미분할 때 겉함수인 $\sqrt{\cdots}$와 속함수인 $1-y$에 대해 연쇄규칙을 적용한 결과입니다.

이제 $x = 1$일 때 $y(1) = \frac{1^2}{1^2+1} = \frac{1}{2}$ 이므로 $y = 1/2$를 x' 식에 대입하면

$$x'(1/2) = \frac{\dfrac{\sqrt{1-\frac{1}{2}}}{2\sqrt{\frac{1}{2}}} + \dfrac{\sqrt{\frac{1}{2}}}{2\sqrt{1-\frac{1}{2}}}}{1-\frac{1}{2}} = \frac{\frac{1}{2} + \frac{1}{2}}{\frac{1}{2}} = 2$$

가 되어 앞에서 원함수 미분계수의 역수로 구했던 값과 일치합니다. 역함수 미분계수를 직접 구하는 것보다, 원함수 미분계수의 역수로 계산하는 것이 편리할 수도 있다는 점이 이해되지요?

8.4   응용: 한계수입과 수요의 가격탄력성

함수와 역함수 관계의 중요한 경제학적 사례로 제시했던 것은 수요함수와 수요곡선이었습니다. 즉 수요함수 $Q = Q(P)$와 수요곡선 $P = P(Q)$는 서로 역함수 관계에 있고, 따라서 수요함수의 미분계수는 수요곡선의 미분계수의 역수로, 혹은 그 반대로 수요곡선의 미분계수는 수요함수의 미분계수의 역수로 계산 가능합니다.

$$P'(Q) = \frac{dP}{dQ}(Q) = \frac{1}{\frac{dQ}{dP}(P)\big|_{P=P(Q)}} \tag{8.3}$$

$Q = Q(P)$ 및 $P = P(Q)$라는 표기에 대해서 다시 한번 설명하겠습니다. 경제모형에서는 기호의 가짓수를 줄이기 위해서 종속변수와 함수에 같은 기호를 써서 표기하는 경우가 많습니다. 즉 수요함수 $Q = Q(P)$에서 좌변의 Q는 종속변수인 수요량이고, 우변의 $Q(\cdot)$는 가격을 변수로 갖는 수요함수입니다. $Q = f(P)$와 같은 식으로 표현하는 것이 더 정확하겠지만, 편의상 $Q = Q(P)$로 쓰고 Q가 변수명인지 함수명인지는 맥락에 따라 파악하는 것입니다. 마찬가지로 $P = P(Q)$에서 좌변의 P는 수요곡선의 종속변수인 가격이고, 우변의 $P(\cdot)$는 수요량을 변수로 갖는 수요곡선(지불용의함수)을 가리킵니다.

기업의 수입함수를 $R(Q) = P(Q)Q$라고 쓰고, 한계수입을 계산하면 $\mathrm{MR}(Q) = R'(Q) = P'(Q)Q + P(Q)$라는 것을 이미 설명한 적 있습니다. 수입함수 및 한계수입함수에는 수요곡선 및 그 도함수가 사용되고 있습니다.

한편, 수요의 **가격탄력성**(price elasticity)은 수요함수를 사용하여 다음과 같이 정의됩니다.

$$\varepsilon = \frac{dQ}{dP} \cdot \frac{P}{Q} \qquad \text{(수요의 가격탄력성)}$$

탄력성은 경제분석의 매우 중요한 개념 중 하나로 제6장에서 상대변화율로 소개한 바 있습니다.

이제 한계수입 공식을 다시 정리해보면

$$\mathrm{MR}(Q) = P'(Q)Q + P(Q) = \frac{dP}{dQ} \cdot Q + P(Q) = P(Q)\left(\frac{dP}{dQ} \cdot \frac{Q}{P} + 1 \right)$$

$$= P(Q)\left(\frac{1}{\dfrac{dQ}{dP} \cdot \dfrac{P}{Q}} + 1 \right) = P(Q)\left(\frac{1}{\varepsilon} + 1 \right)$$

가 됩니다. 식에서 $\dfrac{dP}{dQ}$ 가 $\dfrac{dQ}{dP}$ 의 역수로 바뀐 부분에 (8.3)을 사용했습니다.

위 식은 가격탄력성이 -1을 중심으로 어떤 값을 갖느냐에 따라 한계수입의 부호가 결정됨을 알려줍니다. 즉 $\varepsilon = -1$이면 $\mathrm{MR} = 0$이고 $\varepsilon < -1$이면 $\mathrm{MR} > 0$, $\varepsilon > -1$이면 $\mathrm{MR} < 0$입니다.

예 8.12

예 7.2에서 $P(Q) = a - bQ$일 때 $\mathrm{MR}(Q) = a - 2bQ$임을 도출하고 그림으로 그렸던 적이 있습니다. 아래에 다시 가져왔습니다.

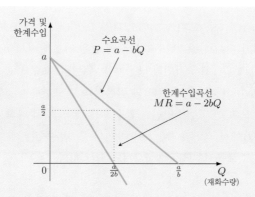

[그림 8.7] 직선 수요곡선과 한계수입곡선 ([그림 7.2]와 같은 그림)

그림에 $Q = \dfrac{a}{2b}$ 일 때 MR $= 0$임이 표시되어 있습니다. 수요곡선의 기울기(미분계수)가 $-b$이므로 수요함수의 미분계수는 $-\dfrac{1}{b}$ 로 상수이고 따라서 $Q = \dfrac{a}{2b}$ 일 때 가격탄력성은 $\varepsilon = \dfrac{dQ}{dP} \cdot \dfrac{P}{Q} = -\dfrac{1}{b} \times \dfrac{\frac{a}{2}}{\frac{a}{2b}} = -1$ 이 맞습니다. 마찬가지로 MR $> 0 \iff \varepsilon < -1$, MR $< 0 \iff \varepsilon > -1$도 확인 가능합니다.

연습문제

8-1 다음을 계산하시오.

(a) $\left(\dfrac{1}{x-1}\right)' =$

(b) $\left(\dfrac{1}{1-x}\right)' =$

(c) $\left(\dfrac{1}{x^3+1}\right)' =$

(d) $\left(\dfrac{1}{(x+1)^2}\right)' =$

(e) $\left(\dfrac{1}{\sqrt{x-1}}\right)' =$

(f) $\left(\dfrac{1}{\sqrt{x^2-1}}\right)' =$

8-2 다음을 계산하시오.

(a) $\left(\dfrac{2x}{x-1}\right)' =$

(b) $\left(\dfrac{3x^2}{1-x}\right)' =$

(c) $\left(\dfrac{\sqrt{x}}{x^3+1}\right)' =$

(d) $\left(\dfrac{x-1}{(x+1)^2}\right)' =$

(e) $\left(\dfrac{x}{\sqrt{x-1}}\right)' =$

(f) $\left(\dfrac{x}{\sqrt{x^2-1}}\right)' =$

8-3 $\mathrm{AC}(50) = 20$이고 $\mathrm{MC}(50) = 3$이다. $C(50)$은 얼마인가? $C(51)$은 대략 얼마인가?

8-4 다음의 비용함수에 대해 각각 비용곡선, 평균비용곡선, 한계비용곡선을 그리시오.

(a) $C(Q) = \sqrt{Q}$

(b) $C(Q) = \dfrac{1}{2}Q^2$

8-5 $C(Q) = Q^2 - Q + 100$일 때 평균비용곡선의 기울기가 0이 되는 생산량을 계산하고, 그 생산량에서 한계비용과 평균비용의 수준을 비교하시오.

8-6 $y = \dfrac{x}{x+1}$ 는 $x \geq 0$에 대해 단조함수임을 확인하고, $x = 1$일 때 그 역함수의 미분계수를 계산하시오.

8-7 $P(Q) = a - bQ$일 때 $Q < \dfrac{a}{2b}$ 에 대해 한계수입의 부호 및 가격탄력성의 크기를 확인하시오.

8-8 도전 우리는 거듭제곱규칙 $(x^n)' = nx^{n-1}$을 $n = 1, 2, 3, \ldots$에 대해서만 증명했다. 이 문제에서는 역함수 미분을 사용하여 $n = \dfrac{1}{2}, \dfrac{1}{3}, \ldots$인 경우의 거듭제곱규칙을 증명해보려고 한다. 아래 증명과정의 빈칸을 채우시오.

증명 ┈┈┈┈┈┈┈┈┈┈┈┈┈┈┈┈┈┈┈┈┈┈┈┈┈┈┈┈┈┈┈┈┈┈┈┈┈

$y = x^{\frac{1}{m}}$, $m = 1, 2, 3, \ldots$을 고려한다. $y' = \dfrac{1}{m} x^{\frac{1}{m} - 1}$을 보이고자 한다.

   a) $y = x^{\frac{1}{m}}$ 의 양변을 m제곱하면 _____ 이다

   b) 식을 정리해서 역함수를 도출하면 $x =$ ____ 이다

   c) 역함수를 y에 대해 미분하면, $m = 1, 2, 3, \ldots$에 대해 성립하는 거듭제곱규칙에 의해 $\dfrac{dx}{dy} =$ _____ 이다

   d) 역함수의 도함수에 $y = x^{\frac{1}{m}}$ 을 대입하면 _____ 이다

   e) y'은 방금 구한 식의 역수로 계산할 수 있으므로 $y' =$ _____ ◄

┈┈┈

Chapter 09

지수와 로그:

자연지수함수, 자연로그함수

제9장에서는 ⋯⋯⋯⋯⋯⋯⋯⋯⋯⋯⋯⋯⋯⋯⋯⋯⋯⋯⋯⋯⋯⋯⋯⋯⋯⋯⋯⋯⋯⋯⋯⋯⋯⋯⋯⋯⋯⋯

지금까지 다항함수의 주요 성질과 미분법, 적분법, 경제학 응용 사례를 알아보았습니다. 이 장에서는 함수의 범위를 넓혀서 **자연지수함수**와 **자연로그함수**를 공부합니다. 경제모형에서 아주 많이 쓰이는 중요한 함수들입니다. 조금은 낯선 함수이기 때문에 먼저 수학적 성질, 미분법 등을 이 장에서 살펴보고, 경제모형에서의 활용은 다음 장에서 따로 다루겠습니다.

주요 개념

- 수학: 지수함수, 자연상수, 자연지수함수, 로그함수, 자연로그함수

주요 결과

- 자연상수 e는 약 2.7의 값을 갖는 (무리수) 상수이다
- e를 밑으로 갖는 자연지수함수 $y = e^x$의 도함수는 다시 자연지수함수: $y' = e^x$
- e를 밑으로 갖는 자연로그함수 $y = \ln x$의 도함수는 반비례함수: $y' = \dfrac{1}{x}$

9.1 자연지수함수

9.1.1 지수함수

지수함수(exponential function)는 어떤 상수 b에 대하여 $y = b^x$ 형태를 갖는 함수입니다. 지수함수 b^x을 거듭제곱함수 x^n과 대조해 봅시다. x^n은 독립변수 x를 주어진 상수 n번만큼 제곱한 형태를 갖고, b^x은 주어진 상수 b를 독립변수 x의 값만큼 제곱한 형태를 갖습니다.

상수와 변수가 서로 자리를 바꾼 셈입니다.

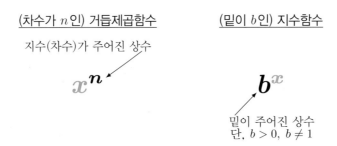

(차수가 n인) 거듭제곱함수   (밑이 b인) 지수함수

지수(차수)가 주어진 상수

$$x^n$$

$$b^x$$

밑이 주어진 상수
단, $b > 0$, $b \neq 1$

[그림 9.1] 거듭제곱함수와 지수함수

거듭제곱함수는 $x^2, x^3, x^4 \ldots$ 등이고, 지수함수는 $2^x, 3^x, 4^x \ldots$ 등입니다. 거듭제곱함수 형태로는 x나 x^{-1}이나 $x^{1/2}$도 가능한데, 지수함수에서 $(\frac{1}{2})^x$은 가능하지만 $(1)^x$이나 $(-1)^x$은 안 됩니다. 1은 아무리 제곱해도 계속 1이기 때문에 $1^x = 1$은 상수함수입니다. 한편 (-1)은 짝수번 제곱하면 양수, 홀수번 제곱하면 음수이며, 1/2제곱(즉 제곱근)은 실수 범위에서는 불가능합니다. 그래서 지수함수의 밑인 b는 양수$(b > 0)$이면서 1이 아닌$(b \neq 1)$ 즉 $0 < b < 1$ 또는 $b > 1$인 경우만 고려합니다.

다음 간단한 예를 통해 지수함수가 가지는 일반적 성질들을 엿볼 수 있습니다.

예 9.1

밑이 2와 $\frac{1}{2}$인 지수함수들의 그래프가 아래 그림에 있습니다. 그림에는 간단하게 계산 가능한 몇 개의 점을 편의상 표시했습니다. 하지만 지수함수는 x에 정숫값만을 허용하는 것이 아니고 모든 실숫값을 넣을 수 있습니다. 2^x는 증가함수, $(1/2)^x$는 감소함수이고 둘은 서로 대칭이며 Y축 $(0,1)$에서 만납니다. (지수함수의 그래프를 정확하게 그리는 것은 이들의 도함수를 공부한 후에 가능합니다.)

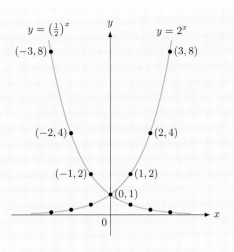

[그림 9.2] 2^x와 $(1/2)^x$의 그래프

다음은 지수함수의 성질들입니다. 고교 수학에서 공부한 것들이고, 예의 그림을 보면 이해할 수 있을 것입니다.

- 지수함수의 정의역은 모든 실수: x는 양수, 음수, 정수, 유리수, 무리수 모두 가능
- 지수함수의 치역은 양(+)의 실수: 모든 x에 대해 $b^x > 0$
- 모든 지수함수의 Y-절편은 1: 모든 b에 대해 $b^0 = 1$
- 단조함수: $b > 1$이면 증가함수, $0 < b < 1$이면 감소함수
- $y = b^x$와 $y = (1/b)^x = b^{-x}$는 Y축을 중심으로 서로 대칭: $b^x = b^{-(-x)}$

9.1.2 자연상수 e와 자연지수함수

자연지수함수는 **자연상수** e를 밑으로 갖는 지수함수입니다. 자연상수 e는 (원주율 $\pi \approx 3.14$ 처럼) 수학에서 중요하게 사용되는 무리수 상수입니다. 다소 복잡한 방식으로 정의되는데, 일단 원주율처럼 그 값을 대략 알아둘 필요가 있습니다.

$$e \approx 2.72 \qquad \text{(자연상수)}$$

따라서 **자연지수함수**(the exponential function)는 지수함수 b^x에서 밑을 $b = e$로 잡아

$$y = e^x = \exp(x) \qquad \text{(자연지수함수)}$$

입니다. 위 첨자를 쓰기 불편할 경우 $\exp(x)$라는 기호를 쓰기도 합니다. $e > 1$이므로 증가함수입니다. $y = 2^x$과 그래프 모양이 비슷합니다. 밑이 e가 아닌 임의의 지수함수 b^x는 '일반' **지수함수**(an exponential function)라고 부르겠습니다.

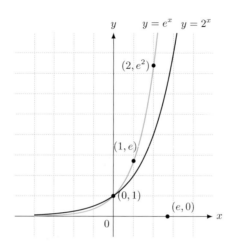

[그림 9.3] e^x와 2^x의 그래프

9.2 **자연로그함수**

9.2.1 로그함수

로그함수는 지수함수의 역함수입니다. (혹은 지수함수는 로그함수의 역함수입니다.) 지수함수는 단조함수이고 따라서 일대일이기 때문에 역함수가 있습니다. 그 역함수는 x와 y 사이에 $y = b^x$의 관계가 그대로 성립하되, 이제 y를 독립변수로, x를 종속변수로 가집니다.

예 9.2

$y = 2^x$는 x의 값을 주면 2를 x번 제곱해서 y 값을 계산해 줍니다. 예를 들면 아래 표는 x가 몇 가지 정숫값일 때 $y = 2^x$의 값입니다. (실제 지수함수는 x가 정수가 아니더라도 정의됩니다.)

x	-3	-2	-1	0	1	2	3
$y = f(x) = 2^x$	$1/8$	$1/4$	$1/2$	1	2	4	8

$y = 2^x$의 역함수는 말하자면 위 표의 두 행을 서로 바꿔주면 됩니다. y가 먼저 주어지면 위의 표에서 그에 대응되는 x를 답으로 내어줍니다.

---

y		$^1/_8$	$^1/_4$	$^1/_2$	1	2	4	8
$x = f^{-1}(y) = $	**???** (y)	-3	-2	-1	0	1	2	3

$f(x) = 2^x$ 이니 그 역함수는 '혹시 $f^{-1}(y) = (2^{-1})^y$ 가 아닐까?' 생각해 볼 수 있지만, 아쉽게도 아닙니다. y에 여러 값을 넣어 보면 확인할 수 있습니다.

$y = 2^x$ 의 표를 자세하게 작성해 두면, 그 표를 찾아보면서 역함수의 계산은 할 수 있지만, 역함수 $f^{-1}(y)$를 y의 공식으로 적으려면, 우리가 알고 있는 기존의 형태들(다항함수, 유리함수, 지수함수 등)로는 적을 수 없습니다. 그래서 위 표의 **???** 자리에 새로운 기호 log를 도입해서

$$y = f(x) = 2^x \iff x = f^{-1}(y) = \log_2(y)$$

라고 적습니다. log만 적어서는 밑이 무엇인지 알 수 없으므로 아래첨자로 2를 적어넣었습니다. $x = \log_2(y)$라는 공식은 $y = 2^x$ 와 마찬가지로 2를 x번 제곱하면 y가 된다는 의미입니다.

위 예의 논의는 모든 b로 확장됩니다. 즉 $y = b^x$ 의 역함수는 y의 값을 먼저 줄 때 b를 몇 번(x) 제곱하면 그 값 y가 되는지를 찾아주는 규칙입니다.

$$y = f(x) = b^x \iff x = f^{-1}(y) = \log_b(y)$$

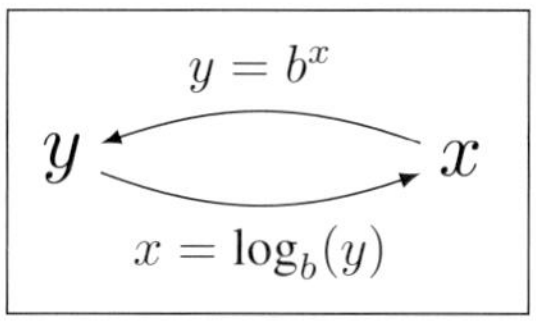

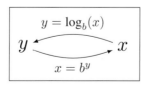

[그림 9.4] 지수함수와 그 역함수

원본이었던 지수함수를 잠시 잊고 로그함수를 독자적인 함수로 고려하면, 즉 독립변수를 x 로, 종속변수를 y로 표기한 로그함수 $y = \log_b(x)$는

$$y = \log_b(x) \iff x = b^y$$

로 계산이 됩니다. 로그함수의 역함수는 지수함수니까요.

[그림 9.5] 로그함수와 그 역함수

예 9.3

다음은 $y = \log_2(x)$의 그래프를 $x = 2^y$의 그래프로부터 그리는 과정을 보여줍니다. (a)는 y를 가로축에 표시한 $x = 2^y$의 그래프이고, 이를 $y = x$를 중심으로 접어 XY평면으로 바꾼 것이 (b) 입니다. (b)의 $x = 2^y$는 사실 $y = \log_2(x)$와 같은 함수입니다. (c)는 (a)와 (b)를 겹쳐보았습니다. (XY평면에 겹쳐 그렸기 때문에, 그림 위쪽의 지수함수는 사실 $y = 2^x$ 입니다.)

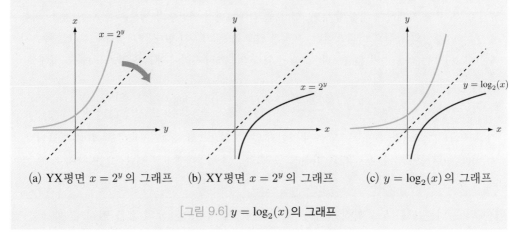

(a) YX평면 $x = 2^y$ 의 그래프   (b) XY평면 $x = 2^y$ 의 그래프   (c) $y = \log_2(x)$ 의 그래프

[그림 9.6] $y = \log_2(x)$의 그래프

로그함수의 성질

그림을 보면 다음과 같은 성질들을 이해할 수 있습니다.

- 로그함수의 정의역(= 지수함수의 치역)은 양수: $\log_b(x)$는 $x > 0$에 대해서만 정의됨
- 로그함수의 치역(= 지수함수의 정의역)은 모든 실수
- 모든 로그함수의 X-절편은 1이다. 모든 b에 대해 $\log_b(1) = 0$
- $b > 1$일 때 로그함수는 증가함수 ($0 < b < 1$일 때 로그함수는 감소함수인데, 이 경우는 경제모형에서 덜 중요하므로 다루지 않겠습니다.)

9.2.2 로그계산의 규칙

지수계산의 규칙에 대해 거듭제곱함수를 살펴볼 때 언급했습니다. 일부를 적어 보면[11]

(1) $b^{x_1 + x_2} = b^{x_1} \times b^{x_2}$

(2) $b^{x_1 - x_2} = b^{x_1} \div b^{x_2}$

(3) $b^{xk} = (b^x)^k$

---

11) 다음 로그계산의 규칙과 비교하기 좋도록 기호를 바꾸었습니다.

입니다. 말로 해보면 지수(x_1, x_2)끼리의 덧셈/뺄셈은 지수계산 결과(b^{x_1}, b^{x_2}) 사이의 곱셈/나눗셈으로 이어지고, 지수(x)에 대한 상수곱(k)은 지수계산 결과의 상수제곱$(^k)$으로 이어집니다. 로그는 지수의 역함수 즉 역방향 계산이기 때문에, 지수계산의 규칙과 관련된 규칙들이 역방향으로 성립합니다.

결과 9.1 로그계산의 규칙

(1) $\log_b(x_1 x_2) = \log_b(x_1) + \log_b(x_2)$

(2) $\log_b(x_1/x_2) = \log_b(x_1) - \log_b(x_2)$

(3) $\log_b(x^k) = k \log_b(x)$

역시 말로 해보면 로그함수의 독립변수(x_1, x_2)끼리의 곱셈/나눗셈은 로그계산 결과$(\log_b(x_1), \log_b(x_2))$끼리의 덧셈/뺄셈으로 이어지고, 독립변수의 제곱은 로그계산 결과의 곱셈이 됩니다. 이 계산규칙들 덕분에, 곱셈이나 제곱/지수 형태로 된 식에 로그계산을 적용하면 식을 다루기가 매우 간편해집니다.

[그림 9.7] 지수계산규칙과 로그계산규칙

9.2.3 자연로그함수

우리는 앞으로 보통 로그함수라고 할 때 **자연로그함수**를 가리킬 것입니다. 자연로그란, 밑을 자연상수 e로 가지는 로그입니다. 즉 자연로그함수는 자연지수함수의 역함수인 것이죠.

$$y = e^x \iff x = \log_e(y)$$

잠시 자연지수함수를 잊고, 독자적인 함수로서 자연로그함수에 집중해 보겠습니다. 자연로그함수는 자주 사용될 것이므로 $\log_e$라는 기호를 더 줄여서 $\ln$으로 표기합니다. (여기서 n은 자연[natural]을 가리킵니다.) 심지어 앞으로 혹시 밑이 표시되지 않은 로그기호 $\log$를 보거든 자연로그라고 생각해 주세요. 즉

$$y = \log_e(x) = \ln(x) = \log(x) \qquad \text{(자연로그함수)}$$

참고 로그함수를 표기할 때 x 앞뒤의 괄호를 생략하고 $\ln x$, $\log_b x$ 등으로 적기도 합니다.

자연로그함수의 그래프도 자연지수함수 그래프로부터 쉽게 그릴 수 있습니다.

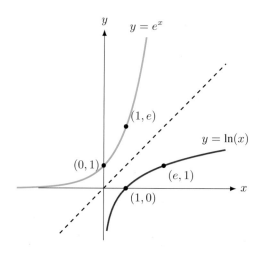

[그림 9.8] $y = e^x$와 $y = \ln(x)$의 그래프

예 9.4

다음은 경제모형에 등장할 수 있는 수식들에 자연로그를 적용한 결과들입니다.

(1) $\ln(PQ) = \ln(P) + \ln(Q)$

P는 가격, Q는 판매량일 때 PQ는 매출액(판매자의 입장) 또는 지출액(구매자의 입장)입니다.

매출액/지출액의 로그값은 가격과 판매량의 각 로그값의 합과 같습니다.

(2) $\ln(\frac{Y}{L}) = \ln(Y) - \ln(L)$

Y는 국민소득(또는 GDP), L은 인구라고 할 때 Y/L은 인당 국민소득입니다. 이것의 로그값은 국민소득과 인구의 각 로그값의 차와 같습니다.

(3) $\ln A_0 e^{rt} = \ln A_0 + \ln e^{rt} = \ln A_0 + rt \ln e = \ln A_0 + rt \log_e e = \ln A_0 + rt$

$A_0 e^{rt}$는 연속복리 예금에 t년간 재예치할 때 원리금 합계입니다. (이 모형에 대해서는 다음 장에서 공부합니다.) 로그를 취하면 t의 단순한 1차함수라는 점이 매력적입니다.

(4) $\ln(L^\alpha K^\beta) = \ln(L^\alpha) + \ln(K^\beta) = \alpha \ln L + \beta \ln K$

$L^\alpha K^\beta$는 흔히 콥-더글라스(Cobb-Douglas) 생산함수라고 부르는 것으로 경제모형에 자주 등장합니다. 변수들의 제곱 및 곱셈으로 되어 있어, 로그를 취할 경우 비교적 단순한 식으로 정리됩니다.

9.3 지수함수와 로그함수의 도함수

9.3.1 자연지수함수의 도함수

자연지수함수의 도함수는 특이하게도 자기 자신입니다. 거듭제곱함수 및 다항함수는 미분하면 차수가 하나씩 줄어드는데, 자연지수함수는 미분하더라도 전혀 변화가 없습니다. 자연지수함수는 자신의 도함수와 일치하는 사실상 유일한 함수입니다.[12] 이 사실을 증명하기 위해서는 자연상수 e의 엄밀한 정의를 알아야 하고, 다소 까다로운 수학적 논의를 거쳐야 합니다. 우리는 자연지수함수 e^x를 미분해서 자기 자신이 되는 함수라고 그냥 '정의'하겠습니다.

> 결과 (및 정의) 9.2 자연지수함수의 도함수: $(e^x)' = e^x$

자연지수함수의 그래프 상의 한 점에서 접선을 그으면 그 접선의 기울기(미분계수 = 도함수의 값)가 그 점의 높이(함수의 값)와 일치합니다. 즉 $y = e^x$의 그래프에 대해 $x = 0$에서 접선을 그으면 기울기가 1, $x = 1$에서 접선을 그으면 기울기가 e이고, $x = 2$에서 접선을 그으면 기울기가 e^2입니다. 함숫값이 점점 커질 뿐 아니라, 미분계수도 똑같이 커짐

---

[12] 상수함수 0도 미분하면 0이기 때문에 도함수가 자기 자신이긴 한데, 별로 재미없는 경우이죠.

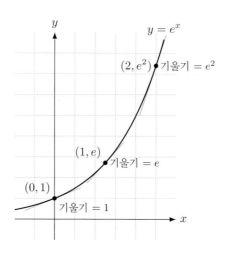

[그림 9.9] 자연지수함수의 미분계수 = 함숫값

니다. 구체적으로 e^x 의 도함수인 e^x 를 한번 더 미분하면 또 e^x 입니다. 즉 $y = e^x$ 에 대해 $y' = y'' = e^x$ 입니다. 특히 지수함수는 치역이 양수이므로 모든 x 에 대해 $y' = y'' > 0$ 이 성립하여, 자연지수함수의 그래프는 증가함수이면서 기울기가 점점 증가하는 형태임이 증명됩니다.

예 9.5

다음은 경제모형이나 통계분석에서 만날 수 있는 여러 함수입니다. 미분규칙(곱규칙 및 연쇄규칙)을 적용하면 미분할 수 있고, 이를 이용해 그래프를 그리거나 각종 분석을 할 수 있습니다. 미분과정에서 자연지수함수의 도함수가 자기 자신임이 어떻게 사용되는지 주의해서 보기 바랍니다.

- $(e^{2x})' = e^{2x} \times (2x)' = e^{2x} \times 2 = 2e^{2x}$
- $(e^{-x})' = e^{-x} \times (-x)' = e^{-x} \times (-1) = -e^{-x}$
- $(e^{x^2})' = e^{x^2} \times (x^2)' = e^{x^2} \times 2x = 2xe^{x^2}$
- $(xe^x)' = (x)'e^x + x(e^x)' = 1e^x + xe^x = (1+x)e^x$
- $(x^2 e^{-x})' = (x^2)'e^{-x} + x^2(e^{-x})' = 2xe^{-x} + x^2(-e^{-x}) = (2x - x^2)e^{-x} = x(2-x)e^{-x}$

9.3.2 자연로그함수의 도함수

자연로그함수는 미분하면 엉뚱하게도 반비례함수 $1/x$ 이 나옵니다. (증명은 [문제 9-4] 참조)

결과 9.3 자연로그함수의 도함수: $(\ln x)' = \dfrac{1}{x}$

사실 반비례함수 $1/x = x^{-1}$은 거듭제곱함수의 형태를 갖고 있는데, 다른 모든 거듭제곱함수들은 또 다른 거듭제곱함수의 도함수인 반면, $1/x$만 혼자서 자연로그함수의 도함수입니다.

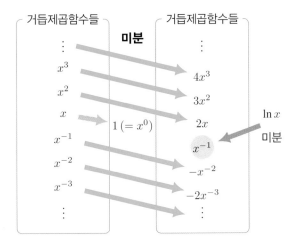

[그림 9.10] 거듭제곱함수의 도함수와 자연로그함수

자연지수함수 e^x는 미분해서 자기 자신이 되는 특이한 함수를 찾아낸 것이고, 거듭제곱함수들의 무리 중에서 미분해서 $1/x$이 나오는 것이 없기 때문에 자연로그함수 $\ln x$를 만들어서 넣은 셈입니다. 두 함수 모두 자연상수 e가 그런 성질을 가져온다는 것이 신기하죠.

로그함수의 이계도함수도 쉽게 도출됩니다. $y = \ln x$일 때 $y' = 1/x$이고 $y'' = -1/x^2$인 것이죠. 로그함수 정의역은 $x > 0$이므로 $y' > 0$이라서 증가함수이고, $-1/x^2 < 0$이므로 기울기가 점점 감소하는 형태입니다. 즉 그림으로 이미 봤던 로그함수 그래프가 확인됩니다.

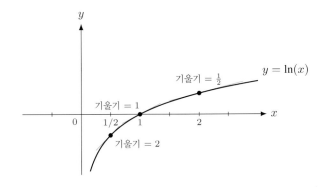

[그림 9.11] 자연로그함수의 그래프와 미분계수

- $(\ln 2x)' = (\ln 2 + \ln x)' = \dfrac{1}{x}$ [연쇄규칙을 사용하면 $(\ln 2x)' = \dfrac{1}{2x} \times (2x)' = \dfrac{2}{2x} = \dfrac{1}{x}$]

- $(\ln(-x))' = \dfrac{1}{-x} \times (-x)' = \dfrac{1}{-x} \times (-1) = \dfrac{1}{x}$

- $(\ln x^2)' = (2\ln x)' = \dfrac{2}{x}$ [연쇄규칙을 사용하면 $(\ln x^2)' = \dfrac{1}{x^2} \times (x^2)' = \dfrac{2x}{x^2} = \dfrac{2}{x}$]

- $(x\ln x)' = (x)'\ln x + x(\ln x)' = \ln x + x \times \dfrac{1}{x} = \ln x + 1$

- $(x^2\ln(-x))' = (x^2)'\ln(-x) + x^2(\ln(-x))' = 2x\ln(-x) + x^2\dfrac{1}{x} = 2x\ln(-x) + x$

9.3.3 일반 지수함수, 일반 로그함수의 도함수

주로 자연지수함수와 자연로그함수를 다루겠지만, 일반 지수함수 b^x와 일반 로그함수 $\log_b x$의 도함수도 알아보겠습니다.

> 결과 9.4 일반 지수함수의 도함수 $(b^x)' = b^x \ln b$
>
> 일반 로그함수의 도함수 $(\log_b x)' = \dfrac{1}{x\ln b}$

증명 ....

먼저 $y = b^x$에 대해서 양변의 자연로그를 취하면

$$y = b^x$$
$$\Longrightarrow \ln y = \ln b^x = x\ln b$$

입니다. 여기서 좌변은 겉함수 $\ln y$와 속함수 $y = b^x$를 합성한 합성함수이고, 우변은 상수 $\ln b$가 x에 곱해진 1차함수입니다. 사실 $\ln b \cdot x$라고 써야겠지만 이렇게 쓰면 $\ln(b \cdot x)$처럼 보일 수 있으므로 $\ln b$를 뒤에 두겠습니다.

이제 좌변 $\ln y$를 x로 미분하면 연쇄규칙을 적용하여

$$\frac{d}{dx}(\ln y) = \frac{d}{dy}(\ln y)\bigg|_{y=b^x} \times (b^x)' = \frac{1}{y}\bigg|_{y=b^x} \times (b^x)' = \frac{1}{b^x}(b^x)'$$

입니다. $(b^x)'$는 아직 뭔지 모르기 때문에 그대로 두었습니다.

우변 $x\ln b$는 1차함수이므로 미분하면 $\ln b$입니다. 따라서 좌변과 우변의 미분결과를 일치시키면

$$\frac{1}{b^x}(b^x)' = \ln b \implies (b^x)' = b^x\ln b$$

가 됩니다. 즉 b^x의 도함수는 자기 자신 b^x에다가 밑 b의 자연로그값 $\ln b$를 곱한 것입니다.

일반 로그함수의 도함수 도출은 더 쉽습니다. $y = \log_b x$라고 할 때 그 역함수를 구해보면 $x = b^y$입니다. 양변의 자연로그를 취하면 $\ln x = \ln b^y = y \ln b$가 되고 따라서

$$y = \log_b x \iff y = \frac{1}{\ln b} \ln x$$

가 성립합니다.[13] $1/\ln b$는 단지 상수이므로, 이제 식을 미분하면

$$(\log_b x)' = \left(\frac{1}{\ln b} \ln x \right)' = \frac{1}{\ln b} \cdot \frac{1}{x} = \frac{1}{x \ln b}$$

가 됩니다. 즉 일반 로그함수의 도함수는 또 반비례함수가 나오고, $\ln b$로 나누어준 것입니다. ◀

예 9.7

$\ln 2 \approx 0.69$이므로 $(2^x)' = 2^x \ln 2 \approx 0.69 \cdot 2^x$이고 $(\log_2 x)' = \dfrac{1}{x \ln 2} \approx \dfrac{1}{0.69x}$ 입니다.

거듭제곱규칙의 증명

앞에서 거듭제곱규칙 $(x^n)' = nx^{n-1}$을 n이 자연수인 경우에 대해 증명했고, 음의 정수나 유리수도 비슷하게 증명할 수 있다고 했습니다. 그런데 이 규칙은 n이 임의의 실수이더라도 성립합니다. 로그를 이용하면 다음과 같이 증명할 수 있습니다. 식 $y = x^n$ 의 양변의 자연로그를 취하면

$$\ln y = \ln(x^n) = n \ln x$$

가 됩니다. 이제 좌변은 겉함수 $\ln(y)$의 속에 속함수 $y = x^n$이 든 합성함수이므로, x로 미분하는 경우 연쇄규칙을 적용하여

$$\frac{d}{dx}(\ln y) = \frac{d}{dy}(\ln y)\bigg|_{y=x^n} \times (x^n)' = \frac{1}{y}\bigg|_{y=x^n} \times (x^n)' = \frac{1}{x^n}(x^n)'$$

입니다. 우변은 x로 쉽게 미분할 수 있습니다.

$$\frac{d}{dx}(n \ln x) = n\frac{1}{x}$$

이제 양변을 미분한 결과를 일치시키면

$$\frac{1}{x^n}(x^n)' = n\frac{1}{x} \implies (x^n)' = n\frac{1}{x} \times x^n = nx^{n-1}$$

로 거듭제곱규칙이 (모든 n에 대해) 증명되었습니다.

---

13) 고교 수학에도 나오는 로그계산의 규칙 중에서 $\log_b x = \dfrac{\log_c x}{\log_c b}$ 를 $c = e$로 적용한 것과 같습니다.

연습문제

9-1 지수계산의 법칙 또는 로그계산의 법칙을 사용하여 단순하게 정리하시오.

    (a) $e^2 \times e^3 =$

    (b) $e^5 \div e =$

    (c) $(e^2)^3 =$

    (d) $\ln(e^2) =$

    (e) $\ln \sqrt{x} =$

    (f) $\ln(x^3 \sqrt{e}) =$

    (g) $\log_2(8e) =$

9-2 다음을 계산하시오.

    (a) $\left(\dfrac{1}{e^x + 1}\right)' =$

    (b) $\left(\dfrac{e^x}{e^x + 1}\right)' =$

    (c) $(e^x \ln x)' =$

    (d) $\left(\dfrac{1}{\ln x}\right)' =$

    (e) $\left(\dfrac{1}{\ln x + 1}\right)' =$

9-3 $0 < b < 1$일 때 $y = b^x$의 그래프를 그리시오.

9-4 $(e^x)' = e^x$를 이용하여 $(\ln x)' = \dfrac{1}{x}$를 증명하시오. (**힌트** 자연로그함수의 역함수는 자연지수함수이고, 역함수의 미분법을 활용할 수 있다.)

TIP 지수와 로그 관련 용어 정리

더 자세한 내용은
https://sites.google.com/ewha.ac.kr/mathecon/texts/readings/
log

Chapter 10

지수와 로그 응용

제10장에서는 ....

지수와 로그, 특히 자연지수함수와 자연로그함수는 경제분석에서 많이 사용됩니다. 가장 많이 응용되는 상황은 시간을 변수로 하는 모형이므로 이를 중심으로 알아봅니다. 로그는 계산의 특성에 의해 곱셈 및 지수식을 분해하고, 변화율을 계산하는 데도 매우 유용합니다.

주요 개념

이자율, 원리금, 연속복리, 수익률, 지수성장모형

주요 결과

- 자연상수 e는 연속복리 원리금 합계의 계산의 기초가 된다.
- 자연지수함수는 일정한 변화율로 변화가 누적되는 상황에 대한 지수성장모형 $A_t = A_0 e^{rt}$에 사용된다.
- 로그는 곱셈 및 지수식의 분해에 사용될 수 있다.
- 자연로그함수의 도함수는 변화율 계산에 유용하다.

10.1 원리금 계산

10.1.1 시간변수

이 장에서는 주로 시간을 독립변수로 하는 모형을 다루겠습니다. '시간'이라는 말은 사실 2가지 다른 의미로 사용됩니다. 예컨대 1시에서 2시 사이에는 '1시간'이 흐른 것이지만, '지금 시간'은 9시 31분일 수 있는 거죠. 편의상 2가지 의미를 문맥에 따라 섞어 사용하되, 명확한 의미 구분이 필요할 경우에는 흐름을 나타내는 것은 기간, 특정한 순간을 나타내는 것은 시점이라고 부르겠습니다. 앞으로 사용할 시간변수 t는 시점을 나타내는 변수입니다.

t의 단위, 즉 시점을 어떤 간격으로 파악할 것인지, 단위가 되는 기간을 무엇으로 놓을 것인지는 상황에 따라 선택할 수 있습니다. 편의상 이 장에서는 t의 단위를 1년으로 하겠습니다. 기준시점을 $t = 0$이라 할 때, $t = 1, 2, 3...$은 1년 후, 2년 후, 3년 후의 시점을 나타냅니다. 필요하다면 음수를 써서 $t = -1, -2, -3...$은 1년 전, 2년 전, 3년 전을 나타낼 수 있습니다. 또한 $t = 1/2$은 반년 후, $t = 1/12$은 1개월 후 같은 식으로 표현할 수도 있고, 기본적으로 t는 실숫값을 가진다고 보겠습니다.

10.1.2 연 1회 이자를 받을 때 원리금

원금 A_0을 1년간 넣어두면 이자(interest) R을 더해서 돌려주는 정기예금이 있다고 해봅시다. 즉 A_0의 원금이 1년 후에 $A_0 + R$이 됩니다. 이자 R과 원금 A_0의 비율을 **이자율**(interest rate)이라고 합니다. 이자율을 r이라고 표시하면

$$\frac{R}{A_0} = r \implies R = A_0 r$$

이 되어 원금과 이자의 합계, 즉 **원리금** 또는 **원리합계**는 $A_0 + A_0 r = A_0(1 + r)$입니다.

이제 1년이 지난 후 예금을 찾아가지 않고 같은 조건으로 1년간 더 유지하면, 이전의 원리금 $A_0(1 + r)$이 새로운 원금이 되어 다시 이자가 붙으므로 2년 후 원리금은 $A_0(1 + r)(1 + r) = A_0(1 + r)^2$이 됩니다. 같은 방식으로, 매년 적용되는 연이자율이 r인 예금에 원금 A_0를 t년간 계속해서 두었다가 찾으면 원리금은

$$A(t) = A_0(1 + r)^t$$

입니다. 밑이 $b = 1 + r > 1$인 (증가하는) 일반 지수함수 $A(t) = A_0 b^t$입니다.

이처럼 이전 기의 이자를 원금에 포함해 다음 기 이자를 계산하는 방식을 **복리**(compound interest)라고 합니다. 반면 1년 후에 이자는 찾아가고, 원금 A_0만 다시 같은 조건으로 예금한다면 해마다 $A_0 r$의 이자를 받게 되므로, t년 후의 총 원리금은 $A_0(1 + rt)$일 것입니다. 이런 경우를 **단리**(simple interest)라고 합니다.

예 10.1

연 이자율 5%에 100만 원을 예금하면 1년 후 원리금은 105만 원입니다. 단리 방식으로 즉 매년 이자는 찾아가고 원금 100만 원을 4년간 유지하면 원리금은 $100 + 5 \times 4 = 120$만 원입니다. 복리 방식으로 4년간 100만 원을 예금하면 원리금은 $100 \times (1.05)^4 = 121.550625$만 원입니다.

10.1.3 연 n회 이자를 받을 때 원리금

이제 1년 동안 적용되는 총이자율 즉 연이자율(annual interest rate)은 r인데, 1년 중에 이를 n번에 걸쳐 나누어 이자를 지급하는 예금을 생각해 봅시다. 1년의 기간을 n으로 나누어서 지급하므로, 지급 간격은 $1/n$입니다. 지급시점은 $t = \frac{1}{n}, \frac{2}{n} \cdots \frac{n-1}{n}, 1$입니다.

연이자율 r을 나누어서 지급하므로 지급할 시마다 적용되는 이자율은 $\frac{1}{n}r$입니다. 또한 복리방식이므로 먼저 지급된 이자는 다음번에 원금에 포함됩니다. 따라서 $t = \frac{1}{n}$에서 원리금은 $A(\frac{1}{n}) = A_0(1 + \frac{1}{n}r)$이고, $t = \frac{2}{n}$에서 $A(\frac{2}{n}) = A_0(1 + \frac{1}{n}r)^2$이며, 1년이 꽉 차면 $A(\frac{n}{n}) = A(1) = A_0(1 + \frac{1}{n}r)^n$입니다.

지금까지는 첫 1년 동안의 계산이고, 위 과정을 t년간 반복하면 즉 연이자율 r로 1년에 n회 나누어서 복리로 지급하는 예금에 t년간 반복해서 가입을 한다면 t년 후 원리금은

$$A(t) = A_0(1 + \frac{1}{n}r)^{nt} \tag{10.1}$$

입니다. 이 함수도 밑을 $b = (1 + \frac{1}{n}r)^n > 1$로 잡으면 지수함수 $A(t) = A_0 b^t$입니다.

예 10.2

연 이자율 5%에 100만 원을 1년간 예금하는데, (i) 지급 횟수가 2회이면 원리금은 $100(1.025)^2 = 105.0625$만 원, (ii) 지급 횟수가 매달(12회)이면 $100(1 + \frac{0.05}{12})^{12} = 105.116189788$만 원입니다.

10.1.4 연속복리 예금의 원리금

연속복리(continuous compounding)란 수학적인 개념이면서 실제로 현실에서 많이 사용되는 이자 지급 방식입니다. 연이자율 r을 1년 중 n회 나누어 지급하는 방식에서 $n \to \infty$로 계산합니다. 지급 횟수 $n \to \infty$로 무한히 많게, 지급 간격 $1/n \to 0$으로 무한히 짧게, 즉 연속적으로 그러면서 복리로 이자를 지급하는 것입니다.

원리금은 위의 (10.1)에서 $n \to \infty$로 극한값을 계산하면 됩니다. 즉

$$A(t) = \lim_{n \to \infty} A_0(1 + \frac{1}{n}r)^{nt} \tag{10.2}$$

입니다. 식이 상당히 복잡해졌죠? 그런데 여기서 상당히 놀라운 일이 벌어집니다.

위에서 원리금 공식들은 원금 A_0과 시간변수 t를 제외한 나머지 부분은 결국 상수 b로 나타낼 수 있어서 일반 지수함수 형태임을 보았습니다. (10.2)에 대해서도 원금 A_0과 시간변

수 t를 제외한 나머지 부분에 주목해보면 (극한 기호의 위치를 적당히 조정하여)

$$A(t) = A_0 \lim_{n \to \infty} (1 + \frac{1}{n}r)^n \ ^t = A_0 \ b \ ^t$$

가 됩니다. 상자 안의 극한이 수렴한다면 결국 지수함수가 되는 것입니다. 놀라운 일은 이 극한이 실제 수렴할 뿐 아니라 그 값이 바로

$$b = e^r$$

이라는 사실입니다. 여기서 e는 물론 자연상수입니다. 즉 연속복리 예금의 원리금은

$$A(t) = A_0 e^{rt} \tag{10.3}$$

로 계산할 수 있습니다.

결과 10.1 원금 A_0을 연이자율 r의 예금에 복리 방식으로 t년간 예금할 때

- **불연속복리**: 만약 1년에 n회 이자를 지급한다면 원리금은 $A(t) = A_0(1 + \frac{r}{n})^{nt}$

- **연속복리**: 만약 이자를 연속적으로 지급한다면 원리금은 $A(t) = A_0 e^{rt}$

자연상수 e의 정의와 연속복리 공식의 도출

식 (10.3)을 증명하려면 먼저 자연상수 e의 정확한 정의부터 알아야 합니다. 무리수인 자연상수는 극한을 사용해서 정의됩니다. (다른 방식의 정의도 있지만 이것이 가장 기본적인 정의입니다.)

$$e = \lim_{k \to \infty} (1 + \frac{1}{k})^k \approx 2.72 \qquad \text{(자연상수 정의)}$$

무한대로 가는 k가 식 두 군데에 나옵니다. 하나는 1에 보태지는 $1/k$이고, 다음에 $(1 + 1/k)$ 전체를 k 제곱합니다. 그런 후에 k를 무한대로 보냅니다. 즉 1에다가 무한히 작은 수를 더한 후 전체를 무한히 여러 번 제곱하는 것입니다.

이제 이 정의식을 이용해서 $\lim_{n \to \infty} (1 + \frac{1}{n}r)^n$ 를 계산하기 위해서, $\frac{1}{n}r = \frac{1}{k}$ 라고 치환을 해주면 $n = kr$ 이고, r이 상수이므로 $n \to \infty$일 때 $k \to \infty$가 되어

$$\lim_{n \to \infty} (1 + \frac{1}{n}r)^n = \lim_{k \to \infty} (1 + \frac{1}{k})^{kr} = \lim_{k \to \infty} ((1 + \frac{1}{k})^k)^r = (\underbrace{\lim_{k \to \infty} (1 + \frac{1}{k})^k}_{= e})^r = e^r$$

연 이자율 5%의 연속복리로 원금 100만 원을 1년간 예금하면 $100e^{0.05} \approx 105.127$만 원, 4년간 예금하면 $100e^{0.2} \approx 122.14$만 원입니다.

10.1.5 수익률

처음에 이자율 r은 지급받을 이자 R의 원금 A_0에 대한 비율로 정의했었습니다. 이자를 단한번 지급한다면 $R = A_0 r$입니다. 그런데 이자 지급을 더 자주 하거나, 이자를 복리로 지급하면 원금에 r을 곱하는 것만으로는 이자를 계산할 수 없습니다.

예를 들어, r을 1년에 두 번 나누어 지급하는 경우 원리금은 $A_0(1 + \frac{1}{2}r)^2$이죠. 실제 지급받은 총 이자는 $A_0(1 + \frac{1}{2}r)^2 - A_0 = A_0(1 + r + \frac{1}{4}r^2 - 1) = A_0(r + \frac{1}{4}r^2)$입니다. 이 값을 원금 A_0으로 나누면 실제로 받은 이자율은 $r + \frac{1}{4}r^2$으로 r보다 큽니다. 이는 물론 중간에 받은 이자가 다시 원금에 포함되는 복리 방식 때문입니다.

따라서 계산의 기준이 되는 이자율 r과 구분되는 실제 받은 이자율 개념이 필요합니다. 혼동을 방지하기 위해서 r을 연 이자율 또는 기준 이자율, 실제로 받은 이자율을 **수익률**(yield)이라고 부르겠습니다. 기준 이자율은 r, 수익률은 r^*로 표기하겠습니다.

원금이 A_0이고 그로부터 받은 원리금이 A_1일 때 수익률 r^*는

$$r^* = \frac{A_1 - A_0}{A_0} \qquad \text{(수익률)}$$

로 계산할 수 있습니다. 따라서 불연속복리로 n회 나누어서 이자를 받는 경우 수익률은

$$r^* = \frac{A_0(1 + \frac{1}{n}r)^n - A_0}{A_0} = (1 + \frac{1}{n}r)^n - 1$$

이고 연속복리로 받는 경우 수익률은

$$r^* = \frac{A_0 e^r - A_0}{A_0} = e^r - 1$$

입니다. 이 값은 일반적으로 기준 이자율 r보다 큽니다.

앞의 예들에서 이미 다양한 경우의 원리금을 계산해 보았습니다. 1년간 예금한 경우들을 보면, 연 이자율 5%에 대해서 지급 횟수가 2회이면 수익률은 약 5.06%, 12회이면 약 5.12%, 연속복리 이면 약 5.13%입니다. 복리 방식 때문에 지급 횟수가 많을수록 수익률은 높아집니다.

여러 해를 예금한 경우에 기간 전체에 걸친 총 수익률을 계산하면 5%에 4년간 예금하되, 단리이 면 총 수익률은 20%, 1년에 1회 지급하는 복리이면 약 21.55%, 연속복리이면 약 22.14%입니다.

연평균 수익률

연속복리 예금에서 만약 해마다 적용되는 기준 이자율이 달라서 각각 $r_1, r_2, \cdots, r_t$ 라면 A_0 의 t 년 후 원리금은 지수계산의 규칙에 의해 $A_0 e^{r_1} e^{r_2} \cdots e^{r_t} = A_0 e^{r_1 + r_2 + \cdots + r_t}$ 입니다. 실제로는 해마다 이자율이 달랐지만, 만약 동일한 이자율 r 로 t 년간 예금했더라면 $A_0 e^{rt}$ 가 되었을 것입니다. 두 금액이 일치한다면, 그때 r 은 $r_1, r_2, \ldots, r_t$ 의 '평균' 수준을 보여주는 것입니다.

$$A_0 e^{rt} = A_0 e^{r_1 + r_2 + \cdots + r_t} \implies rt = r_1 + r_2 + \cdots + r_t \implies r = \frac{r_1 + r_2 + \cdots + r_t}{t}$$

이므로 실제로 r 은 $r_1, r_2, \ldots, r_t$ 의 산술평균입니다.

만약 (연 1회 지급하는) 불연속복리였다면 $A_0(1 + r_1)(1 + r_2) \cdots (1 + r_t)$ 가 원리금이고, 이를 동일한 이자율 r 로 t 년 지속했었다면 $A_0(1 + r)^t$ 이므로

$$(1 + r)^t = (1 + r_1)(1 + r_2) \cdots (1 + r_t) \implies 1 + r = [(1 + r_1)(1 + r_2) \cdots (1 + r_t)]^{1/t}$$
$$\implies r = \sqrt[t]{(1 + r_1)(1 + r_2) \cdots (1 + r_t)} - 1$$

식에서 $\sqrt[t]{(1 + r_1)(1 + r_2) \cdots (1 + r_t)}$ 는 $(1 + r_1), (1 + r_2), \ldots, (1 + r_t)$ 의 기하평균이라고 불린다는 것을 고교 수학에서 배웠을 것입니다.

말로 정리하면, 연속복리 상황에서 연평균 수익률은 각 연도의 이자율들의 산술평균이고, 불연속복리 상황에서 연평균 수익률은 각 연도 이자율에 1을 더한 것들의 기하평균에서 1을 뺀 것입니다.

현재가치와 할인계수

현재 A_0 을 예금해서 t 년 후에 받는 원리금은 (연속복리의 경우) $A_0 e^{rt}$ 입니다. 이 값을 $B = A_0 e^{rt}$ 라고 해보죠. 현재의 A_0 이, t 년 후 미래에는 B 가 된다는 말입니다. 이때 B 를 A_0 의 미래가치, A_0 은 B 의 현재가치(present value)라고 부를 수 있습니다. 즉 B 의 현재가치는 $A_0 = Be^{-rt}$ 입니다. (연 1회 지급하는) 불연속복리였다면 $B = A_0(1 + r)^t$ 이고 따라서 B 의 현재가치는 $A_0 = B(1 + r)^{-t}$ 입니다.

재무금융 계산에서 현재가치는 미래의 현금을 평가하는 도구로 사용됩니다. 미래의 어떤 금액을 현재가치로 평가하기 위해서는, 현재와 미래시점 사이의 기간의 길이 뿐 아니라, 기준이 될 이자율과 이자 적용 방식에 대한 정보가 필요합니다. 현재가치를 계산하기 위해서 미래의 금액에 e^{-r} 이나 $(1 + r)^{-1}$ 을 t 번 곱해야 하는데, 이 값들을 할인계수(discount factor)라고 부릅니다.

10.2 지수성장모형

앞에서는 일정한 기준 이자율을 가진 예금 상품의 원리금 공식에 대해서 알아보았습니다. 그런데 이 공식은 이자율에 의해 가치가 상승하는 예금뿐 아니라, 시간에 따라 값이 증가하는 (혹은 감소하는) 여러 가지 경제변수를 나타내는 데에도 사용될 수 있습니다.

예를 들어, Y를 한 나라의 GDP라고 할 때, 일정한 성장률 r로 t년간 GDP가 증가한다면, t년 후 GDP는 $Y(t) = Y_0(1 + r)^t$로 나타낼 수 있습니다. (만약 해마다 성장률이 다르다면 $Y(t) = Y_0(1 + r_1)(1 + r_2)\cdots(1 + r_t)$로 나타낼 수 있고, 연평균 성장률은 기하평균을 사용해서 계산할 수 있을 것입니다.)

그런데 실제 경제모형은 흔히 연속복리 원리금 공식을 흉내 내어

$$Y(t) = Y_0 e^{rt}$$

와 같은 식으로 나타냅니다. r이 지나치게 크지 않을 경우, 불연속복리 방식이나 연속복리 방식이나 값에 큰 차이가 나지 않고, 자연지수함수가 다루기에 훨씬 편리하기 때문입니다. 이를 지수성장모형(exponential growth model)이라고 합니다.

r이 얼마나 작으면 괜찮은지를 확인하기 위해서, 다음 표에 몇 가지 기준 이자율 r에 대하여 수익률 r^*를 (전자계산기를 사용해) 계산해 보았습니다. 표를 보면 5% 이하만 되어도 연속복리 방식으로 계산한 수익률이 기준 이자율과 크게 차이 나지 않음을 알 수 있습니다. 최근 거시경제 주요 지표들, 예를 들어 GDP나 인구의 증가율은 대체로 5% 이하이므로 $Y(t) = Y_0(1 + r)^t$라는 모형 대신에 같은 r을 사용하여 $Y(t) = Y_0 e^{rt}$로 표현하더라도 큰 무리가 없다는 뜻입니다.

예 10.5

GDP는 한 나라 전체에서 생산된 재화의 시장가치의 합입니다. 한 나라를 거대한 생산자로 본다면, 생산과정을 생산함수로 표현할 수 있습니다. 경제학에서 생산과정에 투입되는 기본 요소로는 노동(L)과 자본(K)을 꼽습니다.

가장 기본적인 생산함수로 콥-더글라스(Cobb-Douglas) 함수가 있습니다. 다음과 같은 형태입니다.

$$Y = AK^\alpha L^\beta$$

여기서 α, β는 어떤 상수이고, 제일 앞에 곱해진 A는 그 나라의 기술 수준을 나타내는 것으로 해석합니다. 모든 시점마다 (즉 매년) 같은 관계식이 각 연도의 변숫값에 대해 성립한다고 가정

[표 10.1] 기준 이자율과 수익률의 비교: $r^* = e^r - 1$

이자율(r)	수익률(r^*)
1%	약 1.0%
2%	약 2.0%
3%	약 3.0%
4%	약 4.1%
5%	약 5.1%
6%	약 6.2%
7%	약 7.3%
8%	약 8.3%
9%	약 9.4%
10%	약 10.5%
30%	약 35.0%
50%	약 64.9%
100%	약 171.8%

하겠습니다. 즉 모든 t에 대해 $Y(t) = A(t)K(t)^\alpha L(t)^\beta$가 성립합니다.

만약 기술 수준이 r_A의 증가율로, 자본은 r_K의 증가율로, 노동은 r_L의 증가율로 변하고 있고, 각 증가율이 5% 이하라면 지수성장모형을 사용해서

$$A(t) = A_0 \exp(r_A t)$$
$$K(t) = K_0 \exp(r_K t)$$
$$L(t) = L_0 \exp(r_L t)$$

로 나타낼 수 있고, 이들을 모두 위의 콥-더글라스 생산함수에 대입하면

$$Y(t) = A_0 \exp(r_A t)K_0^\alpha \exp(\alpha r_K t)L_0^\beta \exp(\beta r_L t) = A_0 K_0^\alpha L_0^\beta \exp((r_A + \alpha r_K + \beta r_L)t)$$

기준 연도의 GDP는 $Y(0) = Y_0 = A_0 K_0^\alpha L_0^\beta$이므로 $Y(t) = Y_0 \exp(rt)$ 식과 비교하면 GDP 성장률 r은

$$r = r_A + \alpha r_K + \beta r_L$$

입니다.

10.3 로그를 사용한 곱셈 및 지수식의 분해

로그함수는 지수함수의 짝(역함수)이므로 예금의 원리금이나 성장모형을 나타내는 데에도 활용 가능합니다. 특히 기본적으로 곱셈식이나 지수식으로 표현된 식에 로그를 씌워주면, 로그계산의 규칙에 의해 식이 다루기 편한 형태로 변형된다는 점이 좋습니다.

예 10.6

기업의 수입(즉 매출)은 가격 곱하기 판매량으로 계산합니다. 즉 $R = PQ$ 입니다. 이 식의 양변에 자연로그를 적용하면

$$\ln R = \ln P + \ln Q$$

가 됩니다. 말로 해보면, 매출액의 로그값은 가격의 로그값과 판매량의 로그값의 합과 같습니다.

예 10.7

앞에서 본 콥-더글라스 생산함수에 대해서도 $Y = AK^\alpha L^\beta$ 일 때 양변에 자연로그를 적용하면

$$\ln Y = \ln A + \alpha \ln K + \beta \ln L$$

이 됩니다.

자연로그함수는 특히 자연지수함수를 활용한 성장모형에 적용할 경우 매우 편리합니다. 원리금 공식이나 연속증가 모형의 일반형 $A(t) = A_0 \exp(rt)$ 의 양변에 자연로그를 적용하면

$$\ln A(t) = \ln A_0 + rt$$

가 됩니다. $a(t) = \ln A(t)$, $a_0 = \ln A_0$ 라고 표기하면

$$a(t) = a_0 + rt$$

로 변수의 로그값은 시간 t 에 대해서 절편 $a_0(= \ln A_0)$과 기울기 r을 갖는 일차함수로 표현됩니다. 즉, 어떤 데이터의 로그값을 계산한 후에 이를 Y축에 놓고, 시간을 X축에 놓아 그림을 그리면 기울기가 바로 증가율 r입니다.

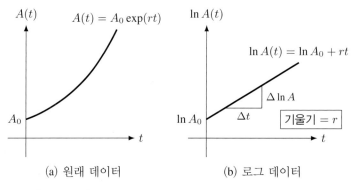

(a) 원래 데이터   (b) 로그 데이터

[그림 10.1] 로그 데이터로 변환한 그래프의 기울기는 증가율

예 10.8

앞에서 $Y = AK^\alpha L^\beta$ 생산함수에 대해, A, K, L이 각각 r_A, r_K, r_L의 증가율로 성장할 때 GDP Y의 성장율을 계산해 본 적이 있습니다. 자연로그로 분해하면 계산이 더 단순해집니다. 먼저

$$\ln Y = \ln A + \alpha \ln K + \beta \ln L$$

이고 각 변수의 성장 모형은

$$\ln A(t) = \ln A_0 + r_A t$$
$$\ln K(t) = \ln K_0 + r_K t$$
$$\ln L(t) = \ln L_0 + r_L t$$

이므로 이를 위 식에 대입하면

$$\begin{aligned}\ln Y(t) &= \ln A_0 + \alpha \ln K_0 + \beta \ln L_0 + (r_A + \alpha r_K + \beta r_L)t \\ &= \ln(A_0 K_0^\alpha L_0^\beta) + (r_A + \alpha r_K + \beta r_L)t \\ &= \ln Y_0 + (r_A + \alpha r_K + \beta r_L)t\end{aligned}$$

10.4   자연로그의 도함수를 사용한 변화율 계산

반비례함수가 도함수라는 자연로그함수의 성질은 각종 변화율을 다루는 데 특히 유용합니다. x의 함수인 y의 자연로그값 $\ln y$를 x로 미분하면 연쇄규칙에 의해

$$\frac{d}{dx}\ln y = \frac{1}{y}\cdot\frac{dy}{dx} = \frac{dy/y}{dx}$$

가 됩니다. 이 식의 분자는 y의 상대변화량, 분모는 x의 절대변화량으로 해석할 수 있습니다. (앞에서 이런 비율을 혼합변화율이라고 불렀습니다.) x가 1단위 변할 때 y의 변화량이 원래

y 값의 몇 배인지를 측정합니다. 로그값의 변화율을 (미분을 통해) 측정하면 도함수가 반비례함수라는 성질 때문에 자연스럽게 종속변숫값의 상대변화량이 측정되는 것입니다.

예 10.9

시간 t의 흐름에 따라 변하는 두 변수 $A(t)$, $B(t)$가 있을 때 두 변수의 곱 $C(t) = A(t)B(t)$의 변화를 알아보고자 합니다. 자연로그를 취하면 $\ln C(t) = \ln A(t)B(t) = \ln A(t) + \ln B(t)$로 각 변수의 로그값으로 분해되고, 이를 t로 미분하면

$$\frac{C'(t)}{C(t)} = \frac{A'(t)}{A(t)} + \frac{B'(t)}{B(t)}$$

각 항은 모두 도함수 나누기 원함수 형태를 갖고 있습니다. 해석하면 시간 t가 1단위 변할 때 (시간이 1기 흐를 때) 각 변수의 상대변화량을 나타내며, 위 식은 두 변수의 곱의 시간당 상대변화량은 각 변수의 시간당 상대변화량의 합이라는 말입니다. 상대변화량은 원래 변숫값에 비해 몇 배인지를 나타내며, 알기 쉽게 모든 값에 100을 곱하면 백분율(%)로 해석할 수 있습니다. 쉽게 말해서, A와 B가 시간당 각각 몇 %씩 변했는지를 알면 두 값을 합한 %만큼 C가 변한다는 것입니다.

예를 들어, 기업의 수입 R은 가격 P와 판매량 Q의 곱입니다. 가격이 1% 인상될 때 수요량이 ε% 줄어든다면, 수입은 $(1 - \varepsilon)$% 변화합니다. $\varepsilon = 1$이면 수입에 변화가 없고, $\varepsilon > 1$이면 감소, $\varepsilon < 1$이면 증가합니다. 그런데 가격이 1% 인상될 때 수요량이 ε% 줄어든다는 것은 곧 재화 수요의 가격탄력성이 $-\varepsilon$이라는 것이죠. 탄력성의 절댓값이 1일 때를 중심으로 수입의 변화를 알아볼 수 있습니다. 한계수입의 부호가 수요의 가격탄력성에 따라 달라지는 것과 같은 이야기입니다.

예 10.10

가격 P와 수요량 Q 사이에 다음의 식이 성립한다고 해봅시다.

$$\ln Q = \alpha - \beta \ln P$$

식에서 Q는 P의 함수입니다. 식의 양변을 P로 미분하면 좌변은 연쇄규칙을 적용하여

$$\frac{d}{dP} \ln Q = \frac{1}{Q} \cdot \frac{dQ}{dP}$$

이고 우변은 P로 미분하면

$$\frac{d}{dP} (\alpha - \beta \ln P) = -\beta \frac{1}{P}$$

가 됩니다. 양변을 일치시켜 정리하면

$$\frac{dQ}{dP} \cdot \frac{P}{Q} = -\beta$$

입니다. 그런데 좌변은 바로 수요의 가격탄력성입니다. 즉 수요함수가 수요량의 로그값과 가격의 로그값 사이의 1차함수로 표현된 경우, 이 1차함수의 기울기 $-\beta$는 곧 수요의 가격탄력성입니다.

실제로 간단하게 데이터에서 수요의 가격탄력성을 측정하는 방법은, 수요량과 가격의 데이터를 수집한 다음에 이들을 로그값으로 변환하고, 두 변수 사이 '추세선'의 기울기를 알아보는 것입니다.

연습문제

10-1 원금이 1,000만 원이고, 연 이자율이 4%일 때 다음 경우들에 대해 원리금 및 (총)수익률을 계산기를 사용하여 계산하시오.

   (a) 연 4회 복리이자를 지급받고, 1년간 예금

   (b) 연 4회 복리이자를 지급받고, 3년간 예금

   (c) 연속복리로 1년간 예금

   (d) 연속복리로 3년간 예금

10-2 한 나라의 생산함수가 콥-더글라스 형태 $Y = A\sqrt{KL}$ 이다. 기술(A)수준에는 변화가 없고, 자본(K)은 연 2%, 노동(L)은 연 1% 증가한다.

   (a) GDP Y에 대한 지수성장모형을 작성하고, GDP 성장률을 계산하시오.

   (b) 자연로그를 활용하여 Y에 대한 지수성장모형 식을 단순화하시오.

   (c) 노동인구 1인당 GDP는 Y/L로 정의할 수 있다. 1인당 GDP의 성장률을 계산하시오.

10-3 연 매출이 100억 원인 제품의 가격을 1% 인상하였더니, 판매량이 0.5% 감소하였다. 가격 인상 후의 제품 매출은 대략 얼마이겠는가?

10-4 다음의 경우들에 대해 수요의 가격탄력성을 계산하시오.

   (a) $PQ = 1000$

   (b) $\ln Q = 90 - 0.3 \ln P$

   (c) $\ln P = 30 - 1.2 \ln Q$

Chapter 11

적분의 고급규칙:

부분적분, 치환적분

제11장에서는 ⋯⋯⋯⋯⋯⋯⋯⋯⋯⋯⋯⋯⋯⋯⋯⋯⋯⋯⋯⋯⋯⋯⋯⋯⋯⋯

다항함수의 역도함수는 거듭제곱규칙과 기본 규칙을 활용해서 쉽게 구할 수 있었습니다. 이 장에서는 조금 더 복잡한 함수들을 적분하기 위한 추가 규칙들을 알아봅니다. 미분에서 지수함수와 로그함수의 도함수가 각각 지수함수와 반비례함수임을 보았습니다. 따라서 지수함수와 반비례함수의 역도함수는 각각 지수함수와 로그함수입니다.

미분의 고급규칙인 곱규칙과 연쇄규칙에 대응되는 적분법은 **부분적분**과 **치환적분**입니다. 이 2가지는 다양한 적분 계산을 위해 많이 사용되므로 익혀두는 것이 좋습니다. 로그함수의 적분은 부분적분법으로 할 수 있습니다. (몫규칙이나 역함수미분에 대응되는 적분규칙도 명시적으로 만들 수 있지만, 간단한 경우에는 부분적분과 치환적분으로 해결이 가능합니다.)

주요 결과

- 지수함수의 적분 $\int e^x \, dx = e^x + C$, $\quad \int b^x \, dx = \dfrac{1}{\ln b} b^x + C$
- 반비례함수의 적분 $\int \dfrac{1}{x} \, dx = \ln |x| + C$
- 부분적분법 $\int f(x)g'(x) \, dx = f(x)g(x) - \int f'(x)g(x) \, dx$
- 치환적분법 $\int (f \circ g(x)) \cdot g'(x) \, dx = \int f(z) \, dz$

11.1 지수함수와 반비례함수의 적분

먼저 자연지수함수의 적분이 가장 쉽습니다. $(e^x)' = e^x$로 자연지수함수는 자기 자신을 도함수로 가지므로, 역도함수도 자기 자신입니다.

$$\int e^x \, dx = e^x + C$$

밑이 b인 일반 지수함수라면 $(b^x)' = b^x \ln b$이므로 $\frac{1}{\ln b}(b^x)' = (\frac{1}{\ln b}b^x)' = b^x$이고

$$\int b^x \, dx = \frac{1}{\ln b}b^x + C$$

임을 알 수 있습니다. 밑이 b인 일반 지수함수의 도함수는 자기 자신에 $\ln b$를 곱한 것이고, 역도함수는 자기 자신을 $\ln b$로 나눈 것입니다.

결과 11.1

- 자연지수함수의 부정적분 : $\int e^x \, dx = e^x + C$
- 일반 지수함수의 부정적분: $\int b^x \, dx = \frac{1}{\ln b}b^x + C$

다음으로 자연로그함수의 도함수는 반비례함수라는 사실을 이용할 차례입니다.

> **주의** 미분에서 지수함수와 로그함수가 짝이었기 때문에, 무심코 로그함수의 역도함수가 반비례함수라고 착각할 수 있는데, 그렇지 않습니다.
>
> $$\int \ln x \, dx \neq \frac{1}{x} + C$$

반비례함수의 역도함수가 자연로그함수입니다. (일반 로그함수의 도함수는 반비례함수를 $\ln b$로 나눈 것인데, 그것은 그냥 상수가 곱해진 반비례함수입니다. 별도로 취급할 필요 없습니다.)

$$\int \frac{1}{x} \, dx = \ln(x) + C, \quad (\text{단}, \ x > 0)$$

로그함수의 정의역은 $x > 0$이므로 이 단서를 붙였습니다. 그런데 $1/x$은 $x \neq 0$에 대해 정의되므로, 즉 $x < 0$에 대해서도 정의되므로 $x < 0$인 경우에 $1/x$을 적분할 수는 없을까요? $x < 0$에 대해서는 $\ln(-x)$라는 함수가 정의됩니다. 게다가 (연쇄규칙을 사용하면)

$$\frac{d}{dx}\ln(-x) = \frac{d}{dy}\ln(y)\bigg|_{y=-x} \times \frac{d}{dx}(-x) = \frac{1}{y}\bigg|_{y=-x} \times (-1) = \frac{1}{-x} \times (-1) = \frac{1}{x}$$

로, $\ln(-x)$의 도함수도 반비례함수 $1/x$입니다. 따라서

$$\int \frac{1}{x}\,dx = \begin{cases} \ln(x) + C, & x > 0 \\ \ln(-x) + C, & x < 0 \end{cases} = \ln|x| + C$$

가 됩니다. 좌변과 우변 모두 $x \neq 0$에 대해 성립합니다. 이 식은 거듭제곱함수 중에서 거듭제곱규칙으로 해결이 안 되는 $1/x$의 적분을 해줍니다.

결과 11.2 반비례함수의 부정적분: $\int \dfrac{1}{x}\,dx = \ln|x| + C$

예 11.1

$$\int 2^x\,dx = \frac{1}{\ln 2}2^x + C \approx \frac{1}{0.69}2^x + C$$

$$\int \frac{1}{x\ln 2}\,dx = \frac{1}{\ln 2}\int \frac{1}{x}\,dx = \frac{1}{\ln 2}\ln x + C = \log_2 x + C$$

참고 두 번째 적분결과는 $(\log_2 x)' = \dfrac{1}{x\ln 2}$ 이므로 맞습니다. 계산과정에서 $\dfrac{\ln x}{\ln 2} = \log_2 x$임을 이용하였는데, 이는 $A = \log_2 x$라고 할 때 $x = 2^A$이고 양변의 자연로그를 취하면 $\ln x = \ln 2^A = A\ln 2$이므로 $A = \dfrac{\ln x}{\ln 2}$ 라고 증명할 수 있습니다. 일반적으로 $\dfrac{\log_c a}{\log_c b} = \log_b a$입니다.

한편 로그함수의 적분은 어떻게 할까요? 이를 위해서는 적분의 고급규칙을 알아야 합니다.

11.2 부분적분

부분적분(integration by parts)은 미분의 곱규칙에서 도출되는 것으로, 매우 유용한 적분법입니다. 사용 방법이 약간 까다로우므로 예제들을 통해 충분히 연습해야 합니다. 먼저 규칙을 제시하겠습니다. 상황에 따라서 두 식 중 적절한 것을 사용하면 됩니다.

결과 11.3 **적분의 고급규칙 (1) 부분적분**

$$\begin{array}{ccccc} \int f'(x)g(x)\,dx & = & f(x)g(x) & - & \int f(x)g'(x)\,dx \\ \text{[적분] 앞} \times \text{뒤} & & \text{앞의 역도함수} \times \text{뒤} & & \text{[적분] 앞의 역도함수} \times \text{뒤의 도함수} \end{array} \qquad (11.1)$$

$$\begin{array}{ccccc} \int f(x)g'(x)\,dx & = & f(x)g(x) & - & \int f'(x)g(x)\,dx \\ \text{[적분] 앞} \times \text{뒤} & & \text{앞} \times \text{뒤의 역도함수} & & \text{[적분] 앞의 도함수} \times \text{뒤의 역도함수} \end{array} \qquad (11.2)$$

증명 ....

$(f(x)g(x))' = f'(x)g(x) + f(x)g'(x)$ 이므로 $f'(x)g(x) = (f(x)g(x))' - f(x)g'(x)$ 이고 양변을 x로 적분하면 (11.1)을 얻습니다. 마찬가지로 $f(x)g'(x) = (f(x)g(x))' - f'(x)g(x)$ 의 양변을 적분하면 (11.2)입니다. (11.1), (11.2)에 적분상수는 안 적혀 있는데, 이는 식에 아직 적분 계산이 끝나지 않은 $\int$ 기호가 남아있어서 생략 가능합니다. 우변의 $\int$ 부분을 실제 계산하면 적분상수가 나타납니다. ◀

부분적분을 하려면, 적분해야 할 함수를 미분하기 쉬운 부분($f(x)$)과 적분하기 쉬운 부분 ($g'(x)$)으로 나누어 배정하는 요령이 있어야 합니다. 문제가 주어질 때 $g'(x)$ 라고 미분된 형태로 나오는 게 아니므로 어느 것이 $f(x)$ 의 역할을 하고, $g'(x)$ 의 역할을 할지 잘 결정 해야 합니다. 결정하는 기준은 물론 주어진 함수를 적분하기 쉬운 것(즉, 가능한 한 단순한 형태의 함수)을 $g'(x)$ 로 보는 것입니다. 예제를 통해 살펴봅시다.

예 11.2

$\int x\, dx$ 를 계산하겠습니다. 적분대상 함수가 x 라는 단순한 함수이고 거듭제곱규칙에 의해 부정 적분의 결과가 $\frac{1}{2}x^2 + C$ 라는 것을 알고 있지만, 부분적분을 연습해 봅니다.

x 혼자 있는 것처럼 보여도 사실 $f(x) = x$, $g'(x) = 1$ 로 보면 두 함수의 곱입니다. 여기서 $g'(x) = 1$ 로 선택한 것은 상수 1의 적분이 쉽게 가능하고, 한편 $f(x) = x$ 의 미분도 쉬우며 그 도함수가 상수로 단순하기 때문입니다. 즉, $g(x) = x$ 이고 $f'(x) = 1$ 입니다. 이제 부분적분 공식 에 의해

$$\int \underbrace{f(x)g'(x)}_{= x \times 1 = x}\, dx = \underbrace{f(x)g(x)}_{= x \times x = x^2} - \int \underbrace{f'(x)g(x)}_{= 1 \times x = x}\, dx$$

$$\implies \underbrace{\int x\, dx}_{= A} = x^2 - \underbrace{\int x\, dx}_{= A}$$

가 되고 A 로 표시한 적분을 좌변으로 모아주면

$$A + A = \int x\, dx + \int x\, dx = \int x + x\, dx = \int 2x\, dx = 2\int x\, dx = x^2 + C$$

가 됩니다. 우변에 적분상수 C 를 더해 주었습니다. 이제 양변을 2로 나누어주면

$$\int x\, dx = \frac{1}{2}x^2 + C$$

라고 계산할 수 있습니다. 물론 우리가 이미 알고 있는 답과 일치합니다. 상수 C 를 2로 나누어 주었지만, 어차피 값이 고정된 것이 아니라 임의의 상수이므로 그대로 C 라고 두었습니다.

$\int x^2\,dx$를 부분적분을 이용해 계산하시오.

이번에도 답은 $\frac{1}{3}x^3 + C$임을 이미 알고 있습니다. 이번에는 (11.2)를 이용해서 $f'(x) = x$, $g(x) = x$라고 해봅시다. 그렇다면 (앞의 예에서 보았듯이) $f(x) = \frac{1}{2}x^2$으로 놓을 수 있고, $g'(x) = 1$입니다. 따라서

$$\underbrace{\int x^2\,dx}_{=A} = \frac{1}{2}x^2 \times x - \int \frac{1}{2}x^2 \times 1\,dx = \frac{1}{2}x^3 - \frac{1}{2}\underbrace{\int x^2\,dx}_{=A}$$

$$\implies A + \frac{1}{2}A = \frac{3}{2}\int x^2\,dx = \frac{1}{2}x^3 + C \implies \int x^2\,dx = \frac{2}{3} \times \frac{1}{2}x^3 + C = \frac{1}{3}x^3 + C$$

위의 예들은 부분적분이 아니어도 풀 수 있지만, 문제에 따라서 부분적분을 쓰지 않으면 도저히 풀 수 없는 경우도 있습니다. 다음 예에서 다루는 로그함수의 적분이 그렇습니다.

$\int \ln x\,dx$를 계산하려 합니다. (물론 $x > 0$입니다.)

어떤 함수를 미분하면 $\ln x$가 나올까요? 쉽게 답하기 어렵습니다. (혹시 답이 얼른 떠오르거나, 추측을 할 수도 있을텐데, 그럼 운이 좋은 셈입니다. 미분은 주어진 규칙들을 기계적으로 적용만 하면 도함수를 구할 수 있는 반면, 적분을 위해서는 답의 모양을 추측해야 할 경우도 많습니다.)

앞의 예를 참고하여 $f(x) = \ln x$, $g'(x) = 1$로 놓아 보면 $g(x) = x$이고 $f'(x) = 1/x$이 됩니다 (여기서 $g'(x)$의 적분과 $f(x)$의 미분이 쉬워야 공식이 쓸모가 있다는 점을 기억해 주세요). 따라서

$$\int \underbrace{\ln x}_{=f(x)g'(x)}\,dx = \underbrace{x\ln x}_{=f(x)g(x)} - \int \underbrace{\frac{1}{x}x}_{f'(x)g(x)}\,dx = x\ln x - x + C$$

얻어진 답이 맞는지 확인하려면 물론 우변의 식을 미분해서 그 결과가 $\ln x$임을 보면 됩니다.

$$(x\ln x - x + C)' = (x)'\ln x + x(\ln x)' - (x)' + (C)' = \ln x + x\frac{1}{x} - 1 = \ln x$$

가 맞습니다.

$x \ln x$의 역도함수는 무엇인가?

$\ln x$의 역도함수를 알았으므로 $g'(x) = \ln x$로 놓고, 바로 전에 구한 역도함수를 써도 됩니다. 그렇게 하지 않더라도 $f'(x) = x$, $g(x) = \ln x$로 놓으면 $f(x) = \frac{1}{2}x^2$이고 $g'(x) = \frac{1}{x}$이므로

$$\int \underbrace{x \ln x}_{=f'(x)g(x)} \, dx = \underbrace{\frac{1}{2}x^2 \ln x}_{=f(x)g(x)} - \int \underbrace{\frac{1}{2}x^2 \frac{1}{x}}_{f(x)g'(x)} \, dx = \frac{1}{2}x^2 \ln x - \int \frac{1}{2}x \, dx = \frac{1}{2}x^2 \ln x - \frac{1}{4}x^2 + C$$

11.3 치환적분

두 번째 고급 적분규칙은 치환적분입니다. 치환적분은 미분의 연쇄규칙을 반대 방향으로 적용한 것입니다. 이해를 돕기 위해서 비교적 쉬운 예제부터 풀어보겠습니다.

예 11.4

$\int e^{2x} \, dx$를 계산하려고 합니다. 대상함수가 만약 e^x였다면 도함수도, 역도함수도 모두 자기 자신이라 쉽게 $e^x + C$가 답이 될 텐데, 지수에 x 대신 $2x$가 들어 있습니다.

먼저 e^{2x}를 미분해보면, 연쇄규칙에 따라

$$\frac{d}{dx}e^{2x} = \frac{d}{dy}e^y \bigg|_{y=e^{2x}} \times \frac{d}{dx}2x = e^y \bigg|_{y=e^{2x}} \times 2 = 2e^{2x}$$

가 됩니다. 미분과정에서 속함수의 도함수인 2가 앞에 곱해졌습니다. 즉 e^{2x}의 역도함수는 몰라도, $2e^{2x}$의 역도함수는 e^{2x}인 것이죠.

$$\int 2e^{2x} \, dx = e^{2x} + C$$

그런데 $\int 2e^{2x} \, dx = 2 \int e^{2x} \, dx$이니 위 식의 양변을 '2'로 나누어주면

$$\int e^{2x} \, dx = \frac{1}{2}e^{2x} + C$$

위 예의 풀이 과정에서 나누어준 '2'의 정체가 중요합니다. 주어진 적분대상 함수가 합성함수였고, 그 합성함수의 속함수의 도함수입니다. 합성함수를 미분하면 속함수의 도함수가 곱

해지니까, 합성함수를 적분할 때는 반대로 속함수의 도함수로 나누어주면 되는 것 아닌가 하는 아이디어가 생깁니다.

치환적분(integration by substitution)은 예에서 설명한 속함수의 도함수로 나누는 과정을 공식화한 것입니다. 치환적분은 공식을 제시하기보다는 풀이하는 단계를 제시하겠습니다.

결과 11.4 적분의 고급규칙(2) 치환적분

합성함수 $f \circ g(x) = f(g(x))$를 x로 적분하려고 할 때 다음의 단계를 따른다.

1단계: 적분대상함수의 속함수를 $g(x) = z$로 치환: 적분대상함수는 $f(z)$

2단계: z의 미분량 계산 $dz = g'(x)dx$

3단계: 적분대상 변수를 $dx = \dfrac{1}{g'(x)}dz$로 치환

4단계: z에 대해 $f(z)$를 적분　**주의** 적분식에 x로 된 식이 남아있지 않아야 함

5단계: 최종결과에서 $z = g(x)$로 다시 치환하여 x의 식으로 복원

예제 11.3

$\displaystyle\int (2x+1)^2\,dx$를 계산하시오.

적분대상 함수에서 제곱을 계산해서 풀어쓰면 단순한 다항함수라서 답을 얻을 수 있습니다만, 치환적분을 연습하겠습니다.

1단계: 속함수를 치환 $z = 2x+1$, 적분대상함수는 z^2

2단계: $dz = 2\,dx$

3단계: $dx = \dfrac{1}{2}\,dz$

4단계: $\int (2x+1)^2\,dx = \int z^2 \dfrac{1}{2}\,dz = \dfrac{1}{2} \int z^2\,dz = \dfrac{1}{2}\dfrac{z^3}{3} + C = \dfrac{z^3}{6} + C$

5단계: 최종결과에서 $z = 2x+1$로 다시 치환하면 $\int (2x+1)^2\,dx = \dfrac{(2x+1)^3}{6} + C$

주의 4단계에서 멈추면 답이 아닙니다. 적분은 x의 식으로 시작했는데, 원래 문제에 없던 z라는 기호로 된 식이 나왔습니다. 원래 문제대로 x의 식으로 복원해야 합니다. 물론 1단계에서 치환할 때 z라는 기호를 꼭 써야 하는 것은 아닙니다. $k = 2x+1$이라 해도 되고, $t = 2x+1$이라 해도 됩니다. 마지막 5단계에서 x에 대한 식으로 돌려놓기만 하면 됩니다.

사실 치환적분 방법이 만능은 아닙니다. 주의해서 치환변수를 설정해야 합니다. 4단계에서 주의를 준대로, 치환 후 식을 정리하면 x가 남아 있지 않아야 합니다.

예를 들어 문제가 $\int (2x^2 + 1)^2 \, dx$ 라고 주어지면 단지 속함수를 z로 놓아서는 치환적분법이 성공할 수 없습니다. 어디서 문제가 생기는지 한번 해봅시다.

1단계: $z = 2x^2 + 1$, 적분대상함수는 z^2

2단계: $dz = 4x \, dx$

3단계: $dx = \dfrac{1}{4x} \, dz$

4단계: $\int (2x^2 + 1)^2 \, dx = \int z^2 \dfrac{1}{4x} \, dz$

z에 대해서 적분하고자 하는데 적분 기호 속에 x로 된 식이 남아있습니다. 그런데 x를 상수 취급할 수는 없습니다. $z = 2x^2 + 1$의 관계를 가졌기 때문이죠. x를 없애려고 z의 식으로 표현하면 $x = \pm \sqrt{\dfrac{z-1}{2}}$ 인데 이것을 위 적분식에 대입하면 공연히 더 복잡해집니다.

즉 이 문제는 치환적분법으로 풀 수 없습니다. 물론 제곱을 그냥 풀면 쉽게 적분이 됩니다.

$$\int (2x^2 + 1)^2 \, dx = \int 4x^4 + 4x^2 + 1 \, dx = \frac{4}{5}x^5 + \frac{4}{3}x^3 + x + C$$

$\int x(2x^2 + 1)^2 \, dx$ 를 계산하시오.

이 문제는 치환적분이 가능하도록 형태가 잘 짜인 경우입니다.

1단계: $z = 2x^2 + 1$, 적분대상함수는 xz^2 (x가 섞여 있지만 아직은 괜찮습니다)

2단계: $dz = 4x \, dx$

3단계: $dx = \dfrac{1}{4x} \, dz$

4단계: $\int x(2x^2 + 1)^2 \, dx = \int \boxed{x} \, z^2 \dfrac{1}{4 \, \boxed{x}} \, dz = \int \frac{1}{4} z^2 \, dz = \frac{z^3}{12} + C$

$\boxed{x}$ 부분이 상쇄되어 적분기호 속에서 사라지고 z의 식만 남았기 때문에 풀이가 가능합니다.

5단계: 따라서 답은 $\dfrac{(2x^2 + 1)^3}{12} + C$ 입니다.

참고 학생들이 자주 헷갈리는 점이 하나 있습니다. 방금 예제에서 치환적분을 쓰지 않고 바로 풀어서 다항함수 적분을 해보면

$$\int x(2x^2+1)^2\,dx = x(4x^4+4x^2+1)\,dx = \int 4x^5+4x^3+x\,dx = \frac{2}{3}x^6+x^4+\frac{1}{2}x^2+C$$

위에서 얻은 답과 달라보이지 않나요?

이는 치환적분으로 얻은 답에 C 이외에 추가로 '상수'가 더 들어있기 때문입니다. 위 예제의 답을 더 정리하면

$$\frac{(2x^2+1)^3}{12}+C = \frac{8x^6+12x^4+6x^2+1}{12}+C = \frac{2}{3}x^6+x^4+\frac{1}{2}x^2+\boxed{\frac{1}{12}+C}$$

가 되는데, C는 정해진 상수가 아니라 '부정' 적분상수이므로 $\boxed{\frac{1}{12}+C}$ 나 C나 모두 마찬가지로 임의의 상수를 나타냅니다. 둘 다 맞는 답입니다.

부정적분을 풀이한 결과가 남의 답과 다를 때 둘 다 맞을 수도 있습니다(물론 둘 다 틀렸을 수도 있습니다만…). 결과물을 미분하면 어느 것이 맞는 답인지 쉽게 검산할 수 있습니다.

함수의 적분가능성 vs 역도함수를 공식으로 도출하기

모든 함수가 도함수를 갖는 것은 아니고, 미분가능해야 한다는 것을 지적했었습니다. 함수가 미분가능하려면 기본적으로 연속이어야 하고, '꺾인' 곳이 없이 매끄러워야 합니다. 그렇다면 어떤 함수가 적분가능한 걸까요?

복잡한 논의를 생략하고 답만 드리자면, 연속인 함수는 모두 적분가능합니다. 매끈하지 않아도 상관없습니다. 심지어 연속이지 않아도 적분가능할 수 있습니다. $x=0$에서 불연속인 $1/x$의 역도함수는 $\ln|x|$입니다. 하지만 어떤 함수가 적분가능하다고 해서, 역도함수를 우리가 알아볼 수 있는 간단한 공식으로 표현할 수 있다는 것은 아닙니다. 우리는 보통 함수라고 하면 공식을 떠올리지만, 함수가 되기 위해서는 독립변수와 종속변수 사이에 일정한 관계만 있으면 되고 그 관계가 굳이 깔끔한 공식일 필요는 없습니다.

부정적분 문제에 주어진 적분대상 함수가 적분가능하면 분명 역도함수가 있는데, 그것을 우리가 항상 간단한 공식으로 표현할 수 있는 것은 아니라는 것입니다. 부분적분, 치환적분 등은 적분대상 함수의 역도함수를 공식으로 찾아내는 데에 상당히 도움이 되는 기법입니다. 하지만 모든 함수의 역도함수를 깔끔한 공식으로 풀어낼 수 있으리라고 기대는 하지 않아야 합니다.

11.4 분수함수 및 역함수의 적분

분수함수에 대해서도 부분적분과 비슷한 방식으로 공식을 만들어볼 수 있지만 크게 쓸모있지 않습니다. 부분적분과 치환적분을 적절히 사용하면 해결되는 경우도 있습니다.

간단한 예부터 해봅시다. $\int \dfrac{1}{x+1}\,dx$를 계산하려면 먼저 분모의 $x+1$을 다른 변수로 치환합니다. $t = x+1$이라고 해보면 $dt = dx$이므로

$$\int \frac{1}{x+1}\,dx = \int \frac{1}{t}\,dt = \ln|t| + C = \ln|x+1| + C$$

가 됩니다. 이 예를 보면 $(x+1)$ 정도는 굳이 치환과정을 거치지 않더라도 마치 하나의 변수인 것처럼 취급해도 됨을 알 수 있습니다.

$\int \dfrac{x}{x+1}\,dx$를 부분적분으로 풀어볼까요?

$f(x) = x$, $g'(x) = \dfrac{1}{x+1}$ 라고 하면 $f'(x) = 1$이고 $g(x) = \ln|x+1|$입니다. 절댓값 기호 챙기기가 불편하니까 이 문제에서는 $x > -1$이라고 가정합시다. 그렇다면

$$\int \frac{x}{x+1}\,dx = \int x\frac{1}{x+1}\,dx = x\ln(x+1) - \int \ln(x+1)\,dx$$

이고 $\int \ln(x+1)\,dx$는 ($t = x+1$로 치환해서) 앞에서 자연로그함수를 부분적분한 방식을 적용해보면

$$\int \ln(x+1)\,dx = (x+1)\ln(x+1) - (x+1) + C$$

일 것입니다. (우변을 미분하면 바로 확인 가능합니다.) 따라서

$$\int \frac{x}{x+1}\,dx = x\ln(x+1) - (x+1)\ln(x+1) + (x+1) + C = -\ln(x+1) + x + C$$

(마지막 1은 적분상수 C에 포함시켰습니다.) 결과가 맞다는 것은 우변을 미분해보면 알 수 있습니다.

$$(-\ln(x+1) + x)' = -\frac{1}{x+1} + 1 = \frac{-1+x+1}{x+1} = \frac{x}{x+1}$$

예 11.8

이번에는 $\int \dfrac{2x}{x^2+1}\,dx$를 해보겠습니다. 부분적분을 쓰기에는 분모의 함수가 2차함수라서 곤란합니다. 대신 $t = x^2 + 1$이라고 치환해보면 $dt = 2x\,dx$이고 따라서

$$\int \frac{2x}{x^2+1}\,dx = \int \frac{2x}{t}\cdot\frac{1}{2x}\,dt = \int \frac{1}{t}\,dt = \ln|t| = \ln(x^2+1)$$

이 됩니다.

한편, 역함수의 부정적분 공식도 만들려면 만들 수 있지만, 치환적분을 통해서 해결 가능합니다. $y = f(x)$의 역함수가 $x = f^{-1}(y)$라고 할 때 $\int f^{-1}(y)\,dy$를 계산한다면 다음과 같이 해볼 수 있습니다.

1단계: $x = f^{-1}(y)$로 치환, 적분대상함수는 x

2단계: $dx = \dfrac{1}{f'(x)}\,dy$ [역함수 미분계수 공식을 사용함]

3단계: $dy = f'(x)\,dx$ [사실 $y = f(x)$로부터 바로 도출할 수도 있음]

4단계: $\int f^{-1}(y)\,dy = \int x f'(x)\,dx$를 계산

5단계: 필요하면 결과에 $x = f^{-1}(y)$를 대입하여 y의 식으로 변환

예 11.9

$y = x^2$이라면 역함수는 $x = \sqrt{y}$입니다(단, $x \geq 0$, $y \geq 0$).

$\int \sqrt{y}\,dy = \int x(x^2)'\,dx = \int 2x^2\,dx = \dfrac{2}{3}x^3 + C$이고 최종결과에 $x = \sqrt{y}$를 대입하면 $\int \sqrt{y}\,dy = \dfrac{2}{3}y^{3/2} + C$가 되어 거듭제곱규칙으로 구한 것과 일치합니다.

연습문제

11-1 다음을 부분적분법으로 계산하시오.

   (a) $\displaystyle\int xe^x \, dx =$

   (b) $\displaystyle\int x^2 e^{-x} \, dx =$

   (c) $\displaystyle\int \frac{1}{x} \ln x \, dx =$

   (d) $\displaystyle\int \frac{\ln x}{x^2} \, dx =$

11-2 다음을 치환적분법으로 계산하시오.

   (a) $\displaystyle\int xe^{x^2} \, dx =$

   (b) $\displaystyle\int -e^{-x} \, dx =$

   (c) $\displaystyle\int \frac{1}{x} \ln x \, dx =$

   (d) $\displaystyle\int \frac{\ln x}{x^2} \, dx =$

11-3 다음을 계산하시오.

   (a) $\displaystyle\int \sqrt{1-x} \, dx =$

   (b) $\displaystyle\int x\sqrt{1-x} \, dx =$

   (c) $\displaystyle\int 2x\sqrt{1-x^2} \, dx =$

Chapter 12

적분 활용

제12장에서는 ....

미분은 원래 함수로부터 기울기라는 정보를 뽑아냅니다. 미분의 반대 방향 계산인 적분은 기울기 정보를 쌓아올려서 원래 함수를 복원하게 해줄 수 있습니다. 이 과정에서 적분상 수의 의미에 대해서 다시 생각해보고, 주어진 함수 그래프 아래의 면적을 계산하는 문제를 적분으로 어떻게 해결하는지 보겠습니다.

주요 개념

고정비용, 가변비용, 투자, 자본, 정적분, 소비자잉여, 누적분포함수, 로렌츠곡선, 지니계수

12.1 적분상수의 의미

함수를 부정적분하면 적분상수가 생깁니다. $F(x)$가 $f(x)$의 역도함수일 때, 즉 $F'(x) = f(x)$일 때

$$\int f(x)\,dx = F(x) + C$$

입니다. 상수의 존재는 미분 과정에서 영향을 주지 않기 때문입니다. 그래서 아무런 추가 정보 없이 (이미 미분된) 적분대상함수만으로는 미분 이전의 원래 함수를 제대로 복원할 수 없습니다. 미분은 원래 함수의 변화(기울기)만을 뽑아내므로 정보가 손실되는 셈이죠.

손실된 정보는 적분상수의 구체적인 값인데, 수학적으로 보면 함수의 상수는 그래프의 Y 절편값, 독립변수의 값이 0일 때의 함숫값, 일종의 출발점에 해당되는 기본값입니다. 기울 기에 포함된 정보만으로도 전반적인 함수의 모양은 알아낼 수 있는 것입니다.

원래 함수를 완전히 복원하기 위해서 알아야 하는 것은 적분대상함수와 함께 딱 한 점의 좌표이면 됩니다. 어느 점이든 상관없습니다. 시간변수 t를 사용하는 경우 $t = 0$에서의 함

숫값, **초깃값**(initial value)을 주면 편리합니다. 시간변수가 아닌 경우에도 Y절편값이 편리하겠죠.

예 12.1

한계비용이 $\mathrm{MC}(Q) = Q$이라면, 이를 부정적분할 경우 (원래의 함수인) 총비용함수가 나와야 합니다.

$$C(Q) = \int \mathrm{MC}(Q)\, dQ = \int Q\, dQ = \frac{1}{2}Q^2 + C$$

가 됩니다. 그런데 적분상수는 $C(0)$의 값입니다. 생산량이 0인 경우의 비용을 **고정비용**이라고 한다고 설명했습니다. 즉 이 문제에서 적분상수의 값은 고정비용(FC)입니다. 고정비용을 제외한 나머지 부분은 **가변비용**(VC)이라고 볼 수 있습니다. 따라서 한계비용 $\mathrm{MC}(Q)$가 주어질 때 이를 적분하면

$$\int \mathrm{MC}(Q)\, dQ = VC(Q) + FC$$

의 형태가 된다고 볼 수 있습니다.

예 12.2

투자(investment)는 미래를 위한 현재의 지출을 뜻합니다. 개인들이 주식이나 부동산을 사는 행위도 투자라고 부르지만, 경제학에서 **투자**라고 할 때는 흔히 기업이 생산과정에 필요한 **자본**을 축적하기 위해 하는 지출을 가리킵니다. 즉, 유량변수인 투자가 모이면 저량변수인 자본이 되고, 자본 축적의 변화율은 투자로 볼 수 있습니다. (단, 축적된 자본은 시간의 흐름에 따라 가치가 소멸하는 감가상각(depreciation)이 일어날 수 있는데, 여기서 그 부분은 무시하겠습니다.)

시간의 함수로 파악한 투자 $I(t)$와 자본 $K(t)$는 연관되어 있습니다. $K'(t) = I(t)$이므로

$$K(t) = \int I(t)\, dt$$

가 됩니다. 예컨대, $I(t) = I_0 e^{-rt}$라고 하면 $t = 0$의 시점에서 I_0의 투자 수준으로 출발해서 감소율 r로 지속적으로 투자 수준을 줄이고 있는 상황입니다. 이때

$$K(t) = \int I_0 e^{-rt}\, dt = -\frac{I_0}{r} e^{-rt} + C$$

가 되고, 만약 $t = 0$에서 시작한 자본수준의 초깃값이 K_0이었다면 $K(0) = K_0$이 되어야 하므로

$$K(0) = -\frac{I_0}{r} + C = K_0 \implies C = \frac{I_0}{r} + K_0$$

$$K(t) = \frac{I_0}{r}(1 - e^{-rt}) + K_0$$

가 t 시점에서의 자본 수준을 나타내는 공식이 됩니다.

12.2 면적함수, 정적분, 미적분학의 근본정리

어떤 함수 $y = f(x)$의 그래프와 X축 사이의 면적을 $a \le x \le b$의 범위에서 계산해 보려합니다([그림 12.1]).

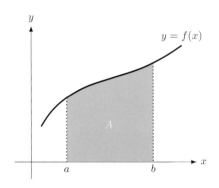

[그림 12.1] 계산하고자 하는 면적 A

이 계산을 위해 새로운 함수를 하나 정의합니다. 범위의 왼쪽 경계는 $x = a$에 고정시켜놓고, 오른쪽 경계의 위치를 $x = t$라고 하면 t를 변화시킬 때마다 면적도 변하므로 면적을 t의 함수로 나타낼 수 있을 것입니다. 이를 면적함수 $A(t)$라고 부르겠습니다([그림 12.2]).

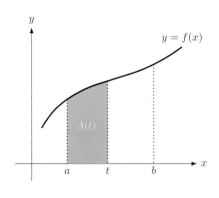

[그림 12.2] 면적함수 $A(t)$

먼저 알 수 있는 것은 $t = a$일 때의 $A(a)$는 $x = a$ 위에 세운 선분의 면적인데, 수학적으로 두께가 없는 선분은 면적이 0입니다. 즉 $A(a) = 0$입니다([그림 12.3(a)]). 또한 우리가 계산하고자 하는 것은 $t = b$에 도달했을 때의 $A(b)$입니다. 즉 $A(b) = A$입니다([그림 12.3(b)]).

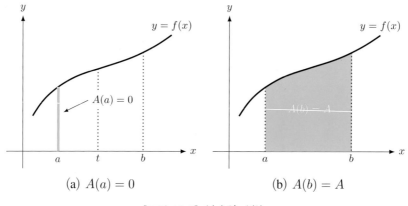

(a) $A(a) = 0$ (b) $A(b) = A$

[그림 12.3] $A(a)$와 $A(b)$

이제 다시 임의의 t값을 생각해 봅니다. $x = t$일 때의 면적 $A(t)$는 [그림 12.4(a)]에 표시되어 있습니다. t의 위치를 아주 조금 Δt만큼 오른쪽으로 옮겨주면, [그림 12.4(b)]에 그려진 것처럼 약간의 면적이 보태집니다. 이를 $\Delta A = A(t + \Delta t) - A(t)$라고 부르겠습니다.

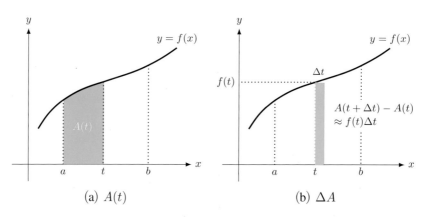

(a) $A(t)$ (b) ΔA

[그림 12.4] t에서 $t + \Delta t$ 사이의 면적 $\Delta A = A(t + \Delta t) - A(t)$

Δt가 아주 작다면, 즉 $\Delta t \to 0$이라면 보태진 부분은 '거의' 선분에 가까우므로 $\Delta A \to 0$입니다. 하지만 $\Delta t \neq 0$이라면 $\Delta A \neq 0$입니다. ΔA는 밑변이 (매우 값이 작지만 0은 아닌) Δt이고, 높이는 거의 $f(t)$인 직사각형에 가깝습니다. 즉 $\Delta A = A(t + \Delta A) - A(t) \approx f(t)\Delta t$

인 것입니다. 이제 t의 변화에 따른 면적의 변화율을 계산하면

$$\frac{\Delta A}{\Delta t} = \frac{A(t + \Delta t) - A(t)}{\Delta t} \approx f(t)$$

이고 $\Delta t \to 0$일 때의 극한을 구한다면 (극한에서 오차가 없어지므로 우변의 $\approx$는 $=$가 됩니다)

$$\lim_{\Delta t \to 0} \frac{\Delta A}{\Delta t} = \lim_{\Delta t \to 0} \frac{A(t + \Delta t) - A(t)}{\Delta t} = f(t)$$

가 됩니다. 우변에 $f(t)$가 주어져 있으므로 좌변의 극한은 실제 수렴한다고 볼 수 있습니다. 그런데 이 극한식은 함수 $A(t)$를 t로 미분한 도함수를 도출하는 식입니다. 즉

$$A'(t) = f(t)$$

인 것입니다. 다시 말해서 $A(t)$는 $f(t)$의 부정적분, 즉 역도함수에 상수를 더한 형태입니다. $f(x)$의 역도함수를 $F(t)$라고 부른다면 따라서

$$A(t) = \int f(t)\, dt = F(t) + C$$

가 성립합니다. 그런데 $A(a) = 0$이므로 이를 사용하면 적분상숫값을 결정할 수 있습니다. $F(a) + C = 0$에서 $C = -F(a)$입니다. 마지막으로 우리가 계산하고자 하는 면적은 $A = A(b)$이므로

$$A = A(b) = F(b) + C = F(b) - F(a)$$

가 성립합니다. 즉 말로 정리하면, $y = f(x)$와 X축 사이의 면적을 $a \leq x \leq b$의 범위에 대해서 계산하려면, 먼저 $f(x)$를 부정적분하여 역도함수 $F(x)$를 도출한 후에, 각각 $x = a$와 $x = b$를 대입한 값 $F(a), F(b)$를 계산하고 두 값의 차를 계산하면 된다는 것입니다.

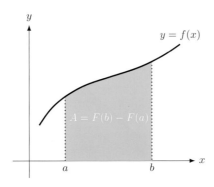

[그림 12.5] 미적분학의 근본정리: $f(x)$의 역도함수로 면적 계산

이를 **정적분**(definite integral)이라고 부르고, 다음과 같은 기호로 표기합니다.

$$A = \int_a^b f(x)\,dx = F(b) - F(a)$$

부정적분의 표기 $\int f(x)\,dx$에다가 면적 계산의 범위의 하한과 상한 a, b를 적어준 것입니다. 정적분 계산을 위해서는 먼저 부정적분을 통해 역도함수 $F(x)$를 도출한 후에, a, b를 대입해서 계산하면 되므로 기억하기 쉽게 다음과 같이 중간 과정을 표기하기도 합니다.

$$\int_a^b f(x)\,dx = F(x)\Big|_a^b = F(b) - F(a)$$

이와 같은 면적 계산, 즉 정적분의 계산을 주어진 함수의 역도함수를 사용하면 된다는 결과를 **미적분학의 근본정리**라고 부릅니다.

> **결과 12.1 미적분학의 근본정리**:
>
> 함수 $f(x)$의 역도함수가 $F(x)$일 때, 즉 $F'(x) = f(x)$일 때, $y = f(x)$의 그래프와 X축 사이의 면적을 $a \le x \le b$의 범위에서 계산하면 $F(b) - F(a)$이다.
>
> $$\int_a^b f(x)\,dx = F(x)\Big|_a^b = F(b) - F(a)$$

예 12.3

$y = f(x) = x$ 아래의 면적을 계산해 봅시다. 범위가 $a \le x \le b$일 때

$$\int_a^b x\,dx = \frac{1}{2}x^2\Big|_a^b = \frac{1}{2}(b^2 - a^2)$$

입니다. 예를 들어 $a = 1$, $b = 3$이면 면적은 $\frac{1}{2}(9 - 1) = 4$입니다.

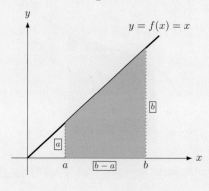

[그림 12.6] $y = x$ 아래의 면적 계산

실제로 위 면적은 (옆으로 돌려놓은) 사다리꼴의 면적 공식을 사용하면 높이가 $(b-a)$이고 윗변은 a, 아랫변은 b이므로 $\frac{1}{2}(a+b)(b-a) = \frac{1}{2}(b^2 - a^2)$이 맞습니다.

12.3 정적분 활용: 소비자잉여

12.3.1 소비자잉여: 수요곡선 아래의 면적

수요곡선 $P(Q)$가 주어졌다고 합시다([그림 12.7]). 수요곡선은 가로축에 수요량 Q, 세로축에 가격 P를 놓고 그린 그림입니다. 각 수요량마다 그에 대응되는 가격(지불용의)을 표시해줍니다. 수요의 법칙이 성립하여 이 곡선은 우하향하고, 곡선이 가격축과 만나는 점(절편 $\bar{P}$)이 있다고 가정하겠습니다. 절편 $\bar{P}$는 소비자들이 감당할 수 있는 최고 가격을 나타냅니다.

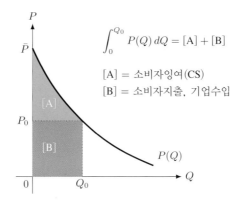

[그림 12.7] 수요곡선과 소비자잉여

어떤 수요량 Q_0와 그에 대응되는 가격 P_0에 대해서, Q_0까지 수요곡선 아래의 면적을 총(gross)소비자잉여, 총소비자잉여에서 $P_0 Q_0$를 뺀 면적을 순(net)소비자잉여 또는 줄여서 **소비자잉여**(consumer surplus)라고 합니다. 즉 그림에서 총소비자잉여는 [A] + [B]의 면적, 소비자잉여는 [A]의 면적입니다.

수요곡선은 소비자들의 지불용의를 나타내므로, 총소비자잉여는 소비자들의 지불용의의 합이고, [B]에 해당되는 $P_0 Q_0$는 이 점에서 소비자들이 실제로 지불한 금액(소비자에게는 지출, 기업에게는 수입)입니다. 따라서 소비자잉여는 소비자들의 지불용의와 실제 지불한 금액의 차이를 말합니다.

수학적으로 [A] + [B]의 면적은 $\int_0^{Q_0} P(Q)\,dQ$이고, [B]의 면적은 $P_0 Q_0$이자 상수함수 $P = P_0$ 아래의 면적이기도 하므로 소비자잉여 CS는

$$CS = \int_0^{Q_0} (P(Q) - P_0)\,dQ = \int_0^{Q_0} P(Q)\,dQ - P_0 Q_0$$

로 나타낼 수 있습니다.

예 12.4

(a) 수요곡선이 $P = 100 - 2Q$이고 $Q_0 = 30$이면 $P_0 = 40$입니다. 직선이므로 굳이 적분을 사용하지 않더라도 면적을 계산할 수 있습니다. [B]의 소비자지출(및 기업수입)은 $40 \times 30 = 1200$이고, [A]의 소비자잉여는 $\frac{1}{2} \times 60 \times 30 = 900$입니다. 물론 적분을 사용해도 같은 답을 얻습니다.

$$CS = \int_0^{30} (100 - 2Q) - 40\,dQ = 60Q - Q^2 \Big|_0^{30} = 60 \times 30 - (30)^2 = 900$$

(b) 수요곡선이 $P = 10 - 3\sqrt{Q}$이고 $Q_0 = 4$이면 $P_0 = 10 - 3\sqrt{4} = 4$입니다. 적분을 이용해 소비자잉여를 계산해보면

$$CS = \int_0^4 (10 - 3\sqrt{Q}) - 4\,dQ = 6Q - 3 \times \frac{2}{3} Q^{3/2} \Big|_0^4 = 6 \times 4 - 2(4)^{3/2} = 24 - 16 = 8$$

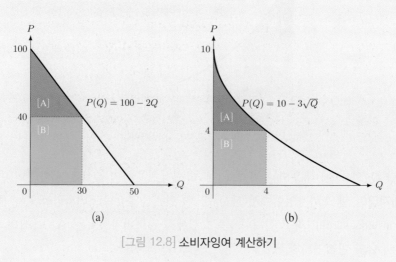

[그림 12.8] 소비자잉여 계산하기

12.3.2 소비자잉여의 변화분을 수요함수로 계산하기

주어진 하나의 상황에서의 소비자잉여를 계산하기보다, 어떤 요인에 의해서 상황이 변했을 때 소비자잉여의 변화를 알아보고자 할 때도 있습니다. 가격이 P_0에서 P_1로 인상되었다고

해봅시다. 수요량은 Q_0에서 Q_1로 감소합니다.

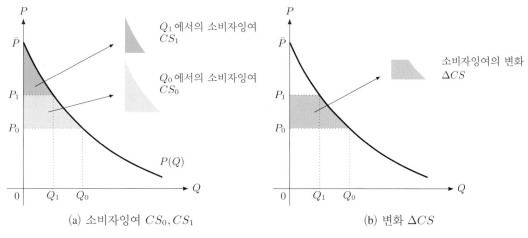

(a) 소비자잉여 CS_0, CS_1 (b) 변화 ΔCS

[그림 12.9] 소비자잉여의 변화

각 경우의 소비자잉여 CS_0, CS_1을 계산할 수 있고([그림 12.9(a)]), 두 소비자잉여 사이의 차이는 $\Delta CS = CS_1 - CS_0$으로 정의한다면 그 크기는 [그림 12.9(b)]에 색칠된 부분 면적입니다. 가격이 높아지면 소비자잉여가 작아지므로 이 경우 $\Delta CS < 0$입니다.

각 소비자잉여를 정적분으로 계산할 수 있으니, 수요곡선의 공식이 주어지면 소비자잉여의 변화는 뺄셈으로 계산 가능합니다.

$$\Delta CS = CS_1 - CS_0 = \int_0^{Q_1} P(Q)\ dQ - \int_0^{Q_0} P(Q)\ dQ$$

소비자잉여 변화의 간편한 계산

조금 더 간편하게 ΔCS를 계산하는 방법 2가지가 있습니다([그림 12.10]).

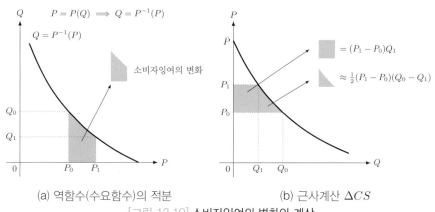

(a) 역함수(수요함수)의 적분   (b) 근사계산 ΔCS

[그림 12.10] 소비자잉여의 변화의 계산

첫 번째는 가격과 수량 축을 서로 바꿔서, 즉 수요곡선 $P(Q)$의 역함수인 수요함수 $Q(P)$를 사용해서 계산하는 것입니다([그림 12.10(a)]). 주어진 수요곡선이 $P = P(Q)$일 때 그 역함수인 수요함수는 $Q = P^{-1}(P)$라고 쓸 수 있습니다. 축을 서로 바꾼 그림에서 볼 수 있듯이, 소비자잉여의 변화는 역함수인 수요함수 그래프의 아래 부분 면적으로 계산할 수 있습니다. 단, 가격 인상에 따라 소비자잉여가 감소하므로 P_1에서 P_0으로 (반대 방향으로) 계산합니다.

$$\Delta CS = \int_{P_1}^{P_0} P^{-1}(P) \, dP$$

두 번째는 곡선인 수요곡선을 직선으로 간주해서 근사계산하는 방법입니다. 변화폭이 크지 않다면 오차가 크지 않을 것입니다. [그림 12.10(b)]에서 보이듯 ΔCS는 다시 두 부분으로 나눌 수 있는데 왼쪽의 직사각형 면적은 $(P_1 - P_0)Q_1 = \Delta P \cdot Q_1$이고 오른쪽은 대략 삼각형으로 면적은 $\frac{1}{2}(P_1 - P_0)(Q_0 - Q_1) = \frac{1}{2}\Delta P \Delta Q$입니다. 물론 실제 ΔCS는 음수여야 하므로, 면적 값 앞에 $(-)$를 붙여야 합니다. 즉

$$\Delta CS = -(\Delta P \cdot Q_1 + \frac{1}{2}\Delta P \Delta Q)$$

입니다. 경제학적으로 해석하면 첫 번째 직사각형은 가격 인상으로 인해서 소비자들이 더 지불하게 된 금액 [가격 인상폭 ΔP 곱하기 수요량 Q_1]과, 새로운 가격에 비해 지불용의가 낮아서 소비를 포기한 소비자들이 잃어버린 소비자잉여입니다. 잃어버린 소비자잉여는 최대 $(P_1 - P_0)$에서 최소 0 사이이고 이들을 대략 평균하면 $\frac{1}{2}(P_1 - P_0)$입니다.

예 12.5

(a) 수요곡선이 $P = 100 - 2Q$이고 $Q_0 = 30$, $P_0 = 40$에서 $Q_1 = 20$, $P_1 = 60$으로 변한다면 (삼각형 면적 계산이므로 적분을 쓰지 않고 바로 계산하면) $CS_0 = 900$ (앞 예제 참고), $CS_1 = 400$이니 $\Delta CS = -500$입니다. 역함수인 수요함수를 활용한다면 $Q = 50 - \frac{1}{2}P$이고 이를 $P_1 = 60$에서 $P_2 = 40$까지 정적분해서

$$\int_{60}^{40} \left(50 - \frac{1}{2}P\right) dP = 50P - \frac{1}{4}P^2 \Big|_{60}^{40} = 50(40 - 60) - \frac{1}{4}(40^2 - 60^2) = -500$$

이 맞습니다. 변화분을 쪼개서 해석하면 $Q_1 = 20$에 대해서는 예전에 비해 가격을 20씩 더 지불하므로 총 $-20 \times 20 = -400$의 소비자잉여 감소가 발생했고, $Q_1 = 20$에서 $Q_0 = 30$의 사이에는 최대 20, 최소 0의 소비자잉여, 평균 10의 소비자잉여가 소멸되었으므로 $-10 \times 10 = -100$의 소비자잉여 감소가 발생했습니다.

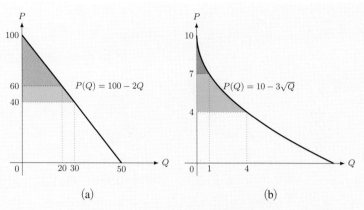

[그림 12.11] 소비자잉여의 변화 계산하기

(b) 수요곡선이 $P = 10 - 3\sqrt{Q}$ 이고 $Q_0 = 4$, $P_0 = 4$ 에서 $Q_1 = 1$, $P_1 = 7$ 로 변한다면 $CS_0 = 8$ (앞 예제 참고), $CS_1 = \int_0^1 (10 - 3\sqrt{Q}) - 7 \, dQ = 3Q - 2Q^{3/2}\Big|_0^1 = 1$ 이므로 $\Delta CS = -7$ 입니다. 수요함수를 도출해보면 $Q = \frac{1}{9}(10 - P)^2$ 이고 이를 $P_1 = 7$ 에서 $P_0 = 4$ 까지 정적분한다면 $\int_7^4 \frac{1}{9}(10-P)^2 \, dP$ 인데, $(10-P)^2$ 를 전개한 후 다항함수 적분을 사용해도 되지만, 여기서 한번 더 치환을 해보겠습니다. $t = 10 - P$ 라 치환하면 $dt = -dP$ 이고 $t_1 = 3$, $t_0 = 6$ 입니다. 따라서

$$\int_7^4 \frac{1}{9}(10-P)^2 \, dP = -\int_3^6 \frac{1}{9}t^2 \, dt = -\frac{1}{27}t^3\Big|_3^6 = -7$$

이 맞습니다. 역시 변화분을 쪼개서 근사계산해 보면, $Q_1 = 1$ 에 대해서는 예전에 비해 가격을 3씩 더 지불하므로 -3 의 소비자잉여 감소가 발생했고, $Q_1 = 1$ 에서 $Q_0 = 4$ 의 사이에 최대 3, 최소 0, 대략 평균 1.5의 소비자잉여가 소멸되었으므로 대략 $-1.5 \times 3 = -4.5$ 의 소비자잉여 감소가 발생했습니다. 합하면 대략 -7.5 로 계산됩니다. 실제 값 -7 과는 오차가 있지만 비슷한 편입니다.

12.4 정적분 활용: 누적분포와 불평등지수

12.4.1 누적함수

어떤 함수의 역도함수를 해석하고 활용하는 또 다른 개념은 **누적함수**입니다. 도함수는 함수의 변화율을 계산하는 함수이고, 역도함수는 함수의 누적된 값을 계산하는 함수인 것입니다.

예를 들어 비용함수 $C(Q)$ 의 도함수는 한계비용함수 $\text{MC}(Q) = C'(Q)$ 입니다. 한계비용은

생산량이 아주 조금 늘어날 때 비용이 얼마나 늘어나는지를 알려줍니다. 한편 한계비용은 매 생산량마다 추가되는 비용을 알려주므로 이들을 모두 누적하면 총비용이 나와야 합니다. 단, 한계비용에는 고정비용 정보가 들어있지 않기 때문에, 한계비용의 역도함수로는 가변비용만 복원할 수 있고, 여기에 고정비용 값을 상수로 따로 더해주어야 실제 총비용이 계산됩니다.

$$\int C'(Q)\,dQ = VC(Q) + FC = C(Q)$$

$f(x)$의 역도함수를 $F(x)$라고 합시다. 즉 $F'(x) = f(x)$입니다. 편의상 $F(0) = 0$ 즉 상수항이 없는 경우만 생각하겠습니다. (비용함수라면 고정비용이 없는 경우를 생각합니다. 실제 응용에서 필요하면 상수항을 추가하면 됩니다.) 이제 $F(x)$를 $f(x)$의 **누적함수**로 해석한다는 것은

$$F(x) = \int_0^x f(t)\,dt, \quad \text{단, } F(0) = 0$$

으로 생각한다는 것입니다.

> **주의** 식에서 변수 x의 위치, 그리고 적분이 t에 대해서 이루어진다는 것에 주의하세요. $F(x)$의 독립변수 x는 우변에서 정적분을 계산할 때 적분범위의 상한입니다. 우변의 적분대상함수 $f(t)$는 $F(t)$의 도함수입니다. 함수 $f(x)$와 $f(t)$는 독립변수 이름만 x와 t로 다르고 그 외의 형태는 같은 함수입니다. $F(x)$와 $F(t)$도 마찬가지입니다.

즉 누적함수는 (고정비용이 없다고 생각하는 경우) 한계비용으로부터 도출하는 비용함수에 해당되고, 또한 앞에서 미적분학의 근본정리를 도출하기 위해 정의했던 (범위를 0에서 x로 하는) 면적함수와도 사실상 같은 개념입니다. 또한 확률 계산에서 연속확률변수의 밀도함수 $f(x)$를 적분하면 누적분포함수 $F(x)$가 됩니다.

예 12.6

간단한 예부터 봅시다. $f(x) = 10$이라면, $F(x) = \int_0^x 10\,dt = 10x$입니다.

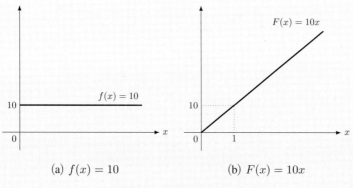

(a) $f(x) = 10$ (b) $F(x) = 10x$

[그림 12.12] 함수와 누적함수

사실 이 예는 앞에서 이미 보았던 것입니다. 그때는 순서가 반대였죠. 비용함수가 $C(Q) = 10Q$ 로 주어지면 한계비용은 MC $= 10$이라는 것을 본 적 있습니다. 여기서는 거꾸로, 한계비용이 10 이라는 것을 알면 (고정비용이 0일 때) 비용함수가 $C(Q) = 10Q$임을 추론할 수 있습니다.

또한 면적함수로 해석하면, 왼쪽 그림 (a)의 수평선 아래쪽 면적을 0에서 x 사이의 범위에 대해 계산하면, 높이가 10이고 밑변이 x인 직사각형이므로 $10x$가 됩니다. 이를 독자적인 함수 $F(x) = 10x$라고 쓰고 그림으로 그리면 오른쪽 (b)인 것입니다.

마지막으로 확률을 계산할 때 (a)와 같은 밀도함수는 **균등분포**(uniform distribution)를 나타냅니다. 모든 값이 나올 가능성이 균등한 경우입니다. 그런데 확률은 1을 넘어갈 수 없으므로 위 예를 그 대로 적용할 수는 없고, 주어진 범위에서 $f(x)$ 아래 면적이 최대 1이 되도록 정해주어야 합니다. 예를 들면 다음과 같습니다.

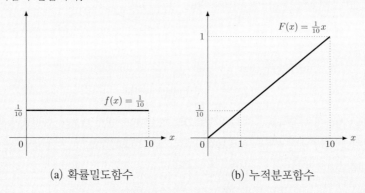

(a) 확률밀도함수   (b) 누적분포함수

[그림 12.13] 함수와 누적함수

밀도함수 $f(x)$ 아래의 면적이 최대 1이어야 하므로, 범위는 $0 \leq x \leq 10$으로 하고, 함수의 값은 $f(x) = \dfrac{1}{10}$로 하였습니다. 이때 누적함수, 즉 누적분포함수는 오른쪽의 그림처럼 $F(x) = \dfrac{1}{10}x$ 가 되고, 0에서 출발해서 $F(10) = 1$까지의 값을 갖습니다. 누적분포함수는 확률변수의 값이 x 이하일 확률을 나타내는 것으로 해석됩니다. 예를 들어 $F(1) = \dfrac{1}{10}$인데, 그 의미는 $0 \leq x \leq 10$

의 범위 중에서 $0 \le x \le 1$이 될 확률이 $\frac{1}{10}$이라는 것입니다. 이를 보통 확률을 다루는 교재에서는 다음과 같이 적습니다.

$$Prob(0 \le x \le 1) = F(1) = \int_0^1 \frac{1}{10}\,dx = \frac{1}{10}$$

예 12.7

$f(x) = 10x$라면 $F(x) = \int_0^x 10t\,dt = 5x^2$ 입니다. 만약 비용함수가 $C(Q) = 5Q^2$이었다면 한계비용은 $MC = 10Q$였을 것입니다. 반대로 $MC(Q) = 10Q$이고 고정비용이 없다면 비용함수는 $C(Q) = 5Q^2$임을 추론할 수 있습니다. (만약 고정비용이 F라면 $C(Q) = 5Q^2 + F$가 되겠지요.)

면적함수로 해석하면, 왼쪽 그림 (a)의 직선 아래 면적을 0에서 x까지 계산하면, 오른쪽 그림 (b)처럼 나옵니다. 예를 들어, $0 \le x \le 1$ 사이의 직선 $10x$ 아래 면적은 높이 10, 밑변 1인 삼각형이므로 5이고, 오른쪽 함수에서 $F(1) = 5$가 맞습니다. x가 커질수록 높이가 높아지므로 아래 면적은 점점 더 많이 커지는데, 구체적으로는 2차함수 형태로 증가하는 것입니다.

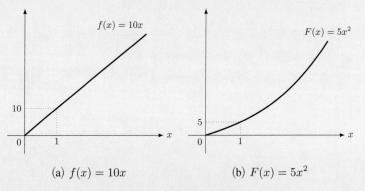

(a) $f(x) = 10x$ (b) $F(x) = 5x^2$

[그림 12.14] 함수와 누적함수

이번에도 확률 계산에 사용하려면 다음의 경우가 가능합니다. 역시 확률의 합이 1이 되도록, $0 \le x \le 4$의 범위에 $f(x) = \frac{1}{8}x$이라고 해보겠습니다. 누적분포함수는 $\int_0^x \frac{1}{8}t\,dt = \frac{1}{16}x^2$이 됩니다. $F(1) = \frac{1}{16}$이고 $F(4) = 1$입니다. 즉 확률밀도의 값이 0으로부터 기울기 1/8로 선형으로 증가하는 경우, $0 \le x \le 1$일 확률은 $\frac{1}{16}$, $0 \le x \le 4$일 확률은 1입니다.

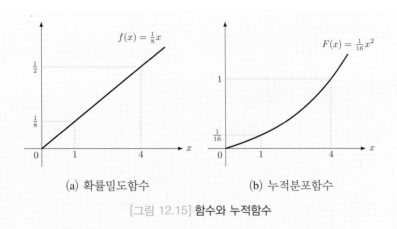

(a) 확률밀도함수 (b) 누적분포함수

[그림 12.15] 함수와 누적함수

12.4.2 로렌츠곡선과 지니계수

소득불평등지수로 널리 활용하는 **지니계수**(Gini coefficient)는 정적분을 경제학에서 활용한 대표 사례 중 하나이고, 누적함수 개념을 사용하면 쉽게 이해할 수 있습니다. 지니계수를 정의하려면 로렌츠곡선의 개념이 필요한데, 그러기 위해서 먼저 '소득곡선'이 필요합니다. 어려운 개념은 아니지만 이해를 돕기 위해 간단한 가상적인 예를 생각하겠습니다.

예 12.8

100명으로 구성된 어떤 사회의 소득수준별 빈도가 다음의 히스토그램과 같다고 해봅시다. 1의 소득이 10명, 2의 소득이 30명, 이런 식으로 읽으면 됩니다.

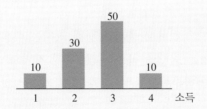

[그림 12.16] 가상의 소득분포 히스토그램

이제 소득이 제일 낮은 (즉 1의 소득을 가진) 사람들부터 일련번호를 매겨서 각 사람의 소득을 그림으로 그려보면 다음과 같은 모양일 것입니다. (a)에서 각 사람의 소득을 막대그래프로 그렸고, (b)에서는 값들을 이어서 선그래프로 표현했습니다. 이것이 소득곡선입니다. 1번부터 10번까지는 가장 낮은 1의 소득이고, 11번부터 30번까지 2의 소득, 31번부터 90번까지 3의 소득, 91번부터 100번까지 가장 높은 4의 소득입니다.

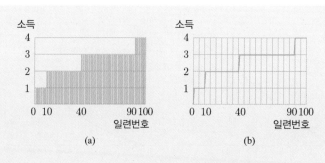

[그림 12.17] 가상의 소득곡선

이런 방식으로 그린 소득곡선은 (중간에 평평한 구간들이 나타나겠지만) 전반적으로는 증가하는 형태일 것입니다. 저소득층부터 고소득층의 순서대로 나열했기 때문입니다. 로렌츠곡선(Lorenz curve)이란 방금 정의한 소득곡선의 누적함수를 그림으로 그린 것입니다.

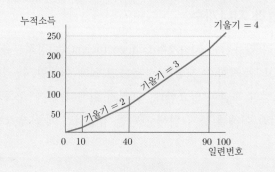

[그림 12.18] 가상의 로렌츠곡선

수평선의 누적함수는 직선입니다. 가상의 사례에서 소득곡선은 높이가 점점 커지는 수평선들이므로, 누적함수인 로렌츠곡선은 기울기가 점점 커지는 직선들을 이어 붙인 것입니다. 반대로 로렌츠곡선의 기울기는 곧 소득곡선의 값 즉 각 사람의 소득수준입니다. 일반적으로 말해서 로렌츠곡선은 증가함수이고, 기울기가 점점 커지는 볼록한 곡선일 것입니다.

가상의 사례는 단순화된 것이지만 현실에서 볼 수 있을 만한 소득분포입니다. 상대적으로 아주 낮은 소득부터 아주 높은 소득까지 여러 수준의 소득이 나타나며, 저소득과 고소득층의 숫자는 비교적 적고, 중간 소득층이 많은 편입니다. 이런 경우 로렌츠곡선의 모양은 완만한 기울기로 시작해서 점점 기울기가 가팔라지는 볼록 증가함수의 형태일 것입니다.

한편 현실에서는 보기 어렵지만 완전평등한 사회라면 어떤 소득곡선과 로렌츠곡선이 나타날까요? 만약 100명의 사람이 모두 똑같이 3의 소득을 가졌다면 어땠을까요? 또한 완전불평등한 사회 즉 100명 중 단 1명이 모든 소득을 가진 사회라면 어떨까요?

100명이 각각 3을 가진 완전평등한 사회라면 소득곡선은 높이 3을 가진 수평선일 것입니다([그림 12.9(a)]). 반면에 99명은 소득이 없고 단 1명이 300의 소득을 가진 완전불평등 사회라면 소득곡선은 사실상 한 점일 것입니다([그림 12.9(b)]).

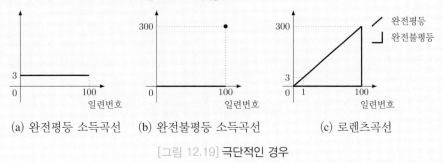

(a) 완전평등 소득곡선   (b) 완전불평등 소득곡선   (c) 로렌츠곡선

[그림 12.19] 극단적인 경우

두 경우에 대해서 로렌츠곡선을 그린다면 완전평등 사회는 기울기가 3으로 일정한 직선, 완전불평등 사회는 높이 0인 수평선이다가 마지막에 높이 300의 수직선이 붙어있는 형태일 것입니다([그림 12.9(c)]).

따라서 좀 더 현실적인 로렌츠곡선은 2가지 극단적인 경우들 사이에 끼어 있는 볼록 증가함수의 모양일 것입니다([그림 12.20(a)]).

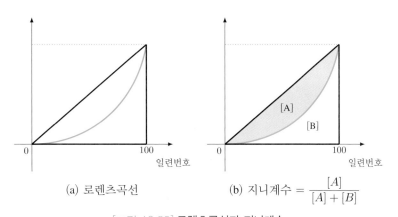

(a) 로렌츠곡선   (b) 지니계수 $= \dfrac{[A]}{[A] + [B]}$

[그림 12.20] 로렌츠곡선과 지니계수

소득분포가 평등할수록 로렌츠곡선은 직선(/)에 더 가까울 것이고, 불평등할수록 ⌐의 모양에 가까울 것입니다. 다시 말해 [그림 12.20(b)]에서 색칠된 [A]의 면적이 평등하면 작고, 불평등하면 큽니다. **지니계수**(Gini coefficient)는 위 그림에서 $\dfrac{[A]}{[A] + [B]}$ 로 정의됩니다. $[A] + [B]$는 두 극단적인 로렌츠곡선들이 만드는 직각삼각형의 면적이고, $[B]$는 로렌츠곡선 아래의 면적이므로 적분으로 계산할 수 있습니다.

로렌츠곡선이 $0 \leq x \leq 1$에 대해 $L(x) = x^2$일 때 지니계수를 계산하시오.

$[A] + [B]$는 밑변과 높이가 각각 1인 직각삼각형의 면적이므로 $\frac{1}{2}$입니다. 한편 $[B]$는 로렌츠곡선 아래의 면적이므로

$$[B] = \int_0^1 L(x)\,dx = \int_0^1 x^2\,dx = \frac{1}{3}x^3 \Big|_0^1 = \frac{1}{3}$$

입니다. 따라서 $[A] = ([A] + [B]) - [B] = \frac{1}{2} - \frac{1}{3} = \frac{1}{6}$이고 주어진 로렌츠곡선의 지니계수는

$$\frac{[A]}{[A] + [B]} = \frac{1/6}{1/2} = \frac{1}{3}$$

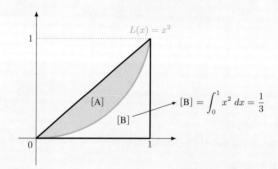

[그림 12.21] 지니계수 계산

연습문제

12-1 한계비용이 $MC(Q) = \sqrt{Q}$이고 고정비용이 100인 경우 총비용함수를 도출하시오.

12-2 시간에 따른 투자가 $I(t) = I_0(1 - e^{-rt})$이고, 자본수준의 초깃값은 $K_0 = 0$이며 자본의 감가상각이 없을 때 t 시점에서의 자본 수준을 공식으로 도출하시오.

12-3 다음의 정적분을 계산하시오.

(a) $\displaystyle\int_0^3 x^3\,dx =$

(b) $\displaystyle\int_1^e \frac{1}{x}\,dx =$

(c) $\displaystyle\int_1^e \ln(x)\,dx =$

(d) $\displaystyle\int_0^1 \sqrt{1-x}\,dx =$

12-4 다음의 수요곡선에 대해 가격이 0일 때의 소비자잉여를 계산하시오.

(a) $P = 100 - 2Q$

(b) $P = 10 - 3\sqrt{Q}$

12-5 수요곡선이 $P = 100 - x^2$이고, 가격이 $P_0 = 64$에서 $P_1 = 36$으로 하락하였다.

(a) 소비자잉여의 변화를 정적분으로 계산하시오. (**주의** 가격 하락시 부호는 양(+)이다.)

(b) 가격 변화의 구간에 대해 수요곡선이 '직선'이라고 가정하고 소비자잉여의 변화를 근사계산하여 (a)에서 얻은 값과 비교하시오.

12-6 구간 $[a, b]$ 위에 정의된 확률변수 x를 고려한다. 즉 $a \le x \le b$의 범위를 갖는다.

(a) 밀도함수가 $f(x) = \dfrac{1}{b-a}$이면, $a \le x \le b$의 범위에 대해 밀도함수 아래의 면적이 1임을 확인하시오.

(b) 앞의 밀도함수에 대해 누적분포함수 $F(x)$를 공식으로 도출하시오.

(c) 도전 이 확률변수의 기댓값은 $\int_a^b x f(x)\,dx$로 정의된다. 기댓값을 계산하시오.

12-7 다음의 히스토그램으로 주어진 소득분포에 대해 로렌츠곡선을 그리시오. (도전 지니계수도 계산할 수 있는가?)

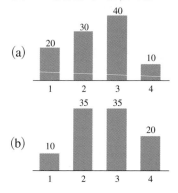

12-8 다음의 함수는 로렌츠곡선일 수 있는가? 로렌츠곡선일 수 있는 경우에 지니계수를 계산하시오.

(a) $L(x) = \sqrt{x}$, $0 \le x \le 1$

(b) $L(x) = x^4$, $0 \le x \le 1$

(c) $L(x) = \begin{cases} \dfrac{1}{2}x, & 0 \le x \le \dfrac{1}{2} \\ \dfrac{3}{2}x - \dfrac{1}{2}, & \dfrac{1}{2} < x \le 1 \end{cases}$

TIP 소비자 잉여, 로렌츠곡선, 지니계수

더 자세한 내용은

https://sites.google.com/ewha.ac.kr/mathecon/texts/readings/

lorenz

PART

3

경제모형: 기초편

제3부에서는 지금까지 공부한 수학적 기초를 바탕으로 기본적인 경제모형의 구조와 분석 방법을 알아봅니다. 합리적 선택과 균형을 다루는 모형들입니다. 이 과정에서 필요한 수학들도 추가로 더 공부합니다. 최적화 문제와 연립방정식입니다.

Chapter 13

경제모형의 구조와 분석

제13장에서는 ....

흔히 사용되는 경제모형의 기본 구조와 분석의 틀을 알아봅니다.

본격적인 경제모형은 **경제주체**가 외부환경에 따라 어떻게 행동하고 그것이 어떤 결과로 이어지는지를 보여줍니다. 중요한 경제주체로는 **가계**(소비자, 노동자)와 **기업**(생산자, 판매자)이 있습니다. 경제모형은 **외생변수**와 **내생변수**로 구성되며, 분석이란 외생변숫값의 변화에 내생변수가 어떻게 반응하는지를 알아보는 것입니다. 주요 경제모형들에서 행동과 결과는 **선택**과 **균형**의 원리에 의해 결정됩니다. 이를 수학적으로 어떻게 표현하는지를 이 장에서 개괄적으로 알아보고, 이후 장들에서 공부해 나가겠습니다.

주요 개념

경제주체, 재화, 요소, 가계, 기업, 외생변수, 내생변수, 분석, 선택, 균형, 합리적선택

13.1 경제모형의 구성요소: 경제주체

지금까지 이미 경제모형의 사례들을 몇 가지 보았습니다. 수요곡선, 비용함수, 지수성장식 등입니다. 어떤 경제학적인 이야기를 독립변수와 종속변수 사이의 함수 형태로 표현했습니다. 수학의 함수 개념을 사용하기 때문에 발생하는 한계도 있지만, 관계를 명료하게 표현해주고 미분계수 등을 통해서 관계의 성질을 따져볼 수 있었습니다. 필요하다면 현실 데이터에 적용해볼 수도 있는 모형입니다.

그런 1개의 함수 식은 경제변수 간의 1가지 관계를 나타내주는 단순한 모형입니다. 그런데 그 함수 관계는 어디에서 왔을까요? 왜 성립할까요? 본격적인 경제모형들은 그런 관계를 가능한 한 원초적 수준에서, 체계적 원리를 통해 설명하려는 시도라고 할 수 있습니다.

여기서 원초적(primitive)이라는 말은 더 이상 다른 요인에 의해 설명되지 않는, 근본적인 원인을 찾는다는 의미입니다. 함수로 말하자면 기본적인 독립변수를 찾는다는 것입니다. 이것은 모든 학문적 이론이 추구하는 것이기도 합니다. 하지만 근본적이라고 생각했던 원인에도 또 원인이 있을 수 있고, 원인을 찾아내는 작업이 어디에선가는 멈춰야 하니, 각 학문 분야에 따라 중요하게 취급하는 근본적 원인이 조금씩 다르기 마련입니다. 물리학의 소립자(particles)나 생물학의 유전자(genes) 같은 것이 예가 되겠습니다.

현대 경제이론의 경우, 소비자들의 취향(tastes), 생산자들의 기술(technology), 경제 내의 부존자원(re-sources) 그리고 한 사회나 경제를 조직하고 운영하는 제도(institutions)(예를 들면, 사유재산과 시장경제) 등을 원초적 정보로 취급합니다.

한편 체계적(systematic)이라는 말은 여러 현상을 포괄하는 비교적 단순한 설명의 틀을 사용하고자 한다는 것입니다. 가급적 일차함수 형태로 모형을 먼저 작성해본다든지, 혹은 애초에 변수 간의 관계들을 일단 함수로 파악하겠다는 태도 같은 것을 말합니다. 물리학이 사용하는 운동법칙(laws of motion)이나, 생물학이 사용하는 진화(evolution)와 자연선택(natural selection)의 원리 같은 것이 예입니다.

현대 경제이론이 즐겨 사용하는 원리는 선택(choice)과 균형(equilibrium)입니다. 수학적인 원리이고, 물리학, 화학, 생물학 등의 자연과학에서 배워온 것이지만, 한편으로는 근대 이후 시민 의식의 성장과 민주주의 발전 과정에서 나온 사회과학적 사고방식이 거꾸로 자연과학으로 흘러든 것으로도 볼 수 있습니다.

예를 들어, 소비자 모형은 소비자의 주관적 취향과 예산제약으로부터 합리적 선택에 기초한 수요의 특징 (수요의 법칙, 수요의 탄력성)을 설명하고자 합니다. 시장 모형은 소비자의 취향, 생산자의 기술, 경제 내의 부존자원 및 제도적 구성으로부터 균형 상태에서 시장 거래의 특징(가격, 거래량)을 설명하고자 합니다.

정리하자면 현대 경제이론은 대체로 주어진 자원의 한계 및 제도적인 상황에서 경제주체들이 자신들의 취향이나 기술에 따라 어떤 선택을 하고 그것이 사회적인 균형으로 어떻게 나타나는지를 설명한다고 할 수 있습니다. 이 과정에서 함수, 미분, 최적화 및 방정식 등의 수학이 활용되는 것입니다.

경제학은 광범위한 주제를 다루기 때문에 매우 다양한 모형들을 사용하고 있으며, 따라서 '경제모형이란 한 마디로 이런 것이다!'라고 잘라 말하기는 어렵습니다. 그래도 '주류' 경제 이론의 경우 어느 정도 비슷한 접근 방식을 갖고 있기도 합니다. 이 책에서는 경제학 교재에서 흔히 만날 수 있는 기본적인 모형들의 얼개를 알아보겠습니다. 모형은 현실의 단순화이고, 여기서 소개하는 것은 경제모형을 다시 단순화한 것이니 경제모형에 대한 모형인 셈입니다.

13.1.1 '경제'의 모형과 경제주체

경제모형(economic model)은 여러 경제현상을 나타내는 모형인데, 여기서 '경제'란 무엇인지를 제1장에서 질문한 적이 있습니다. 경제학자들은 온갖 다양한 곳에서 연구대상을 찾아내지만[14] 그래도 전통적으로 가장 중요한 경제학의 연구대상은 '시장'(market)입니다.

---

14) 알프레드 마셜은 **경제학원론**의 첫문장에서 다음과 같이 말했습니다 : "경제학이란 인간의 평범한 일상에 대한 연구이다 ; 개인과 사회의 행동 중에서 행복의 물질적 요건들을 달성하고 활용하는 것과 가장 밀접하게 연관된 부분을 검토한다." (Marshall, *Principles of Economics*, 1890, Book 1, Chapter 1, §1)

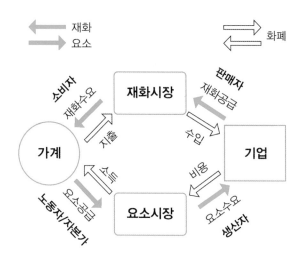

[그림 13.1] 경제에 대한 기본 모형

따라서 시장참여자가 경제모형의 가장 중요한 주인공이 됩니다. 경제모형의 주인공인 시장 참여자를 **경제주체**(economic agent)라고 합니다. (주체는 행위자 즉 어떤 행동을 하는 존재라고 생각하면 됩니다.) 시장은 참여자들 사이의 교환거래가 일어나는 곳인데, 화폐를 매개로 한 거래에서는 돈을 받고 물건을 내주는 **공급자**와, 돈을 내고 물건을 받는 **수요자**가 구분됩니다. 거래되는 대상도 직접 소비되는 **재화**와 생산과정에 투입되는 **요소**로 구분할 수 있습니다. 이런 시장들을 바탕으로 한 '경제'의 기본 모형이 [그림 13.1]에 그림으로 제시되어 있습니다.

이 모형에 포함된 경제주체는 **가계**(household)와 **기업**(firm)의 두 종류입니다. 가계는 평범하게 일해서 돈을 벌고 물건을 사며 생활하는 개인 및 가족을 떠올리면 됩니다. 기업도 우리가 흔히 접하는 회사들을 떠올리면 됩니다.

좀 더 정확하게 말해서, 가계는 재화시장에서는 돈을 주고 물건을 사는 수요자(소비자)이고, 요소시장에서는 자신이 보유한 요소(노동, 자본)를 판매하고 돈을 받는 공급자(노동자, 자본가)입니다. 가계가 받는 돈을 소득, 쓰는 돈을 **지출**이라고 합니다. 기업은 재화시장에서는 돈을 받고 물건을 파는 공급자(판매자)이고, 요소시장에서는 요소를 구입하고 돈을 주는 수요자(생산자)입니다. 기업이 쓰는 돈을 비용, 기업이 받는 돈을 수입이라고 합니다.

13.1.2 분석대상에 따른 여러 경제모형

[그림 13.1]에서도 여러 가지 종류의 경제모형이 나올 수 있습니다. 우선 그림 전체 즉 경제 전체를 대상으로 한 모형을 생각해볼 수 있겠죠. 그런 모형으로는 일반균형 모형과 거시경제 모형이 있습니다.

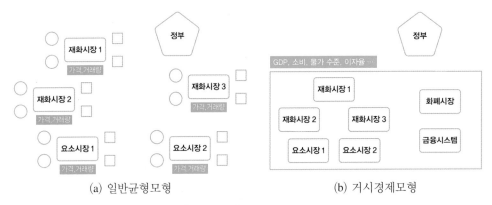

(a) 일반균형모형   (b) 거시경제모형

[그림 13.2] 경제 전체 모형

일반균형 모형(general equilibrium model)은 여러 개의 재화시장과 여러 개의 요소시장을 별개로, 하지만 동시에 고려하며, 모든 시장이 상호작용하며 일어나는 거래의 균형상태를 살펴봅니다. 거시경제 모형(macroeconomic model)은 보통 국가 단위에서 그 나라의 모든 시장을 동시에, 한꺼번에 고려하여 경제행위를 요약해주는 **총량변수**(aggregate variable)들을 분석합니다. 즉 일반균형 모형은 각 시장의 가격, 거래량들을 모두 도출하고 분석하는 반면, 거시경제 모형은 국가 전체의 생산(GDP), 소비, 물가수준 등을 도출하고 분석합니다. 거시경제 모형 중에도 총량변수에만 집중하는 케인즈 모형이 있는가 하면, 미시적 일반균형 모형에 기초한 모형도 있습니다. 또한 일반균형 모형이나 거시경제 모형에 정부(government), 화폐, 금융시스템 등을 추가하여 정부정책의 효과나 이자율 등도 분석할 수 있습니다([그림 13.2]).

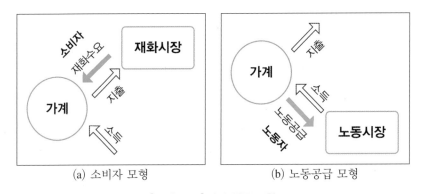

(a) 소비자 모형   (b) 노동공급 모형

[그림 13.3] 가계 행동 모형

각 경제주체의 행동을 한 면만 떼어내어 모형으로 만들 수도 있습니다. 가계의 재화시장 참여에 중점을 두면 소비자의 재화수요를 다루는 소비자 모형입니다([그림 13.3(a)]). 요소시장, 예를 들어 노동시장에 참여하는 가계에 중점을 두면 **노동공급 모형**입니다([그림 13.3

(b)]). 두 모형을 합쳐서 노동공급과 재화수요를 함께 결정하는 가계 모형을 만들 수도 있겠습니다.

마찬가지로 기업의 행동을 다루는 모형들도 가능하겠죠. 생산과정에 투입하기 위해 요소시장에서 요소를 구입하는 행동을 **생산자 모형**이라 하고([그림 13.4(a)]), 판매자 모형은 재화시장에서의 공급을 다룹니다([그림 13.4(b)]).

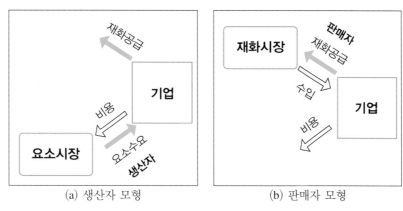

(a) 생산자 모형   (b) 판매자 모형

[그림 13.4] 기업 행동 모형

특정 시장을 중심으로 모형을 구성할 수도 있습니다. 하나의 재화시장을 놓고, 소비자의 수요와 판매자의 공급 사이의 균형을 살펴보는 것이 바로 **수요공급 모형**입니다. 한 시장만 떼어놓고 보기 때문에 일반균형 모형과 대비하여 **부분균형 모형**(partial equilibrium model)이라고 부르기도 합니다. 요소시장에 대해서도, 노동시장 모형, 자본시장 모형 등이 가능합니다.

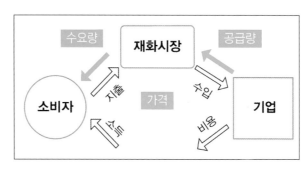

[그림 13.5] 수요공급 모형

이렇게 구성된 경제모형에서는 설명의 근거(원초적 정보)와 설명의 대상을 잘 구분할 필요가 있습니다. 만약 경제모형이 단 하나의 함수 $y = f(x)$로 표현된다면, 아마 설명의 근거가 되는 요인은 독립변수 x이고, 대상은 종속변수 y일 것입니다.

하지만 좀 더 일반적인, 좀 더 복잡한 경제모형에는 변수도 많고, 동원되는 함수도 여러 개입니다. 이때 설명의 근거가 되는 원초적인 정보를 **외생변수**(exogenous variable)로 나타내고, 이는 모형의 외부에서 값이 주어진다고 가정합니다. 설명의 대상이 되는 값은 모형의 내부에서 결정되며 이를 **내생변수**(endogenous variable)라고 부릅니다. 말 그대로 내생변수는 모형 '안'에 있고, 외생변수는 모형 '바깥'에 있는 변수입니다.

13.2.1 모형의 범위 설정

어떤 현상에는 관련된 변수들이 매우 많을 것입니다. 모든 변수들은 어떤 식으로든 서로 영향을 주고받을 수 있습니다([그림 13.6(a)]). 이 모든 상호작용을 다 반영하는 모형이 있다면 좋겠지만, 그런 모형은 만들기도 어려울뿐더러, 사용하기 번거롭습니다. 모형은 단순한 대신, 이해하기 쉽고 사용하기 편해야 합니다.

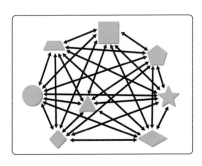

(a) 모든 관심 변수들

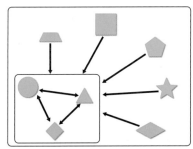

(b) 모형의 경계 설정(내생변수 선택)

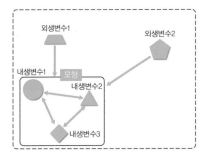

(c) 모형 완성(외생변수 선택)

[그림 13.6] 모형의 범위 설정 과정

따라서 여러 변수 중에서 모형을 통해서 설명하고자 하는 대상변수들을 추려 내어 모형의 경계를 정합니다([그림 13.6(b)]). 모형의 설명대상이 되는, 모형에 의해 값이 결정되는 변수가 내생변수입니다. 그 외의 변수는 잠재적으로 모두 외생변수인데, [그림 13.6(a)]와 [그림 13.6(b)]를 비교해보면, 변수들 간의 상호작용을 제법 단순화시켰습니다. (a)에서 모든 변수들 간에 주고받던 영향력(양방향 화살표)이 (b)에서 단순해졌습니다. 모형 바깥의 외생변수들끼리 주고받는 화살표는 삭제해버렸고, 외생변수의 화살표는 일방향으로 고쳤습니다. 즉, 외생변수는 다른 외생/내생변수로부터 받는 영향이 없는 것으로 취급합니다.

실제로는 수많은 외생변수를 모두 취급하기도 어려우므로, 분석 관점에 따라 원초적인 요인으로 취급되는 소수의 외생변수만 남기고 정리를 하면 모형이 완성됩니다([그림 13.6(c)]). 단, 모형 바깥에 있는 외생변수도 모형의 일부입니다.

외생변수는 원초적 자료이므로, 다른 것에 영향을 받지 않고 독립적으로 값이 정해져야 합니다. 따라서 외생변수는 다른 외생변수와도 서로 영향을 주고받지 않고, 내생변수에게는 영향을 주기만 할 뿐 받지 않습니다([그림 13.7]). 만약 어떤 변수가 다른 (외생 또는 내생) 변수에게 받는 영향을 무시할 수 없다고 판단한다면, 그 변수는 내생변수로 포함시켜야 합니다.

[그림 13.7] 내생변수와 외생변수의 관계

13.2.2 모형의 분석

유아들의 장난감 중에 손잡이를 당기면 소리가 나는 그런 것이 있죠. 손잡이는 장난감 바깥쪽에 나와 있는 외생변수인 셈이고, 손잡이를 움직여주면 장난감 내부에서 눈에 보이지 않는 어떤 작동 원리에 의해 결과적으로 나오는 소리가 내생변수인 셈입니다. 모형을 가지고 노는 것은 이런저런 손잡이를 당겨 보면서 결과를 즐기는 것이겠죠.

모형을 분석한다는 것은 내생변수가 외생변수에 어떻게 영향을 받는지 알아보기 위해서, "한번에 외생변수 하나씩" 따로 나누어 외생변숫값을 변화시켜 보고 내생변수에 미치는 결과를 따져보는 것입니다. [그림 13.8(a)]는 두 외생변수 중에서 외생변수 1만 변화시키면서 3가지 내생변수에 미치는 영향을 각각 알아보는 분석의 상황입니다. 한편 [그림 13.8(b)]는 하나의 내생변수 1을 놓고, 두 외생변수의 영향을 각각 분석한 후에 이들을 합하면 (종합)

최종 결과를 알 수 있다는 의미입니다.

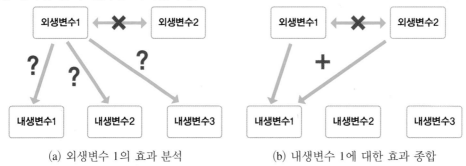

(a) 외생변수 1의 효과 분석   (b) 내생변수 1에 대한 효과 종합

[그림 13.8] 경제모형의 분석

13.2.3 외생·내생변수 대 독립·종속변수

함수의 독립변수는 결과인 종속변수를 결정하거나 설명하는 원인으로 생각할 수 있다고 했습니다. 한편, 경제모형에서는 외생변수가 결과인 내생변수를 결정하거나 설명하는 원인입니다. 그렇다면,

$$\boxed{\text{"독립변수 = 외생변수"}} \quad \boxed{\text{"종속변수 = 내생변수"}} \qquad (\heartsuit)$$

일까요? 답은 'Yes and No'입니다.

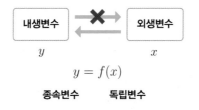

$$y = f(x)$$

종속변수   **독립변수**

[그림 13.9] ($\heartsuit$)가 성립하는 경우

먼저 [그림 13.9]에서 보듯이 외생변수가 x, 내생변수가 y라면 그 사이에 함수 관계가 성립하여 이를 $y = f(x)$라는 함수로 나타낼 수 있고, 이 경우 x는 모형의 외생변수이자 함수의 독립변수, y는 모형의 내생변수이자 함수의 종속변수가 됩니다. 이는 모형 자체가 단 1개의 함수 식으로 이루어진 간단한 경우에 해당됩니다.

수요함수 $Q = D(P)$에서 독립변수이자 외생변수인 가격 P는 종속변수이자 내생변수인 수요량 Q를 결정합니다. 단, 외생변수는 내생변수에 영향을 주지만, 받지는 말아야 합니다. 따라서 수요함수 모형을 단독으로 사용한다면, 가격이 수요량에 영향을 주되 반대로 수요량은 가격에 영향을 주지 않는다고 가정하는 것입니다. 개인 소비자의 입장에서 재화의 가격에 영향을 줄 수는 없고, 단지 제시되는 가격에 따라 수요량을 결정한다면 적절한 모형입니다.

수요곡선은 역수요함수의 그래프, 즉 수요함수의 역함수의 그래프입니다. 주어진 수요함수로부터 수학적으로 함수를 '뒤집어서' $P = D^{-1}(Q)$를 만들어 수요곡선을 그린 것이라면 경제학적으로는 여전히 가격이 외생변수라고 볼 수 있습니다. 그렇다면 이번에는 수학적인 독립변수 Q가 내생변수, 수학적인 종속변수 P가 외생변수가 된 것이니, (♥)가 거꾸로 된 셈입니다.

수요곡선을 (수요함수를 생각하지 않고) 그 자체로 사용한다면 먼저 수요량/판매량 Q가 주어질 때 그것에 대응되는 가격(지불용의)을 찾아내는 함수 $P(Q)$라고 생각할 수 있고 이때는 Q가 외생변수, P가 내생변수가 되어 (♥)가 성립한다고 볼 수도 있겠지요.

수요함수나 수요곡선은 독자적으로 사용될 수도 있지만, 사실 더 큰 모형 즉 수요공급모형에 포함시켜서 고려하게 됩니다. 이 경우 가격과 수요량 모두가 내생변수가 될 수 있습니다. 바로 다음에 나올 예가 그렇습니다.

여러 개의 함수 식으로 이루어진 경제모형에서는 대체로 (♥)가 성립하지 않습니다. 예를 들어, 재화에 대한 수요량과 공급량이 일치하는 균형가격을 찾는 간단한 균형모형은 3개의 식으로 이루어집니다. 다음이 한 예입니다.

수요량 Q_D, 공급량 Q_S, 가격 P라 할 때 아주 간단한 수요공급 모형은 다음과 같습니다.

(1) 균형조건 $Q_D = Q_S$

(2) 수요함수 $Q_D = a - bP$

(3) 공급함수 $Q_S = c + dP$ (단, $a > 0$, $b > 0$, $c > 0$, $d > 0$)

(2)식과 (3)식은 각각 가격 P를 독립변수로 갖는 함수 형태인 반면, (1)식은 (2), (3)식의 종속변수(수요량, 공급량)의 값이 서로 같다는 균형조건입니다. (1)식의 모양만 보면 Q_D가 종속변수, Q_S는 독립변수입니다. 하지만 같은 내용을 $Q_S = Q_D$라고 쓸 수도 있으므로 (1)식에서 독립변수, 종속변수를 구분하는 것은 큰 의미 없습니다.

3개의 식을 가지는 모형 전체에는 모두 3개의 내생변수가 있습니다. Q_D, Q_S 그리고 P가 이 모형에서 값이 결정될 내생변수입니다. 무엇이 외생변수인지 알아보려면 위 방정식을 풀어보는 것이 좋습니다. (1)에 (2), (3)식을 대입하면 $a - bP = c + dP$가 되고 따라서

$$P = \frac{a - c}{b + d} \tag{4}$$

가 위 연립방정식을 만족하는 해입니다. 이를 다시 (2), (3)식에 대입하면

$$Q_D = Q_S = \frac{ad + bc}{b + d} \tag{5}$$

가 나옵니다. 즉 모형에서 균형가격 P와 균형거래량 $Q_D = Q_S$의 값이 결정되려면 a, b, c, d의 값이 주어져야 합니다. 이것들이 모형의 외생변수입니다.

위 (1), (2), (3)으로 주어진 모형에서는 각 함수식 속에 내생변수와 외생변수가 뒤섞여 있습니다. 특히 (2) 수요함수와 (3) 공급함수를 따로 떼어놓고 보면 P가 독립변수이자 외생변수였지만, (1)–(3)의 모형 속에 포함되면 P는 내생변수가 됩니다.

(4), (5)에 주어진 모형의 '해'는 모형의 (1), (2), (3)식들을 풀어서 다시 정리한 것인데, 우변에는 외생변수인 a, b, c, d가 모여있고, 좌변에는 내생변수인 P, Q_D, Q_S가 있습니다. 즉 (4), (5)는 독립변수의 자리에 외생변수가, 종속변수의 자리에 내생변수가 제대로 들어 있어 (♥)가 성립합니다. 다시 말해 주어진 경제모형을 풀이하여 해를 구하는 과정은 모형의 외생변수를 함수의 독립변수 자리에 제대로 찾아 갖다놓는 과정이라고 생각할 수 있습니다.

$$
\begin{array}{|l|}
\hline
Q_D = a - bP \\
Q_S = c + dP \\
Q_D = Q_S \\
\hline
\end{array}
\quad\Longrightarrow\quad
\begin{array}{|l|}
\hline
P = \dfrac{a - c}{b + d} \\
Q_D = \dfrac{ad + bc}{b + d} \\
Q_S = \dfrac{ad + bc}{b + d} \\
\hline
\end{array}
$$

[그림 13.10] 모형의 해 찾기: 내생변수를 종속변수로, 외생변수를 독립변수로

모형의 해를 구하여 독립변수 자리에 외생변수를 갖다놓으면, 모형의 분석은 쉽습니다. 내생변수를 외생변수의 함수로 보고, 외생변수에 대해 미분하면 됩니다.

이 모형에 대한 분석 및 해석을 해볼까요? 먼저 가격이 0이나 음수가 될 수 없다고 생각한다면 $P > 0$이 되어야 하고, 따라서 애초에 $a > c$가 성립해야 합니다. 이것이 어떤 의미인지 알기 위해서는 모형 식에서 a, b, c, d가 어떤 의미인지를 알아봐야겠지요.

(2)의 수요함수는 독립변수인 가격 P로 수요량 Q_D를 설명합니다. 이때 식의 우변에 a, b가 등장 하는데 a는 절편, b는 기울기의 절댓값입니다. 절편은 독립변수가 0일 때 종속변수의 값이므로, 수요함수에서 a는 가격이 0(무료)일 때 수요량을 말합니다. 공짜로 나눠줄 때 받아갈 사람들의 숫자라고 생각할 수 있겠지요. 이보다 가격이 올라가면 수요량은 줄어듭니다. 다시 말해 a는 이 시장에서 나올 수 있는 수요량의 최대치입니다.

(3)의 공급함수 역시 독립변수인 가격 P로 공급량 Q_S를 설명합니다. 우변에서 c는 절편, d는 기울기입니다. 즉 c는 가격이 0(무료)일 때 공급량입니다. 이유는 잘 모르겠지만 돈을 안 받더라 도 c의 공급이 있다는 것이고, 가격이 올라가면 공급량은 늘어납니다. 즉 c는 이 시장에서 나올 공급량의 최소치입니다.

시장에서 양의 가격에 의한 균형이 이루어지려면 $a > c$여야 합니다. 즉 최대 수요량이 최소 공급 량보다 커야 합니다. 반대로 $a < c$이면 공급은 충분하지만 수요가 너무 적어 균형이 아닙니다.

이제 외생변수 a와 c가 변할 때 내생변수 P, Q_D, Q_S가 어떻게 변하는지 확인해봅시다. 간단한 분수 형태이므로, 상식적인 수준에서 다음과 같이 결과를 정리할 수 있습니다.

- a(수요량의 최대치)가 증가하면 균형 가격, 균형 수요량 및 공급량이 모두 증가

- c(공급량의 최소치)가 증가하면, 균형 가격은 감소하고, 균형 수요량 및 공급량은 증가

외생변수 b와 d 즉 수요함수와 공급함수의 기울기(의 절댓값)이 변할 때 내생변수들이 어떻게 반응하는지는 조금 더 복잡합니다. 가격 P의 경우 b, d가 모두 분모에 있으므로 기울기가 커질 때(즉 가격의 변화에 대해 수요와 공급이 더 크게 반응할 때), 균형가격은 감소함을 알 수 있습 니다.

균형 거래량 $Q_D = Q_S$의 식에는 분자와 분모에 모두 b, d가 들어있기 때문에 눈으로 보아서는 그 반응의 방향을 알기 어렵습니다. 분수함수의 미분법을 사용하면 그 부호를 알 수 있습니다.

13.3 경제모형의 대표적 유형들

현재 경제학에서 가장 대표적인 두 가지 유형의 모형이 있습니다. 이들에 대해서 책의 후반 부에서 좀 더 자세히 공부하게 될 것입니다. 여기서는 이 모형들이 어떤 것인지 대략 알아

보겠습니다. 두 가지 유형은 경제학이 사용하는 두 가지 체계적인 원리에 따른 것입니다. 이는 균형(equilibrium)과 선택(choice)입니다.

13.3.1 균형모형

방금 만났던 수요공급 모형이 대표적인 균형모형입니다. 균형(또는 평형)이란 원래 물리학, 화학 등 자연과학의 개념으로 함께 작용하는 서로 다른 요인들이 어우러져 더 이상 변화가 일어나지 않고 유지되는 상태를 말합니다.

단순한 균형모형이라면 앞서 본 수요공급 모형처럼 크게 3부분으로 이루어질 것입니다. 이 중 핵심은 균형조건으로 수요공급 모형의 (1)식 $Q_D = Q_S$에 해당됩니다. 한편 나머지는 균형조건의 양변에서 균형을 이루어야 하는 각 요소를 더 상세히 나타낸 식입니다. 수요공급 모형에서는 (2) 수요함수 $Q_D = D(P)$, (3) 공급함수 $Q_S = S(P)$에 해당됩니다.

즉 수학적으로 균형모형은 여러 개의 식을 가진 연립방정식의 형태를 가지며, 대개 연립방정식은 식의 개수만큼의 미지수를 결정할 수 있고 이 연립방정식을 만족하는 미지수 해가 곧 모형의 내생변수이므로, 균형모형에는 식의 개수만큼의 내생변수가 있을 것입니다. 수요공급 모형의 경우, 식이 3개, 내생변수도 3개였습니다. 사실 균형조건이 핵심이므로 3개 식을 결합하여 $Q_D(P) = Q_S(P)$라는 1개의 식으로 줄일 수 있고, 이 식의 미지수이자 내생변수는 가격 P입니다. 균형모형을 수학적으로 다루기 위해서 필요한 수학적 기법은 방정식 및 연립방정식의 풀이입니다. 기본적인 모형이라면 중고교 수학에서 공부한 내용으로 충분합니다.

앞으로 수요공급 모형과 케인즈 거시경제 모형 등 균형모형에 대해서 좀 더 자세하게 공부하면서 복잡한 경우에 적용할 수 있는 추가적인 수학 도구들을 소개하겠습니다. 한편 다음 절에 소개하는 선택모형의 경우에도 합리적선택의 원리를 균형모형에 빗대어 이해하거나 설명하는 것도 가능합니다.

경제는 진짜 균형 상태인가?

경제학의 많은 모형은 균형조건을 만족하는 해를 도출하고 이에 대해 분석하는 구조를 갖고 있습니다. 균형은 더 이상의 변화가 없는 일종의 '안정된' 상태인데 과연 모형이 나타내고자 하는 경제 현실은 언제나 균형인 걸까요? 또한 만약 균형모형에 해가 없다면, 또는 해가 여러 개라면 이는 경제 현실이 존재하지 않거나, 여러 가지라는 말일까요? 이러한 질문은 사실 경제모형을 대할 때 따져봐야 할 근본적인 문제입니다. 수요를 함수라는 수학적 개념으로 파악할 때 특정 가격에서 반드시 수요량이 단 1가지여야 한다고 가정해야 하는 것처럼, 시장을 수요공급 모형의 균형으로 파악한다면 균형 상태에 있는 시장상황을 고려하겠다는 선언을 한 것과 마찬가지입니다. 하지만 우리는 물론 하나의 모형에 대해서 균형 해를 찾고 거기서 멈추는 것이 아닙니다. 분석을 한다는 것은 모형의 외부환경 조건(외생변수)에 변화를 주어서 균형 상태에도 변화가 생길 테니까요.

아마 우리가 느끼기에 현실 경제는 끊임없는 환경 변화에 직면해서 계속해서 변하고 있는 것 같습니다. 균형모형을 사용한다는 것은, 그런 끊임없는 변화에도 불구하고 우리가 관심을 갖는 외생변숫값은 고정되어 균형을 논할 수 있다고 생각하는 것입니다. 또한 외생변숫값을 변화시키면 잠시 혼란이 생기겠지만 결국에는 또 다른 균형을 찾아갈 것이라는 생각이 있는 것이죠. 실제로 경제모형에는 외부환경 변화로 인한 혼란 과정에 집중하여 분석하는 것들도 있습니다. 불균형(disequilibrium) 모형 및 균형을 찾아가는 동태적(dynamic) 모형입니다. 이들도 중요한 주제이지만 좀 더 어렵기 때문에 이 책에서는 (그리고 기초 경제학 과목에서는) 불균형과 동학은 제쳐두고, 균형과 그 비교에 중점을 두고 공부합니다. 이런 접근을 비교정학(comparative statics) 또는 비교균형분석(comparative equilibrium analysis)이라고 합니다.

한편 균형모형에 해가 없다는 것은 현실에 균형이 없다고 해석할 수도 있겠지만, 그보다는 모형 자체의 설정에 오류가 있어서 현실을 제대로 못 나타낸 것으로 볼 수 있습니다. 그래서 경제모형을 수학적으로 구성한 경우에 일단 그 모형에 수학적으로 해가 있는지, 어떤 수학적 조건을 주어야 해가 존재하는지 따져봐야 합니다. 또한 해가 여러 개 있더라도 그 모든 해가 경제학적으로 의미 있는 것은 아닐 수도 있습니다. 예를 들어, 가격이나 수량이 음수로 나오는 해는 해석이나 적용이 곤란할 수 있습니다. 우리가 다룰 간단한 모형의 사례들에서는 대체로 의미 있는 해를 하나로 추릴 수 있을 것입니다.

13.3.2 선택모형

선택(choice)이란 경제주체의 행동을 가리킵니다. 즉 선택모형은 각 경제주체의 행동이 어떻게 결정되는지를 나타냅니다. 각 경제주체가 선택해야 할 행동이 무엇인지는 경제학적인 고려에 의해 모형에 반영되어 있을 것입니다. 예를 들면, 소비자 모형에서 가계 소비자는 재화의 수요량을 선택할 것이고, 생산자 모형에서 기업 생산자는 요소의 구입량을 선택하며, 판매자 모형에서 기업 판매자는 재화의 판매량을 선택합니다.

균형모형에 균형조건이 핵심으로 들어가듯, 선택모형에는 선택조건이 들어가야겠지요. 미시경제학의 기본모형은 대개 경제주체들이 합리적으로 선택한다는 합리적선택(rational choice)의 틀을 선택조건으로 사용합니다. 이 책의 후반부에서 합리적선택 모형에 대해 상세하게 공부할 것입니다.

한편 개인의 선택을 명시적으로 고려하지 않는 케인즈 거시경제 모형의 경우에는 선택의 총량변수에 대해 경제학적 가설을 반영하게 됩니다.

예 13.4

다음은 간단한 케인즈 거시경제 모형입니다. (모형의 해석과 분석은 앞으로 자세히 하겠습니다.)

(1) 균형조건 $AS = AD$

(2) 총공급 $AS = Y$

(3) 총수요 $AD = C + I + G$

    (a) 가계소비 $C = C_0 + bY$, 단, $0 < b < 1$

    (b) 기업투자 $I = I_0$ (상수)

    (c) 정부지출 $G = G_0$ (상수)

수요공급 모형과 비슷한 형태로 제시했습니다. (1)에 균형조건이 나오므로 이 모형도 균형모형입니다. 균형을 이루어야 하는 것은 총량변수인 총공급(aggregate supply) AS와 총수요(aggregate demand) AD입니다. 총공급은 그냥 변수 Y로 나타냈습니다. Y는 GDP로 해석할 수 있습니다.

한편 총수요는 3가지 항의 합으로 제시되었는데, 이는 거시경제를 구성하는 3가지 부문의 수요를 나타냅니다. 각 부문의 수요가 무엇인지, 즉 각 부문의 경제주체가 어떤 선택을 하는지가 작은 목록 (a)–(c)로 주어졌습니다. 3가지 부문은 각각 가계, 기업, 정부이고 이들의 수요를 소비, 투자, 정부지출이라 부릅니다. 위 모형의 (b), (c)에서 기업투자와 정부지출은 상수로 주어졌습니다. 정말로 기업투자와 정부지출이 변화 없는 상수라기보다는, 이 모형에서는 외부에서 주어진 상수로 취급하겠다는 것입니다. 즉 I_0, G_0은 이 모형의 외생변수입니다.

한편 (a)의 가계소비는 Y의 1차함수로 제시되어 있습니다. 이것이 케인즈의 가설에 따른 **소비함수**(consumption function)입니다. Y는 총공급 Y와 같은 기호를 갖고 있는데, 소비함수에서는 (국민)소득으로 해석합니다. 거시경제의 총공급과 국민소득이 일치한다는 것 또한 이 모형의 숨은 조건인 셈입니다. 소비함수는 Y의 1차함수이고 기울기 b에 대해서는 $0 < b < 1$이라는 조건이 붙어 있습니다. 소득이 증가할 때 기울기 b만큼 그에 비례하여 소비가 증가한다는 것이 가계의 '선택'에 대한 경제학적 가설로 반영된 것입니다. 모형은 모두 6개의 식으로 구성되었으므로 내생변수도 6개일 것입니다: AS, AD, Y, C, I, G입니다.

간단한 케인즈 거시경제 모형에서 기업이나 정부의 선택은 외생변수로 처리되었고, 가계의 선택은 간단한 함수로 설정되었습니다. 좀 더 미시적 기초를 강조하는 모형들이라면 경제주체의 선택을 좀 더 상세하게, 주로 합리적선택 모형을 사용해서 나타냅니다.

합리적선택 모형은 크게 목적과 수단의 두 가지 요소로 구성됩니다. 합리적선택이란 목적에 잘 맞는 수단을 선택하는 것을 말합니다. 흔히 경제학을 합리적선택의 학문이라고 부르는데, 사실 경제학이 사용하는 틀은 단순한 합리적선택이 아니고, 희소성에 기반한 합리적선택 즉 수단의 선택에 제약이 있는 합리적선택입니다.

수학적으로 희소성에 기반한 합리적선택 모형은 최적화 문제로 표현되며 크게 목적함수와 제약범위로 구성됩니다.

$$\max_{x} f(x)$$
$$\text{subject to } x \in D$$

여기서 'subject to'는 $x \in D$라는 조건을 만족해야 한다는 뜻으로 제약을 나타낼 때 사용할 것입니다. $f(x)$는 극대화될 대상으로 주체의 목적을 나타내고 D는 x 값이 가질 수 있는 범위로 수단의 제약을 나타냅니다.

예 13.5

대부분의 합리적선택 모형은 앞으로 상세하게 공부해나갈 예정입니다. 간단한 사례 하나만을 보겠습니다. 기업의 수입은 가격과 판매량의 곱으로 정의됩니다. 즉 판매량 Q의 함수로서 $R(Q) = P(Q)Q$입니다. 여기서 $P(Q)$는 판매량에 대응되는 가격을 알려주는 수요곡선입니다. $P(Q) = 100 - Q$라고 합시다. 그렇다면 $R(Q) = (100 - Q)Q$입니다. 이는 간단한 2차함수로 다음 (a)와 같이 그래프로 나타낼 수 있습니다. 그래프를 정확하게 그리기 위해서는 일계 및 이계도함수가 필요하죠. $R'(Q) = 100 - 2Q$이고 $R''(Q) = -2 < 0$입니다. 즉 $Q < 50$일 때는 증가하고, $Q > 50$일 때는 감소하며, 전반적인 모양은 오목합니다.

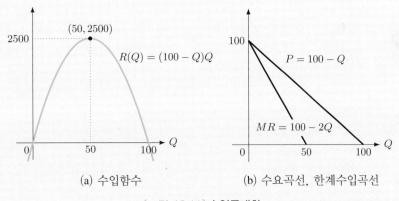

(a) 수입함수   (b) 수요곡선, 한계수입곡선

[그림 13.11] **수입극대화**

Q의 선택범위에 대해 별다른 제약이 없다면 수입을 극대화하는 선택은 $Q = 50$입니다. $R'(Q)$는 한계수입(MR)이기도 한데, $Q < 50$에서 한계수입이 양(+)이고, $Q = 50$에서 0이며 $Q > 50$에서 음(−)입니다. 한계수입의 의미를 생각해보면 판매량 Q를 늘려줄 때 수입의 변화를 나타냅니다. 한계수입이 양(+)이라면 판매량 증가에 따라 수입이 늘어나므로, 수입극대화가 목표라면 더 늘리는 것이 맞습니다. 또한 한계수입이 음(−)이라면 수입극대화를 위해서는 판매량을 줄여야 합니다. 즉 선택범위에 제약이 없다면 수입극대화는 한계수입이 0이 되는 점에서 일어난다고 할 수 있습니다.

연습문제

13-1 예 13.2에서 고려한 수요공급 모형은 수요함수와 공급함수로 구성되어 있었다. 각각의 역함수를 만들어 다음과 같은 수요공급 모형을 구성해볼 수 있다.

> (1) 균형조건 $P_D = P_S$
>
> (2) 수요곡선(지불용의) $P_D = \dfrac{a}{b} - \dfrac{1}{b}Q$
>
> (3) 공급곡선(수용용의) $P_S = -\dfrac{c}{d} + \dfrac{1}{d}Q$

(a) 이 모형의 내생변수는 무엇인가?

(b) 모형의 해를 도출하고 예 13.2의 해와 비교하시오.

13-2 예 13.2에서 도출한 해 P, Q_D, Q_S를 각각 b에 대해 미분하여 분석해보시오.

13-3 예 13.4의 케인즈 거시경제 모형은 모두 6개의 식으로 이루어져 있었다. 일부 식을 결합하면 식의 개수와 내생변수의 개수를 모두 줄일 수 있다. 다음은 그 한 예이다.

> (1) 총공급-총수요 균형 $Y = C + I_0 + G_0$
>
> (2) 소비함수 $C = C_0 + bY$

(a) 식이 2개이므로 내생변수도 2개일 것이다. 어느 것이 내생변수인가?

(b) 모형을 만족하는 내생변수 해를 도출하시오.

13-4 예 13.5에서 만약 Q의 선택범위가 $0 \le Q \le 40$으로 제한되었다면 수입극대화 수량은 얼마이겠는가?

Chapter 14

최적화 문제:
일계조건과 이계조건

제14장에서는 ···

수학의 최적화 문제와 그 해법을 알아봅니다. 최적화 문제는 대표적인 경제모형의 유형 중 하나인 합리적선택 모형에 활용됩니다. 미분을 사용해 최적화 문제를 풀이하는 기본 해법에는 일계조건과 이계조건이 있습니다.

주요 개념

- 최적화 문제 = 극대화 문제(최대를 찾는 문제) 또는 극소화 문제(최소를 찾는 문제)
- 최대 $\neq$ 극대, 최소 $\neq$ 극소
- 경계점, 내부점, 일계조건, 필요조건, 이계조건, 충분조건, 일계해

주요 결과

목적함수 $f(x)$가 미분가능하면

- 일계필요조건: 내부점인 극대점 및 극소점은 $f'(x^*) = 0$을 만족한다
- 이계충분조건: 일계필요조건을 만족하는 x^*에 대해 $f''(x^*) < 0$이면 극대, $f''(x^*) > 0$이면 극소이다

14.1 최적화 문제

수학에서 **최적화 문제**(optimization problem)란 주어진 어떤 함수의 값을 가장 크게, 또는 가장 작게 만드는 것을 말합니다. 즉 최적화 문제에는 **최대** 찾기와 **최소** 찾기의 두 가지 종류가 있습니다. 이 장에서는 수학적으로 두 가지를 모두 다루되, 최대 찾기 문제를 중심으

로 설명하겠습니다. 경제모형에 활용할 때는 경제학적 상황에 따라서 둘 중 하나를 이용합니다.

14.1.1 극대화 문제: 최대 찾기

제일 먼저 정리해야 할 용어들이 있습니다. 아마 고교 수학에서 **극대**와 **최대**의 차이에 대해서 공부했을 것입니다. 최대(maximum)에서는 함수의 값이 가장 큽니다. 극대(local maximum)는 고려하는 범위를 충분히 작게 잡을 경우 그 주변에서는 가장 큽니다.

예 14.1

[그림 14.1]에서 x_1에 대응되는 A는 전체로 보아 가장 크므로 최대입니다. 범위를 어떻게 잡든 주변에서도 가장 클테니 최대는 언제나 극대이기도 합니다. x_2에 대응되는 B는 극대이지만 최대는 아닙니다. x_2에서 거리가 δ보다 작은 범위 안에서는 가장 크므로 극대가 맞고, δ보다 거리가 멀어지면 더 이상 가장 크지 않으므로 최대는 아닙니다.

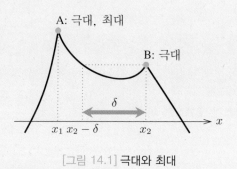

[그림 14.1] **극대와 최대**

그런데 최적화 문제의 한 가지 종류인 **극대화**(maximization) 문제는 극대가 아니라 최대를 찾는 문제입니다. 물론 최대는 극대 중의 하나일 것이므로, 먼저 극대들을 다 찾아낸다면 그 중에서 최대를 찾아낼 수 있긴 합니다. 어쨌든 만약 [그림 14.1]에 대해 극대화 문제를 푼다면 답은 A와 B가 아니라 A입니다.

극대, 극대화

용어가 혼란스럽지만 이미 관행으로 자리 잡은 부분이 있어서 바로잡기가 어려운 상황입니다. 국어사전에서 최대화와 극대화는 같은 말입니다. 극대화라는 말을 쓰지 말고 최대화로 통일하면 좋은데, 경제학 교과서에서 효용극대화라든지 이윤극대화와 같은 표현이 널리 사용되고 있습니다. 이 책에서 억지로 효용최대화, 이윤최대화라고 부른다고 해서 해결이 될 것 같지 않습니다.

한편 수학용어로는 (특히 고교 수학에서) 극대와 최대를 구분합니다. 극대는 영어로 local maximum인데 번역하면 '국지적 최대' 또는 '지역 최대'입니다. 반면 최대는 영어로 그냥 maximum 또는 global maximum

이라고 하는데 후자를 번역하면 '전체적 최대' 또는 '광역 최대'입니다. 즉 우리말로 한 단어인 극대를 한 단어로 지칭하는 말이 영어에는 없습니다. 용어 혼란은 local maximum을 극대라는 한 단어로 표현하면서 생긴 것인데, 고교 수학에서부터 사용해온 간편한 용어라서 이 책에서 바꿀 수가 없군요.

14.1.2 최대점과 최댓값, 극대점과 극댓값

앞에서 최대 또는 극대를 함수의 그래프 상의 한 곳을 찍어서 표시했었습니다. 실제로 문제 풀이에 있어서는 그곳에 대응되는 x와 y의 값이 중요할 것입니다. 극대 또는 최대에서의 x의 값을 '점'(point)으로, y의 값을 '값'(value)으로 부릅니다.

예 14.2

[그림 14.2]에서 극대인 B에 대응되는 x_2를 극대점, y_2를 극댓값이라고 합니다. 또한 최대인 A에 대응되는 x_1을 최대점, y_1을 최댓값이라고 합니다. (최대점은 극대점이기도 하고, 최댓값은 극댓값이기도 합니다.)

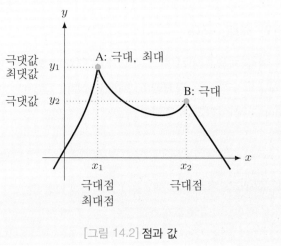

[그림 14.2] 점과 값

극대점이나 극댓값은 한 함수에서 여러 가지일 수 있습니다. 한편 최대점은 여러 개일 수도 있으나, 최댓값은 단 1개입니다.

예 14.3

[그림 14.3]에서는 두 개의 x_1과 x_2가 같은 함숫값을 가지기 때문에 둘 다 동시에 극대점이면서 최대점입니다. 하지만 이들이 가지는 함숫값은 단 1개이고 이것이 최댓값입니다.

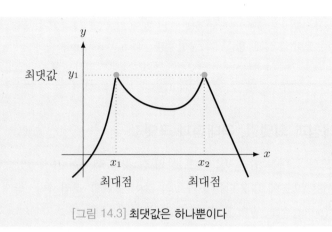

[그림 14.3] 최댓값은 하나뿐이다

x^* 가 $f(x)$ 의 최대점: 정의역 D에 속한 모든 x에 대하여 $f(x^*) \geq f(x)$

x^* 가 $f(x)$ 의 극대점: 적당한 크기의 범위 $(x^* - \delta, x^* + \delta)$에 속한 모든 x에 대하여 $f(x^*) \geq f(x)$

14.1.3 x의 범위와 최대, 극대

x가 가질 수 있는 범위에 제한을 가하면 그에 맞추어 극대나 최대도 바뀝니다. x의 범위가 구간 $[a, b]$일 때 $x = a$와 $x = b$는 **경계점**(boundary point), 그 외의 점들 즉 $a < x < b$인 점들은 **내부점**(interior point)이라고 부릅니다.

예 14.4

[그림 14.4]에서 x의 범위를 $a \leq x \leq b$로 제한하면 A는 범위 바깥이므로 더 이상 최대나 극대가 아닙니다. B는 범위 안에 있으며 주변에서 가장 값이 크므로 여전히 극대입니다. 한편 $a \leq x \leq b$ 의 범위에서 함숫값이 가장 큰 곳은 C로, $x = a$ 즉 범위의 왼쪽 경계입니다.

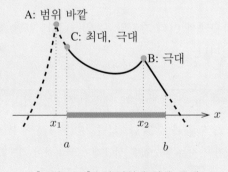

[그림 14.4] x의 범위와 최대, 극대

14.1.4 극소화 문제, 최소, 극소

지금까지 함수의 값을 가장 크게 만드는 극대화 문제와 관련된 개념들을 정리했습니다. 함수의 값을 가장 작게 만드는 문제에 대해서도 비슷한 개념들이 성립합니다.

전체 범위에서 함수의 값이 가장 큰 곳을 **최소**라 하고, 적당한 주변에서 가장 큰 곳을 **극소**라고 합니다. **극소화**(minimization) 문제는 (극소가 아니라) 최소를 찾는 문제입니다. 극소나 최소에도 대응되는 x의 값을 '점', y의 값을 '값'이라고 부릅니다.

예 14.5

[그림 14.5]에서 범위 $a \leq x \leq b$에 대해 극소는 D와 E 두 군데에 있고 이 중 E가 최소입니다. D의 x_3이 극소점이고, E의 오른쪽 경계 $x = b$는 극소점이자 최소점입니다.

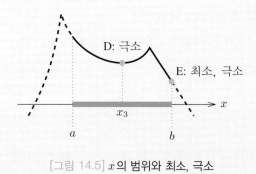

[그림 14.5] x의 범위와 최소, 극소

같은 함수를 같은 범위에 대해 고려하는 [그림 14.4]와 [그림 14.5]를 함께 비교해보면, x의 범위가 구간 $[a, b]$로 주어지는 경우, 두 경계점 a, b는 반드시 극소이거나 극대임을 알수 있습니다. 물론 내부점 중에도 극소나 극대가 있을 수 있습니다. 그렇다면 최대 및 최소는 모든 내부 극대점 및 극소점과, 두 개의 경계점들을 놓고 비교해서 찾아야 하는 것입니다.

14.2 일계조건: 내부 극대점 및 극소점의 필요조건

함수의 극대화나 극소화는 함수의 전반적인 성질을 파악하면, 특히 함수의 그래프만 정확하게 그릴 수 있으면 해결 가능합니다. 이 절에서 제시하는 해법인 **일계조건**(first-order condition)은 그래프를 자세하게 그리지 않더라도, 빠르고 간편하게 극대점과 극소점을 찾아낼 수 있는 도구입니다. 간편한 만큼 일계조건의 사용에는 주의가 요구됩니다.

> **결과 14.1 일계조건 (필요조건)**
>
> 함수 $f(x)$가 미분가능하고, x^*는 내부점으로서 극대점이거나 극소점이라고 하자.
> 그렇다면 $f'(x^*) = 0$이다.

예 14.6

$f(x) = x^2$의 전체 그래프에서 유일한 극소점(즉 최소점)은 $x^* = 0$입니다. $f'(x) = 2x$이므로
$f'(0) = 0$이 성립합니다. 마찬가지로 $g(x) = -x^2$의 전체 그래프에서 유일한 극대점(즉 최대점)
은 $x^* = 0$입니다. $g'(x) = -2x$이므로 $g'(0) = 0$이 성립합니다.

일계조건은 미분가능한 함수에만 적용된다

일계조건은 일계미분계수 $f'(x)$의 값이 0이라는 내용이므로 당연히 $f(x)$가 미분가능해야
적용됩니다. 하지만 미분가능한 함수만 극대나 극소를 가지는 것은 아닙니다. 이미 앞에서
보았던 그림들의 극대와 극소 중에는 미분가능하지 않은 점들이 많이 있었습니다. 만약 함
수의 그래프가 충분히 매끈하여 미분가능하다면 일계조건이 적용되는 것입니다.

예 14.7

[그림 14.6]에서 x_1과 x_2는 극대점인데, 두 점 모두 미분가능하지 않아서 일계조건은 적용되지
않습니다. 한편 x_3은 극소점인데 이 점에서 함수는 매끈하여 미분가능하며 접선 기울기가 평평
하여 $f'(x_3) = 0$이 성립합니다.

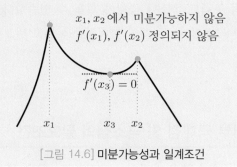

x_1, x_2에서 미분가능하지 않음
$f'(x_1), f'(x_2)$ 정의되지 않음

$f'(x_3) = 0$

$x_1 \qquad x_3 \quad x_2$

[그림 14.6] 미분가능성과 일계조건

일계조건은 내부점에만 적용된다

극대점 또는 극소점이면 접선이 평평하다는 일계조건은 경계점에는 적용되지 않습니다.

[그림 14.7]에서 내부 극점인 x_3에는 일계조건이 성립하지만, 경계점인 a, b에는 성립하지 않습니다. a는 극대점이고 b는 극소점이지만 $f'(a) < 0$이고 $f'(b) < 0$입니다.

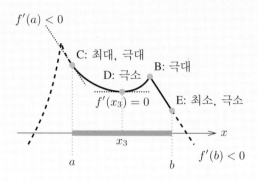

[그림 14.7] 경계점에는 일계조건이 적용되지 않음

일계조건은 내부점에만 적용된다는 것을 강조하기 위해서 **내부 일계조건**이라고 부르기도 합니다. 일계조건을 사용해서 극대점, 극소점을 찾아내더라도, 극대화 또는 극소화 문제를 풀기 위해서는 즉 최대점 또는 최소점을 찾기 위해서는 경계점들을 잊지 않아야 합니다. 위의 예에서도 실제로 최대점과 최소점은 모두 경계점들입니다.

일계조건만으로는 극대와 극소를 구분할 수 없다

x^*가 내부 극대점이어도 $f'(x^*) = 0$이고 x^*가 내부 극소점이어도 $f'(x^*) = 0$입니다. 일계조건은 극대점과 극소점에 대해 동일하므로 일계조건으로는 극대와 극소를 구분할 수 없습니다. 구분하기 위해서는 함수의 그래프를 그려보거나, 좀 더 간편하게는 다음 절에서 소개하는 이계조건을 이용합니다.

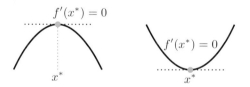

[그림 14.8] 극대와 극소에 동일한 일계조건

일계조건만으로는 극점인지조차도 알 수 없다

마지막으로 놓치기 쉬운 한 가지는 일계조건이 극대점 및 극소점의 **필요조건**(necessary condition)이지, **충분조건**(sufficient condition)은 아니라는 것입니다. 즉 내부 극대점 및 극소점은 일계조건을 반드시 만족하지만, 일계조건을 만족한다고 해서 반드시 극대점이거나 극소점인 것은 아닙니다. 따라서 일계조건을 만족하는 점이 애초에 극대 또는 극소가 맞는지부터 알아봐야 합니다. 이를 위해서는 역시 함수의 그래프를 정확하게 그려보거나, 다음 절에 소개하는 이계조건을 이용할 수 있습니다.

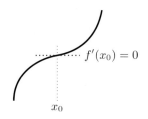

[그림 14.9] 일계조건을 만족하지만 극대/극소가 아닌 경우

예 14.9

$f(x) = x^3$이면, $f'(x) = 3x^2$이므로 $x = 0$일 때 일계조건을 만족합니다. 하지만 x^3의 그래프는 [그림 14.9]의 형태이며 $x_0 = 0$은 극대도 극소도 아닙니다.

논리에서 '만약 P라면 Q이다'(If P, then Q) 형태의 진술(명제)이 참일 때, P를 **충분조건**, Q를 **필요조건**이라고 합니다. 'P $\implies$ Q'라고 표기합니다. 어떤 명제가 참이라고 해서, 그 명제의 역(converse) 'Q $\implies$ P'와 명제의 이(inverse) 'not P $\implies$ not Q'가 참이라는 보장은 없습니다. 예를 들어, P를 '사람', Q를 '동물'이라고 해보면, 사람이면 동물(P $\implies$ Q)인 것은 맞지만, 동물이라고 해서 반드시 사람(Q $\implies$ P?)이라 할 수 없고, 사람이 아니라고 해서 동물이 아니라고(not P $\implies$ not Q?)도 할 수 없죠.

수학의 중요한 결과들은 흔히 명제의 형태로 제시되며, 가정과 결론이 있습니다. 여기서 가정은 충분조건 (P), 결론은 필요조건(Q)에 해당되는 것이죠. 일계조건을 제시한 결과 14.1도 명제의 형태로 되어 있습니다. 충분조건은 '미분가능성, 내부점, 극대점 또는 극소점'이고 필요조건은 '$f'(x^*) = 0$'입니다. (미분가능한 함수에 대해) 내부점이고 극대/극소점이면 일계조건이 성립하지만, 반대 방향으로 일계조건이 성립한다고 해서 그것이 극대점이거나 극소점인지는 알 수 없습니다.

그렇다면 일계조건은 어떻게 사용하는가?

앞에서 일계조건을 최적화 문제의 '해법' 즉 풀이방법으로 제시한다고 했는데, 일계조건 하나만으로는 해법이 되지 못합니다. 논리적으로는 만약 어떤 x^*가 내부 극대점(또는 극소점)이라는 것을 알고 있다면, 그 점에서 $f'(x^*) = 0$임도 알 수 있다는 것입니다. 실제 문제에서 우리는 x^*가 무엇인지를 몰라서 그것을 찾고 싶은 것인데 말이죠.

우리가 취할 방식은 만약 x^*가 무엇인지를 알았더라면 그것이 일계조건을 만족할 것이므로, 일단 일계조건을 만족하는 해가 무엇인지부터 찾아보는 것입니다. 일계조건을 만족한다고 해서 극대점인 것은 아니지만, 만약 극대점이라면 일계조건을 만족해야 하니까요. 일계조건을 만족하는 해를 **일계해**라고 부르겠습니다.

함수 $f(x)$의 **일계해**란 $f'(x^*) = 0$를 만족하는 x^*를 말한다.

일계해를 구한다는 것은 일계조건 $f'(x) = 0$을 x에 대한 방정식으로 취급하고 방정식의 해 x^*를 찾는 것입니다. 일계해는 내부 극대점들을 모두 포함하고 있습니다. 그런데 우리가 궁극적으로 찾는 것은 (극대화 문제의 경우) 최대점이고, 최대점은 극대점인데 극대점 중에는 내부 극대점뿐 아니라 경계점도 있을 수 있습니다.

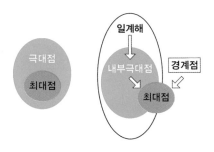

[그림 14.10] 최대점과 일계해의 관계

따라서 논리적으로 극대화 문제의 풀이과정은 다음과 같습니다.

1단계: 방정식 $f'(x^*) = 0$을 풀어 $f(x)$의 일계해 x^*를 모두 구한다
2단계: 일계해 x^* 중에서 내부극대해를 가려낸다
3단계: 내부극대해들과 경계점들 중에서 함숫값이 가장 큰 것이 최대점이다

일계해 중에서 내부극대해를 가려내는 2단계는 까다로울 수 있습니다. 그런데 극소화 문제에 대해서도 마찬가지로 최소점, 극소점, 일계해와 내부극소점, 경계점 사이의 관계가 성립합니다. 따라서 간단한 문제라면 다음과 같이 극대화, 극소화 문제를 함께 풀이할 수도 있습니다.

1단계: 방정식 $f'(x^*) = 0$을 풀어 $f(x)$의 일계해 x^*를 모두 구한다
2단계: 일계해 x^*들과 경계점들 중에서 함숫값이 가장 큰 것이 최대점이고, 함숫값이 가장 작은 것이 최소점이다

$f(x) = x^3 - 3x$의 최대점 및 최소점을 다음의 범위에 대해 각각 구하시오.

(a) $-2 \le x \le 2$ (b) $0 \le x \le 2.1$

먼저 도함수를 도출하면 $f'(x) = 3x^2 - 3 = 3(x^2 - 1) = 3(x+1)(x-1)$이므로 일계해는 $x^* = -1$과 $x^* = 1$입니다. 일계해 $-1, 1$에서 함숫값을 계산하면 $f(-1) = 2$, $f(1) = -2$입니다.

(a) 경계점 $-2, 2$에서 $f(-2) = -2$, $f(2) = 2$입니다. 비교해보면 $f(-1) = f(2) > f(1) = f(-2)$이므로 $x = -1$과 $x = 2$가 최대점, $x = 1$과 $x = -2$가 최소점이라고 추론할 수 있습니다.

(b) 경계점 $0, 2.1$에서 $f(0) = 0$, $f(2.1) = 2.961$로 $f(2.1) > f(-1) > f(0) > f(1)$이므로 $x = 2.1$이 최대점, $x = 1$이 최소점이라고 추론할 수 있습니다.

아래 그래프에서 결과들을 확인할 수 있습니다. (그래프 그리는 과정은 생략합니다.)

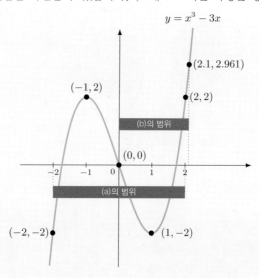

[그림 14.11] $y = x^3 - 3x$의 최대, 최소 찾기

앞장에서 $P = 100 - Q$인 경우 수입극대화 판매량을 찾아본 적이 있습니다. 일계조건을 이용하면 빠르게 해결이 가능합니다.

수입은 $R(Q) = PQ = (100 - Q)Q$이고, 따라서 수입함수에 대한 일계조건은 $R'(Q) = MR = 100 - 2Q = 0$이 되며, 일계조건 해는 곧 한계수입이 0이 되는 판매량임을 알 수 있습니다. $Q^* =$

50이 일계해입니다. 이때 수입은 $R(50) = 2500$입니다.

한편 판매량이 가질 수 있는 범위는 음수일 수는 없으므로 $Q \geq 0$라고 한다면, 왼쪽 경계점은 $Q = 0$입니다. 그런데 $R(0) = 0$이므로 $R(50)$보다 작아서 $Q = 0$은 최대점일수 없습니다. 또한 (그래프를 그려보아도 알 수 있고) $Q > 50$일 때 $R'(Q) < 0$이므로 $Q^* = 50$에서 판매량을 늘려주면 수입은 계속 감소하므로 $Q^* = 50$이 수입최대 판매량이라고 결론 내릴 수 있습니다.

14.3 이계조건들: 극대점 충분조건과 극소점 충분조건

지금까지 공부한 내용으로도 함수의 최대 및 최소를 찾는 데는 큰 무리가 없습니다. 이계조건(second-order condition)은 일부 문제의 풀이를 더 간편하게 만들어주는 추가조건입니다. 일계조건은 일계도함수 $f'(x)$를 이용했고, 이계조건은 이계도함수 $f''(x)$를 이용합니다.

이계조건에 깔린 기본 아이디어는 다음과 같습니다. 일계조건 해 x^*를 찾았다고 합시다. 즉 $f'(x^*) = 0$입니다. 여기서 x가 x^*의 왼쪽, 즉 $x < x^*$에 대해서는 $f'(x) > 0$이고, 오른쪽 즉 $x > x^*$에 대해서는 $f'(x) < 0$라면, 이는 함수 f의 그래프가 x^*의 왼쪽에서는 증가 ($\nearrow$)하다가, x^*에서 잠시 평평해진 후, 오른쪽에서는 감소($\searrow$)한다는 뜻입니다. 함수의 그래프가 x^*의 주변에서 올라가다가 내려가므로 ($\nearrow\searrow$) 결국 x^*는 극대점이라는 말입니다. 즉

x		x^*	
$f(x)$	$\nearrow$	극대점	$\searrow$
$f'(x)$	(+)	0	(−)

x		x^*	
$f(x)$	$\searrow$	극소점	$\nearrow$
$f'(x)$	(−)	0	(+)

이 됩니다. x^*의 주변에서 $f'(x)$의 값이 양수(+)에서 0으로 다음에 음수(−)로 점차 작아지고 있습니다. 즉 $f'(x)$가 감소함수라는 것입니다. 극소점에는 반대의 논리가 적용될 것입니다.

결과 14.2 이계조건 (충분조건)

함수 $f(x)$가 (두번) 미분가능할 때, 내부점 x^*에 대해

- $f'(x^*) = 0$이고 $f''(x^*) < 0$이면 x^*는 극대점이다

- $f'(x^*) = 0$이고 $f''(x^*) > 0$이면 x^*는 극소점이다

이계조건만으로는 극대점, 극소점의 위치는 찾아내지 못한다

이계조건은 이계 미분계수의 부호를 정해주는 부등식으로, 방정식이 아니므로 x^*의 위치는 찾아낼 수가 없습니다. 일계조건 $f'(x^*) = 0$을 통해 일계해 x^*를 찾아낸 후에, x^*에 대해 적용해서 확인하는 조건입니다.

이계조건은 (일계조건과 결합할 때) 최적해의 충분조건이다

위 결과의 명제 형태를 보면, 일계조건과 이계조건이 동시에 성립하는 것은 극대 또는 극소를 판정할 수 있는 충분조건입니다. 극대, 극소가 아닌 것을 가려줄 뿐 아니라, 극대와 극소 사이에도 구분을 해줍니다.

이계조건은 최적해의 필요조건이 아니다

충분조건은 성립하면 결론(극대 또는 극소)을 보장해준다는 것이지 필요조건이 아니므로, 극대점이나 극소점이 반드시 이계조건을 만족해야 하는 것은 아닙니다. 이계조건을 만족하지 않아도 극대나 극소일 수 있습니다. 이계조건을 만족하지 않는다는 것은 결국 $f''(x^*) = 0$이라는 것인데 이 경우에 x^*는 최적해일 수도 있고, 아무 것도 아닐 수도 있습니다.

예 14.11

$f(x) = x^2$이라면 $f'(x) = 2x = 0$에서 일계해는 $x^* = 0$입니다. $f''(x) = 2 > 0$이므로 극소 이계조건이 만족되어 $x^* = 0$은 x^2의 극소점입니다.

$f(x) = x^3$이라면 $f'(x) = 3x^2 = 0$에서 일계해는 또 $x^* = 0$입니다. $f''(x) = 6x$이므로 $f''(0) = 0$이라서 이계조건이 (극대, 극소 모두) 성립하지 않습니다. 그래프를 그려보면 $x^* = 0$은 x^3의 극대점도 아니고 극소점도 아닙니다. 그래프를 다 그리지 않더라도, $x < 0$이면 $f'(x) > 0$이고 $x > 0$일 때도 $f'(x) > 0$이므로 $x^* = 0$을 중심으로 $f(x)$는 계속해서 증가하는 ($\nearrow\nearrow$) 형태입니다.

$f(x) = x^4$이라면 $f'(x) = 4x^3 = 0$에서 일계해는 또 다시 $x^* = 0$입니다. $f''(x) = 12x^2$이므로 $f''(0) = 0$이 되어 또 다시 이계조건이 성립하지 않습니다. 그런데 그래프를 그려보면 $x^* = 0$은 x^4의 극소점입니다. $x < 0$이면 $f'(x) < 0$이고 $x > 0$이면 $f'(x) > 0$이라서, $f(x)$는 $x^* = 0$을 중심으로 내려가다가 올라가는 ($\searrow\nearrow$) 형태이고 $x^* = 0$은 극소점이 맞습니다.

$f(x) = x^3 - 3x$의 일계해에 이계조건을 적용하여 극대, 극소를 판정하시오.

예제 14.1에서 다루었던 함수입니다. $f'(x) = 3x^2 - 3$이므로 일계해는 $x^* = \pm 1$입니다. $f''(x) = 6x$이므로 $f''(-1) = -6 < 0$이고 $f''(1) = 6 > 0$입니다. $x = -1$은 극대점, $x = 1$은 극소점입니다.

이계조건은 일계해 x^*에 대해서 이계 미분계수 $f''(x^*)$의 부호를 살펴보고 x^*의 극대, 극소 여부를 판정하게 해줍니다. 그런데 만약 함수 전체에 대해서 $f''(x) < 0$이 성립한다면, 즉 함수 $f(x)$가 **오목**(concave)이라면 함수의 그래프는 ⌢ 의 형태가 됩니다. 이런 함수에 일계해가 있다면 그것은 바로 유일한 극대점이자 최대점일 것입니다.

마찬가지로 함수 전체에 대해서 $f''(x) > 0$이 성립하여 **볼록**(convex)이면 일계해는 유일한 극소점이자 최소점일 것입니다. 따라서 경제모형에서는 일계해가 최적해가 될 수 있도록, 모형 설정 단계에서 함수에 대해 오목(극대화 문제의 경우) 또는 볼록(극소화 문제의 경우)이 되도록 가정을 해주기도 합니다.

예 14.10의 $P = 100 - Q$의 경우, $R(Q) = (100 - Q)Q$이고 $R'(Q) = 100 - 2Q$라서 $Q^* = 50$이 일계해입니다. $R''(Q) = -2 < 0$로 수입은 오목함수이고 일계해는 유일하며 최대점입니다.

연습문제

14-1 다음 함수들의 일계해를 도출하고 이계조건을 통해 내부 극대점 또는 내부 극소점인지 확인하시오.

 (a) $f(x) = (x-1)^2$

 (b) $g(x) = \dfrac{x}{x^2+1}$

 (c) $h(x) = xe^{-x}$

14-2 주어진 범위에서 다음 함수들의 극대점 및 극소점을 모두 찾으시오.

 (a) $f(x) = -x^3 + 3x$, 단 $-5 \leq x \leq 5$

 (b) $g(x) = \dfrac{\ln x}{x}$, 단 $0 < x \leq 5$

 (c) $h(x) = x^2 e^{-x}$, 단 $-1 \leq x \leq 4$

14-3 주어진 범위에서 다음 함수들의 최대점 및 최소점을 모두 찾으시오.

 (a) $f(x) = (x-1)^2$, 단 $2 \leq x \leq 3$

 (b) $g(x) = \dfrac{x}{x^2+1}$, 단 $0 \leq x \leq 5$

 (c) $h(x) = xe^{-x}$, 단 $-1 \leq x \leq 3$

14-4 주어진 범위에서 다음 함수들의 최대점 및 최소점을 모두 찾으시오.

 (a) $f(x) = -x^3 + 3x$, 단 $x \geq 0$

 (b) $g(x) = \dfrac{\ln x}{x}$, 단 $x > 0$

 (c) $h(x) = x^2 e^{-x}$, 단 $x \geq 0$

14-5 다음의 수요곡선에 대해 수입극대화 문제를 풀이하시오. 단 $P \geq 0$이고 $Q \geq 0$이다.

 (a) $P = 1 - \sqrt{Q}$

 (b) $P = 100 - Q^2$

Chapter 15

이윤극대화 모형의 분석

제15장에서는 . . . .

본격적인 첫 번째 경제모형 공부를 합니다. 경제원론이나 미시경제학에서 소개되는 내용을 수학적인 측면에 중점을 두어 설명합니다. 앞 장에서 공부한 최적화 문제의 활용사례로 공부하되, 경제학적인 부분은 필요하다면 기초 경제학 교재를 참고하여 보충할 수 있습니다.

이윤극대화 모형은 판매자로서의 기업의 행동에 대한 모형입니다. 수학적으로는 일변수함수의 최대점을 찾는 문제입니다. 이 모형에서 기업의 목적은 이윤(목적함수)을 극대화하는 것이고, 수단은 판매량(선택변수)입니다. 이윤은 수입과 비용의 차이로 정의됩니다.

비용은 생산자로서의 기업의 행동에 의해 결정되는데, 이 부분은 모형에서 생략되어 외생적인 조건으로 취급되며 비용함수로 요약되어 제시됩니다. 한편 수입은 기업이 처한 시장상황(수요곡선)에 따라 다르게 나타나는데, 이 장에서는 완전경쟁의 경우와 독점의 경우를 살펴보겠습니다. 모형의 외생변수는 비용함수 및 수요곡선에 영향을 주는 조건들을 나타냅니다.

주요 결과

- 이윤극대화의 기본 원리는 '한계수입 = 한계비용'
- 완전경쟁기업에게는 '한계수입 = 시장가격'이며, 이윤극대화의 결과로 공급함수 도출
- 독점 기업의 이윤극대화 모형은 가격과 판매량을 동시에 내생변수로 결정

15.1 이윤극대화 모형 개관

이윤극대화 모형을 본격적인 첫 번째 경제모형으로 공부하는 이유는, 경제학적으로도 중요하지만 수학적으로 단순하기 때문입니다. 앞 장에서 공부한 일변수함수의 일계조건 및 이계조건을 활용하면 간단하게 풀이와 분석이 가능합니다.

15.1.1 이윤

이윤극대화 모형은 판매자로서의 기업의 행동에 대한 모형입니다. 이 모형의 주체는 기업입니다. 기업은 판매자로서 재화시장에서 활동하고, 생산자로서 요소시장에서 활동하는데, 이윤극대화 모형은 재화시장에 집중한 기업 모형입니다.

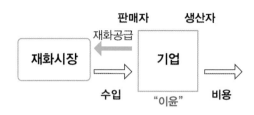

[그림 15.1] 판매자로서의 기업과 이윤

재화시장에서 기업은 자신이 생산한 재화를 공급하고, 그 대가로 수입을 얻는 판매 행위를 합니다. 재화를 생산하기 위해서는 요소시장에서 요소를 구입해야 하는데, 그 대가로 비용을 지불합니다. 따라서 판매 행위로부터 기업에게 생기는 것은 '수입 − 비용'입니다. 이를 이윤(profit)이라고 합니다.

$$\text{이윤} = \text{수입} - \text{비용}$$

15.1.2 이윤극대화 모형

이 모형의 내생변수는 기업의 행동 즉 공급량(판매량)의 선택입니다. Q로 나타내겠습니다. 기업이 얻는 수입은 수입함수 $R(Q)$, 기업이 지불해야 하는 비용은 비용함수 $C(Q)$로 나타내겠습니다. 수입함수에서 비용함수를 빼준 것을 이윤함수 $\Pi(Q)$로 정의합니다.

$$\Pi(Q) = R(Q) - C(Q)$$

> 수입함수 $R(Q)$의 Q는 판매량, 비용함수 $C(Q)$의 Q는 생산량입니다. 같은 변수 Q를 사용함으로써 '판매량 = 생산량'이라는 가정을 하고 있습니다.

기업의 판매량 Q는 음수일 수는 없으므로 선택범위는 $Q \geq 0$로 놓을 수 있겠습니다. 따라서 수학적으로는

$$\max_Q \Pi(Q)$$
$$\text{subject to } Q \geq 0$$

입니다. 모형의 내생변수는 Q이고, 외생변수는 현재 상태에서는 구체적으로 드러나지 않

습니다. 이윤함수를 구성하는 수입함수와 비용함수를 더 구체화하면 드러날 것입니다.

이윤극대화 모형
- 경제주체: 기업 (판매자)
- 선택변수: 판매량 Q
- 목적함수: 이윤함수 $\Pi(Q) = R(Q) - C(Q)$

$$\max_Q \Pi(Q)$$

$$\text{subject to } Q \geq 0$$

이윤극대화 가설

이윤극대화 모형에서 기업의 목적함수는 이윤함수이고 이를 극대화하는 것이 기업의 목적으로 설정되어 있습니다. 이는 기업의 행동에 대한 하나의 가설입니다. 경제학에서는, 특히 기초 경제학 교재에서는, 이윤극대화 모형을 기업에 대한 기본 모형으로 사용합니다. 그렇다고 해서 기업은 이윤극대화를 해야만 한다고 요구하거나, 실제로 이윤극대화를 하고 있다고 가정하는 것은 아닙니다.

이윤극대화 모형은, 만약 기업이 이윤극대화를 추구한다면 어떻게 판매량을 선택해야 하고, 그 결과로 시장에서 어떤 방식으로 행동할지를 예측해줍니다. 현실에서 이윤극대화가 이루어지는지는 모형의 예측과 데이터를 비교하여 알아볼 수 있고, 이윤극대화가 아닌 다른 목적을 추구하는 기업에 대해서는 새로운 모형을 만들어서 분석해야 할 것입니다. 이윤극대화에 대한 대안적 가설로는 수입극대화라든지, 경영자의 개인 효용극대화라든지, 사회후생극대화 등이 있습니다. 이를 연구하는 것은 미시경제학의 세부 분야인 기업이론입니다.

15.1.3 이윤극대화 모형의 일계조건과 이계조건

구체적인 이윤극대화 모형을 분석하기에 앞서서, 이윤극대화 모형의 일반형에 일계조건과 이계조건을 적용해서 해의 특징을 알아보겠습니다. 이 내용은 지금까지 우리가 공부한 다양한 내용을 조합해서 일반적인 결론을 내리고 있으므로, 다소 어렵게 느껴질 수 있습니다. 그런 경우 너무 걱정 말고 다음 절부터 소개하는 구체적인 이윤극대화 모형들을 더 공부해 보면 이해에 도움이 될 것입니다.

이윤극대화 모형은 변수 1개를 가지는 간단한 최적화 모형입니다. 내부 일계조건 (FOC)는

$$\Pi'(Q^*) = R'(Q^*) - C'(Q^*) = \text{MR}(Q^*) - \text{MC}(Q^*) \tag{FOC}$$

입니다. 즉 만약 내부점 중에서 극대점이 있다면 (FOC)를 만족해야 합니다. Q의 범위가 $Q \geq 0$이라면 경계점은 $Q = 0$ 뿐이고, 내부점은 $Q > 0$입니다. (FOC)는 한계수입(MR)과

한계비용(MC)이 일치해야 한다고 말합니다.

이윤극대화의 이계조건 (SOC)는

$$\Pi''(Q^*) = R''(Q^*) - C''(Q^*) = MR'(Q^*) - MC'(Q^*) < 0 \qquad \text{(SOC)}$$

입니다. 즉 만약 Q^*가 일계해이고(MR(Q^*) = MC(Q^*)이고), (SOC)를 만족한다면 그것은 극대점입니다. (SOC)는 Q^*에서 한계수입곡선의 기울기(미분계수)가 한계비용곡선의 기울기(미분계수)보다 작다고 말합니다. 이계조건은 충분조건이므로 우리가 찾는 답이 반드시 만족해야 하는 것은 아니고, 만약 문제의 설정에서 이것이 만족된다면 우리는 안심하고 일계해가 극대점임을 알 수 있다는 것입니다.

결과 15.1

- (FOC) 이윤함수의 양(+)의 극대점 $Q^* > 0$에서 한계수입과 한계비용은 일치한다

$$MR(Q^*) = MC(Q^*)$$

- (SOC) 일계해 Q^*에서 한계수입곡선 기울기가 한계비용곡선 기울기보다 작다면 즉

$$MR'(Q^*) < MC'(Q^*)$$

이라면 Q^*는 이윤함수의 극대점이다.

내부 극대점 Q^*를 찾았더라도 이윤극대화의 답은 아닐 수도 있습니다. 이윤극대화 문제의 진짜 답은 극대점이 아니라 최대점, 이윤을 최대로 만드는 판매량이므로, (FOC) 일계해 Q^*와 경계점 $Q = 0$을 비교해 이윤이 더 큰 점이 답입니다. 즉 $\Pi(Q^*) > \Pi(0)$이면 Q^*가 답이고, $\Pi(Q^*) < \Pi(0)$이면 $Q = 0$이 답입니다. ($\Pi(Q^*) = \Pi(0)$이면 Q^*와 $Q = 0$ 모두 답입니다.)

이윤함수의 최대점은 일계해 Q^*와 $Q = 0$ 중에서 이윤을 더 크게 만드는 수량이다.

그렇다면 $\Pi(0)$의 값이 무엇인지를 알아야 합니다. $\Pi(0)$은 수학적으로 이윤함수의 상수항입니다. 경제학적으로는 판매량이 0일 때, 즉 기업이 재화를 전혀 판매하지 않을 때의 이윤입니다. 기업의 수입은 가격 곱하기 판매량이므로 판매량이 0일 때 수입도 0입니다. 그런데 기업의 비용은 생산량이 0이더라도 발생할 수 있습니다. 즉 $\Pi(0) = -C(0)$입니다. 따라서 $\Pi(Q^*) = R(Q^*) - C(Q^*) \geq -C(0)$이면 Q^*가 진정한 답이라고 하겠습니다.

생산량이 0일 때 발생하는 비용을 고정비용이라고 한다고 했습니다. 그런데 경제학에서는 고정비용을 좀 더 세분하여 상황을 구분합니다. **매몰비용**(sunk cost)은 이미 '묻어버려서' 다시 꺼낼 수 없는 비용, 즉 회수가 불가능한 비용을 말합니다. 따라서 고정비용이 매몰이라면 비용함수는 $Q = 0$에서 연속입니다. 고정비용이 매몰이 아니라면 아예 생산하지 않을 때는 비용이 없어서 $C(0) = 0$이지만, $Q > 0$이면 고정비용이 발생하기 때문에 $\lim_{Q \to 0+} C(Q) = FC$이되, $C(0) = 0$이 되어 $Q = 0$에서 불연속입니다.

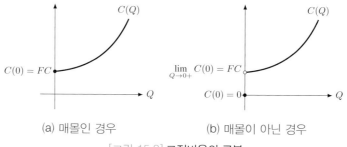

(a) 매몰인 경우   (b) 매몰이 아닌 경우

[그림 15.2] 고정비용의 구분

예 15.1

수요곡선이 $P(Q) = 100 - Q$이고, 비용함수는 $C(Q) = 50Q + FC$인 경우 이윤함수는 $\Pi(Q) = (100 - Q)Q - (50Q + FC)$입니다. 일계조건은 $\Pi'(Q) = \text{MR}(Q) - \text{MC}(Q) = 100 - 2Q - 50 = 0$이므로, 일계해는 $Q^* = 25$입니다. 한편 이계조건을 확인해보면 $\Pi''(Q) = -2 < 0$으로 (한계수입곡선의 기울기는 -2, 한계비용곡선은 수평선이므로 기울기 0), 일계해에서뿐 아니라 모든 Q에 대해 극대 이계조건이 성립합니다. 즉 일계해 $Q^* = 25$는 유일한 내부 극대점입니다.

내부 극대점인 일계해에서 이윤은 $\Pi(25) = 75 \times 25 - (50 \times 25 + FC) = 625 - FC$입니다. 만약 고정비용 FC가 매몰이어서 $Q = 0$에서도 발생한다면 $\Pi(0) = -FC$가 되고, 따라서 FC의 구체적인 값과 상관없이 $\Pi(25) > \Pi(0)$입니다. 이 경우 일계해 $Q^* = 25$는 최대점이 되고, 이윤극대화 문제의 답입니다. 그런데 $FC > 625$라면 최대점의 이윤 자체는 음수(손실)일 수 있습니다.

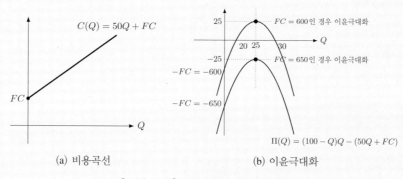

(a) 비용곡선   (b) 이윤극대화

[그림 15.3] 고정비용이 매몰인 경우

만약 고정비용이 매몰이 아니고 회수가능하다면 비용함수는 $C(Q) = \begin{cases} 50Q + FC, & Q > 0 \\ 0, & Q = 0 \end{cases}$ 가

되고, $\Pi(0) = 0$입니다. 이 경우 $\Pi(25) \geq \Pi(0) \Longleftrightarrow 625 - FC \geq 0 \Longleftrightarrow FC \leq 625$라면
$Q^* = 25$는 이윤극대화 문제의 답입니다. 반대로 $FC > 625$라면 $Q = 0$이 유일한 답입니다.
즉 고정비용이 회수가능한 경우, 고정비용이 지나치게 높다면 이윤함수의 극대점보다는 차라리
$Q = 0$을 택하는 것이 이윤극대화의 방법입니다.

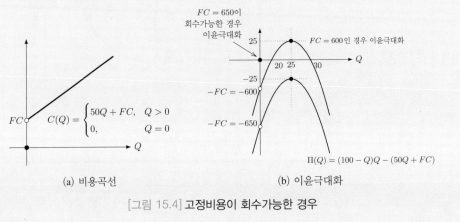

(a) 비용곡선   (b) 이윤극대화

[그림 15.4] 고정비용이 회수가능한 경우

15.2 완전경쟁 기업의 이윤극대화

기업의 이윤극대화 모형의 일반적인 틀을 알아보았습니다. 이번에는 모형을 좀 더 구체화
해서, 완전경쟁 기업의 이윤극대화 모형을 알아봅니다. 이 모형은 수요공급 모형의 한 부
분을 구성하는 기초가 됩니다.

15.2.1 완전경쟁

완전경쟁(perfect competition)은 시장에 대한 모형으로, 경제이론에서 중요한 기초로 여겨
집니다. 경제학 교과서들에 완전경쟁에 대해 많은 설명이 있지만, 핵심은 **가격수용**(price-
taking) 조건입니다.

> **가격수용** 조건: 완전경쟁시장에 참여하는 각 경제주체는 시장가격을 주어진 상수로 취급한다.

완전경쟁 기업의 이윤극대화 모형은 시장가격을 주어진 상수로 취급하는 기업이 이윤을 극
대화하는 판매량을 선택하는 모형입니다. 이 모형에서 시장가격은 기업의 판매량 선택에

영향을 주는 외생변수입니다. 그 외 비용함수에 영향을 주는 요인도 외생변수일 수 있습니다. 예를 들어 비용함수가 $C(Q) = \frac{1}{2}cQ^2$ 의 형태일 때 c를 외생변수로 취급하여 c의 다양한 수준에 대해 기업의 판매량 선택을 분석할 수 있습니다.

완전경쟁 기업의 이윤극대화 모형

- 경제주체: 기업 (판매자)
- 선택변수: 판매량 Q
- 목적함수: 이윤함수 $\Pi(Q) = R(Q) - C(Q)$ [이윤극대화 가설]
- 완전경쟁: $R(Q) = P(Q)Q = pQ$, 단 p는 주어진 상수 [가격수용 조건]

$$\max_Q \ pQ - C(Q)$$
$$\text{subject to } Q \geq 0$$

- 내생변수: 판매량 Q
- 외생변수: 가격 p, 비용함수 $C(Q)$에 영향을 주는 변수 등

15.2.2 이윤극대화 해

이윤극대화의 일계조건은 한계수입과 한계비용이 일치한다는 것입니다. 그런데 완전경쟁 기업의 수입함수는 $R(Q) = pQ$로 p가 상수이므로, Q에 대한 1차함수입니다. 따라서 완전경쟁 기업의 한계수입은 $R'(Q) = \text{MR}(Q) = p$로 상수입니다. 완전경쟁 기업의 이윤극대화 일계조건은

$$p = \text{MC}(Q^*) \tag{FOC}$$

가 됩니다. 일계해는 (FOC)의 방정식을 만족하는 Q^*입니다.

한계수입이 상수이므로 한계수입곡선의 기울기는 0입니다. 따라서 이윤극대화 이계조건은 한계비용곡선의 기울기가 0보다 크면 성립합니다. 즉 한계비용이 (Q^* 주변에서) 증가함수이면 됩니다.

$$\Pi''(Q^*) = R'(Q^*) - C''(Q^*) = 0 - \text{MC}'(Q^*) < 0 \iff \text{MC}'(Q^*) > 0 \tag{SOC}$$

한계비용이 상수이거나 감소함수일 경우에는 주의해야 할 것입니다.

극대점이 실제 답이 되려면, $Q = 0$인 경우와 비교해야 합니다. 편의상 고정비용은 만약 존재하더라도 매몰이라고 가정한다면, 극대점이 곧 최대점이 됩니다.

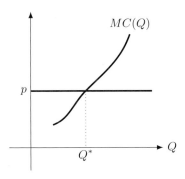

[그림 15.5] 일계조건과 이계조건을 만족하는 완전경쟁 이윤극대화의 해

> 결과 15.2 고정비용이 매몰이고 한계비용이 증가함수인 완전경쟁 기업의 이윤극대화 선택은 한계비용을 주어진 시장가격과 일치시키는 판매량이다.

예 15.2

비용함수가 $C(Q) = \frac{1}{2}cQ^2$ 일 때 이윤극대화 문제를 풀어봅시다. $C'(Q) = cQ$이므로 $Q > 0$에 대해 $C'(Q) > 0$가 성립하여 완전경쟁 기업의 이윤극대화 이계조건이 만족됩니다. 따라서 일계해는 이윤의 최대점입니다. 일계조건은 $p = cQ$이므로 일계해는 $Q^* = \frac{p}{c}$ 입니다.

한계비용이 일정하거나 감소하는 경우

이계조건은 한계비용이 증가하는 것 $MC'(Q) > 0$이었습니다. 만약 $MC'(Q) = 0$이라면 즉 한계비용이 상수로 일정하다면 어떻게 될까요? $C(Q) = cQ$이고 $MC(Q) = c$라고 해봅시다. 그렇다면 기업의 이윤함수는 $\Pi(Q) = pQ - cQ = (p - c)Q$입니다. 그런데 여기서 p와 c는 모두 주어진 상수입니다. 3가지 가능성이 있습니다.

$$\text{(i) } p > c, \text{ (ii) } p = c, \text{ (iii) } p < c.$$

만약 (i) $p > c$라면 $\Pi(Q)$는 Q에 대해 증가하는 1차함수입니다. $Q \geq 0$의 범위에서 이 함수의 최대점은 없습니다. Q가 크면 클수록 이윤이 점점 더 크기 때문에 $Q \to \infty$가 됩니다. (ii) $p = c$라면 Q의 값과 상관없이 언제나 $\Pi(Q) = 0$입니다. 이윤극대화를 따로 할 것이 없습니다. (iii) $p < c$라면 $\Pi(Q) = (p - c)Q$는 감소하는 1차함수입니다. Q가 클수록 이윤은 더 작습니다. $Q \geq 0$에서 이윤극대화 해는 $Q = 0$입니다. 만약 $MC'(Q) < 0$이라면, 일계해에서 극소 이계조건이 성립합니다. 즉 일계해는 이윤을 극대화하는 것이 아니라, 극소화합니다. 간단하게 생각해보면 일계해에서 $p = MC(Q^*)$로 한계비용이 가격과 일치하는데, 한계비용이 수량 증가에 따라 감소한다면 수량을 늘릴 경우 한계비용이 가격보다 더 낮아지게 되고 따라서 수량을 늘릴수록 이윤은 더 증가합니다.

이계조건은 충분조건에 불과하므로 우리는 이윤극대화 해에서 반드시 극대 이계조건이 성립한다고 결론지을 수는 없습니다. 하지만 적어도 극소 이계조건이 성립하지는 않을 것입니다. 만약 극소 이계조건이 성립하면 극소점이고 따라서 최대점이 절대로 아닙니다.

즉, 이윤극대화의 일계해 Q^*에 대해 극대 이계조건 $\mathrm{MC}'(Q^*) > 0$이 성립한다면 Q^*가 답인 것은 당연하고, 한편 $\mathrm{MC}'(Q^*) < 0$이 성립하면 그것은 극소점이 될 것입니다. 따라서 우리의 일계해가 반드시 가질 성질은 극소 이계조건은 성립하지 않는 것, $\mathrm{MC}'(Q^*) \geq 0$입니다.

15.2.3 분석

완전경쟁 기업의 이윤극대화 모형의 내생변수는 판매량 Q이고, 외생변수로는 시장가격 p 그리고 비용함수 관련 변수(예컨대 $C(Q) = \frac{1}{2}cQ^2$에서 c) 등이 가능합니다. 외생변숫값을 변화시킬 때 내생변수인 Q가 어떻게 반응하는지를 보는 것이 분석입니다.

가격의 변화에 따른 판매량(공급량) 변화

먼저 시장가격이 변하면 어떤 일이 벌어질까요? 기업의 이윤극대화 판매량 선택은 시장가격 수준을 나타내는 수평선과 한계비용 곡선이 만나는 점에서 결정됩니다. [그림 15.6]에서처럼 가격이 $p_1 \to p_2 \to p_3$로 변화한다면, 이윤극대화 판매량은 $Q_1 \to Q_2 \to Q_3$로 반응할 것입니다. 결국 이윤극대화 행동은 한계비용 곡선 위를 지나가며 결정되고, 따라서 한계비용 곡선이 기업의 판매량 결정을 한눈에 보여줍니다. 이것이 **공급곡선**(supply curve)입니다. 그림에서 한계비용 곡선이 우상향하므로 공급곡선도 우상향하는 공급의 법칙이 성립합니다.

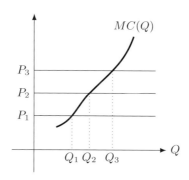

[그림 15.6] 공급곡선

비용함수가 $C(Q) = \frac{1}{2}cQ^2$인 완전경쟁 기업의 공급곡선 및 공급함수를 도출하시오.

$\mathrm{MC}(Q) = C'(Q) = cQ$이고 이는 우상향하는 형태이므로 이계조건을 만족하며, 따라서 공급곡선은 $P = cQ$이고, 공급함수는 $Q = \frac{P}{c}$입니다.

그림으로 충분히 이해할 수 있지만, 수식으로 증명해보면 일계조건 $p = \mathrm{MC}(Q^*)$가 성립할 때 p가 아주 조금 (dp) 변하고 그 결과로 Q^*로 dQ 변한다고 해봅시다. 그렇다면 미분량 계산에 의해 $dp = \mathrm{MC}'(Q^*)dQ$가 성립합니다. 따라서

$$\frac{dQ}{dp} = \frac{1}{\mathrm{MC}'(Q^*)}$$

이 되는데 극소 이계조건이 성립하면 안되므로 $\mathrm{MC}'(Q^*) < 0$인 것은 안되고, $\mathrm{MC}'(Q^*) = 0$인 경우도 제외한다면 $dQ/dp > 0$임을 알 수 있습니다.

비용 관련 외생변수의 변화

일계해는 $p = \mathrm{MC}(Q^*)$를 만족합니다. 만약 비용에 영향을 주는 외생변수의 변화로 $\mathrm{MC}(Q)$ 전체가 움직인다면 그에 맞추어 이윤극대화 판매량도 변합니다. [그림 15.7]에서는 한계비용 전체가 위쪽, 왼쪽으로 이동하는 방식으로 비용 조건의 변화가 일어나서 한계비용 곡선이 $\mathrm{MC}_1(Q)$에서 $\mathrm{MC}_2(Q)$로 바뀌었을 때를 보여줍니다. 같은 시장가격 p에 대해서 이윤극대화 판매량이 $Q_1^* \rightarrow Q_2^*$로 감소합니다.

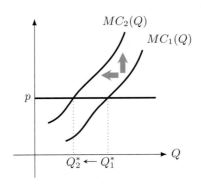

[그림 15.7] 비용 조건의 변화

한계비용 곡선이 위쪽($\uparrow$)으로 움직인다는 것은 같은 수량에 대해서 한계비용 수준이 높아진다는 것입니다. 한계비용 곡선이 왼쪽($\leftarrow$)으로 움직인다는 것도 마찬가지로 더 적은 수

량에서 높은 한계비용이 나타난다는 것입니다. 즉 $\mathrm{MC}_1(Q) \to \mathrm{MC}_2(Q)$의 변화는 비용 조건이 악화되는 상황인 셈입니다. 이 경우 기업의 반응은 판매량을 줄이는 것입니다.

예 15.3

앞에서 $C(Q) = \frac{1}{2}cQ^2$라면 공급함수가 $Q = \dfrac{P}{c}$임을 보았습니다. 여기서 c가 증가한다면 Q는 감소함을 알 수 있습니다.

정부가 세금을 부과하는 경우

정부의 세금 부과가 경제에 어떤 영향을 미치는가는 경제학에서 중요한 주제입니다. 기업의 재화 판매와 관련한 세금은 소비세 또는 물품세(excise tax)라고 하는데, 단순하게 분류하면 가격에 비례하는 가치세와 수량에 비례하는 단위세로 구분할 수 있겠습니다.

가치세의 친숙한 예는 우리가 소비하는 대부분의 공산품에 부과되는 부가가치세가 있습니다. 우리 모형에 반영하고자 한다면 기업의 입장에서 소비자에게 받는 단위당 가격 p 중에서 일정 부분을 정부에 납부하는 것이므로, 세율이 τ일 경우 기업이 받는 실질적인 가격은 $(1-\tau)p$로 줄어드는 셈입니다. 이는 일계조건의 좌변을 $(1-\tau)p = \mathrm{MC}(Q^*)$로 바꾸는 효과가 있습니다.

단위세의 경우 판매단위당 일정 금액이 매겨지는데, 현실 예로는 주유소에서 휘발유나 경유를 주유할 때 리터당 매겨지는 교통에너지환경세 같은 것이 있습니다. 단위당 세액이 t(원)일 경우 우리 모형의 기업에게는 비용함수에 정부에 내는 세금이 보태지는 효과가 있을 뿐입니다. 즉 기존의 비용함수 $C(Q)$에서 $C(Q) + tQ$가 되는 것입니다. 이는 한계비용을 기존의 $\mathrm{MC}(Q)$에서 $\mathrm{MC}(Q) + t$로 바꾸어줍니다. 앞에서 본 한계비용 곡선 전체를 위로 이동시키는 경우에 해당됩니다.

가격수용 조건

완전경쟁 기업은 왜 시장가격을 주어진 상수로 취급하는 걸까요? 이것은 잘못된 질문입니다. 시장가격을 주어진 상수로 취급한다고 가정하는 것이 완전경쟁 모형의 본질입니다. 완전경쟁은 시장에 대한 하나의 이상적인 모형일 뿐입니다. 더 좋은 질문은 '과연 현실에 완전경쟁이 존재하는가? 현실에 존재하지 않는다면 이런 모형이 무슨 쓸모가 있는가?'와 같은 것이겠습니다. 이런 질문에 대해서는 경제학 교과서에서 더 깊이 있게 다룰 것입니다.

우리의 입장에서 더 중요한 질문은 기업이 상수로 취급하는 시장가격은 어디서 오는가?인 것 같습니다. 앞에서 시장 전체에 대한 모형을 그림으로 제시하고 그중에서 재화시장과 기업 부분을 떼어낸 것이 지금의 모형이라는 점을 기억해보세요.

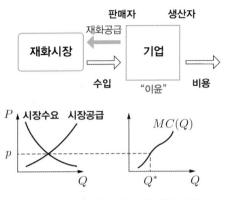

[그림 15.8] 시장가격과 판매량 결정

즉 재화시장에서는 시장수요와 시장공급의 균형에 의해 가격이 결정될텐데, 이 가격이 기업에게는 외생적으로 주어진다고 보는 것입니다.

15.3 독점 기업의 이윤극대화

완전경쟁과 대조되는 시장 구조로는 **독점**(monopoly)이 있습니다. 독점은 시장의 공급자가 단 1개뿐인 경우입니다. 따라서 시장수요함수가 $Q = D(P)$일 때, 독점이 가격을 P로 매기면 발생하는 수요량 Q는 모두 독점이 공급하게 됩니다.

반대로 독점이 Q의 수량을 공급하기로 결정한다면, Q를 실제로 판매하기 위해서는 Q의 수요량을 끌어내야 하고, 따라서 수요곡선 $P = D^{-1}(Q)$로부터 독점이 받을 수 있는 가격이 도출됩니다. 독점시장의 중요한 특징은 완전경쟁시장의 중요한 특징과 정반대입니다. 완전경쟁은 **가격수용** 조건에 의해 정의되었는데, 독점은 **가격설정**(price-making) 가정이 적용됩니다.

> **가격설정** 조건: 독점 기업은 시장가격을 스스로 설정한다.

따라서 독점 모형에서 가격은 더 이상 외생변수가 아니고 내생변수입니다. 판매량도 기업이 선택해야 할 내생변수입니다. 그런데 수량과 가격을 따로 선택하는 것이 아니고, 동시에 선택해야 합니다. 소비자들의 수요곡선 $P(Q)$는 독점 기업의 입장에서도 어찌할 수 없는 외생적인 환경입니다.

15.3.1 모형

가격과 수량이 모두 내생변수인데, 둘 중 하나만 택하면 나머지 하나는 수요곡선/수요함수에 의해 결정할 수 있습니다. 따라서 독점 모형은 가격을 선택하는 모형으로 만들 수도 있고, 수량을 선택하는 모형으로 만들 수도 있습니다. 여기서는 앞의 완전경쟁 모형과 마찬가지로 수량 Q 로 모형을 작성하겠습니다.

독점 기업의 이윤극대화 모형

- 경제주체: 기업 (판매자)
- 선택변수: 판매량 Q
- 목적함수: 이윤함수 $\Pi(Q) = R(Q) - C(Q)$ [이윤극대화 가설]
- 독점: $R(Q) = P(Q)Q$, 단 $P(Q)$는 주어진 수요곡선

$$\max_Q P(Q)Q - C(Q)$$

$$\text{subject to } Q \geq 0$$

- 내생변수: 판매량 Q
- 외생변수: $C(Q)$에 영향을 주는 변수 등 [주의] 독점모형에서 가격은 외생변수가 아님]

15.3.2 이윤극대화 해

일계조건은 역시 $\text{MR}(Q^*) = \text{MC}(Q^*)$입니다. 한계수입함수를 좀 더 풀어서 쓸 수 있죠.

$$\text{MR}(Q) = P'(Q)Q + P(Q)$$

입니다. 따라서 독점 이윤극대화의 일계조건은

$$P'(Q^m)Q^m + P(Q^m) = \text{MC}(Q^m) \tag{FOC}$$

입니다. (완전경쟁의 해와 구분하고자 Q^m 으로 표기합니다.)

이계조건을 위해서 한번 더 미분해보면 $\text{MR}'(Q) - \text{MC}'(Q) = P''(Q)Q + P'(Q) + P'(Q) - \text{MC}'(Q) = P''(Q)Q + 2P'(Q) - \text{MC}'(Q)$이므로 극대 이계조건은

$$P''(Q^m)Q^m + 2P'(Q^m) < \text{MC}'(Q^m) \tag{SOC}$$

입니다. 식이 복잡하지만 간단히 표현하면 $\text{MR}'(Q^m) < \text{MC}'(Q^m)$ 즉 Q^m 에서 한계수입곡선의 기울기가 한계비용곡선의 기울기보다 작다는 것입니다.

예컨대 한계수입이 우하향($\text{MR}'(Q) < 0$)하고, 한계비용은 우상향($\text{MC}'(Q) > 0$)하면 극대 이계조건($\text{MR}'(Q) < \text{MC}'(Q)$)이 성립합니다.

예제 15.2

$P(Q) = a - bQ$이고 $C(Q) = cQ$일 때 독점의 이윤극대화 선택을 도출하시오.

$R(Q) = (a - bQ)Q = aQ - bQ^2$이고 $\text{MR}(Q) = R'(Q) = a - 2bQ$입니다. $\text{MC}(Q) = c$이므로 일계조건은

$$a - 2bQ^m = c \implies Q^m = \frac{a-c}{2b} \tag{FOC}$$

입니다. $\text{MR}' = -2b < 0$이고 $\text{MC}' = 0$이므로 극대 이계조건이 성립합니다. 즉 Q^m은 이윤함수의 극대점입니다.

$Q = 0$이 혹시 최대점이 아닌지 확인할 필요가 있습니다. 비용에 상수항(고정비용)이 없으므로 $\Pi(0) = 0$입니다. 한편 $P(Q^m) = a - bQ^m = a - b\frac{a-c}{2b} = \frac{a+c}{2}$이므로

$$\Pi(Q^m) = (P(Q^m) - c)Q^m = (\frac{a+c}{2} - c)\frac{a-c}{2b} = \frac{(a-c)^2}{4b}$$

$a \neq c$이면 $\Pi(Q^m) > 0$이므로 Q^m은 이윤의 최대점이 맞습니다.

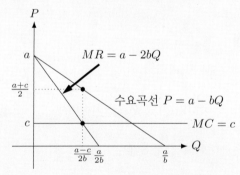

[그림 15.9] 독점의 이윤극대화

예 15.4

$P = 100 - Q$이고 $C(Q) = 20Q$라면 $Q^m = \frac{100 - 20}{2} = 40$, $P^m = \frac{100 + 20}{2} = 60$, $\Pi(Q^m) = \frac{(100-20)^2}{4} = 1600$입니다.

15.3.3 분석

완전경쟁과 달리 독점에서는 가격이 외생변수가 아닙니다. 따라서 가격을 변화시키는 분석은 할 수 없습니다. 애초에 기업이 가격을 택하니까요. 앞의 모형에서 Q^m이 도출되면 수요곡선을 통해 $P^m = P(Q^m)$으로 독점이 택해야 할 가격이 결정됩니다.

독점에서 가격이 외생변수가 아니라는 것은 나름 중요한 결론으로 이어집니다. 독점시장에는 공급곡선 또는 공급함수가 없다는 것입니다. 공급함수는 시장가격이 주어질 때 공급량이 어떻게 반응하는지를 알려주는 함수인데, 독점은 가격이 주어지는 게 아닙니다. 독점시장에서 공급곡선, 공급함수가 없다는 것은 경제학의 기본 모형인 수요공급 시장균형모형은 완전경쟁을 가정으로 깔고 있다는 의미입니다.

비용과 관련된 분석이나, 정부 세금 효과에 대한 분석은 독점에서도 가능합니다. 간단한 예에 대해서 해보겠습니다.

예 15.5

$P = a - bQ$이고 $C(Q) = cQ$일 때 $Q^m = \dfrac{a-c}{2b}$이고 $P^m = \dfrac{a+c}{2}$임을 보았습니다. 이 상황에서 c를 외생적으로 변화시킨다면 Q^m과 P^m에 어떤 영향을 주는지 알아보려면 c로 미분해보면 됩니다. c에 대해서 1차함수이므로 미분결과는 바로 알 수 있습니다.

$$\frac{dQ^m}{dc} = -\frac{1}{2b} < 0, \qquad \frac{dP^m}{dc} = \frac{1}{2} > 0$$

입니다. c는 한계비용 수준이므로 한계비용이 증가할 때 독점의 판매량은 감소하고, 가격은 인상됨을 알 수 있습니다. 특히 가격 인상폭은 c가 1단위 증가할 때 ½단위입니다.

연습문제

15-1 다음의 비용함수를 가진 완전경쟁 기업이 시장가격 $P = 100$에 직면했을 때 공급량을 계산하시오.

    (a) $C(Q) = 500Q$

    (b) $C(Q) = 25Q^2$

    (c) $C(Q) = 25Q^2 + 400$

    (d) $C(Q) = \begin{cases} 25Q^2 + 400, & Q > 0 \\ 0, & Q = 0 \end{cases}$

15-2 앞 문제의 (a)~(d)에 대해 완전경쟁 기업의 공급곡선을 그려보시오.

15-3 완전경쟁 기업의 비용함수가 $C(Q) = Q^3$이다.

    (a) 공급곡선을 그리시오.

    (b) 정부가 재화 단위당 3의 세금을 부과하는 경우, 공급곡선은 어떻게 변하겠는가?

15-4 수요곡선이 $P(Q) = 100 - Q$이고, 비용함수가 $C(Q) = \frac{1}{2}cQ^2$인 독점 기업이 있다.

    (a) 독점 기업의 공급량 및 가격을 도출하고, 결과를 c에 대해 분석해보시오.

    (b) 정부가 재화 단위당 t의 세금을 부과하는 경우, 공급량 및 가격을 도출하고, 결과를 t에 대해 분석해보시오.

15-5 수요곡선이 $P(Q) = 100 - \frac{1}{3}Q^2$이고 비용함수가 $C(Q) = 64Q$인 독점 기업의 공급량 및 가격을 도출하시오.

Chapter 16

선형 연립방정식:
벡터와 행렬의 연산 기초

제16장에서는 ....

경제모형의 유형으로 제시한 선택모형과 균형모형 중에서 **균형모형**을 다루기 위한 수학의 틀은 연립방정식입니다. 지금까지 독립변수가 1개인 일변수함수를 중심으로 논의를 했습니다. 많은 경제모형 중 특히 균형모형은 여러 개의 변수를 가지기 때문에, 여러 개의 변수를 한꺼번에 다루는 수학적 개념들이 필요합니다. 다변수함수는 제4부에서 본격적으로 다루겠습니다. 그 전에 우리는 변수가 여러 개인 1차식을 다루는 수학적 개념들을 공부하겠습니다. 그것이 선형 연립방정식이고, 벡터와 행렬입니다.

주요 개념

행렬, 정사각행렬, 열벡터, 행벡터, 행렬식, 대각항, 크레이머의 규칙, 역행렬, 항등행렬(단위행렬)

16.1 연립방정식

지금까지 우리가 주로 공부한 함수, 미적분 등은 수학의 **미적분학**(calculus) 및 해석학(analysis)이라는 분야에서 다루는 반면, 방정식과 관련한 내용은 **대수학**(algebra)이라는 분야에서 다룹니다. 먼저 수학적인 배경이 되는 개념들을 중고교 수학 수준에서 정리해보겠습니다.

방정식(equation)이란 미지수(unknown) 즉 값을 알지 못하는 어떤 변수가 만족해야 할 조건을 식으로 나타낸 것입니다. 미지수에 대한 수학 기호로 x를 쓴다는 것은 수학을 잘 모르는 사람들도 많이 알고 있죠. 방정식이 미지수에 대한 다항식인 경우, 차수에 따라서 일차방정식, 이차방정식, ⋯, 고차방정식이라고 합니다. 방정식을 만족하는 미지수의 값을 해(solution) 또는 근(root)이라고 합니다. 일반적으로 n차 방정식은 미지수 x가 만족할 수 있는 해의 값이 (중근이나 허근을 포함할 때) n 가지입니다. 경제모형에서 고차방정식을 실제로 풀어야 하는 일은 별로 없습니다. 이 책의 문제들에서 일차방정식과 이차방정식은 나옵니다.

일차방정식, 이차방정식의 해

일차방정식은 $ax + b = 0$의 형태로 나타낼 수 있고, $a \neq 0$이라면 $x = -b/a$가 해입니다. $a = 0$인 경우는 따로 고려를 해야 하는데, 만약 $a = b = 0$이라면 식은 $0x = 0$의 형태가 되며 x에 어떤 값을 넣더라도 만족됩니다. 이런 경우 해는 무수히 많고, 하나로 정해지지 않으므로 부정(indeterminate)이라고 말합니다. $a = 0$인데 $b \neq 0$이라면 $0x = b$에서 좌변은 0, 우변은 0이 아니므로 어떤 x를 넣더라도 만족되지 않습니다. 이 경우 해는 없고, 불능(impossible, inconsistent)이라고 말합니다.

이차방정식은 $ax^2 + bx + c = 0$의 형태를 가지고 일반해는 소위 근의 공식 $x = \dfrac{-b \pm \sqrt{b^2 - 4ac}}{2a}$ 으로 구할 수 있습니다. 제곱근 안의 식이 $b^2 - 4ac \geq 0$이면 실근을 갖습니다.

미지수가 여러 개인 경우, 하나의 식만으로는 답을 확정할 수 없고 여러 개의 식으로 구성된 방정식을 풀게 됩니다. 이것을 **연립방정식**(system of equations)이라 합니다. 미지수 기호는 x에 이어서 y, z 등을 쓰지만 더 많은 미지수를 다루고자 한다면 $x_1, x_2, x_3, \cdots$ 으로 쓰는 것이 편리합니다. 일반적으로 미지수의 개수만큼의 식이 필요합니다. 우리는 1차식으로 된 연립방정식, 즉 선형 연립방정식을 공부하겠습니다.

16.2 미지수가 2개인 선형 연립방정식

미지수 2개(x, y)를 가지는 연립방정식(2원 1차 방정식)을 생각해봅시다. 다음의 형태입니다.

$$\begin{aligned} ax + by &= k_1 \\ cx + dy &= k_2 \end{aligned} \tag{16.1}$$

미지수 앞에 곱해진 a, b, c, d를 **계수**, 오른쪽에 있는 k_1, k_2를 **상수항**이라고 부르겠습니다.

16.2.1 방정식의 해

이 방정식을 어떻게 푸는지는 중고교 수학에서 공부했습니다. 각 방정식에 적당한 숫자를 곱해서 특정 미지수가 같은 계수를 갖게 만든 후, 한 식에서 다른 식을 빼주는 방식으로 미지수 하나를 없앨(소거할) 수 있습니다.

예컨대 y를 없애려면 윗식 양변(의 오른쪽)에 d를 곱하고, 아랫식 양변(의 왼쪽)에 b를 곱해서

$$\begin{aligned} adx + \boxed{bd}\, y &= k_1 d \\ bcx + \boxed{bd}\, y &= bk_2 \end{aligned}$$

를 만들고 윗식에서 아랫식을 빼주면

$$(ad - bc)x = k_1 d - bk_2$$

가 되어

$$x = \frac{k_1 d - bk_2}{ad - bc}$$

가 식을 만족하는 x의 값입니다.

> $dk_1 - bk_2$ 라고 쓰는 것이 더 자연스러워 보이지만, 일부러 $k_1 d - bk_2$ 라고 썼습니다. 이렇게
> 쓰면 분자와 분모의 식의 비슷한 구조가 보입니다. 아래 y도 마찬가지입니다.

$$x = \frac{\boxed{k_1}\, d - b\,\boxed{k_2}}{\boxed{a}\, d - b\,\boxed{c}}$$

위 과정을 x에 대해 반복하여 윗식의 양변(의 오른쪽)에 c를, 아랫식의 양변(의 왼쪽)에 a를
곱한 후 이번에는 아랫식에서 윗식 빼주기를 해보면

$$\begin{aligned} ac\,x + bcy &= k_1 c \\ ac\,x + ady &= ak_2 \end{aligned} \implies (ad - bc)y = ak_2 - ck_1 \implies y = \frac{ak_2 - k_1 c}{ad - bc}$$

가 y의 값입니다. 즉 이 연립방정식의 해는

$$x = \frac{k_1 d - bk_2}{ad - bc}, \quad y = \frac{ak_2 - k_1 c}{ad - bc} \tag{16.2}$$

입니다. 지금까지의 내용은 중고등학교 수학에서 다 배운 내용입니다. 이것만 할 줄 알아도
간단한 선형 연립방정식 형태의 경제모형을 풀이하는 데 지장이 없습니다.

이 책에서는 이미 알고 있는 이런 풀이법을 조금 더 고급 수준의 수학 개념을 사용해서 들
여다 보겠습니다. (16.2)에서 세 가지를 알 수 있습니다. 첫째, 분모의 $ad - bc$가 0이면 곤
란합니다. 둘째, 그 어떤 2원 1차 연립방정식을 주더라도 위 공식의 a, b, c, d, k_1, k_2 자
리에 적당한 수를 끼워 넣으면 해를 계산할 수 있습니다. 원한다면 (2차방정식의 근의 공식
처럼) 외워서 쓸 수 있습니다. 셋째, 분자는 분모의 $ad - bc$라는 기본 형태에서 일부 항을
k_1, k_2로 교체한 것입니다. 이러한 관찰을 하나씩 자세하게 살펴봅시다.

16.2.2 해의 분모 $ad - bc \neq 0$의 의미

연립방정식 (16.1)의 두 식 $ax + by = k_1$과 $cx + dy = k_2$는 각각 x에 대한 1차함수로 볼 수 있고, XY 평면 상의 직선으로 나타낼 수 있습니다. 기울기를 알 수 있는 형태로 다시 써보면

$$y = -\frac{a}{b}x + \frac{k_1}{b}, \quad y = -\frac{c}{d}x + \frac{k_2}{d}$$

입니다. 만약 $ad - bc = 0$이면 $ad = bc$에서 $\frac{a}{b} = \frac{c}{d}$가 성립합니다. 즉 $ad - bc = 0$이면 두 직선의 기울기가 일치하고, $ad - bc \neq 0$이면 두 직선의 기울기가 다릅니다([그림 16.1]).

기울기가 다른 두 직선은 단 한 점에서 만나고, 기울기가 같은 두 직선은 서로 평행하여 전혀 만나지 않거나 겹치게 됩니다. 각 직선은 연립방정식에 주어진 조건을 만족하는 (x, y)를 나타내므로, 두 직선이 만나는 점은 곧 연립방정식의 해입니다. 즉 $ad - bc \neq 0$이라서 두 직선의 기울기가 다르면 두 직선이 만나는 한 점이 곧 방정식의 유일한 해이고, $ad - bc = 0$이라서 기울기가 같으면 방정식은 불능(해가 없음)이거나 부정(해가 무수히 많음)입니다.

식이 1개인 일차방정식 $ax = b$의 경우와 비교하면, $a \neq 0$일 때 해가 있고, $a = 0$이면 $b = 0$인지(부정) 또는 $b \neq 0$인지(불능)로 구분됩니다. 즉 유일한 해와 부정/불능을 구분하는 조건이 식이 1개일 때는 $a \neq 0$이고, 2개일 때는 $ad - bc \neq 0$인 것입니다.

부정과 불능의 구분

부정과 불능은 기울기가 같은 두 직선의 절편도 같은지로 구분할 수 있습니다. Y절편은 각각 $\frac{k_1}{b}$와 $\frac{k_2}{d}$이므로 $k_1 d - b k_2 = 0$이면 부정입니다. $ad - bc = 0$임을 이용하면 (16.2)의 분자와 분모가 모두 0이 됨을 알 수 있습니다.

16.2.3 해의 분모 $ad - bc$는 계수행렬의 행렬식

(16.1)에서 x, y는 값이 결정되어야 할 미지수를 나타내고, 나머지 기호들 a, b, c, d, k_1, k_2가 방정식의 특징을 결정합니다. (16.1)에서 a, b, c, d, k_1, k_2만 뽑아내서 위치에 맞게 배열해보면

$$\begin{array}{l} a\,x + b\,y = k_1 \\ c\,x + d\,y = k_2 \end{array} \implies \begin{array}{ccc} a & b & k_1 \\ c & d & k_2 \end{array}$$

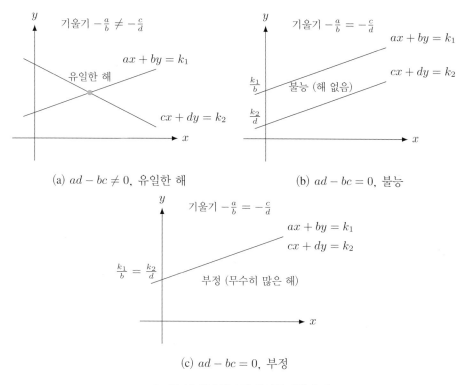

(a) $ad - bc \neq 0$, 유일한 해   (b) $ad - bc = 0$, 불능

(c) $ad - bc = 0$, 부정

[그림 16.1] 2원 1차 연립방정식의 해

가 됩니다. 계수 a, b, c, d가 정사각형 모양으로 모이고, 상수항 k_1, k_2는 따로 직사각형 모양으로 모입니다. 이들을 한꺼번에 묶어서 나타내면

$$\begin{pmatrix} a & b \\ c & d \end{pmatrix} \qquad \begin{pmatrix} k_1 \\ k_2 \end{pmatrix}$$

가 됩니다. ('방정식'이라는 한자용어는 이렇게 숫자들을 사방 즉 사각형으로 배치한다는 뜻입니다.)

여러 개의 숫자를 묶어서 한꺼번에 처리하는 이 개념을 수학에서는 **행렬**(matrix)이라고 합니다. 여기서 아래와 같이 행(row)은 '누워 있는' 줄(—)을, 열(column)은 '서 있는' 줄(│)을 가리킵니다.

$\begin{pmatrix} a & b \\ c & d \end{pmatrix}$처럼 2행과 2열로 구성된 행렬을 (2×2) 행렬이라고 말합니다. $\begin{pmatrix} a & b \\ c & d \end{pmatrix}$는 행과 열의 개수가 같은 **정사각행렬**(square matrix)입니다. 한편 $\begin{pmatrix} k_1 \\ k_2 \end{pmatrix}$는 2행 1열로 구성되었으므로 (2×1) 행렬이고, 열의 개수가 1개인 이런 행렬은 **열벡터**(column vector)라고 부르기도 합니다.

행렬식(determinant)은 정사각행렬이 가지는 고유의 숫자로 행렬 A의 행렬식을 $\det(A)$ 또는

$|A|$라고 표기합니다. (2×2)행렬 $A = \left(\begin{smallmatrix} a & b \\ c & d \end{smallmatrix}\right)$의 경우 $\det(A) = |A| = ad - bc$입니다. 바로 2원 1차 연립방정식의 해의 분모에 나오는 식입니다. (2×2)행렬의 행렬식은 간단한 공식이라 쉽게 외울 수 있지만, 다음과 같이 시각적으로 기억해두면 편리합니다.

$$\begin{pmatrix} a & b \\ c & d \end{pmatrix} \qquad \begin{pmatrix} a & b \\ c & d \end{pmatrix}$$

행렬을 구성하는 '항' 중에서 행과 열의 번호가 같은 것들은 행렬에서 $\searrow$ 위치에 놓이는데 이들을 **대각항**(diagonal entry)이라고 하고, 반대 방향의 대각선 즉 $\nearrow$ 위치에 있는 항을 반대각항(antidiagonal entry)이라고 합니다. $|A| = ad - bc$는 대각항들의 곱에서 반대각항들의 곱을 뺀 것입니다.

행렬식의 값과 방정식의 해

(1×1)행렬은 숫자 1개로 구성된 행렬입니다. $A = (a)$일 때 이 (1×1)행렬의 행렬식은 $\det(A) = |A| = a$로 정의합니다. 여기서 $|\cdot|$는 숫자의 절댓값 기호가 아니라는 점 주의합니다. 예를 들어 $A = (-2)$라면 $\det(A) = |(-2)| = -2$입니다. 방정식 $ax = b$가 유일한 해를 갖는 조건은 $a \neq 0$입니다. 즉 a를 이 방정식의 계수행렬로 볼 때 $\det(A) \neq 0$이 유일한 해의 조건입니다.

(2×2)행렬 $A = \left(\begin{smallmatrix} a & b \\ c & d \end{smallmatrix}\right)$의 행렬식은 $\det(A) = ad - bc$라고 했습니다. A를 계수행렬로 갖는 2원 1차 연립방정식이 유일한 해를 갖는 조건도 $\det(A) = ad - bc \neq 0$입니다.

16.2.4 해의 분자와 행렬식

연립방정식 (16.1)에 대해

$$\begin{aligned} ax + by &= k_1 \\ cx + dy &= k_2 \end{aligned} \tag{16.1}$$

계수를 뽑아서 행렬로 나타내면

$$A = \begin{pmatrix} a & b \\ c & d \end{pmatrix}$$

입니다. 연립방정식의 해 (16.2)는 다음과 같은 식이었습니다.

$$x = \frac{k_1 d - b k_2}{ad - bc}, \quad y = \frac{a k_2 - k_1 c}{ad - bc} \tag{16.2}$$

(16.2)의 분모는 계수행렬의 행렬식 $\det(A)$입니다.

그런데 (16.2)의 분자의 형태도 분모와 비슷한 점이 있습니다. 분모는 $ad - bc$인데, x의 분자는 $\boxed{k_1}\,d - b\,\boxed{k_2}$ 로 a와 c의 자리에 k_1, k_2가 대신 들어 있습니다. 즉

$$A = \begin{pmatrix} a & b \\ c & d \end{pmatrix} \implies A(1) = \begin{pmatrix} k_1 & b \\ k_2 & d \end{pmatrix}$$

와 같이 A의 1열의 $\binom{a}{c}$를 상수항을 나타내는 열벡터인 $\binom{k_1}{k_2}$로 교체한 새로운 행렬 $A(1)$을 생각해보면 $\det(A(1)) = k_1 d - b k_2$로 x의 분자와 일치합니다.

마찬가지로

$$A = \begin{pmatrix} a & b \\ c & d \end{pmatrix} \implies A(2) = \begin{pmatrix} a & k_1 \\ c & k_2 \end{pmatrix}$$

로 A의 2열의 $\binom{b}{d}$를 상수항을 나타내는 열벡터인 $\binom{k_1}{k_2}$로 교체한 새로운 행렬 $A(2)$를 생각해보면 $\det(A(2)) = a k_2 - k_1 c$로 y의 분자와 일치합니다. 즉

$$x = \frac{\det(A(1))}{\det(A)}, \quad y = \frac{\det(A(2))}{\det(A)} \qquad \text{(크레이머의 규칙)}$$

라고 쓸 수 있습니다. 연립방정식의 해를 이렇게 계수행렬 및 그것을 변형한 행렬들의 행렬식의 비로 나타내는 공식을 **크레이머의 규칙**(Cramer's rule)이라고 합니다.

결과 16.1 2원 1차 연립방정식의 계수를 (2×2)행렬 A로 나타낼 수 있다. 이때 $\det(A) \neq 0$이면 연립방정식은 유일한 해를 가지며, 그 해는 크레이머의 규칙으로 계산할 수 있다.

예 16.1

연립방정식 $\begin{array}{l} x + 2y = 5 \\ 3x + 4y = 6 \end{array}$ 에서 계수행렬은 $A = \begin{pmatrix} 1 & 2 \\ 3 & 4 \end{pmatrix}$ 입니다. $\det(A) = 1 \times 4 - 2 \times 3 = -2$ 입니다.

1열을 상수항으로 대체하면 $A(1) = \begin{pmatrix} 5 & 2 \\ 6 & 4 \end{pmatrix}$ 이고 $\det(A(1)) = 5 \times 4 - 2 \times 6 = 8$입니다.

2열을 상수항으로 대체하면 $A(2) = \begin{pmatrix} 1 & 5 \\ 3 & 6 \end{pmatrix}$ 이고 $\det(A(2)) = 1 \times 6 - 5 \times 3 = -9$입니다.

따라서 연립방정식의 해는 $x = \dfrac{\det(A(1))}{\det(A)} = -\dfrac{8}{2} = -4$와 $y = \dfrac{\det(A(2))}{\det(A)} = \dfrac{9}{2}$ 입니다. 이 값들을 방정식에 대입해서 검산해보면 답이 맞습니다.

연립방정식 $\begin{matrix} x + 2y = k_1 \\ 2x + 4y = k_2 \end{matrix}$ 의 계수행렬은 $A = \begin{pmatrix} 1 & 2 \\ 2 & 4 \end{pmatrix}$ 이고 $\det(A) = 1 \times 4 - 2 \times 2 = 0$입니다. 즉 이 연립방정식은 유일한 해를 갖지는 않고, 부정이거나 불능입니다. 그림으로 그린다면 두 식 모두 기울기가 $-1/2$인 직선입니다. $k_2 = 2k_1$이면 두 번째 식은 첫 번째 식에 2를 곱해준 것으로 사실상 똑같은 식입니다. 이 경우 연립방정식의 해는 $x + 2y = k_1$이라는 직선 전체로 무수히 많습니다(부정). 반면에 $k_2 \neq 2k_1$이면 두 식은 기울기는 같지만 절편이 다른 두 직선으로 서로 평행하여 만나지 않습니다(불능).

16.3 행렬대수학 기초

행렬, 벡터, 행렬식, 크레이머의 규칙 등은 **행렬대수학**(matrix algebra)이라는 수학의 한 분야에서 다루는 개념들입니다. 대수학(algebra)은 숫자들의 연산규칙에 대한 탐구를 하는 분야이고, **행렬대수학**은 숫자들을 묶어서 한꺼번에 처리하는 행렬들의 연산에 대한 탐구를 합니다.

행렬대수학은 경제학과 통계학에서 원래 중요한 도구이고, 빅데이터를 사용한 계산에 바탕을 둔 데이터과학, 인공지능 등의 분야에서도 필수적입니다. 상세한 내용은 좀 더 높은 수준의 경제수학 및 본격적인 수학 교재를 통해서 공부할 수 있습니다. 여기서는 아주 초보적인 개념들을 정리해서 소개하겠습니다.

16.3.1 벡터와 행렬: 숫자들의 묶음

행렬(matrix)은 행과 열로 숫자들을 배치한 숫자 묶음입니다. 우리가 흔히 접하는 '표'에서 행과 열의 제목을 제외하고, 내용만 표시하면 바로 행렬인 셈입니다. 2020년부터 2025년까지 6개년에 대한 항목 A와 B의 값을 표로 작성했더니 다음과 같았다고 합시다.

	2020	2021	$\cdots$	2025
A	1	2	$\cdots$	6
B	7	8	$\cdots$	12

$\Longrightarrow \begin{pmatrix} 1 & 2 & \cdots & 6 \\ 7 & 8 & \cdots & 12 \end{pmatrix}$

항목 이름이 담긴 첫 열(A, B)을 제외하고, 연도가 표시된 첫 행(2020, $\cdots$, 2025)을 제외하면 남는 부분은 (2×6) 행렬입니다.

$(m \times n)$ 행렬에서 $m = n$이면 **정사각행렬**이고, $n = 1$이면 **열벡터** $\begin{pmatrix} a \\ b \\ \vdots \\ c \end{pmatrix}$ 입니다. $m = 1$인 경우에는 $(a, b, \cdots, c)$처럼 생겼고 **행벡터**(row vector)라고 합니다. (숫자들 사이의 쉼표는 없어도 되지만 혼란을 막기 위해서 넣었습니다.) 행렬대수학에서 별다른 언급 없이 벡터라고 하면 열벡터로 취급합니다. 벡터 속에 묶여서 담긴 숫자의 개수를 그 벡터의 **차원**이라고 합니다.

위 표에서 연도별 수치를 뽑아내면 2차원 열벡터들 $\binom{1}{7}$, $\binom{2}{8}$, $\cdots$, $\binom{6}{12}$이 6개 나옵니다. 한편 항목별 수치를 뽑아내면 6차원 행벡터들 $(1, 2, \cdots, 6)$, $(7, 8, \cdots, 12)$가 2개 나옵니다.

위의 표를 보면 알겠지만, 행렬이나 벡터는 숫자를 단지 모은 것이 아니라, 특정 숫자의 위치에도 정보가 담겨 있습니다. 내용물이 무엇인지만 따지는 집합과는 다른 개념이죠. 집합으로서는 $\{1, 2, 3\} = \{3, 1, 2\}$이지만, 벡터로서는 $(1, 2, 3) \neq (3, 1, 2)$입니다. (따라서 흔히 집합 기호로 사용하는 $\{\cdots\}$는 결코 벡터를 표시할 때 쓰지 말아야 합니다.)

16.3.2 벡터 및 행렬의 덧셈, 뺄셈, 상수곱

벡터나 행렬의 연산 중에서 직관적이고 간단한 것들부터 살펴보겠습니다. 차원이 같은 벡터끼리, 차원이 같은 행렬끼리는 덧셈과 뺄셈이 가능하며, 같은 위치에 있는 숫자끼리 더하거나 빼면 됩니다.

예 16.3

$$(1, 2, 3) + (4, 5, 6) = (5, 7, 9)$$

$$\begin{pmatrix} 1 \\ 2 \\ 3 \end{pmatrix} + \begin{pmatrix} 4 \\ 5 \\ 6 \end{pmatrix} = \begin{pmatrix} 5 \\ 7 \\ 9 \end{pmatrix}$$

$$\begin{pmatrix} 1 & 2 \\ 3 & 4 \end{pmatrix} - \begin{pmatrix} 5 & 6 \\ 7 & 8 \end{pmatrix} = \begin{pmatrix} -4 & -4 \\ -4 & -4 \end{pmatrix}$$

벡터나 행렬의 상수곱은 어떤 벡터나 행렬은 모든 원소에 같은 상수를 곱해주는 계산이고, 별도의 기호 없이 벡터나 행렬 앞에 곱하고자 하는 상수를 적어줍니다. (상수곱을 많은 수학 교재에서는 스칼라곱(scalar multiplication)이라고 부릅니다.)

$$v = (1, 2, 3) \text{이고 } A = \begin{pmatrix} 1 & 2 \\ 3 & 4 \end{pmatrix} \text{일 때 } 2v = (2, 4, 6) \text{이고 } 3A = \begin{pmatrix} 3 & 6 \\ 9 & 12 \end{pmatrix}$$

16.3.3 벡터 및 행렬의 곱셈

벡터는 특수한 형태의 행렬이므로, 두 행렬 사이의 곱셈을 정의하면 벡터가 포함된 곱셈도 계산할 수 있습니다. (미분할 때 함수끼리의 덧셈, 뺄셈이나 함수에 상수를 곱한 것의 미분은 직관적이고 쉬웠지만, 함수끼리의 곱셈을 미분하는 것부터 계산이 복잡해진 것과 비슷하게) 행렬끼리의 곱셈은 조금 복잡합니다. 행렬은 애초에 여러 개의 숫자를 묶어놓은 것이기 때문에, 곱한다는 행위의 의미가 무엇인지부터 분명하지 않습니다.

행렬대수학에서 사용하는 행렬 곱셈의 방법은 다음과 같습니다. 행렬 A와 행렬 B를 곱하고자 한다면, 먼저 행렬 A에서 한 행(—)을 가져오고, 행렬 B에서 한 열($|$)을 가져옵니다. 앞의 것은 행벡터, 뒤의 것은 열벡터입니다.

$$AB = \begin{pmatrix} \cdots & \cdots & \cdots \\ \cdots & \cdots & \cdots \\ a_1 & a_2 & a_3 \\ \cdots & \cdots & \cdots \end{pmatrix} \begin{pmatrix} \cdots & b_1 & \cdots \\ \cdots & b_2 & \cdots \\ \cdots & b_3 & \cdots \end{pmatrix}$$

두 벡터에 담긴 숫자의 개수가 같아야만 곱셈이 정의됩니다. 위 그림의 경우 A의 3행과 B의 2열을 뽑았는데, 각각 숫자가 3개씩입니다. 뽑아온 두 벡터에 담긴 숫자들을 순서대로 서로 짝지어서 곱해줍니다. 위 그림에서는 a_1b_1, a_2b_2, a_3b_3가 될 것입니다. 이제 그 결과를 모두 더합니다: $a_1b_1 + a_2b_2 + a_3b_3$라는 숫자가 나옵니다. (함수의 곱 fg를 미분하면 $f'g$와 fg'을 더하는 것과 비슷한 면이 있죠.) 이 과정을 A의 모든 행, B의 모든 열에 대해 반복합니다.

위 그림에는 A가 행 4개, B가 열 3개를 가졌으므로, 총 12번 이런 계산을 하여 총 12개의 숫자를 얻습니다. 이 12개의 숫자들을 (4×3) 행렬로 배치합니다. 위치는 A에서 뽑아온 행의 번호와 B에서 뽑아온 열의 번호를 짝지어 사용합니다. 위 그림에서 색칠된 계산은 A의 3행, B의 2열이므로 계산값 $a_1b_1 + a_2b_2 + a_3b_3$은 결과물의 3행 2열에 넣습니다.

$$AB = \begin{pmatrix} \cdots & \cdots & \cdots \\ \cdots & \cdots & \cdots \\ a_1 & a_2 & a_3 \\ \cdots & \cdots & \cdots \end{pmatrix} \begin{pmatrix} \cdots & b_1 & \cdots \\ \cdots & b_2 & \cdots \\ \cdots & b_3 & \cdots \end{pmatrix} = \begin{pmatrix} \cdots & \cdots & \cdots \\ \cdots & \cdots & \cdots \\ \cdots & a_1b_1 + a_2b_2 + a_3b_3 & \cdots \\ \cdots & \cdots & \cdots \end{pmatrix}$$

$$\begin{pmatrix} 1 & 2 & 3 \\ 4 & 5 & 6 \end{pmatrix} \begin{pmatrix} 6 & 5 \\ 4 & 3 \\ 2 & 1 \end{pmatrix}$$ 를 계산해보겠습니다.

앞 1 행과 뒤 1 열을 뽑아 $\begin{pmatrix} 1 & 2 & 3 \\ 4 & 5 & 6 \end{pmatrix} \begin{pmatrix} 6 & 5 \\ 4 & 3 \\ 2 & 1 \end{pmatrix} = \begin{pmatrix} 1 \times 6 + 2 \times 4 + 3 \times 2 & ? \\ ? & ? \end{pmatrix} =$

$\begin{pmatrix} 20 & ? \\ ? & ? \end{pmatrix}$

앞 1 행과 뒤 2 열을 뽑아 $\begin{pmatrix} 1 & 2 & 3 \\ 4 & 5 & 6 \end{pmatrix} \begin{pmatrix} 6 & 5 \\ 4 & 3 \\ 2 & 1 \end{pmatrix} = \begin{pmatrix} 20 & 1 \times 5 + 2 \times 3 + 3 \times 1 \\ ? & ? \end{pmatrix} =$

$\begin{pmatrix} 20 & 14 \\ ? & ? \end{pmatrix}$

앞 2 행과 뒤 1 열을 뽑아 $\begin{pmatrix} 1 & 2 & 3 \\ 4 & 5 & 6 \end{pmatrix} \begin{pmatrix} 6 & 5 \\ 4 & 3 \\ 2 & 1 \end{pmatrix} = \begin{pmatrix} 20 & 14 \\ 4 \times 6 + 5 \times 4 + 6 \times 2 & ? \end{pmatrix} =$

$\begin{pmatrix} 20 & 14 \\ 56 & ? \end{pmatrix}$

앞 2 행과 뒤 2 열을 뽑아 $\begin{pmatrix} 1 & 2 & 3 \\ 4 & 5 & 6 \end{pmatrix} \begin{pmatrix} 6 & 5 \\ 4 & 3 \\ 2 & 1 \end{pmatrix} = \begin{pmatrix} 20 & 14 \\ 56 & 4 \times 5 + 5 \times 3 + 6 \times 1 \end{pmatrix} =$

$\begin{pmatrix} 20 & 14 \\ 56 & 41 \end{pmatrix}$

이번에는 $\begin{pmatrix} 6 & 5 \\ 4 & 3 \\ 2 & 1 \end{pmatrix} \begin{pmatrix} 1 & 2 & 3 \\ 4 & 5 & 6 \end{pmatrix}$ 로 순서를 바꾸어 곱해보겠습니다.

$$\begin{pmatrix} 6 & 5 \\ 4 & 3 \\ 2 & 1 \end{pmatrix} \begin{pmatrix} 1 & 2 & 3 \\ 4 & 5 & 6 \end{pmatrix} = \begin{pmatrix} 6 \times 1 + 5 \times 4 & 6 \times 2 + 5 \times 5 & 6 \times 3 + 5 \times 6 \\ 4 \times 1 + 3 \times 4 & 4 \times 2 + 3 \times 5 & 4 \times 3 + 3 \times 6 \\ 2 \times 1 + 1 \times 4 & 2 \times 2 + 1 \times 5 & 2 \times 3 + 1 \times 6 \end{pmatrix} =$$

$\begin{pmatrix} 26 & 37 & 48 \\ 16 & 23 & 30 \\ 6 & 9 & 12 \end{pmatrix}$

행렬 간의 곱셈이 정의된 방식을 보면 알 수 있겠지만 앞의 행렬이 $(m \times n)$ 형태이면, 뒤의 행렬은 $(n \times k)$형태여야 하고, 곱셈의 결과는 $(m \times k)$형태가 됩니다.

$$
\begin{array}{ccccc}
A & & B & = & C \\
(m \times n) & & (n \times k) & & (m \times k)
\end{array}
$$

특히 행렬 사이의 곱셈은 함부로 순서를 바꿀 수 없습니다. (즉 행렬곱셈은 교환법칙이 성립하지 않습니다.) AB를 계산할 수 있는 경우라도 해도, BA는 크기가 맞지 않아서 계산이 불가능하거나, 계산이 되더라도 결과는 다릅니다. 위 예에서 (2×3)행렬과 (3×2)행렬을 곱했더니 (2×2)행렬이 되었고, 순서를 바꾸어서 곱했더니 (3×3)행렬이 되었습니다. 정사각 $(n \times n)$행렬끼리는 순서를 바꾸어서 곱해도 $(n \times n)$행렬이 나오지만 곱셈 결과는 일반적으로 다릅니다.

예 16.7

$$
\begin{pmatrix} 1 & 2 \\ 3 & 4 \end{pmatrix} \begin{pmatrix} 4 & 3 \\ 2 & 1 \end{pmatrix} = \begin{pmatrix} 1 \times 4 + 2 \times 2 & 1 \times 3 + 2 \times 1 \\ 3 \times 4 + 3 \times 2 & 3 \times 3 + 4 \times 1 \end{pmatrix} = \begin{pmatrix} 6 & 5 \\ 15 & 13 \end{pmatrix}
$$

$$
\begin{pmatrix} 4 & 3 \\ 2 & 1 \end{pmatrix} \begin{pmatrix} 1 & 2 \\ 3 & 4 \end{pmatrix} = \begin{pmatrix} 4 \times 1 + 3 \times 3 & 4 \times 2 + 3 \times 4 \\ 2 \times 1 + 1 \times 3 & 2 \times 2 + 1 \times 4 \end{pmatrix} = \begin{pmatrix} 13 & 20 \\ 5 & 8 \end{pmatrix}
$$

(2×2)행렬 두 개를 순서를 바꾸어 곱한 결과는 다르게 나왔습니다.

16.3.4 행렬의 나눗셈 및 선형 연립방정식

행렬곱셈을 이렇게 정의하고 나면 앞에서 보았던 2원 1차 연립방정식을 좀 더 깔끔하게 나타낼 수 있습니다.

$$
\begin{aligned} ax + by &= k_1 \\ cx + dy &= k_2 \end{aligned} \implies A = \begin{pmatrix} a & b \\ c & d \end{pmatrix} \qquad \mathbf{b} = \begin{pmatrix} k_1 \\ k_2 \end{pmatrix}
$$

이렇게 계수행렬과 상수항 열벡터를 뽑아내었었죠. 미지수 x, y도 열벡터로 표현하면 $\mathbf{x} = \binom{x}{y}$가 됩니다. 다음과 같이 행렬 곱셈으로 표현 가능합니다.

$$
\underset{\substack{A \\ (2 \times 2)}}{\begin{pmatrix} a & b \\ c & d \end{pmatrix}} \quad \underset{\substack{\mathbf{x} \\ (2 \times 1)}}{\begin{pmatrix} x \\ y \end{pmatrix}} = \underset{\substack{\mathbf{b} \\ (2 \times 1)}}{\begin{pmatrix} k_1 \\ k_2 \end{pmatrix}}
$$

즉 계수행렬을 A, 미지수 열벡터를 $\mathbf{x}$, 상수항 열벡터를 $\mathbf{b}$라 할 때 연립방정식은 $A\mathbf{x} = \mathbf{b}$입니다. 2원 1차 연립방정식의 경우 계수행렬은 (2×2)이고, 미지수와 상수항은 모두 2

차원 열벡터이므로 곱셈을 위한 크기가 잘 맞습니다.

실제로는 꽤 복잡한 식이지만 행렬과 열벡터를 써서 표현하니 $A\mathbf{x} = \mathbf{b}$가 되었는데, 이는 미지수 1개인 일차방정식 $ax = b$와 모양이 비슷합니다. 미지수 1개인 일차방정식은 $a \neq 0$일 때 $x = b/a$가 답입니다. 양변을 b로 나누어주면 답이 나오죠. 그리고 0으로는 나눌 수 없기 때문에 $a \neq 0$이어야 합니다.

마찬가지로 $A\mathbf{x} = \mathbf{b}$에 대해서도 양변을 행렬 A로 '나누어' 줄 수 있다면 답을 얻을 수 있을 것 같습니다. 행렬대수학에서는 행렬을 직접 나누는 대신에, 행렬 A의 역행렬(inverse matrix) A^{-1}을 곱해주는 방법으로 계산합니다. $ax = b$의 양변을 a로 나누는 것도 사실은 양변에 a의 '역수'(inverse) $a^{-1} = \dfrac{1}{a}$를 곱해주는 것입니다. 또한 A가 역행렬을 가지기 위한 조건은 바로 A의 행렬식이 $\det(A) \neq 0$인 것입니다.

임의의 크기의 정사각행렬에 대해 행렬식을 계산하고, 역행렬을 구하는 것은 행렬대수학의 중요한 내용입니다. 이 책에서는 가장 간단한 (2×2) 행렬에 대해서만 논의를 하겠습니다. 행렬 $A = \left(\begin{smallmatrix} a & b \\ c & d \end{smallmatrix}\right)$의 행렬식은 $|A| = ad - bc$임을 이미 공부했습니다. $|A| = ad - bc \neq 0$이라고 합시다. 그렇다면 A의 역행렬은

$$A^{-1} = \frac{1}{ad - bc} \begin{pmatrix} d & -b \\ -c & a \end{pmatrix} \qquad \text{(역행렬 공식)}$$

입니다. 이것을 왜 역행렬 A^{-1}이라고 하는지는 A와 곱해보면 알 수 있습니다. A와 그 역행렬 A^{-1}는 모두 (2×2) 행렬이고, 심지어 어느 순서로 곱하더라도 같은 답이 나옵니다.

$$AA^{-1} = \begin{pmatrix} a & b \\ c & d \end{pmatrix} \frac{1}{ad - bc} \begin{pmatrix} d & -b \\ -c & a \end{pmatrix} = \frac{1}{ad - bc} \begin{pmatrix} ad - bc & -ab + ab \\ cd - cd & -bc + ad \end{pmatrix} = \begin{pmatrix} 1 & 0 \\ 0 & 1 \end{pmatrix}$$

$$A^{-1}A = \frac{1}{ad - bc} \begin{pmatrix} d & -b \\ -c & a \end{pmatrix} \begin{pmatrix} a & b \\ c & d \end{pmatrix} = \frac{1}{ad - bc} \begin{pmatrix} ad - bc & -ab + ab \\ cd - cd & -bc + ad \end{pmatrix} = \begin{pmatrix} 1 & 0 \\ 0 & 1 \end{pmatrix}$$

행렬과 역행렬의 곱셈은 (어느 순서로 하든지) 대각항은 1이고, 나머지는 0인 행렬이 나옵니다. 대각항이 1이고 나머지는 0인 행렬을 항등행렬(identity matrix) 또는 단위행렬이라고 합니다. 항등행렬을 I로 표기하면

$$I = \begin{pmatrix} 1 & 0 \\ 0 & 1 \end{pmatrix} \qquad \text{(항등행렬)}$$

인 것이죠. 따라서 $AA^{-1} = A^{-1}A = I$입니다.

I를 항등행렬이라고 부르는 것은 I를 어떤 행렬에 곱하더라도 결과에 변화가 없기 때문입

니다. (단위행렬이라고도 부르는 이유는 숫자 곱셈의 1과 같은 역할을 하기 때문입니다.)

$$AI = \begin{pmatrix} a & b \\ c & d \end{pmatrix} \begin{pmatrix} 1 & 0 \\ 0 & 1 \end{pmatrix} = \begin{pmatrix} a & b \\ c & d \end{pmatrix} = A$$

$$IA = \begin{pmatrix} 1 & 0 \\ 0 & 1 \end{pmatrix} \begin{pmatrix} a & b \\ c & d \end{pmatrix} = \begin{pmatrix} a & b \\ c & d \end{pmatrix} = A$$

이제 연립방정식 풀이를 깔끔하게 할 준비가 되었습니다. 연립방정식이 $A\mathbf{x} = \mathbf{b}$일 때 A의 행렬식이 0이 아니어서 역행렬 A^{-1}을 가지면, 방정식의 양변의 '왼쪽'에 A^{-1}을 곱해서

$$A^{-1}A\mathbf{x} = A^{-1}\mathbf{b} \implies I\mathbf{x} = A^{-1}\mathbf{b} \implies \mathbf{x} = A^{-1}\mathbf{b}$$

로 풀 수 있습니다. 2원 1차 연립방정식의 경우

$$\mathbf{x} = \begin{pmatrix} x \\ y \end{pmatrix} = \frac{1}{ad - bc} \begin{pmatrix} d & -b \\ -c & a \end{pmatrix} \begin{pmatrix} k_1 \\ k_2 \end{pmatrix} = \frac{1}{ad - bc} \begin{pmatrix} k_1 d - b k_2 \\ a k_2 - k_1 c \end{pmatrix}$$

가 되어 앞에서 얻었던 것과 같은 해가 나옵니다.

결과 16.2 연립방정식을 $A\mathbf{x} = \mathbf{b}$의 행렬 형태로 표현할 때, $\det(A) \neq 0$이면 유일한 해가 있으며 $\mathbf{x} = A^{-1}\mathbf{b}$이다.

연습문제

16-1 다음 연립방정식의 계수행렬을 제시하고 행렬식을 계산하시오.

(a) $3x + y = 10$, $4x + 2y = 1$

(b) $x + 3y = 1$, $3x + y = 3$

(c) $2x + y = 4$, $4x + 2y = 1$

(d) $x + y = 0$, $2x + 2y = 1$

16-2 문제 16-1에 대해 가능한 경우 크레이머의 규칙을 사용해서 해를 구하시오.

16-3 다음을 계산하시오.

(a) $v = (1, 2, 3)$, $w = (3, 2, 1)$ 일 때 $3v - 2w$

(b) $x = (1, 2, 3)$, $y = \begin{pmatrix} 4 \\ 5 \\ 6 \end{pmatrix}$ 일 때 xy

(c) $A = \begin{pmatrix} 1 & 0 & 1 \\ 0 & 1 & 0 \\ 1 & 0 & 1 \end{pmatrix}$, $B = \begin{pmatrix} -1 & 0 & 1 \\ 0 & 1 & -1 \\ 1 & 1 & 0 \end{pmatrix}$ 일 때 $2A + B$와 AB

(d) $C = \begin{pmatrix} 1 & 0 \\ 0 & 0 \end{pmatrix}$ 일 때 C^2 즉 CC

16-4 다음 행렬의 역행렬을 구하시오.

(a) $\begin{pmatrix} 3 & 2 \\ 4 & 1 \end{pmatrix}$

(b) $\begin{pmatrix} 0 & 1 \\ 1 & 0 \end{pmatrix}$

(c) $\begin{pmatrix} 1 & 0 \\ 0 & 1 \end{pmatrix}$

16-5 문제 16-1의 계수행렬에 대해 가능한 경우 역행렬을 구하고 이를 이용해 연립방정식을 풀이하시오.

Chapter 17

선형 균형모형의 분석 (1)
수요공급 모형

제17장에서는 ....

경제학의 기본 모형인 수요공급 모형을 공부합니다. 먼저 일반적인 모형의 틀을 파악한 후, 행렬로 표현한 연립방정식을 이용하여 선형 수요공급 모형을 분석합니다.

17.1 수요공급 모형 개관

수요공급 모형은 가장 유명한 경제학 모형일 것입니다. 앞에서도 간략하게 살펴본 적이 있습니다. 조금 더 자세하게, 모형의 구조를 갖추어서 내용을 알아봅시다. 우선 수요공급 모형은 **균형모형**입니다. 균형모형의 핵심적인 내용은 어떤 요소들이 서로 균형을 이루어야 하는가입니다. 모형의 이름대로 수요와 공급 사이의 균형조건이 담겨 있습니다.

수요공급 모형은 시장균형을 다루므로, 모형의 경제주체는 시장 참여자인 소비자와 기업 (공급자/판매자)입니다. 기본 수요공급 모형에서는 소비자와 기업의 행동은 자세하게 묘사되지 않고, 수요함수 및 공급함수로 표현됩니다. 수요함수와 공급함수는 각각 시장가격을 독립변수로 받아서, 수요량 및 공급량을 종속변수로 내는 함수입니다.

이 모형은 완전경쟁 시장구조를 가정하고 있으며, 따라서 시장가격은 개별 소비자나 개별 기업에게는 스스로 선택할 수 없는 외생변수입니다. 하지만 모형 전체로는 시장가격이 모형 안에서 결정되는 내생변수입니다.

수요함수를 $Q_D(P)$, 공급함수를 $Q_S(P)$라고 할 때 균형조건은 수요량과 공급량이 같아진다는 것으로 $Q_D(P) = Q_S(P)$이고 이 균형조건에 의해 균형 시장가격이 결정됩니다. 균형 시장가격이 결정되면, 수요함수와 공급함수로부터 소비자의 수요량 및 기업의 공급량도 (같은 값으로) 결정됩니다. 이 값 $Q_D = Q_S = Q$를 **거래량**이라고 부르겠습니다. 따라서 이

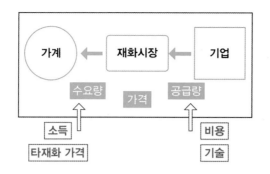

[그림 17.1] 수요공급 모형 개요

모형의 내생변수는 시장가격과 거래량입니다.

한편 외생변수는 이 수요-공급구조에 영향을 받지 않으면서, 수요 측면 또는 공급 측면에 영향을 줄 수 있는 요인들을 나타낼 것입니다. 수요 측면에서 소비자의 수요는 재화 가격 이외에도 소득이나 관련된 타 재화의 가격 등에 영향받을 수 있습니다. 공급 측면에서 기업의 공급은 비용과 관련된 것(요소 가격), 기술과 관련된 것(요소의 사용방법) 등의 영향을 받을 수 있습니다. 그 외에 소비자와 기업의 숫자라든지 미래에 대한 기대 등도 가능한 외생요인입니다.

> **수요공급 모형**
>
> - 경제주체: 소비자, 기업
> - 선택변수: 수요량 Q_D, 공급량 Q_S
> - 주체의 행동: 수요함수 $Q_D(P)$, 공급함수 $Q_S(P)$
> - 균형조건: 가격에 의한 수요량과 공급량의 일치 $Q_D(P) = Q_S(P)$
> - 내생변수: 가격 P, 거래량 $Q = Q_D = Q_S$
> - 외생변수: 수요측 외생변수 (소득, 타재화가격 등), 공급측 외생변수 (비용, 기술 등)

수요함수와 공급함수가 일반적인 형태를 가지는 경우에 대해서는 나중에 다시 다루기로 하고, 이 장에서는 행렬 및 선형 연립방정식을 이용하는 선형 모형에 집중하겠습니다.

17.2 선형 수요공급 모형의 분석: 재화 1개

선형 모형을 다루려고 하므로 수요함수와 공급함수 모두 (가격의) 1차함수로 가정합니다. 따라서 모형의 기본 형태는 수학적으로 다음과 같습니다.

하지만 기초 경제학 교재에서는 그림을 통해 이 모형을 나타내는 경우가 많으며, 이때 수요함수, 공급함수 대신 수요곡선, 공급곡선이 활용됩니다. 따라서 위 모형을 변형하여 역수요함수(수요곡선) 및 역공급함수(공급곡선)을 사용한 형태를 공부하겠습니다.

17.2.1 선형 수요곡선과 선형 공급곡선

선형으로 된 수요곡선과 공급곡선의 의미를 다시 한번 새겨보겠습니다. 수요곡선이 $P = a - bQ_D$이면 가격축 절편 a이고 기울기 $-b$인 직선입니다. a와 b는 이 모형의 외생변수이기도 합니다.

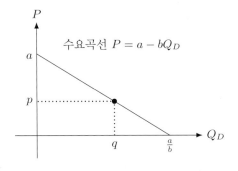

[그림 17.2] 선형 수요곡선

수요곡선은 소비자들의 수요량 Q_D에 대응되는 가격 $P(Q_D)$를 알려줍니다. 소비자들이 $Q_D = q$만큼의 수량을 수요하려면 가격이 $p = P(Q_D)$여야 한다는 말입니다. 소비자들의 입장에서 q의 수량에 대해 지불하고자 하는 가격(지불용의)입니다. 판매자인 기업들의 입장에서는 q의 판매량에 대해 받을 수 있는 가격입니다.

> **주의** 수요공급 모형이 나타내는 완전경쟁 시장에서 개별 소비자나 개별 기업은 가격을 선택하지 않고 외생변수로 취급합니다. 수요곡선의 해석에 등장하는 것은 '전체 소비자', '전체 기업'으로 이해해야 합니다.

가격축 절편 a는 수요량이 0일 때의 가격이므로, 소비자들의 최대 지불용의이자 판매자가 매길 수 있는 가격의 최대치입니다. a를 넘는 가격은 이 시장에서 무의미한 셈입니다. 기울기 $-b$는 수요량 Q_D가 1단위 늘어날 때 가격은 b단위 감소함을 의미합니다. b의 값이 커질수록 같은 수량 증가에 대해 가격의 하락폭은 더 커집니다.

수량축의 절편 a/b에는 a와 b가 모두 들어 있는데, 가격 0에 대응되는 수요량입니다. 즉 가격이 0일 때의 수요량/판매량이고, 이 수량을 넘어서는 것은 (음수 가격이 아니고서는) 불가능합니다. 따라서 이는 시장의 최대 규모를 나타내는 것으로 해석할 수 있습니다. a가 커지면 이 값도 커지고, b가 커지면 이 값은 작아집니다.

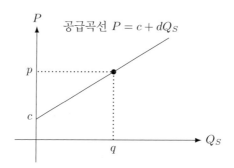

[그림 17.3] 선형 공급곡선

공급곡선이 $P = c + dQ_S$이면 가격축 절편이 c이고 기울기가 d인 직선입니다. c와 d는 이 모형의 외생변수입니다. 공급곡선은 공급량 Q_S에 대응되는 가격 $P(Q_S)$를 나타냅니다. 기업들이 $Q_S = q$만큼의 수량을 공급하려면 가격이 $p = P(Q_S)$여야 합니다. 기업들이 받고자 하는 가격으로 볼 수 있습니다. 가로축 절편이 c이고 증가함수이므로 c는 기업들이 받고자 하는 가격의 최소치인 셈입니다. 또한 공급량을 1단위 늘리려면 가격은 d단위씩 올라가야 합니다.

완전경쟁 기업의 이윤극대화 모형에서 공부했던 내용에 따르면 이 공급곡선은 기업의 한계비용곡선에서 나옵니다. 정확하게 말하자면 개별 기업의 공급곡선은 그 기업의 한계비용곡선이고, 수요공급 모형의 공급곡선은 여러 기업의 공급곡선(한계비용곡선)들을 합친 것입니다. 소비자들의 수요곡선이 어디에서 도출되는지는 소비자 선택모형(효용극대화 모형)을 공부해야 알 수 있습니다.

17.2.2 수요공급 모형의 해: 시장균형

선형 수요공급 모형은 매우 단순한 (1차) 방정식입니다. 대입하여 손쉽게 풀 수 있지만, 행렬 연립방정식 활용의 연습을 위해서 일부러 그 방법들을 이용해서 풀어보겠습니다. 먼저 내생변수인 P와 $Q(= Q_D = Q_S)$를 미지수로 하는 2원 1차 방정식으로 작성해봅시다. 수요곡선식 및 공급곡선식에 균형조건 $Q = Q_D = Q_S$를 적용하면

$$P = a - bQ$$
$$P = c + dQ$$

가 됩니다. 미지수 P, Q가 모두 좌변에 있도록 다시 정리하면

$$P + bQ = a$$
$$P - dQ = c$$

입니다. 행렬로 표현하면

$$\begin{pmatrix} 1 & b \\ 1 & -d \end{pmatrix} \begin{pmatrix} P \\ Q \end{pmatrix} = \begin{pmatrix} a \\ c \end{pmatrix}$$

입니다. 계수행렬을 A라 하면

$$A = \begin{pmatrix} 1 & b \\ 1 & -d \end{pmatrix}$$

이고 $|A| = \det(A) = -d - b$입니다. b와 d는 각각 양수이므로 $\det(A) \neq 0$이고 위 방정식은 해를 (단 1개) 갖습니다.

크레이머의 규칙을 사용한 풀이

크레이머의 규칙을 위해서는 계수행렬의 열들을 상수항 벡터로 대체한 새로운 행렬의 행렬식이 필요합니다. 즉

$$|A(1)| = \begin{vmatrix} a & b \\ c & -d \end{vmatrix} = -ad - bc$$

$$|A(2)| = \begin{vmatrix} 1 & a \\ 1 & c \end{vmatrix} = c - a$$

따라서 연립방정식의 해는

$$P = \frac{|A(1)|}{|A|} = \frac{-ad - bc}{-d - b} = \frac{ad + bc}{b + d}, \qquad Q = \frac{|A(2)|}{|A|} = \frac{c - a}{-d - b} = \frac{a - c}{b + d}$$

입니다. 거래량은 양수여야 하므로 $a > c$의 가정이 필요합니다.

역행렬을 사용한 풀이

(2×2)행렬의 역행렬 공식을 이용하면

$$A^{-1} = \frac{1}{-d - b} \begin{pmatrix} -d & -b \\ -1 & 1 \end{pmatrix} = \frac{1}{b + d} \begin{pmatrix} d & b \\ 1 & -1 \end{pmatrix}$$

입니다. 이를 상수항 벡터와 곱해주면

$$\begin{pmatrix} P \\ Q \end{pmatrix} = A^{-1} \begin{pmatrix} a \\ c \end{pmatrix} = \frac{1}{b + d} \begin{pmatrix} d & b \\ 1 & -1 \end{pmatrix} \begin{pmatrix} a \\ c \end{pmatrix} = \frac{1}{b + d} \begin{pmatrix} ad + bc \\ a - c \end{pmatrix}$$

로 위와 같은 답입니다. 역시 거래량은 양수여야 하므로 $a > c$의 가정이 필요하며, 그것은 아래 그림으로도 알 수 있습니다. a는 소비자들의 최대 지불용의이고, c는 기업들의 최소 요구가격으로 해석되므로, $a > c$라는 것은 소비자들의 가격범위와 기업들의 가격범위가 어느 정도 겹쳐야 시장 거래가 가능하다고 해석할 수 있습니다.

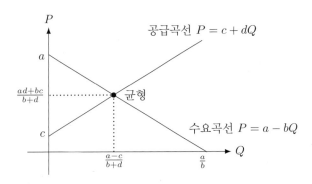

[그림 17.4] 수요공급 균형

17.2.3 분석

경제모형의 분석은 외생변수의 변화 시 내생변수에 끼치는 영향을 알아보는 것입니다. 이 모형의 내생변수는 P와 Q, 외생변수는 a, b, c, d입니다. 수요측면의 외생변수 a, b와 공급측면의 외생변수 c, d로 나누어서 보겠습니다.

수요측면 요인의 영향 분석

a가 변하면 수요곡선의 위치가 위아래로 이동하고, b가 변하면 수요곡선의 기울기가 변합니다. 편의상 a, b가 각각 증가하는 경우를 보겠습니다. 그림으로 보는 것이 더 알기 쉽습니다.

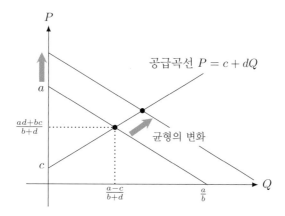

[그림 17.5] **수요측면 요인의 영향 분석: a의 증가**

절편 a가 증가하면 수요곡선이 위로 이동합니다. [그림 17.5]를 보면 균형은 P와 Q 모두 증가함을 알 수 있습니다. 수식으로 보아도 P와 Q는 모두 a에 대해서 1차함수 형태입니다.

$$P = \frac{d}{b+d}a + \frac{bc}{b+d}, \quad Q = \frac{1}{b+d}a - \frac{c}{b+d}$$

따라서

$$\frac{dP}{da} = \frac{d}{b+d} > 0, \quad \frac{dQ}{da} = \frac{1}{b+d} > 0$$

이 맞습니다. 즉 소비자들의 최대 지불용의 a가 높아지면 (또한 동시에 시장규모 a/b도 커지면) 균형에서 거래량도 늘고 가격도 상승합니다. 이것이 제1장에서 언급한 적 있는, '수요가 증가할 때 가격이 올라간다'는 결과입니다.

수요 증가를 일으키는 외생 변화가 어떻게 새로운 균형을 가져오는지 경제학적으로 좀 더 따져보면 다음과 같습니다. 수요곡선이 위로 이동한 상태에서 기존의 가격이 유지된다면, 같은 가격에서 수요량은 예전보다 늘어난 반면, 공급량은 그대로라서 초과수요가 발생합니다. 즉 수요량 > 공급량입니다. 이 상태는 균형이 아닙니다. 이 상태에서 공급량이 전혀 늘어나지 않는다면, 소비자들 사이에서 한정된 공급량을 차지하기 위한 일종의 경쟁이 발생하고, 이를 해결하는 한 가지 방법은 가격이 올라가는 것입니다. 한편 가격이 올라가면 공급곡선을 따라 공급량도 늘어납니다. 새로운 수요곡선과 공급곡선이 만나는 점까지 가격은 올라가고, 거래량도 늘어나게 됩니다.

한편 기울기 b가 증가하면 수요곡선은 더 가파르게 변합니다. [그림 17.6]을 보면 균형 가격과 거래량이 모두 낮아집니다.

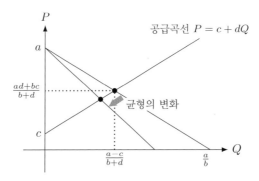

[그림 17.6] 수요측면 요인의 영향 분석: b의 증가

수식으로 보면, Q에는 b가 분모에만 있어서 감소함이 명백하고, P에는 분자와 분모에 모두 b가 있어서 변화의 방향을 바로 알긴 어렵습니다. 두 가지 모두 b에 대한 분수함수로 취급하여 미분할 필요가 있습니다.

$$\frac{dP}{db} = \frac{c(b+d) - (ad+bc)}{(b+d)^2} = \frac{d(c-a)}{(b+d)^2} < 0, \quad \frac{dQ}{db} = -\frac{a-c}{(b+d)^2} < 0$$

로 그림에서 본 것과 방향이 맞습니다. 부호 결정에 $a > c$ 가정이 사용되었습니다.

기울기 b는 소비자들의 지불용의가 수요량 증가에 대해 얼마나 민감하게 변하는지를 나타냅니다. b가 클수록, 동일한 수요량 증가를 위해 소비자들의 지불용의는 더 크게 감소합니다. 또한 b는 가로축 절편 a/b의 분모에 있으므로 b가 증가하면 시장 규모도 작아집니다.

공급측면 요인의 영향 분석

c가 변하면 공급곡선의 위치가 위아래로 이동하고, d가 변하면 공급곡선의 기울기가 변합니다. 역시 편의상 c, d가 각각 증가하는 경우를 보겠습니다.

절편 c가 증가하면 공급곡선이 위로 이동합니다. [그림 17.7]을 보면 균형 가격은 상승하고, 균형 거래량은 감소합니다. 수식으로 보자면 c는 P와 Q 모두 분자에만 있고, 부호가 $(+)$와 $(-)$입니다.

$$\frac{dP}{dc} = \frac{b}{b+d} > 0, \quad \frac{dQ}{dc} = -\frac{1}{b+d} < 0$$

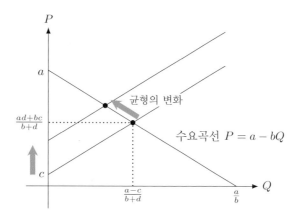

[그림 17.7] 공급측면 요인의 영향 분석: c의 증가

공급곡선의 절편이 위로 이동한다는 것은 기업들이 받고자 하는 가격이 전반적으로 상승한다는 것이고, 원래 가격이 유지된다면 공급량이 감소한다는 것입니다. 따라서 균형 가격은 상승해야 하고, 가격 상승에 따라 수요량도 감소해 거래량이 감소합니다.

d가 증가하면, 공급곡선의 기울기가 증가하여 더 가파른 직선이 됩니다. 이 경우에도 가격은 상승하고, 거래량은 감소합니다. 수식으로는

$$\frac{dP}{dd} = \frac{a(b+d) - (ad+bc)}{(b+d)^2} = \frac{b(a-c)}{(b+d)^2} > 0, \quad \frac{dQ}{dd} = -\frac{a-c}{(b+d)^2} < 0$$

입니다. 공급곡선의 기울기 증가는 공급량 증가에 따라 기업들이 요구하는 가격이 더 가파르게 증가한다는 것입니다. (이는 기업들의 한계비용이 더 급격하게 증가하는 것으로 이해할 수도 있습니다.) 따라서 가격이 올라가고 그 결과 거래량이 감소합니다.

> 분석의 기본 접근은 여러 가지 외생변수들 중 한번에 하나씩만 변화시키면서 내생변수의 변화를 확인한다는 것입니다. 하지만 실제로 외생변수가 단 1개만 변하라는 법은 없으므로, 여러 개의 외생변수가 동시에 변하는 상황도 고려할 필요가 있습니다. 그런데 우리의 가정 상 외생변수는 서로에게는 영향을 주지 않으므로, 각 외생변수의 영향은 독립적이고, 따라서 분석한 결과를 단순하게 더해주기만 하면 됩니다.

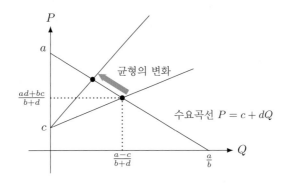

[그림 17.8] 공급측면 요인의 영향 분석: d의 증가

17.3 선형 수요공급 모형의 분석: 재화 2개

수요공급 모형에 대한 분석은 지금까지 한 것으로 거의 충분하지만, 행렬을 사용한 연립방정식 풀이 방법을 활용할 수 있는 더 복잡한 경우도 생각해 보겠습니다. 두 가지 재화 시장의 수요가 서로 연계되어 있는 상황입니다. 가급적 단순하게 모형을 만들어보겠습니다.

17.3.1 모형

두 가지 재화가 판매되는 시장이 있습니다. 1과 2라고 하겠습니다. 각 시장의 가격을 P_1, P_2, 거래량을 Q_1, Q_2라고 나타냅니다. 공급함수는 두 시장에서 똑같은 형태로 $Q_{S1} = c + dP_1$과 $Q_{S2} = c + dP_2$라고 하겠습니다. 한편 수요함수 역시 두 시장에서 똑같은 형태인데, 재화의 수요량이 그 재화의 가격뿐 아니라 다른 재화의 가격에도 영향을 받는다고 하겠습니다.

$$Q_{D1} = a - bP_1 + eP_2$$
$$Q_{D2} = a - bP_2 + eP_1$$

즉 수요함수에서 재화 가격에 대한 기울기는 $-b$인데, 또 다른 재화의 가격에 대한 기울기가 e입니다. $e > 0$일 수도 있고 $e < 0$일 수도 있습니다. $e > 0$이면 타 재화의 가격이 오를 때 재화의 수요량이 증가한다는 것이고, $e < 0$이면 타 재화 가격이 오를 때 재화 수요량이 감소한다는 것입니다.

> 앞 절의 모형과 직접 비교는 곤란합니다. 앞 절의 모형은 수요곡선과 공급곡선으로 표현했고, 여기서는 수요함수와 공급함수로 표현합니다. 이 모형에서 a는 가격이 (모두) 0일 때의 수요량이고, 재화 가격이 인상되면 수요량이 감소하므로, '최대' 수요량으로 해석할 수 있습니다. 한편 c는 가격이 0일 때의 공급량이고, 가격 인상에 따라 증가하므로 '최소' 공급량입니다. 시장 거래가 가능하려면 $a > c$라는 가정이 있어야 할 것입니다.

각 시장에서 가격과 수요량 및 공급량이 결정되어야 하므로 이 모형에서 내생변수는 모두 6개입니다. $P_1, Q_{S1}, Q_{D1}, P_2, Q_{S2}, Q_{D2}$. 6개의 미지수를 결정하기 위해서는 식이 6개 필요한데, 앞에 제시된 수요함수 식 2개 및 공급함수 식 2개와 함께 균형조건 식이 2개입니다. 즉 $Q_{D1} = Q_{S1}$과 $Q_{D2} = Q_{S2}$입니다.

Q_D와 Q_S를 거래량 Q로 표시하고 균형조건 식을 이용해서 일치시키면 식을 2개로 줄일 수 있습니다. 즉, 1번 시장의 수요공급 균형조건에서 $a - bP_1 + eP_2 = c + dP_1$이고, 2번 시장의 균형조건은 $a - bP_2 + eP_1 = c + dP_2$이므로 가격 변수 P_1, P_2만 남은 식이 2개로 정리되어 다음의 연립방정식이 됩니다.

$$(b+d)P_1 - eP_2 = a - c$$
$$-eP_1 + (b+d)P_2 = a - c$$

행렬을 사용해서 표시하면 다음과 같습니다.

$$\begin{pmatrix} b+d & -e \\ -e & b+d \end{pmatrix} \begin{pmatrix} P_1 \\ P_2 \end{pmatrix} = \begin{pmatrix} a-c \\ a-c \end{pmatrix}$$

17.3.2 균형

기본적으로 두 시장의 수요함수, 공급함수의 형태가 같으므로 한 시장의 균형만 구해도 괜찮겠습니다. 크레이머의 규칙을 써서 P_1을 구해 보겠습니다. 먼저 계수행렬을 A라 할 때

$$|A| = (b+d)^2 - e^2 = (b+d+e)(b+d-e)$$

이고 이 값이 0이 아니라야 해가 있습니다. 따라서 $b + d \neq \pm e$라고 가정하겠습니다. (b, d는 원래 양수이고, e는 부호를 특정하지 않았습니다.)

한편 $A(1)$은 첫번째 열에 상수항들을 넣은 것으로

$$|A(1)| = \begin{vmatrix} a-c & -e \\ a-c & b+d \end{vmatrix} = (a-c)(b+d) + (a-c)e = (a-c)(b+d+e)$$

이므로 해는

$$P_1 = \frac{|A(1)|}{|A|} = \frac{(a-c)(b+d+e)}{(b+d+e)(b+d-e)} = \frac{a-c}{b+d-e}$$

입니다. (P_2에 대해서도 계산해 보면 같은 해가 나옵니다.) 가격이 음수인 것은 이상하니까, $b+d > e$라는 가정이 필요해 보입니다. (e가 음수라면 따로 가정하지 않아도 괜찮습니다.) 거래량은 이 가격

을 수요함수나 공급함수에 대입하면 구할 수 있습니다. 공급함수에 대입해 보면

$$Q = c + dP = c + d\frac{a - c}{b + d - e} = \frac{ad + bc - ce}{a - c}$$

입니다. (두 시장의 수요량, 공급량 모두 같습니다.)

따라서 이 모형의 균형은 다음과 같이 정리할 수 있습니다. $a > c$이고 $b + d > e$일 때

$$P = P_1 = P_2 = \frac{a - c}{b + d - e}, \quad Q = Q_1 = Q_2 = \frac{ad + bc - ce}{a - c}$$

17.3.3 분석

모형의 외생변수는 a, b, c, d, e의 5개인데, 이 중에서 타 재화의 가격이 수요에 미치는 영향을 나타내는 e가 이 모형의 가장 특색있는 부분입니다. e를 **교차효과**라고 부르겠습니다.

만약 $e = 0$이었다면 이는 각각 직선 수요함수와 직선 공급함수를 가진 평범한 수요공급 모형입니다. (앞 절의 모형과 결과가 달라 보이는 것은 수요곡선 $P = a - bQ$ 대신 수요함수 $Q = a - bP$를, 공급곡선 $P = c + dQ$ 대신 공급함수 $Q = c + dP$를 썼기 때문입니다.) 즉 시장 간의 교차효과가 없는 $e = 0$일 때 기본 균형은

$$P_0 = \frac{a - c}{b + d}, \quad Q_0 = \frac{ad + bc}{a - c}$$

입니다. 여기에 e가 들어가면 가격의 분모와 거래량의 분자에 변화가 생깁니다.

먼저 $e > 0$인 경우를 생각해봅시다. 그렇다면 가격은 분모가 작아지므로

$$P = \frac{a - c}{b + d - e} > P_0 = \frac{a - c}{b + d}$$

가 되어 교차효과가 없을 때에 비해 가격이 높아지고, 거래량은 분자가 작아지므로

$$Q = \frac{ad + bc - ce}{a - c} < Q_0 = \frac{ad + bc}{a - c}$$

가 되어 교차효과가 없을 때에 비해 거래량이 줄어듭니다. (이는 수요함수의 모양을 볼 때 $Q_{D1} = a - bP_1 + eP_2$로 수요곡선 전체가 위로 이동하기 때문이라고 생각할 수 있습니다.) 또한 e가 점점 증가한다면 가격은 점점 증가하고 거래량은 점점 감소합니다.

물론 가정에 의해 $b + d > e$이어야 하므로 e가 무한정 커질 수는 없습니다. b는 수요함수의 (자기 가격에 대한 기울기), d는 공급함수의 (가격에 대한) 기울기인데 교차효과가 이들보다는 크면 안 됩니다. 기본적으로 $e > 0$라는 것은 타 재화의 가격이 상승할 때 재화 수요량이 늘어나므로, 재화 간의 수요 대체효과를 나타냅니다.

한편 $e < 0$이라면 타 재화 가격의 상승이 재화 수요량의 감소로 이어지는 상황으로, 이번에는 거꾸로 재화 간의 수요 보완효과가 있는 셈입니다. 즉 한 재화 가격이 인상되면 두 재화의 수요가 동시에 줄어듭니다. 이때 균형가격은 위와는 반대로 $e = 0$일 때에 비해 낮고 거래량은 높을 것입니다. 하지만 공식은 e의 부호와 무관하게 동일하니 변화의 부호는 마찬가지여서 e가 증가하면 가격은 증가, 거래량은 감소합니다. 단, 음수인 e가 증가한다는 것은 결국 e의 절댓값은 감소한다는 것이므로 보완 교차효과가 작아질 때 그런 효과가 나타납니다.

연습문제

17-1 본문의 (재화가 1개인) 선형 수요공급 모형은 a, b, c, d가 증가하는 상황에 대해서만 분석했다. a, b, c, d가 감소하는 상황을 각각 그림으로 분석하시오. 각 외생변수로 미분한 결과와 같은가?

17-2 본문의 (재화가 1개인) 선형 수요공급 모형에서 a와 c가 동시에 아주 조금 증가했을 때 균형의 변화에 대해 논하시오.

17-3 본문의 (재화가 1개인) 선형 수요공급 모형은 수요곡선과 공급곡선으로 구성되어 있다. 수요함수 $Q_D = \alpha - \beta P$와 공급함수 $Q_S = \gamma + \delta P$에 대해 균형조건 $Q_D = Q_S = Q$를 적용한 모형을 Q와 P에 대한 2원 1차 연립방정식으로 작성하고 풀어보시오.

17-4 다음의 수요공급 모형의 균형을 도출하시오.

> - 시장 1 균형조건 $Q_{S1} = Q_{D1} = Q_1$
> - 시장 1 공급함수 $Q_{S1} = \frac{1}{2}P_1$
> - 시장 1 수요함수 $Q_{D1} = 100 - P_1 + \frac{1}{2}P_2$
> - 시장 2 균형조건 $Q_{S_2} = Q_{D2} = Q_2$
> - 시장 2 공급함수 $Q_{S2} = 10 + P_2$
> - 시장 2 수요함수 $Q_{D2} = 100 - P_2 + \frac{1}{2}P_1$

Chapter 18

선형 균형모형의 분석 (2)
케인즈 거시경제 모형

제18장에서는 ....

연립방정식 풀이법을 활용하여 선형 함수로 구성된 케인즈 거시경제 모형을 살펴봅니다. 재화의 총수요와 총공급의 균형을 다루는 기본모형과, 화폐시장을 포함시킨 IS-LM 모형을 분석해보겠습니다. 몇 가지 거시경제학 개념이 소개될 뿐, 수학적으로 새로운 내용은 없습니다. 수요공급 모형에서도 세금 부과와 같은 정부의 역할을 논의했었지만, 거시경제 모형에서는 정부의 역할을 더욱 명시적으로 고려할 수 있습니다.

주요 개념

총량변수, 한계소비성향, 정책승수, 재정정책, 통화정책

이 책에서 우리 목적은 거시경제학을 체계적으로 공부하는 것이 아니라, 기초 수학 도구들을 경제모형에서 활용하는 방법을 알아보는 것입니다. 비교적 추상화된 시장이나 사회 현상을 다루는 미시경제학 모형에서 비해서, 거시경제학은 현실의 국가경제를 대상으로 하며 실제 정책의 효과에 대한 평가나 예측도 중요하므로 다양한 접근과 모형에 대한 논의가 계속 이루어지고 있습니다. 이 책에서 소개되는 모형들은 예시를 위해 극도로 단순화된 것들이며, 거시경제 모형에 대한 본격적인 공부는 거시경제학 관련 교과목에서 해야 할 것입니다.

18.1 거시경제 모형 개관

거시경제 모형은 경제를 총량변수 중심으로 분석하는 모형입니다. **총량변수**(aggregate variable)란 쉽게 말하자면 여러 가지 (미시적인) 변수들을 모아 재구성한 변수를 가리킵니다. 일종의 통계량이라고 생각할 수도 있겠습니다. 어떤 데이터에 대한 기초 통계량에는 합계나

평균 같은 것이 있습니다. 데이터의 값 하나하나를 따로 살피기보다는, 이들을 대표하는 양을 통해서 전반적인 특징을 보려는 것입니다.

거시경제학은 한 나라의 경제활동 전반('거시경제')에 대한 논의를 하기 위해서 총량 경제 변수들 사이의 관계를 탐구합니다. 대표적인 총량 경제변수로는 국내총생산 GDP가 있습니다. GDP는 흔히 국민소득의 지표로 언급되는데, 본질적으로는 '생산' 즉 재화시장에서의 공급 측면을 나타내는 총량변수입니다.

거시경제도 궁극적으로는 재화시장에서의 거래가 중심이 되므로, 공급 측면과 수요 측면으로 구분됩니다. 한 거시경제 내에 있는 모든 시장의 공급을 합한 총량변수를 총공급(aggregate supply)이라 하고, 모든 시장의 수요를 합한 총량변수를 총수요(aggregate demand)라고 합니다. 거시경제의 균형은 총공급과 총수요가 일치하는 상태라 할 수 있습니다.

총공급과 총수요를 결정하는 경제주체는 누구일까요? 거시경제를 구성하는 주요 경제주체는 역시 가계와 기업입니다. 여기서 가계나 기업은 구체적인 사람이나 회사를 가리키는 것이 아니고, 한 국가경제 내의 모든 가계 및 모든 기업을 대표하는 것이므로 종종 '부문'(sector)이라는 명칭을 덧붙여서 가계 부문, 기업 부문이라고 말합니다. 또한 거시경제에 정부의 정책이 미치는 영향을 검토하는 것이 중요한 과제이므로 정부도 포함시켜 고려합니다. 다만 간단한 거시경제 모형에서 정부의 행동(정책)은 외생변수로 처리됩니다.

총공급

일단 공급은 기업 부문에 의해 이루어집니다. 개별 기업의 공급 행동에 대해서는 이윤극대화 모형을 통해서 살펴보았습니다. 개별 기업의 공급량은 요소가격 등의 비용조건 및 기술조건 그리고 완전경쟁의 경우 판매재화 가격 등에 영향을 받아 결정됩니다. 하지만 모든 시장의 공급을 다 합하는 과정에서 이 같은 세부사항은 대부분 생략하고, 크게 보아 한 나라의 보유자원 및 기술수준 등에 의해 총생산이 결정된다고 볼 수 있을 것입니다.

우리가 다룰 기본적인 거시경제 모형에서는 기업부문의 생산 및 공급 과정을 아예 생략해 버리고 단지 총공급을 AS라는 변수로 나타내겠습니다. 현실 경제지표인 GDP로 측정한다고 이해하면 되겠습니다.

GDP

GDP 즉 국내총생산(Gross Domestic Product)은 주어진 기간 (1년) 동안 국가 내에서 활동하는 모든 경제주체가 생산한 최종재를 시장가치로 평가하여 합한 지표입니다. GDP의 상세한 개념에 대해서는 거시경제학 교재를 참고하기 바랍니다.

총수요

하나의 재화에 대한 시장에서는 공급자인 기업과 수요자인 가계(소비자)가 명확하게 구분이 되지만, 모든 재화시장들을 합한 총량변수를 다루는 거시경제 모형에서는 이 구분이 모호해질 수 있습니다. 가계나 정부는 (GDP의 계산에 반영되는) 최종재의 공급에는 관여하지 않는 한편, 기업과 정부가 어떤 재화에 대해서는 수요자가 될 수도 있습니다. 물론 수요 중 가장 큰 비중은 가계가 차지합니다.

구체적인 특정 재화의 수요를 결정하는 가장 중요한 요인은 재화가격인데, 모든 재화의 수요를 합하는 과정에서는 개별 재화의 가격은 덜 중요해집니다. 기본 거시경제 모형에서 총수요를 나타낼 때에도 실제로 총수요가 결정되는 요인 및 과정보다는 어느 부문에 의한 수요인지를 나누는 데 중점을 두어, 크게 3가지 수요의 합으로 나타냅니다.

$$\text{총수요}(AD) = \text{가계 소비}(C) + \text{기업 투자}(I) + \text{정부 지출}(G)$$

위 식의 3가지 항목은 모두 최종재에 대한 수요이되, 어느 부문의 수요인지를 기준으로 나눈 것입니다. 간략하게 설명하자면 최종재를 실제로 소비하는 것은 언제나 가계입니다. 기업의 재화 구입은 미래의 생산을 위한 자본 축적이 목적이라고 보고 투자라고 부르는 것이고, 정부의 수요는 여러 가지 정책을 통해서 국민 개인 또는 집단을 위한 재화 구입이 있을 텐데 이를 정부지출이라고 부릅니다.

특히 정부지출은 그 자체로 목적이 있는 지출이겠으나, 정부가 지출 수준을 조절하는 행위만으로도 거시경제의 상황에 영향을 줄 수 있기 때문에 거시경제정책의 한 가지 수단이 된다는 것이 케인즈의 거시경제학적 통찰입니다. 정부의 지출액 결정, 그리고 지출을 위한 재원이 되는 세금 부과와 관련된 정책들을 재정정책(fiscal policy)이라고 부릅니다.

거시경제 모형은 총공급과 총수요의 균형을 결정하는데, 균형조건 하나로는 한 가지 미지수밖에 결정할 수 없습니다. 위에서 소개된 변수들 중에서 AD는 C, I, G의 합으로 결정되고, 균형조건 $AS = AD$를 통해서 AS도 결정될 수 있는 셈인데, 나머지 C, I, G가 결정되어야 합니다.

따라서 C, I, G 중 일부 변수들을 외생변수로 두거나, 변수가 결정되는 과정을 조금 더 구체적으로 모형에 포함시킬 필요가 있습니다. 첫 번째로 다룰 기본모형은 I와 G를 외생변수로 두고 C가 결정되는 과정을 소비함수로 포함시킵니다. 또한 이 모형에서 결정되는 주요 변수는 $AD = AS$입니다. 결과에 대한 분석은 특히 외생변수인 정부지출(재정정책)에 대한 것입니다.

18.2 선형 케인즈 거시경제 모형의 분석: 기본모형

케인즈 기본모형은 재화시장의 총량 변수 사이의 균형에다가 케인즈 소비함수를 포함시킨 것입니다. 총수요를 경제주체별로 나누어 $AD = C + I + G$로 표현하여 각 항목에 대한 모형을 추가하는데, 투자와 정부지출은 일단 외생변수로 처리하고, 소비에 중점을 둡니다. 모형은 다음과 같습니다. AD는 정의상 3항의 단순합이므로 1차함수이고, 소비함수도 1차함수로 가정합니다.

선형 기본 케인즈 거시경제 모형

- 경제주체(부문): 가계, 기업, 정부
- 경제주체의 행동: 소비 C, 투자 I, 정부지출 G
- 균형조건: 총공급 AS = 총수요 AD
- 균형조건: 총공급 AS = 총소득 Y
- 케인즈 절대소득가설: 소비 C는 소득 Y의 증가함수, 기울기는 0과 1 사이임

$$AS = AD$$
$$AS = Y$$
$$AD = C + I + G$$
$$C = C_0 + bY$$
$$I = I_0$$
$$G = G_0$$

- 주요 내생변수: 총소득 Y, 소비 C
- 주요 외생변수: 투자 I_0, 정부지출 G_0

18.2.1 모형의 구성

모형의 구성을 최대한 풀어 썼기 때문에 복잡해 보일 수도 있으나, 사실은 단순합니다. 등장하는 주체는 가계부문, 기업부문, 정부부문입니다. 각 부문의 수요가 행동으로 설정되었습니다. C, I, G는 미시적인 개별 주체들의 수요를 합한 총량변수입니다. 한편 총소득 Y는 그야말로 거시경제 전체의 소득을 나타내는 총량변수입니다. 특히 소득을 갖는 것은 기업이나 정부가 아니라 가계입니다.

$AS = AD$는 총공급과 총수요가 일치한다는 균형조건이며, (미시적) 수요공급 모형을 거시경제로 확장한 셈입니다. 한편 두 번째 균형조건으로 $AS = Y$가 추가되었는데, 이는 국가 내의 총생산(GDP)이 총소득과 일치한다는 것입니다. 총생산 GDP는 재화의 구체적인

수량이 아니라 시장가치로 환산한 것이며, 기업들의 수입(매출)의 합이라고 이해해볼 수 있습니다. 기업은 수입을 벌어서 갖고 있는 것이 목적이 아니고, 수입 중 일부는 비용으로 요소(노동, 자본)공급자들에게 지불하고 남는 이윤은 투자하거나 주주들에게 배당으로 지급하게 되므로 궁극적으로는 경제 내의 어떤 가계의 소득이 된다고 보는 것입니다.

케인즈의 절대소득가설에 따른 소비함수는 이 모형의 핵심특징입니다. 미시적인 가계의 소비는 그들이 소비하는 재화의 가격, 타재화의 가격, 소득, 가계 구성원의 취향이나 숫자 등 여러 요인에 의해 결정되겠지만, 모든 가계의 소비를 더하는 과정에서 대부분의 요인이 생략되고 소비를 결정하는 가장 중요한 요인은 (현재) 소득이라는 것이 케인즈의 소비에 관련한 가설입니다. 모형에서는 이를 1차함수로 나타내었습니다. 상수항 C_0은 국가의 총소득이 0일 때에도 발생할 소비수준(기초소비)이라고 해석되고, 기울기 b는 총소득이 1단위 늘어날 때 소비가 늘어나는 정도를 나타내는 미분계수로 **한계소비성향**(marginal propensity to consume, MPC)이라고 부릅니다. b의 값이 $0 < b < 1$을 만족한다는 것 또한 중요한 가정이고, 분석에 중요한 역할을 하게 됩니다.

18.2.2 모형의 해

제시된 모형은 6개의 식으로 되어 있지만 쉽게 단순화시킬 수 있습니다. $AS = AD$에 $AS = Y$와 $AD = C + I + G$를 대입하면 $Y = C + I + G$가 되고, 여기에 외생변수를 반영해주면

$$Y = C + I_0 + G_0$$

가 됩니다. 한편 소비함수는

$$C = C_0 + bY$$

입니다. 물론 소비함수를 위 식에 대입하여 식을 정리하면 바로 해를 얻을 수 있지만, 여기서 (다음의 더 복잡한 모형들을 위한) 연습 삼아 다시 행렬을 사용해서 나타내어 보겠습니다.

우선 식이 2개이므로 미지수도 2개여야 합니다. 식에 남아있는 내생변수는 Y와 C이므로 이들이 내생변수이자 미지수입니다. 미지수를 좌변으로 모아서 배열해보면

$$
\begin{aligned}
Y \quad - \quad C \quad &= \quad I_0 + G_0 \\
-bY \quad + \quad C \quad &= \quad C_0
\end{aligned}
$$

가 되고 행렬로 적어보면

$$\begin{pmatrix} 1 & -1 \\ -b & 1 \end{pmatrix} \begin{pmatrix} Y \\ C \end{pmatrix} = \begin{pmatrix} I_0 + G_0 \\ C_0 \end{pmatrix}$$

입니다. 계수행렬의 행렬식이 0이 아니어야 해를 가집니다. 즉 계수행렬을 A라고 부를 때

$$|A| = \begin{vmatrix} 1 & -1 \\ -b & 1 \end{vmatrix} = 1 - b \neq 0$$

이 성립해야 합니다. 그런데 모형의 가정에서 $b < 1$이라고 했으므로 $b \neq 1$이 맞습니다. 또한 미지수 중에서 총소득 및 GDP인 Y에 관심이 있으므로 크레이머의 규칙을 사용할 수 있습니다.

$$|A(1)| = \begin{vmatrix} I_0 + G_0 & -1 \\ C_0 & 1 \end{vmatrix} = I_0 + G_0 + C_0$$

가 되어 Y의 값은

$$Y^* = \frac{|A(1)|}{|A|} = \frac{I_0 + G_0 + C_0}{1 - b}$$

가 됩니다. (균형 해의 값이라는 것을 강조하여 *표를 붙였습니다.)

18.2.3 분석: 재정정책의 효과

모형의 해는 내생변수 Y를 외생변수인 I_0, G_0, C_0, b의 식으로 나타내었습니다. 이 중에서 우리가 분석할 만한 변수는 정부지출 G_0입니다. 정부지출은 그 자체로 정부가 어떤 목적을 위해서 재화를 소비한 것인데, 정부가 G_0만큼의 지출을 하게 되면 총수요에 그만큼의 금액이 보태지게 됩니다. 케인즈의 통찰은 정부지출이 그것을 넘어서서 총소득에 더 큰 영향을 줄 수 있다는 것입니다.

위의 균형 해 식을 보면 G_0에 대한 1차식입니다. 즉

$$Y^* = \frac{I_0 + C_0}{1 - b} + \frac{1}{1 - b} G_0$$

의 형태이고

$$\frac{dY^*}{dG_0} = \frac{1}{1 - b}$$

입니다. 그런데 $0 < b < 1$이므로 $\dfrac{1}{1-b} > 0$일 뿐 아니라, $\dfrac{1}{1-b} > 1$입니다.

즉 정부가 재정지출을 1단위 늘리게 되면 당연히 $AD = C + I + G$에서 우변이 1단위 늘어나므로 총수요도 1단위 늘어납니다. 하지만 여기서 그치지 않고, 총수요 1단위 증가는 총

공급 및 총소득 1단위의 증가로 이어지고 그것이 다시 가계 소비의 증가로 이어나는 소위 선순환의 과정이 반복되면서 최종 소득에 대한 영향력은 1을 초과한다는 것입니다.

dY^*/dG_0를 재정지출 승수(multiplier)라고 하고, 승수의 값이 1이 넘는 이 현상을 가리켜 승수효과라고 합니다. 정부가 경기 불황 상황에서 재정지출 증가를 통해 국민소득을 증가시켜 경기를 활성화할 수 있다는 것입니다.

승수효과의 한계

물론 무에서 유를 창조한 것 같은 이런 효과는 일종의 착시현상입니다. 우선 정부가 지출을 늘리기 위해서는 재원이 필요합니다. 그 재원은 세금이나 정부의 부채(국채)를 통해서 조달됩니다. 1단위 재정지출을 늘리기 위해서, 경제 내의 어딘가에서 1단위의 세금을 가져와야 하므로 총수요 1단위가 늘어난 것은 다시 1단위 재원조달로 없어질 수 밖에 없습니다. 케인즈의 재정정책 효과는 정부가 일부러 재원에 비해 지출을 많이 하는 적자재정을 운용하는 경우를 말합니다.

물론 승수효과가 1보다 크기 때문에, 정부지출로 인한 1단위 증가와 재원조달로 인한 1단위 감소가 상쇄되더라도 소득 증가 효과는 남아 있는 것처럼 보입니다. 하지만 궁극적으로는 정부가 균형 재정을 유지하기 위해서 재원을 조달한다면 그로부터 추가로 음(−)의 승수효과가 발생해서 장기적으로는 정부가 지출 증가만을 통해서 진짜로 소득을 창출하는 것은 불가능합니다.

그럼에도 불구하고, 1930년대 세계 경제대공황의 상황에서 케인즈가 강조한 것은 침체 상황에서 탈출하기 위한 정부 거시경제 정책의 단기적인 효과였습니다. 심지어 케인즈는 '장기적으로 보면 우린 모두 죽었을 것이다'(Keynes, 1923, A Tract on Monetary Reform)라는 유명한 말을 남기기도 했죠.

18.3 선형 케인즈 거시경제 모형의 분석: IS-LM

기본 거시경제 모형에 화폐시장이 추가된 모형을 보겠습니다. 재화시장 균형과 화폐시장 균형을 함께 다루는 케인즈 거시경제 모형인 IS-LM 모형입니다. 이 모형에는 이자율이 중요한 내생변수로 새롭게 등장합니다. 화폐와 이자율에 대한 체계적 논의보다는, 직관적 이해를 위해 극히 단순화된 설명을 제시하겠습니다.

우선 화폐는 '현금'이라고 생각하면 됩니다. 현금은 경제주체의 구매력(재산)을 저장하는 수단들 중에서 바로 거래에 사용가능한 것입니다. 동전이나 지폐도 있고, 다양한 지불결제 수단이나 바로 찾아 쓸 수 있는 예금도 포함시킬 수 있습니다. 한편 구매력 중 일부를 현금이 아닌 수단에 '저축'하면 그 대가로 이자를 받을 수 있습니다. 이자율은 저축금액 대비 받을 수 있는 이자금액의 비율입니다.

가계의 재화에 대한 지출은 소비 C인데, 소득 Y 중에서 소비되지 않은 부분을 저축(savings)

이라고 하고 $S = Y - C$로 정의할 수 있습니다. 즉 가계는 소득 중에서 소비에 써야 하는 부분은 현금(화폐)으로 보관하고, 나머지는 이자를 받으면서 저축한다고 생각하면 됩니다.

18.3.1 IS-LM 모형

IS-LM 모형이 이전의 기본모형과 달라지는 첫 번째 부분은 기업 투자입니다. 기본모형에서 투자는 외생변수로 취급하여 $I = I_0$이라는 상수로 두었습니다. 투자가 정말로 고정된 상수라기보다는 그 모형의 내부에서는 결정되지 않는다는 뜻입니다. 이제 IS-LM 모형에서는 투자의 결정을 이자율과 연관시켜 내생변수로 포함시킵니다.

기업의 투자는 미래의 생산성 향상 및 이윤 증대를 위한 현재의 지출입니다. 현실의 기업은 (은행 대출, 유보금 활용, 주식이나 채권 발행 등) 다양한 방식으로 투자 재원을 조달하겠으나, 거시경제 전체로 보면 그것은 구매력 중에서 당장 사용되지 않는 저축에서 와야 할 것입니다. 즉 궁극적으로는 $I = S$가 성립해야 합니다. (여기서 IS-LM 모형의 IS가 나왔습니다.)

기업이 저축된 금액을 가져와서 투자에 쓰려면 그에 대한 대가를 지불해야 하고, 그 대가는 결국 이자율에 의해 결정됩니다. (은행은 저축예금에 대해 지급하는 이자율에 비해, 빌려주는 이자율을 높게 매겨서 그 차액으로 이익을 남기죠. 어쨌든 예금 이자율이 높으면, 대출 이자율도 높아질 것입니다.) 따라서 기업의 투자는 이자율의 감소함수입니다. 선형 모형에서는 이자율을 r이라 할 때

$$I = I_0 - i_r r \tag{투자함수}$$

라고 쓸 수 있습니다. 상수항 I_0은 이자율이 0일 때 (즉 대가 없이 자금을 가져다 쓸 수 있을 때) 투자금액입니다. 기울기는 $-i_r$로, 이자율이 1단위 올라갈 때 투자가 i_r단위 감소합니다. 투자함수를 반영해서 기본모형을 수정하면 IS-LM 모형 중 절반인 IS 부분입니다.

$$
\begin{aligned}
AS &= AD \\
AS &= Y \\
AD &= C + I + G \\
C &= C_0 + bY \\
I &= I_0 - i_r r \\
G &= G_0
\end{aligned}
\tag{IS}
$$

적절한 대입을 거쳐 이 모형을 식 1개로 축약하면

$$Y = C_0 + bY + I_0 - i_r r + G_0 \tag{IS 축약}$$

이 됩니다.

한편 화폐시장은 화폐 즉 현금이 거래되는 시장입니다. 화폐의 공급을 담당하는 것은 화폐당국 즉 중앙은행입니다. 중앙은행은 정부의 일부로서 화폐의 공급량 조절 및 이자율에 대한 정책을 수행하고 이를 통화정책(monetary policy)이라고 합니다. 재정정책(정부지출과 조세)을 담당하는 재정당국 즉 행정부와 통화정책(화폐 공급량과 이자율)을 담당하는 통화당국 즉 중앙은행은 모두 정부이지만, 원칙적으로 서로 독립적으로 행동합니다. 즉 재정정책 변수와 통화정책 변수는 서로 독립적인 외생변수입니다. 화폐공급을 M_S라 할 때 모형에서 외생변수이므로 어떤 상숫값 M_0에 대해 $M_S = M_0$이 성립합니다.

한편 화폐에 대한 수요는 기본적으로는 가계의 소비를 위한 것이지만, 당장의 소비가 아니더라도 미래의 소비를 위한 준비 및 구매력(재산)의 관리도 고려하여 결정된다고 봅니다. 크게 보아, 소득이 늘어나면 소비도 늘어나고 거래를 위한 화폐수요가 늘어나는 한편, 이자율이 높아지면 지나치게 현금을 보유하는 것보다는 저축을 통해 미래 구매력을 키우는 것이 좋으므로 화폐수요는 감소한다고 할 수 있습니다. 이를 선형함수로 나타내면

$$M_D = m_Y Y - m_r r \qquad \text{(화폐수요함수)}$$

입니다. 따로 상수항은 두지 않았고, 소득 Y의 계수 m_Y는 소득이 1단위 늘어날 때 늘어나는 화폐수요량, 이자율 r의 계수 $-m_r$은 이자율이 1단위 높아질 때 감소하는 화폐수요량을 나타냅니다. 이제 화폐시장의 균형은 화폐공급과 화폐수요 사이의 균형이며 다음과 같습니다. (화폐수요를 L, 현금 즉 유동성(liquidity)에 대한 수요로 보고, 화폐공급을 M으로 나타내어 둘을 일치시켰다는 의미에서 LM이라고 부릅니다.)

$$M_S = M_D$$
$$M_S = M_0 \qquad \text{(LM)}$$
$$M_D = m_Y Y - m_r r$$

이 식들도 대입을 통해서 식 1개로 축약할 수 있습니다.

$$M_0 = m_Y Y - m_r r \qquad \text{(LM 축약)}$$

IS-LM 모형은 지금까지의 논의를 종합하여 재화시장의 총공급-총수요 균형과, 화폐시장의 화폐공급-화폐수요 균형을 함께 고려하며, 여기서 결정될 주요 내생변수는 총소득 Y와 이자율 r, 그리고 고려할 수 있는 주요 정책적인 외생변수는 재정정책을 나타내는 정부지출 G_0, 그리고 통화정책을 나타내는 통화공급량 M_0이 되겠습니다.

기본모형에서 소득에 대한 정부지출의 영향력을 정부지출 승수 dY^*/dG_0으로 알아본 것처럼, 정부지출과 통화공급량이 각각 소득과 이자율에 미치는 영향을 분석할 수 있습니다.

선형 IS-LM 모형

- 경제주체(부문): 가계, 기업, 정부 (재정당국/행정부 및 통화당국/중앙은행)
- 경제주체의 행동: 소비 C, 투자 I, 정부지출 G, 통화공급 M_S
- 재화시장균형조건: 총공급 AS = 총수요 AD
- 균형조건: 총공급 AS = 총소득 Y
- 화폐시장균형조건: 화폐공급 M_S = 화폐수요 M_D
- 케인즈 절대소득가설: 소비 C는 소득 Y의 증가함수, 기울기는 0과 1 사이임
- 투자함수: 이자율의 감소함수
- 화폐수요: 소득의 증가함수, 이자율의 감소함수

$$
\left.
\begin{aligned}
AS &= AD \\
AS &= Y \\
AD &= C + I + G \\
C &= C_0 + bY \\
I &= I_0 - i_r r \\
G &= G_0 \\
M_S &= M_D \\
M_S &= M_0 \\
M_D &= m_Y Y - m_r r
\end{aligned}
\right\}
\implies
\begin{aligned}
Y &= C_0 + bY + I_0 - i_r r + G_0 \\
M_0 &= m_Y Y - m_r r
\end{aligned}
$$

- 내생변수: 총소득 Y, 이자율 r
- 외생변수: 정부지출 G_0, 통화공급 M_0

18.3.2 IS-LM 모형의 해

식 2개로 축약한 IS-LM 모형을 다시 미지수 Y, r에 대한 연립방정식 형태로 재배열하면

$$
\begin{aligned}
(1-b)Y &+ & i_r r &= & C_0 + I_0 + G_0 \\
-m_Y Y &+ & m_r r &= & -M_0
\end{aligned}
$$

이고 이를 행렬을 사용해서 적어보면

$$
\begin{pmatrix} 1-b & i_r \\ -m_Y & m_r \end{pmatrix}
\begin{pmatrix} Y \\ r \end{pmatrix}
=
\begin{pmatrix} C_0 + I_0 + G_0 \\ -M_0 \end{pmatrix}
$$

입니다. 계수행렬을 A라 할 때 그 행렬식은

$$
|A| = \begin{vmatrix} 1-b & i_r \\ -m_Y & m_r \end{vmatrix} = (1-b)m_r + i_r m_Y
$$

입니다. $|A| \neq 0$이어야 해가 1개 있을텐데, 모형의 설정상 $b < 1$, $m_r > 0$, $i_r > 0$, $m_Y > 0$ 이므로 $|A| > 0$이 되어 $|A| \neq 0$을 만족합니다.

국민소득과 이자율을 한꺼번에 해로 도출하려면 크레이머의 규칙을 쓰기보다 역행렬을 사용하는 것이 더 편리하겠습니다.

$$A^{-1} = \frac{1}{(1-b)m_r + i_r m_Y} \begin{pmatrix} m_r & -i_r \\ m_Y & 1-b \end{pmatrix}$$

이므로 모형의 해는 다음과 같습니다.

$$\begin{pmatrix} Y \\ r \end{pmatrix} = \frac{1}{(1-b)m_r + i_r m_Y} \begin{pmatrix} m_r & -i_r \\ m_Y & 1-b \end{pmatrix} \begin{pmatrix} C_0 + I_0 + G_0 \\ -M_0 \end{pmatrix}$$

$$= \frac{1}{(1-b)m_r + i_r m_Y} \begin{pmatrix} m_r(C_0 + I_0 + G_0) + i_r M_0 \\ m_Y(C_0 + I_0 + G_0) - (1-b)M_0 \end{pmatrix}$$

18.3.3 IS-LM 모형의 분석

주요 내생변수가 Y, r로 2개, 주요 외생변수가 G_0, M_0으로 2개이므로 총 4가지 분석이 가능합니다. 하나하나 분석 결과가 성립하는 경제학적인 논리를 살펴볼 수도 있으나, 여기서는 수학적인 결과 도출에 중점을 두겠습니다. 우선 분석의 편의를 위해 기본적으로 1차식인 해를 각각 G_0과 M_0의 계수를 강조해서 다시 써보겠습니다. 역시 해임을 강조하되 *표를 붙였던 기본모형의 해와 구분하기 위해서 **라고 붙여보겠습니다. 또한 시각적 편의상 분모를 $|A| = (1-b)m_r + i_r m_Y$으로 표시하겠습니다. $|A| > 0$임을 기억합니다.

$$Y^{**} = \frac{m_r(C_0 + I_0)}{|A|} + \frac{m_r}{|A|}G_0 + \frac{i_r}{|A|}M_0 \tag{18.1}$$

$$r^{**} = \frac{m_Y(C_0 + I_0)}{|A|} + \frac{m_Y}{|A|}G_0 - \frac{1-b}{|A|}M_0 \tag{18.2}$$

정부지출(재정정책)이 국민소득이 미치는 영향

(18.1)에서 G_0의 계수를 보면 됩니다. 즉

$$\frac{dY^{**}}{dG_0} = \frac{m_r}{|A|} > 0$$

이므로 정부지출을 늘리는 재정정책의 효과는 국민소득의 증가로 나타납니다. 그런데 기본모형에서는 이 정부지출 승수가 그저 양수인 것이 아니라, 1보다 크다는 점이 케인즈식 재정정책의 경기 활성화 효과를 나타내었습니다. 여기서도 효과의 크기를 좀 더 알아볼 수

있을까요? 식을 다시 자세히 써서 크기를 가늠해보면

$$\frac{dY^{**}}{dG_0} = \frac{m_r}{|A|} = \frac{m_r}{(1-b)m_r + i_r m_Y} = \frac{1}{(1-b) + i_r \frac{m_Y}{m_r}} < \frac{1}{1-b} = \frac{dY^*}{dG_0} \quad (18.3)$$

이 됩니다. $i_r m_Y / m_r > 0$이므로 기본모형의 $\frac{dY^*}{dG_0} = \frac{1}{1-b}$ 보다 분모가 더 커서 값은 작습니다. 즉 정부지출 증가가 국민소득을 증가시키는 정부지출 승수효과는 화폐시장을 통한 이자율 및 투자의 변화까지 반영할 경우 작아집니다.

정부지출(재정정책)이 이자율에 미치는 영향

이번에는 (18.2)에서 G_0의 계수를 봅니다.

$$\frac{dr^{**}}{dG_0} = \frac{m_Y}{|A|} > 0$$

가 되어 효과는 양수, 즉 정부지출의 증가는 균형 이자율 상승으로 이어집니다. (현재 가정만으로는 그 크기가 어느 정도인지를 단정하기는 어렵습니다.) 기본모형에 비해 **IS-LM** 모형에서 정부지출이 국민소득 증가에 미치는 영향력이 작아지는 것은 이자율에 대한 영향 때문으로 보입니다.

대략 따져보면 정부지출 증가는 소득 증가로, 소득 증가는 소비로 이어지고 이것이 다시 소득 증가로 이어지는 선순환 과정이 기본모형의 결과인데, IS-LM 모형에서 소득 증가는 (소비를 위한) 화폐수요 증가로 이어지고 화폐공급이 고정된 상황에서 이는 이자율 상승으로 이어지며, 결국 기업 투자가 감소하게 되어 국민소득이 일부 감소하게 됩니다.

화폐공급(통화정책)이 국민소득과 이자율에 미치는 영향

이번에는 통화정책의 영향을 분석해보겠습니다. 먼저 화폐공급을 늘리는 것으로, 즉 '돈을 찍어내는' 것으로 경기 활성화가 가능한지 한번 봅시다. (18.1)에서 M_0의 계수를 보면

$$\frac{dY^{**}}{dM_0} = \frac{i_r}{|A|} > 0$$

으로 양수가 맞습니다. (역시 효과의 크기를 가늠하기는 어렵습니다.) (18.2)에서 M_0의 계수를 보면

$$\frac{dr^{**}}{dM_0} = -\frac{1-b}{|A|} < 0$$

으로 부호가 음입니다. 즉 화폐공급량이 늘어나면 이자율은 떨어집니다. 이를 보면 위에서 화폐공급량의 증가가 소득 증가로 이어진 이유도 짐작할 수 있습니다. 이자율의 하락은 기업의 투자 증가로 이어집니다.

연습문제

18-1 본문의 기본모형에 대해 답하시오.

    (a) 한계소비성향이 $b = 0.5$일 때와 $b = 0.7$일 때 각각 정부지출 승수를 계산하고 비교하시오.

    (b) 기본모형의 해 Y^*를 b로 미분하여 b가 증가할 때 균형 국민소득이 어떻게 반응하는지 분석하시오.

    (c) 기본모형에서 균형 소비 C^*를 공식으로 도출하고 G_0에 대해 분석하시오.

18-2 본문의 IS-LM 모형에 대해 답하시오.

    (a) 균형에서 투자 I^{**}의 값과 저축 $S^{**} = Y^{**} - C^{**}$의 값을 계산하고 비교하시오. (힌트 $S^{**} - I^{**}$를 계산해보시오.)

    (b) 균형 투자 I^{**}를 G_0과 M_0에 대해 분석하시오.

18-3 본문의 모형에서는 세금을 명시적으로 고려하지 않았다. 정부가 총 T_0의 세금을 가계로부터 걷는다고 하자. 이때 가계가 소비할 수 있는 소득은 Y에서 $Y - T_0$으로 줄어들게 된다. 따라서 세금을 반영한 소비함수를 $C = C_0 + b(Y - T_0)$이라고 할 수 있다.

    (a) 새로운 소비함수를 반영한 변형 기본모형을 작성하시오.

    (b) 변형 기본모형의 균형에서 국민소득 Y^*의 값을 도출하시오.

    (c) Y^*를 T_0에 대해 분석하시오. 만약 $G_0 = T_0$를 유지하면서 동시에 정부지출과 세금징수액을 1단위 늘린다면 균형국민소득은 어떻게 되는가?

PART

4

경제모형: 고급편

이 책의 마지막 제4부에서는 조금 더 어려운 수학 기법을 사용한 조금 더 어려운 경제모형을 알아보겠습니다. 변수가 여러 개인 일반형태의 함수 즉 비선형 다변수함수의 미분을 통해 그림도 그려보고, 균형모형도 분석하고, 합리적선택 모형의 대표격인 효용극대화와 비용극소화를 공부합니다.

Chapter 19

다변수함수와 미분:
동차함수, 편미분, 전미분량

제19장에서는 ....

다변수함수의 미분법을 공부합니다. 다변수함수는 독립변수가 여러 개이기 때문에, 각 독립변수별로 따로 미분이 가능합니다. 이것이 편미분입니다. 편미분은 여러 독립변수 중 단 하나만을 변화시킬 때의 변화율로 '분석'의 개념을 수학적으로 표현한 것입니다.

경제모형에서는 흔히 변수가 여러 개일 뿐 아니라, 함수 식 속에는 외생변수와 내생변수가 섞여 있어서 독립변수와 외생변수가 일치하지 않는 경우도 많습니다. 이런 복잡한 상황을 제대로 분석하는 데에는 전미분량이 도움됩니다. 전미분량은 일변수함수의 미분량을 확장한 개념으로, 여러 변수가 동시에 변할 때 함숫값의 변화량을 계산해줍니다.

주요 개념

- 수학: 편도함수, 전미분량, 헤세 행렬, 동차함수
- 경제학: 효용함수, 생산함수, 한계효용, 한계생산, 규모수익

주요 결과

- $y = f(x_1, x_2, \ldots, x_n)$는 n개의 독립변수를 가진 다변수함수
- $f(x_1, x_2)$의 일계 편도함수는 2가지: f_1, f_2

$$f_1 = \frac{\partial f}{\partial x_1} = \lim_{h \to 0} \frac{f(x_1 + h, x_2) - f(x_1, x_2)}{h}$$

- $f(x_1, x_2)$의 이계 편도함수는 4가지 $f_{11}, f_{12}, f_{21}, f_{22}$, 하지만 $f_{12} = f_{21}$

$$f_{ij} = \frac{\partial}{\partial x_j} \frac{\partial}{\partial x_i} f$$

- $f(x_1, x_2)$의 전미분량 $df = f_1 dx_1 + f_2 dx_2$

19.1 다변수함수

지금까지 우리는 일변수함수 즉 독립변수가 1개인 함수를 다루어 왔습니다. $y = f(x)$의 형태입니다. 하지만 사실은 여러 개의 변수를 가진 수식도 이미 사용해 왔습니다.

미지수를 여러 개 가진 방정식의 경우 하나의 식 안에 여러 개의 변수가 등장합니다. 예컨대 $ax + by = k_1$과 $cx + dy = k_2$라는 두 개의 식으로 이루어진 2원 1차 연립방정식이 있을 때, 이 식들의 좌변을 각각 x, y라는 두 개의 변수를 가진 식 $F(x, y) = ax + by$, $G(x, y) = cx + dy$라고 볼 수 있습니다. 그렇다면 방정식은 $F(x, y) = k_1$, $G(x, y) = k_2$라고 쓸 수도 있습니다.

$F(x, y)$처럼 여러 개의 변수를 가진 함수식을 사용하면 선형(1차) 방정식이 아닌 경우 예컨대 $F(x, y) = x^2 + xy + y^2$과 같은 식도 다룰 수 있습니다. 이렇게 여러 개의 독립변수를 갖는 함수를 다변수함수라고 합니다. (변수의 개수에 따라 이변수함수, 삼변수함수 ... 등으로 부를 수 있습니다.) 다변수함수를 표기할 때는 $F(x, y)$, $F(x, y, z)$, 또는 $F(x_1, x_2, \ldots, x_n)$과 같이 하겠습니다. 마지막 표기방식대로 독립변수를 $i = 1, \ldots, n$에 대해 x_i로 나타내면 임의의 개수를 다룰 수 있고, 만약 종속변수 표기가 필요하다면 $y = F(x_1, x_2, \ldots, x_n)$로 쓸 수도 있어 편리합니다.

> 함수 이름을 대문자 F로 적은 것은 일변수함수 $f(x)$와 조금 다른 느낌을 주기 위한 것이지, 특별한 의미는 없습니다. $f(x, y)$로 적을 수도 있습니다.

19.1.1 경제학의 다변수함수들

경제학에는 다변수함수가 많이 등장합니다. 수학적인 함수식 $F(x, y) = ax + by$에서는 관행상 x, y가 변수이고 a, b는 변수가 아닌 것으로 인식 가능하지만, 경제모형에서는 여러 가지 기호를 사용하므로 개념적으로 어느 것이 변수인지 파악할 필요가 있습니다.

수요함수

이 책에서 가장 먼저 소개했던 수요곡선 및 수요함수는 수요량과 가격으로 만든 일변수함수였습니다. 수요곡선은 $P = P(Q)$의 형태, 수요함수는 $Q = Q(P)$의 형태입니다. 하지만 표준적인 수요함수는 재화가격, 관련된 타재화가격 그리고 소비자의 소득(예산)을 변수로 가지는 삼변수함수입니다. 재화 x에 대한 수요량 및 가격을 Q_x와 P_x라고 하면 일변수 수요함수는 $Q_x = f(P_x)$입니다. 하지만 함께 소비되는 다른 재화 y의 가격 P_y와 예산 m까지 반영하여 $Q_x = F(P_x, P_y, m)$의 형태가 좀 더 일반적입니다.

일변수함수 형태를 고려할 때는 타재화 가격 P_y와 예산 m이 특정한 값에 고정되어 있다고 가정하는 것입니다. 즉 $Q_x = F(P_x, \overline{P_y}, \overline{m}) = f(P_x)$로 만들어서 P_y와 m을 변수 목록에서 제거합니다. 그리고 그 역함수 $P_x = f^{-1}(Q_x)$를 그림으로 그리면 수요곡선입니다. 하나의 수요곡선을 그릴 때는 타재화가격과 예산이 암묵적으로 고정된 것입니다.

주어진 수요곡선 상에서 변화가 일어날 때는 P_y와 m을 고정시킨 상태에서 재화가격 P_x과 수요량 Q_x 사이의 관계를 보며, 그 관계가 서로 반대 방향이라는 것이 **수요의 법칙**입니다. (수요의 법칙이 성립하면 수요함수나 수요곡선이 서로를 역함수로 가집니다.) 이를 **수요량의** (가격에 대한) **변화**라고 말합니다. 한편 고정시켰던 타재화가격 P_y나 예산 m을 변동시키면 수요곡선 전체를 다시 그려야 합니다. 이것을 수요(곡선)의 이동 또는 수요(곡선)의 변화라고 말합니다.

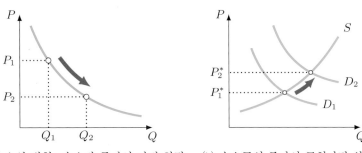

(a) 수요의 법칙: 수요량 증가시 가격 하락   (b) 수요곡선 증가시 균형가격 상승

[그림 19.1] **수요량/수요의 변화와 가격** [[그림 1.6]을 다시 가져옴]

제1장에서 다시 가져온 위 그림 중 (a)는 P_y와 m을 고정시킨 수요곡선 D에서 P_x만 변할 때 Q_x의 변화를 나타내는 셈이고, (b)는 P_y 또는 m이 변하여 수요곡선 전체가 D_1에서 D_2로 이동하는 상황을 보여줍니다.

효용함수

미시경제학의 소비자 선택모형에 등장하는 **효용함수**(utility function)는 다변수함수이므로 이 책에서 지금까지 언급하지 못했습니다. $U(x, y)$라든지 $U(x_1, x_2, \dots, x_n)$ 같은 형태를 가집니다. 독립변수로 들어가는 여러 개의 변수는 각각 여러 가지 재화의 수량을 나타냅니다.

즉 (x, y)나 $(x_1, \dots, x_n)$는 재화'꾸러미'(bundle) 또는 재화벡터라고 부를 수 있겠습니다. 효용함수의 독립변수는 재화꾸러미(의 양)이고 종속변수는 '효용'입니다. 효용함수 $U(x_1, \dots, x_n)$은 재화꾸러미 $(x_1, \dots, x_n)$의 효용값 $u = U(x_1, \dots, x_n)$을 알려주는 함수입니다.

효용함수의 구체적인 형태 중 자주 사용되는 것들을 다음의 예에 제시합니다.

편의상 학부 교재에 주로 등장하는 재화 2가지 (x, y)인 경우로 한정합니다.

- 콥-더글라스 효용함수 $U(x, y) = x^\alpha y^\beta$ (흔히 $\alpha + \beta = 1$로 가정함)

- 선형(완전대체재) 효용함수 $U(x, y) = \alpha x + \beta y$

- 레온티에프(완전보완재) 효용함수 $U(x, y) = \min\{\frac{x}{\alpha}, \frac{y}{\beta}\}$

- CES 효용함수 $U(x, y) = (x^r + y^r)^{1/r}$

- 준선형 효용함수 $U(x, y) = v(x) + y$, 여기서 $v(x)$는 x의 일변수함수 $(v(x) = \sqrt{x}$ 등)

교재에서 예로 사용되는 기본 형태들이라 준선형 함수를 제외하면 대체로 x와 y에 대해 서로 대칭적인(비슷한) 형태입니다. 각 효용함수의 특징이나 성질, 해석에 대해서는 앞으로 차차 알아볼 것입니다(특히 레온티에프 함수는 다음 장에서 다시 공부하겠습니다). 공식에 나오는 α, β, r 등은 주어진 상수입니다. 위 목록은 효용함수들을 몇 가지 가족으로 분류한 셈이고, α, β, r 등의 상숫값을 바꾸면 같은 가족에 속한 다른 함수가 됩니다.

참고 소비자이론의 효용함수는 서수성(ordinality)이라는 것을 만족하여, 전체 함수를 거듭제곱하거나 임의의 양수를 곱해주는 등의 조작을 가해도 본질적으로 같은 효용함수로 취급합니다. 수학적으로 말하자면 효용함수 $u = U(x, y)$를 속함수로 하고 증가함수인 $F(u)$를 겉함수로 하여 합성한 새로운 함수 $V(x, y) = F \circ U(x, y) = F(U(x, y))$의 경우 $U(x, y)$와 같은 효용함수로 취급합니다. $U(x, y) = x^2 y^3$은 콥-더글라스 효용함수 중 하나인데, 전체를 $1/5$ 제곱하여 $V(x, y) = (U(x, y))^{1/5} = x^{2/5} y^{3/5}$으로 만들 때 V와 U는 같은 효용함수입니다. 그래서 콥-더글라스 함수에서 $\alpha + \beta = 1$이라고 가정해도 됩니다. (한편 $W(x, y) = x^3 y^2$와 $U(x, y) = x^2 y^3$는 둘 다 콥-더글라스 함수에 속하지만 서로 다른 효용함수입니다.) 마찬가지로 CES 함수 형태에서 $1/r$ 제곱 부분은 (전체를 r 제곱하여) 생략해도 됩니다. 예컨대 $U(x, y) = (\sqrt{x} + \sqrt{y})^2$가 CES 함수 중 하나인데 이는 $V(x, y) = \sqrt{x} + \sqrt{y}$와 같은 효용함수입니다.

효용의 개념

경제학의 '효용'(utility)은 많이 오해되는 개념인데, 일상에서 사용하는 '실용적 쓸모'나 '객관적 편의' 같은 뜻이 전혀 아닙니다. 특히 효용함수는 다변수함수이므로 재화꾸러미 전체에 효용을 부여하는 것이지, 특정 재화의 효용을 논하지 않습니다. 예를 들어 커피 1잔의 효용이라든지, 사과 1개의 효용을 말하지 않고, '커피 1잔과 사과 1개'의 효용을 말하는 식입니다. 효용은 다양한 재화꾸러미들에 대해 소비자가 (나름의 기준으로 평가한) 주관적 선호를 하나의 숫자로 나타낸 것입니다.

물론 원한다면 특정 재화 1가지의 수량에 대한 효용함수도 만들어 사용할 수 있습니다. 커피를 안 마시는 것보다는 하루에 1잔 마시는 것이 좋고, 그보다는 2잔 마시는 것이 더 좋은데, 하루 3잔은 2잔보다는 좋지 않은 사람이 있다고 해봅시다. (즉 이 사람에게는 하루 2잔의 커피가 최고입니다.) 이 사람의 커피 효용함수를 나타내고자 하면, 효용은 숫자이므로 $u(2) > u(1) > u(0)$이고 $u(2) > u(3)$이 되도록 하면 됩니다. 그런데 $u(3)$도 숫자이고 $u(1)$도 숫자인데, 어떤 숫자를 정해주는 순간 3잔과 1잔 사이에도 선호 관계가 성립하게 됩니다. 숫자는 일렬로 비교가능하게 줄을 세울 수 있으므로, 특정 재화에 대한 효용함수는 최고로 좋아하는 수량을 가장 높은 수로 하여 숫자를 부여하면 됩니다. 어차피 효용이란 주관적인 숫자이기 때문에, 순서만 맞추어 적당하게 주면 됩니다. $u(3) = 87$, $u(2) = 100$, $u(1) = 32$, $u(0) = -10$ 같은 식으로요. 순서만 맞으면 구체적인 값은 중요하지 않다는 성질이 서수성입니다. 그래서 효용함수는 제곱거나, 양수를 곱해도 됩니다.

하지만 한 가지 재화의 수량에 대해서는 선호에 따라 줄을 세울 수만 있다면, 굳이 그것을 숫자로 나타내는 것이 큰 의미는 없지 않나요? 애매한 숫자로 나타내기보다 $u(2) = $ 최선, $u(3) = $ 차선, $u(1) = $ 무난, $u(0) = $ 최악으로 쓰는 게 더 직관적일 수도 있습니다. 커피처럼 특정 수량에서 만족하는 경우와 달리, 무조건 많으면 많을수록 더 좋은 경우라면 굳이 별도의 숫자를 쓰지 않고 그냥 그 재화의 수량을 효용으로 사용하면 그만입니다. 실제로 기초 경제학 교재에서는 많으면 많을수록 더 좋다는 기본 가정을 채택하는 경우가 많습니다.

그런데 여러 가지 재화를 동시에 고려하는 재화꾸러미의 경우 이야기가 좀 달라집니다. 커피의 수량을 x, 사과의 수량을 y라고 할 때, 그리고 커피도 사과도 무조건 많을수록 좋다고 할 때 $(1,1)$보다 $(2,2)$가 좋은 것은 알겠는데, $(2,1)$과 $(1,2)$를 비교한다면? 이렇게 위치별로 순서가 다른 벡터를 객관적으로 순서 매길 방법이 없습니다. 하지만 소비자는 어떤 식으로든 자신의 취향에 따라 이 꾸러미들을 비교해서 순서를 매기고 그것을 숫자로 표현하게 되면 모형화 및 분석이 크게 편리해집니다. 이것이 효용함수를 사용하는 이유이고, 효용함수는 기본적으로 다변수함수인 이유입니다. 효용함수는 재화꾸러미에 대한 소비자의 주관적 평가를 (다른 재화꾸러미들과 비교하여) 숫자로 기록해두는 도구입니다. 이 평가는 주관적이기 때문에, 실용적 쓸모를 반영하기도 하겠지만 남들은 이해할 수 없는 특이한 취향을 반영할 수도 있습니다.

생산함수

생산함수는 생산요소가 1개인 경우에 대해 먼저 소개되었고, 생산요소가 노동과 자본 2가지인 경우도 살짝 언급된 적이 있습니다. 노동의 투입량을 L, 자본의 투입량을 K라 할 때 생산함수는 $f(L, K)$ 형태의 이변수함수입니다. (더 많은 생산요소를 고려할 수도 있으나, 2가지인 경우에 집중하겠습니다.) 두 요소를 각각 L과 K만큼 투입할 때 생산되는 재화의 수량 $q = f(L, K)$를 나타냅니다. 즉 독립변수는 요소투입량 벡터, 종속변수는 재화생산량입니다.

생산함수의 자주 사용되는 기초 형태도 효용함수와 비슷합니다. 준선형 생산함수는 별로 사용되지 않으므로 생략합니다. 또한 전반적인 기술 수준을 나타낼 수 있도록 A를 앞에 곱해주겠습니다.

- 콥-더글라스 생산함수 $f(L, K) = AL^\alpha K^\beta$
- 선형(요소간 완전대체) 생산함수 $f(L, K) = A(\alpha L + \beta K)$
- 레온티에프(고정투입비율) 생산함수 $f(L, K) = A\min\{\frac{L}{\alpha}, \frac{K}{\beta}\}$
- CES 생산함수 $f(L, K) = A(L^r + K^r)^{1/r}$

서수적인 효용함수와 달리, 생산함수의 함숫값은 재화 생산량으로 측정이 되기 때문에 어떤 수를 곱해주거나 전체를 제곱하거나 하면 내용이 전혀 다른 함수가 됩니다.

거시경제 모형의 다변수함수

거시경제 모형에는 식마다 그야말로 변수가 여러 개 들어있기 때문에 기본적으로 다변수함수로 구성되어 있습니다. 앞에서는 선형 모형만을 고려해서 다변수 측면을 강조하지 않았지만, 비선형 모형을 다루려면 다변수함수를 인식하는 것이 도움됩니다.

총수요 AD는 소비(C), 투자(I), 정부지출(G)의 합으로 정의되어 $AD = C + I + G$입니다. 여기에 소비가 소득 Y의 어떤 함수 $C(Y)$라고 하고 투자는 이자율 r의 어떤 함수 $I(r)$이라 하면 (그리고 G는 상수 G_0로 고정시키면) 총수요는 Y와 r의 이변수함수 $AD(Y, r) = C(Y) + I(r) + G_0$으로 볼 수 있습니다. 마찬가지로 화폐수요는 소득 Y와 r에 의해 결정되는 이변수함수 $L(Y, r)$입니다.

이렇게 나타내면 IS-LM 모형의 일반적인 (비선형)형태는

$$Y = AD(Y, r)$$
$$M_0 = L(Y, r)$$

이 됩니다.

19.1.2 동차함수

일변수 다항함수에 대해 우리는 n차함수(일차함수, 이차함수...)라는 명칭을 사용합니다. 다항함수는 거듭제곱식들의 합으로 이루어져 있고, 각 항의 차수는 변수가 거듭제곱된 횟수입니다. 이차함수는 $ax^2 + bx + c$의 형태로 x^2을 가진 이차항, x를 가진 일차항, 그리고 x

가 없는 상수항(0차항)으로 구성되며, 그중 최고차항의 차수가 2차라서 이차함수라고 부릅니다.

다변수 다항함수의 경우 여러 개의 독립변수가 함께 사용되는데, 서로 다른 독립변수를 구분하지 않고 모두 세어서 차수를 정할 수 있습니다. 예컨대 $F(x, y) = x^2 + xy + y$라면 x^2은 x에 대해서 이차항이고, xy는 서로 다른 변수 x, y를 함께 셀 경우 이차항입니다. 이 식도 최고차항이 2차이므로 (다변수) 이차함수라고 부를 수도 있겠습니다. 그런데 **동차함수**(homogeneous function)란 다변수 다항함수이면서, 모든 항의 차수가 같은 함수입니다. 즉 모든 항에서 곱해진 독립변수의 개수를 세면 같습니다. $F(x, y) = x^2 + xy + y$는 마지막 항이 일차이기 때문에 동차가 아니고, $G(x, y) = x^2 + xy + y^2$이라면 2차 동차함수입니다.

동차함수는 경제모형에 종종 등장합니다. 특히 0차 동차함수와 1차 동차함수가 나오는 경우가 많습니다. 0차 동차란 '사실상' 상수항으로 구성된 함수란 말인데, 실제로는 변수가 여러 개이므로 예컨대 $F(x, y) = \dfrac{x}{y}$ 같은 경우 0차 동차입니다. 1차 동차는 '사실상' 1차함수인데 예컨대 $G(x, y) = \sqrt{xy}$는 1차 동차입니다. ($H(x, y) = 2x + 3y$도 물론 1차동차입니다.)

'사실상' 상수항, '사실상' 1차함수라는 표현이 애매할 수 있는데, 더 정확하게는 모든 독립변수의 값을 같은 배율로 변화시켰을 때를 가리킵니다. 즉 임의의 $t > 0$에 대해

- $F(tx, ty) = F(x, y)$이면 F는 0차동차: 위 예에서 $\dfrac{tx}{ty} = \dfrac{x}{y}$

- $G(tx, ty) = tG(x, y)$이면 G는 1차동차: 위 예에서 $\sqrt{(tx)(ty)} = t\sqrt{xy}$

예 19.3

3가지 변수 (P_x, P_y, m)을 가진 수요함수 $Q_x(P_x, P_y, m)$은 0차동차여야 합니다. 0차동차라는 것은 사실상 상수함수라는 것이고, P_x, P_y, m의 세 변수가 동시에 같은 배율로 변했을 때 변화가 없다는 말입니다. 모든 재화의 가격과 예산이 동시에 똑같이 2배 된다면 즉 재화의 가격과 소비자의 구매력이 같이 2배가 된다면, 소비자의 입장에서 실질적으로는 아무 변화가 없는 셈입니다. 따라서 수요량에도 변화가 없어야 합니다.

예 19.4

생산자모형에서 생산함수에 대해 **규모수익불변**(constant returns to scale)이라는 개념이 있습니다. 이는 모든 생산요소를 동시에 같은 배율로 변화시킬 때, 생산량도 같은 배율로 변화한다는 것으로 생산함수가 $f(L, K)$일 때 $t > 0$에 대해 $f(tL, tK) = tf(L, K)$라는 것입니다. 이는 생산함수가 1차동차함수라는 말과 같습니다.

콥-더글라스 생산함수 $f(L, K) = AL^\alpha K^\beta$의 경우 $f(tL, tK) = A(tL)^\alpha(tK)^\beta = t^{\alpha+\beta} AL^\alpha K^\beta$가 성립합니다. $\alpha + \beta = 1$이면 1차동차가 되어 규모수익불변 생산기술을 나타냅니다. 예를 들어, $f(L, K) = L^{1/2} K^{1/2} = \sqrt{LK}$는 1차동차이고 규모수익불변입니다.

19.2 편미분: 일계 및 이계 편도함수

다변수 1차함수라면 각 변수의 영향력은 변수 앞에 붙은 계수로 알 수 있습니다. $F(x, y) = ax + by$라면 x가 1단위 변하면 함숫값 F는 a단위 변합니다. 'x가 1단위 변하면'이라고 말할 때 우리는 암묵적으로 y는 변하지 않았다고 생각합니다. x의 변화로 인한 함숫값의 변화에 집중하려고 한 것이죠. 이것이 편미분의 개념입니다.

19.2.1 편미분, 편미분계수, 편도함수

다변수함수를 '편미분하다'(partially differentiate, 부분적으로 미분하다)라는 것은 여러 개의 변수 중에 단 1개의 변수만 변화시키는 미분을 한다는 뜻입니다. n변수함수 $F(x_1, x_2, \ldots, x_n)$에 대해 정식으로 정의해보면 다음과 같습니다. 우선 독립변수들을 묶어서 n차원 행벡터로 취급하여 $\mathbf{x} = (x_1, \ldots, x_n)$라고 표기합니다. 그렇다면 함수는 간편하게 $F(\mathbf{x})$로 쓸 수 있습니다.

[정의] $\mathbf{x}^0 = (x_1^0, x_2^0, \ldots, x_n^0)$에서 함수 $F(\mathbf{x})$의 x_i에 대한 **편미분계수**는

$$\frac{\partial F}{\partial x_i}(\mathbf{x}^0) = \lim_{h \to 0} \frac{F(x_1^0, x_2^0, \ldots, x_i^0 + h, \ldots, x_n^0) - F(\mathbf{x}^0)}{h}$$

이고, 이 극한값이 존재하는 경우 F는 $\mathbf{x}^0$에서 x_i에 대해 편미분가능하다.
임의의 $\mathbf{x}$에서 F가 x_i에 대해 편미분가능한 경우 $\frac{\partial F}{\partial x_i}(\mathbf{x})$는 F의 x_i에 대한 **편도함수**이다.

정의에서 $\frac{d}{dx}$의 자리에 $\frac{\partial}{\partial x}$라는 표기법을 사용했습니다. ∂는 d를 '흘려 쓴' 것으로 편미분이라는 것을 강조하기 위한 기호입니다. 혼동의 여지가 없다면 'd'라고 읽어도 되겠지만, 구분을 위해서 조금 번거로워도 'partial(파셜)'이라고 읽는 편이 좋겠습니다.

일변수함수 $f(x)$의 도함수는 프라임(′) 기호를 써서 간편하게 $f'(x)$로 나타낼 수 있었는데, 다변수함수의 편도함수는 어느 변수로 편미분했는지를 나타내야 하기 때문에 프라임 기호만을 쓰기는 곤란합니다. 분수형태를 쓰지 않고 간편하게 쓰려면 보통 아래첨자를 활용합니다. 예컨대 $F(x,y)$의 경우 x에 대한 편도함수는 아래첨자에 변수이름 x 또는 첫 번째 변수라는 의미에서 1을 넣어 표기합니다.

$$\frac{\partial F}{\partial x}(x,y) = F_x(x,y) = F_1(x,y)$$

마찬가지로 y에 대한 편도함수는 F_y 또는 F_2로 표기할 수 있습니다.

구체적인 함수가 공식으로 주어졌을 때 편미분하는 요령은 편미분하는 변수만 변수로 취급하고 나머지 변수는 상수로 취급하는 것입니다. 사실 우리는 이미 예컨대 ax^2를 미분할 때 (미분의 기본규칙인 상수곱규칙에 따라) 상수 a는 내버려둔 채 x^2만 미분해서 $(ax^2)' = 2ax$로 계산합니다. 만약 $f(x,y) = x^2 y$와 같은 이변수함수가 주어지더라도 x에 대해 편미분할 때는 y를 상수 취급해서 x^2을 미분한 $2x$에다가 y를 그냥 곱해서 $2xy$라고 답하면 됩니다.

예제 19.1

다음 다변수함수를 각 변수에 대해 편미분하시오.

(a) $f(x,y) = x^2 y + 3$ (b) $g(x,y,z) = \dfrac{x^2 \ln y}{z}$

(a) $f_x = f_1 = \dfrac{\partial f}{\partial x} = 2xy, \quad f_y = f_2 = \dfrac{\partial f}{\partial y} = x^2$

(b) $g_x = g_1 = \dfrac{\partial g}{\partial x} = \dfrac{2x \ln y}{z}, \quad g_y = g_2 = \dfrac{\partial g}{\partial y} = \dfrac{x^2 \frac{1}{y}}{z} = \dfrac{x^2}{yz}, \quad g_z = g_3 = \dfrac{\partial g}{\partial z} = -\dfrac{x^2 \ln y}{z^2}$

예제의 결과를 살펴보면 n변수함수의 편도함수 역시 n변수함수임을 알 수 있을 것입니다. (a)에서 $f(x,y)$는 이변수함수이고, f_x 역시 x와 y가 식에 나오는 이변수함수이며, f_y에는 x는 나오지만 y는 나오지 않는데, 이 또한 이변수함수로 취급할 수 있습니다. x가 나오지 않는 상수함수 $f(x) = c$도 일변수함수로 취급하는 것과 마찬가지입니다.

19.2.2 경제모형 속의 편도함수

일변수함수 경제모형에서 도함수에 주로 '한계'라는 명칭을 붙인다는 것을 보았습니다. 비용함수 $C(Q)$의 도함수 $C'(Q)$는 한계비용(MC), 케인즈 소비함수 $C(Y)$의 도함수 $C'(Y)$는 한계소비성향(MPC)이라고 부릅니다.

마찬가지로 다변수함수 모형에서 도함수도 주로 '한계'라는 명칭이 붙고, 해석도 비슷하게 할 수 있습니다. 효용함수 $U(x, y)$의 편도함수 $U_x(x, y)$와 $U_y(x, y)$를 각 재화의 한계효용(marginal utility)이라고 부르고 MU_x와 MU_y로 표기하기도 합니다. 두 재화 중에서 한 재화의 수량은 고정시켜 놓고, 나머지 한 재화의 수량을 변화시킬 때 효용이 얼마나 변화하는지를 나타냅니다.

예 19.5

콥-더글라스 효용함수 $U(x_1, x_2) = x_1^\alpha x_2^\beta$를 각 변수로 편미분해서 한계효용함수를 도출해봅시다. $\mathrm{MU}_1 = \alpha x_1^{\alpha-1} x_2^\beta$이고 $\mathrm{MU}_2 = \beta x_1^\alpha x_2^{\beta-1}$입니다. 식의 표기 방식을 조금 바꾸면

$$\mathrm{MU}_1(x_1, x_2) = \alpha x_1^{\alpha-1} x_2^\beta = \alpha \frac{x_1^\alpha x_2^\beta}{x_1} = \frac{\alpha}{x_1} U(x_1, x_2)$$

라고 쓸 수도 있습니다. 마찬가지로 $\mathrm{MU}_2 = \dfrac{\beta}{x_2} U(x_1, x_2)$입니다.

예 19.6

선형 효용함수 $U(x, y) = \alpha x + \beta y$의 경우 한계효용은 각각 $\mathrm{MU}_x = \alpha$와 $\mathrm{MU}_y = \beta$로 상수입니다. 이 효용함수는 두 재화 중 하나의 수량을 변화시킬 때 현재 수량과 상관없이 언제나 같은 비율로 효용이 변화합니다. 그런 의미에서 α는 x재화 1단위의 효용이라고 이해할 수도 있습니다.

예 19.7

준선형효용함수 $U(x, y) = v(x) + y$의 경우 $\mathrm{MU}_x = v'(x)$이고 $\mathrm{MU}_y = 1$입니다. 선형으로 표시된 y는 선형 효용함수에서와 마찬가지로 상수 한계효용을 가지는 반면, x는 독자적인 일변수 한계효용함수 $v'(x)$를 갖습니다.

생산함수 $f(L, K)$의 편도함수 $f_L(L, K)$와 $f_K(L, K)$를 각 요소의 한계생산(marginal product)이라고 부르고 MP_L 과 MP_K 로 표기합니다. 두 요소 중 하나의 투입량을 고정시킨 상태에서 한 요소의 투입량을 변화시킬 때 생산량이 얼마나 변화하는지를 나타냅니다. 콥-더글라스라든지 하는 구체적인 함수 형태에 대한 한계생산함수의 도출은 앞에서 효용함수에 대해 한계효용을 도출한 것과 사실상 똑같으므로 생략합니다.

탄력성(elasticity) 또한 편도함수로 정의되는 개념입니다. 수요함수 $Q_x(P_x, P_y, m)$ 이 3개의 변수를 가졌으므로 각 변수를 하나씩 변화시키면서 상대변화율을 계산하면 됩니다.

- (자기)가격탄력성: $\varepsilon_x = \dfrac{\partial Q_x}{\partial P_x} \cdot \dfrac{P_x}{Q_x}$

- 교차(가격)탄력성: $\varepsilon_{xy} = \dfrac{\partial Q_x}{\partial P_y} \cdot \dfrac{P_y}{Q_x}$

- 소득탄력성: $\eta_x = \dfrac{\partial Q_x}{\partial m} \cdot \dfrac{m}{Q_x}$

각각 가격, 타재화가격, 소득을 아주 조금 변화시킬 때 그 변화 1% 대비 수요량이 몇 %변하는지를 나타내는 것으로 해석됩니다.

예제 19.2

어떤 사람이 예산 m 의 절반은 x 에, 나머지 절반은 y 에 지출하는 경우 수요함수는 $Q_x = \dfrac{m}{2P_x}$ 와 $Q_y = \dfrac{m}{2P_y}$ 라고 쓸 수 있다. 수요의 탄력성들을 계산해보시오.

자기가격탄력성: $\dfrac{\partial Q_x}{\partial P_x} = -\dfrac{m}{2P_x^2}$ 이므로

$$\varepsilon_x = -\frac{m}{2P_x^2} \cdot \frac{P_x}{Q_x} = -\frac{m}{2P_x^2} \cdot \frac{P_x}{\frac{m}{2P_x}} = -1$$

마찬가지로 $\dfrac{\partial Q_y}{\partial P_y} = -\dfrac{m}{P_y^2}$ 이고 ε_y 는 계산해보면 -1 입니다.

교차가격탄력성: $\dfrac{\partial Q_x}{\partial P_y} = 0$ 이므로 $\varepsilon_{xy} = 0$ 입니다. 마찬가지로 $\varepsilon_{yx} = 0$ 입니다.

소득탄력성: $\dfrac{\partial Q_x}{\partial m} = \dfrac{1}{2P_x}$ 이므로

$$\eta_x = \frac{1}{2P_x} \cdot \frac{m}{Q_x} = \frac{1}{2P_x} \cdot \frac{m}{\frac{m}{2P_x}} = 1$$

이고, 마찬가지로 계산하면 $\eta_y = 1$ 입니다.

수요량이 Q_x, 가격이 P_x, P_y, 소득이 m일 때 수요함수가

$$\ln Q_x = \alpha + \beta_1 \ln P_x + \beta_2 \ln P_y + \gamma \ln m$$

의 형태로 주어졌다고 합시다. 좌변이 종속변수 Q_x에 다시 로그함수를 씌운 형태이며, 이는 속함수를 $q = Q_x(P_x, P_y, m)$으로, 겉함수를 $\ln q$로 하는 합성함수로 볼 수 있습니다.

양변을 P_x로 편미분한다면, 좌변에는 연쇄규칙을 적용해서

$$\frac{1}{Q_x} \cdot \frac{\partial Q_x}{\partial P_x} = \beta_1 \frac{1}{P_x}$$

가 되고, 양변에 P_x를 곱해서 왼쪽으로 옮기면

$$\frac{\partial Q_x}{\partial P_x} \cdot \frac{P_x}{Q_x} = \beta_1$$

입니다. 그런데 좌변은 자기가격탄력성의 정의입니다. 즉 자기가격탄력성은 β_1입니다.

마찬가지로 양변을 P_y로 편미분하면

$$\frac{1}{Q_x} \cdot \frac{\partial Q_x}{\partial P_y} = \beta_2 \frac{1}{P_y} \implies \frac{\partial Q_x}{\partial P_y} \cdot \frac{P_y}{Q_x} = \beta_2$$

가 되어 교차가격탄력성은 β_2입니다.

양변을 m으로 편미분하면

$$\frac{1}{Q_x} \cdot \frac{\partial Q_x}{\partial m} = \gamma \frac{1}{m} \implies \frac{\partial Q_x}{\partial m} \cdot \frac{m}{Q_x} = \gamma$$

가 되어 소득탄력성은 γ입니다.

19.2.3 이계 편도함수

편도함수가 미분가능하다면 또 한 번 편미분할 수 있습니다. 그 결과를 이계 편도함수라고 합니다. (원래의 편도함수는 일계 편도함수라고 부를 수 있겠습니다.) 그런데 미분할 수 있는 변수가 여러 개이니, 이계 편도함수는 같은 변수로 두 번 편미분할 수도 있고, 서로 다른 변수로 한 번씩 (교차) 편미분할 수도 있습니다.

이계 편도함수 역시 $\dfrac{\partial}{\partial x}$ 방식 또는 아래첨자 방식으로 표기할 수 있습니다. $F(x, y)$를 x로 두번 편미분한다면

$$\frac{\partial}{\partial x}\frac{\partial}{\partial x}F = \frac{\partial^2 F}{\partial x^2}$$

라고 쓸 수 있겠고, 아래첨자 x 또는 1을 두번 써서 F_{xx} 또는 F_{11}이라고 쓸 수도 있겠습니다. $F(x, y)$를 x로 한 번, 그 다음에 y로 편미분한다면

$$\frac{\partial}{\partial y}\frac{\partial}{\partial x}F = \frac{\partial^2 F}{\partial y \partial x}$$

가 되고, 아래첨자로는 F_{xy} 또는 F_{12}가 됩니다.

그런데 분수형태로 표기할 때는 함수 기호 F가 가장 오른쪽에 있고 먼저 접촉하는 쪽이 먼저 편미분하는 변수이므로 $\dfrac{\partial^2}{\partial y \partial x}$라고 y 다음에 x가 나왔고, 아래첨자로 표시할 때는 F가 가장 왼쪽에 있어서 x가 먼저 만나도록 F_{xy}가 되었습니다. 조금 혼란스럽죠? 다행스럽게도 서로 다른 변수로 교차 편미분시에 어느 변수로 먼저 미분하는지는 대체로 상관이 없어서, 변수 표기 순서를 따지는 것이 그다지 중요하지 않습니다 (아래 예 참조).

예 19.9

예제 19.1에서 편미분했던 함수들을 가져와서 한 번 더 편미분해보겠습니다.

(a) $f(x, y) = x^2 y + 3$에 대해 $f_x = 2xy$, $f_y = x^2$임을 계산했었습니다.

f_x를 x로 한 번 더 미분하면 $f_{xx} = 2y$이고, y로 한 번 더 미분하면 $f_{xy} = 2x$입니다.

f_y를 x로 한 번 더 미분하면 $f_{yx} = 2x$, y로 한 번 더 미분하면 $f_{yy} = 0$입니다.

$f_{xy} = f_{yx} = 2x$로 교차 편미분에서는 순서와 상관없이 같은 답이 나왔습니다. 이계 편도함수들을 다음과 같이 행렬 형태로 적으면 보기 편리합니다. 어떤 함수의 이계 편도함수들을 정리한 이런 행렬을 헤세 행렬(Hessian matrix)이라고 합니다.

$$\begin{pmatrix} f_{xx} & f_{xy} \\ f_{yx} & f_{yy} \end{pmatrix} = \begin{pmatrix} 2y & 2x \\ 2x & 0 \end{pmatrix}$$

(b) $g(x, y, z) = \dfrac{x^2 \ln y}{z}$ 에 대해 $g_1 = \dfrac{2x \ln y}{z}$, $g_2 = \dfrac{x^2}{yz}$, $g_3 = -\dfrac{x^2 \ln y}{z^2}$ 임을 계산했었습니다.

$$g_{11} = \frac{2 \ln y}{z} \qquad g_{12} = \frac{2x \dfrac{1}{y}}{z} = \frac{2x}{yz} \qquad g_{13} = -\frac{2x \ln y}{z^2}$$

$$g_{21} = \frac{2x}{yz} \qquad g_{22} = -\frac{x^2}{y^2 z} \qquad g_{23} = -\frac{x^2}{yz^2}$$

$$g_{31} = -\frac{2x \ln y}{z^2} \qquad g_{32} = -\frac{x^2 \dfrac{1}{y}}{z^2} = -\frac{x^2}{yz^2} \qquad g_{33} = \frac{2x^2 \ln y}{z^3}$$

이고 헤세 행렬로 정리해보면

$$\begin{pmatrix} g_{11} & g_{12} & g_{13} \\ g_{21} & g_{22} & g_{23} \\ g_{31} & g_{32} & g_{33} \end{pmatrix} = \begin{pmatrix} \dfrac{2 \ln y}{z} & \dfrac{2x}{yz} & -\dfrac{2x \ln y}{z^2} \\ \dfrac{2x}{yz} & -\dfrac{x^2}{y^2 z} & -\dfrac{x^2}{yz^2} \\ -\dfrac{2x \ln y}{z^2} & -\dfrac{x^2}{yz^2} & \dfrac{2x^2 \ln y}{z^3} \end{pmatrix}$$

예에서 보는 대로 (우리가 다루는 기본 함수들에서) 교차 편도함수는 어느 변수로 먼저 편미분하느냐와 상관없이 같은 결과가 나오고 헤세 행렬은 대각항을 중심으로 서로 대칭의 형태를 갖습니다.

19.3 전미분량

일변수함수 $f(x)$의 **미분량**(differential)은 $df = f'(x)dx$로 정의되며 독립변수 x의 값이 조금(dx만큼) 변할 경우 함숫값의 변화를 미분계수 $f'(x)$를 이용해 근사치로 계산해줍니다. 원래 함수 대신 접선 위를 이동한다는 가정 하에 계산한 값입니다. 다변수함수 $F(x_1, \ldots, x_n)$에 대해서도 마찬가지로 미분량을 정의해줄 수 있는데, 한 변수 x_i가 '혼자' dx_i만큼 변할 때 함숫값에 미치는 영향은 편미분계수로 측정할 수 있을 것입니다. 그 결과를 '편미분량' $\partial_i F$라고 표시해본다면

$$\partial_i F = \frac{\partial F}{\partial x_i} dx_i = F_i dx_i$$

로 계산할 수 있을 것입니다.

한술 더 떠서 다변수함수에서 모든 변수가 다 변화하는 경우에 편미분량들을 모두 한꺼번에 계산하는 것이 **전미분량**(total differential)입니다. 각 변수가 서로 독립적으로 변화한다는

가정 하에 개별적인 영향력을 합해주면 되는 셈입니다.

$$dF = \partial_1 F + \cdots \partial_n F = \frac{\partial F}{\partial x_1} dx_1 + \cdots + \frac{\partial F}{\partial x_n} dx_n = F_1 dx_1 + \cdots F_n dx_n \qquad \text{(전미분량)}$$

전미분량은 비선형 다변수함수들로 구성된 다소 복잡한 경제모형을 분석할 때 아주 편리한 도구가 됩니다.

예 19.10

$f(x, y) = x^2 y + 3$에 대해 전미분량은

$$df = f_x \, dx + f_y \, dy = 2xy \, dx + x^2 \, dy$$

예를 들어, $(x, y) = (1, 1)$에서 $f(1, 1) = 4$인데, $dx = 0.1$, $dy = 0.05$로 변화해서 $(x, y) = (1.1, 1.05)$가 된다면 $f_x(1, 1) = 2$이고 $f_y(1, 1) = 1$이므로 $df = 2 \times 0.1 + 1 \times 0.05 = 0.25$이고 따라서 $f(1.1, 1.1) \approx 4.25$로 근사계산됩니다. 실제 값은 $f(1.1, 1.05) = (1.1)^2 \times 1.05 + 3 = 4.2705$ 입니다.

연습문제

19-1 다음 식에 들어있는 수요함수 $Q_x(P_x, P_y, m)$과 조건 (i), (ii)에 대해 각각 수요곡선을 그려보시오.

 (a) $2P_x Q_x = m$이고 (i) $m = 2$, $P_y = 1$, (i) $m = 10$, $P_y = 2$인 경우

 (b) $\ln Q_x = -2\ln P_x + \ln P_y + \ln m$이고 (i) $m = P_y = 1$, (ii) $m = P_y = 2$인 경우

19-2 다음 함수들이 동차인지 확인하시오.

 (a) 수요함수 $Q_x(P_x, P_y, m) = \dfrac{m}{2P_x}$

 (b) $\ln Q_x = -2\ln P_x + \ln P_y + \ln m$이 성립하는 수요함수 $Q_x(P_x, P_y, m)$

 (c) CES 생산함수 $f(L, K) = (L^r + K^r)^{1/r}$

19-3 다음 함수들의 일계 편도함수 및 이계 편도함수를 계산하시오.

 (a) $F(x, y) = x^2 + xy + y^2$

 (b) $G(x_1, x_2) = e^{x_1 - x_2}$

 (c) $f(L, K) = L^r + K^r$

19-4 콥-더글라스 생산함수 $f(L, K) = L^\alpha K^{1-\alpha}$는 1차동차이다. 한계생산을 공식으로 도출하고, 동차인지 확인하시오.

19-5 다음 수요함수들에 대해 3가지 탄력성을 계산해보시오.

 (a) 수요함수 $Q_x(P_x, P_y, m) = \dfrac{m}{3P_x}$

 (b) $\ln Q_x = -2\ln P_x + \ln P_y + \ln m$이 성립하는 수요함수 $Q_x(P_x, P_y, m)$

19-6 함수 $g(x, y, z) = \dfrac{x^2 \ln y}{z}$의 전미분량을 공식으로 도출하고 $g(1.1, e, 1.1)$의 값을 $\mathbf{x}^0 = (1, e, 1)$을 기준으로 근사계산하고 실제 값과 비교해보시오.

Chapter 20

다변수함수의 등위선:
무차별곡선, 등량곡선

제20장에서는 . . . .

다변수함수의 형태를 그림으로 파악하는 방법인 등위선에 대해서 공부합니다. 변수가 3개 이상이 되면 그래프를 온전히 그림으로 표현하기 곤란하기 때문에, 변수 중 2개만 남기고 나머지 변수의 값을 특정 수준에 고정시킨 상태에서 그립니다. 경제학에서는 무차별곡선과 등량곡선이 대표적인 사례입니다. 효용함수 및 생산함수의 기본적인 형태들에 대해서 등위선의 모양을 알아봅니다.

주요 개념

등위선, 무차별곡선, 등량곡선, 한계대체율, 한계기술대체율

주요 결과

- 무차별곡선은 효용 수준을 고정시킨 재화꾸러미들의 그림: $\{(x_1, x_2) \mid U(x_1, x_2) = u_0\}$
- 등량곡선은 생산량을 고정시킨 요소꾸러미들의 그림: $\{(L, K) \mid f(L, K) = q_0\}$
- 무차별곡선 $U(x_1, x_2) = u_0$의 기울기는 $-MU_1/MU_2 = -MRS$로 계산
- 등량곡선 $f(L, K) = q_0$의 기울기는 $-MP_1/MP_2 = -MRTS$로 계산
- 한계(기술)대체율 체감: 무차별곡선 및 등량곡선이 볼록함수의 그래프라는 가정

흔히 **그래프**라고 하면 함수의 그림을 떠올립니다. 정확하게 표현하자면, 함수의 **그래프**(graph)
는 독립변수의 값과 그에 대응되는 종속변수의 값을 함께 묶은 벡터들로 구성된 집합입니
다.

일변수함수 $y = f(x)$의 그래프: $\{(x, y) \mid y = f(x)\} = \{(x, f(x))\}$

일변수함수 $y = f(x)$의 경우 독립변수가 1개, 종속변수가 1개이므로 그 그래프는 2차원
벡터들이고 각 점을 2차원 좌표계 위에 찍어서 나타낼 수 있습니다. 이것이 우리가 흔히
말하는 그래프입니다. 그런데 다변수함수 $y = F(x_1, \ldots, x_n) = F(\mathbf{x})$는 독립변수가 n개,
종속변수가 1개이므로 그 그래프는 $(n + 1)$차원 벡터들의 집합입니다.

n변수함수 $y = F(\mathbf{x}) = F(x_1, \ldots, x_n)$의 그래프: $\{(\mathbf{x}, y) \mid y = F(\mathbf{x})\} = \{(\mathbf{x}, F(\mathbf{x}))\}$

이 그래프를 실제로 그리기는 어렵습니다. 결국 그림은 2차원에 그려야 하는데, 이변수함
수의 그래프는 3차원, 삼변수함수의 그래프는 4차원입니다. 다변수함수를 그림으로 나타
내는 방법이 **등위선**(level curve)입니다. 변수 중 2개만 남기고 값을 고정시켜서, 억지로 2
차원으로 만들어 그것을 그린 것이죠. 함수 그래프 전체가 아니고 '단면'을 그린 것입니다.

변수를 고정시켜 단면을 그린다는 것을 이해하기 위해 다음 그림처럼 직육면체를 3차원 공
간에 위치시켜 봅시다. 가로(x_1축) 방향으로 길이가 10이고, 세로(x_2축) 방향 길이는 3이
며, 높이(y축)는 5입니다. (이 직육면체의 "뚜껑"은 정의역이 $0 \le x_1 \le 10$과 $0 \le x_2 \le 3$인 이변수 상수
함수 $y = F(x_1, x_2) = 5$의 그래프입니다.) 그림에 보이는 3가지 면의 방향으로 자를 수 있습니다.

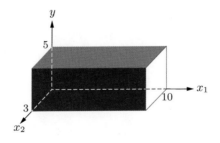

[그림 20.1] 3차원 공간의 직육면체

먼저 옆면의 방향, 즉 x_1축에 수직이고, x_2y평면에 평행한 방향으로 자르는 것은, x_1의 값
을 특정 수준에 고정시키는 것입니다. 예컨대 [그림 20.2]처럼 $x_1 = 1$, $x_1 = 2$, $x_1 = 3$에서

자르면, 그 단면들은 모두 (x_2축 방향) 밑변의 길이가 3이고 (y축 방향) 높이는 5인 직사 각형입니다. 직육면체라서 어느 x_1에서 자르든 모양이 같습니다. (만약 원래 입체 모양을 모르는 상황에서 단면들을 충분히 많이 잘라서 보여준다면 아마 직육면체라고 추측할 수 있을 것입니다.) 각 단면의 한변은 x_2축에, 또 다른 변은 y축에 있으니 이는 x_2y평면에 위치시킬 수 있습니다.

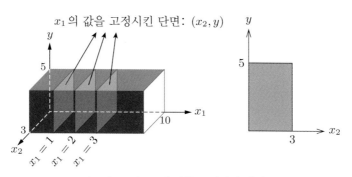

[그림 20.2] x_1의 값을 고정시킨 단면

이번에는 정면과 평행한 방향 즉 x_2축과 수직이고, x_1y평면과 평행한 방향으로 잘라봅니다. 이것은 x_2를 특정 수준에 고정시키면 됩니다. [그림 20.3]에는 $x_2 = 1$과 $x_2 = 2$에 고정시켜 잘랐고, 그 단면은 (x_1축 방향) 밑변이 10이고 (y축 방향) 높이가 5인 직사각형들입니다. 이 단면은 x_1y평면에 그려집니다.

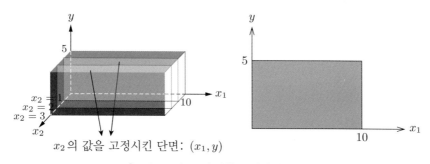

[그림 20.3] x_2의 값을 고정시킨 단면

마지막으로 뚜껑 아래쪽 좀 더 낮은 높이에서 뚜껑과 평행하게 단면을 잘라볼 수 있습니다. [그림 20.4]에는 $y = 4$와 $y = 1$에서 잘랐습니다. 모두 뚜껑 또는 밑면과 같은 모양의 직사각형이고, 이를 x_1x_2평면(두 독립변수를 축으로 한 평면) 위에 그릴 수 있습니다.

3차원 공간에서 3가지 방향의 단면을 자르는 상황을 알아보았습니다. 이변수함수는 3차원 입체이므로 이변수함수에 대해 같은 방식으로 단면을 만들어볼 수 있습니다. 3개 이상의 독립변수를 가지는 함수의 경우에도 2개 변수만 남겨서 2차원으로 축소된 단면을 그릴 수 있습니다. 이변수함수 위주로 설명하겠습니다.

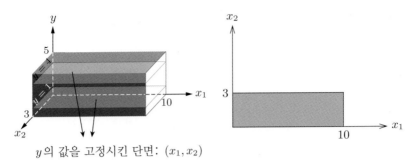

y의 값을 고정시킨 단면: (x_1, x_2)

[그림 20.4] y의 값을 고정시킨 단면

20.1.1 $y = F(x_1, x_2)$에서 독립변수 1개(x_i)를 고정시킨 그림

이변수함수 $y = F(x_1, x_2)$이 있을 때 x_1을 고정시키면 x_2y 평면에, x_2를 고정시키면 x_1y 평면에 단면이 그려집니다. $x_1 = a$로 고정시킬 때와 $x_2 = b$로 고정시킬 때 이변수함수의 (3차원인) 그래프가 잘리는 방향이 아래 그림에 나와 있습니다.

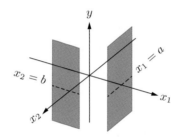

[그림 20.5] $x_1 = a$ 고정 단면 및 $x_2 = b$ 고정 단면의 잘리는 방향

수식으로는 $x_1 = a$로 고정시키는 경우 $y = F(a, x_2) = f(x_2)$가 되어 x_2만 독립변수인 일변수함수가 되는 셈입니다. 마찬가지로 $x_2 = b$로 고정시키면 $y = F(x_1, b) = g(x_1)$이라는 x_1의 일변수함수입니다. 만약 $f(x_2)$를 x_2로 (일변수)미분한다면 그것은 결국 $x_1 = a$로 고정시킨 상태에서 $F(x_1, x_2)$를 x_2로 편미분하는 것과 같습니다. 또한 $g(x_1)$을 x_1로 (일변수) 미분하는 것도 $x_2 = b$로 고정시킨 상태에서 $F(x_1, x_2)$를 x_1로 편미분하는 것입니다.

예 20.1

함수 $F(x_1, x_2) = x_1^2 + x_1 x_2 + x_2^2$에 대해서

(a) $x_1 = 1$로 고정하는 경우 $f(x_2) = F(1, x_2) = 1 + x_2 + x_2^2$이라는 x_2의 일변수함수가 됩니다. $f'(x_2) = F_2(1, x_2) = 2x + 2x_2$입니다.

(b) $x_2 = 2$로 고정하는 경우 $g(x_1) = F(x_1, 2) = x_1^2 + 2x_1 + 4$라는 x_1의 일변수함수이고, $g'(x_1) = F_1(x_1, 2) = 2x_1 + 2$입니다.

즉 독립변수 x_1이나 x_2 중 하나를 고정시킨채 $y = F(x_1, x_2)$의 단면을 그리면, 단면의 기울기(미분계수)는 결국 원래 함수 $F(x_1, x_2)$의 편미분계수입니다.

예제 20.1

콥-더글라스 효용함수 $U(x_1, x_2) = x_1 x_2$에 대해서 각각 $x_2 = 1$과 $x_2 = 2$로 고정시킨 그래프의 기울기의 의미를 해석하시오.

$x_2 = 1$로 고정시키면 $U(x_1, 1) = x_1$이 되어 기울기 1인 직선이고, $x_2 = 2$로 고정시키면 $U(x_1, 2) = 2x_1$으로 기울기 2인 직선입니다. 이 기울기는 각각 재화 2의 수량을 고정시켰을 때 재화 1 수량 변화에 대한 효용 변화분 즉 재화 1의 한계효용 MU_1을 나타냅니다.

참고 콥-더글라스 함수 중에서 $U(x_1, x_2) = x_1 x_2$라는 효용함수는 재화 1의 한계효용이 함께 소비되는 재화 2의 수량과 일치하는 상수입니다. $x_2 = k$로 고정시키면 $U(x_1, k) = kx_1$이고 $MU_1(x_1, k) = k$입니다. 특히 $k = 0$이면 $MU_1(x_1, 0) = 0$이 됩니다. 예를 들어, x_1이 커피이고 x_2가 도넛이라고 할 때, 이 효용함수를 가진 사람은 도넛이 없는 상황에서는 커피를 아무리 많이 마셔봐야 효용은 0으로 고정되어 변화가 없습니다. 한편 도넛 1개를 함께 소비한다면 커피 1잔이 늘어날 때마다 효용이 1씩 증가하고, 도넛을 2개 소비한다면 커피 1잔이 늘어날 때마다 효용이 2씩 증가합니다. 도넛의 존재가 커피의 잔당 효용을 올려주는 효과가 있는 셈입니다.

예 20.2

수요함수는 3가지 변수를 가진 함수라고 설명했습니다. $Q_x = F(P_x, P_y, m)$이라고 표기해봅시다. x의 가격 P_x와 x의 수요량 Q_x 사이의 관계에 집중하기 위해서 타재화 가격 P_y와 소득 m을 일정 수준에 고정시킨다고 합시다. $P_x Q_x$ 평면과 평행하게 단면을 자르는 셈입니다.

그 결과는 $Q_x = F(P_x, \overline{P_y}, \overline{m}) = f(P_x)$가 되어 P_x의 일변수함수인 수요함수입니다. 수요의 법칙이 성립한다면 $f'(P_x) < 0$이 되어 f는 단조감소함수이고 따라서 역함수를 가집니다. $P_x = f^{-1}(Q_x)$가 바로 수요곡선입니다. 하나의 수요곡선을 그리기 위해서는 P_y와 m의 값을 특정 수준에 고정시킵니다. 즉 수요곡선은 3변수 수요함수의 등위선을 도출한 후 그 역함수를 그래프로 그린 것입니다.

20.1.2 $y = F(x_1, x_2)$에서 종속변수 y를 고정시킨 그림

여러 개의 독립변수 중 하나만 남겨서 종속변수와의 관계를 보는 등위선은 사실상 편미분을 계산하는 과정이라고 볼 수 있습니다. 종속변수의 값을 고정시키는 것은 좀 더 색다른 접근이고, 진정한 의미에서 등위선은 이 경우를 가리킵니다. 모두에게 친숙한 것은 지도의 등고선일 것입니다. 같은 높이를 갖는 단면들을 모아서 입체적인 형상을 파악하게 도와줍니다.

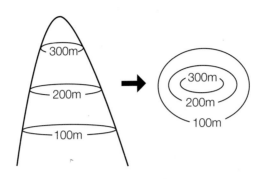

[그림 20.6] 지도의 등곡선도 등위선이다

함수 관계라는 것을 독립변숫값에 대응되는 종속변숫값을 찾는 것으로만 본다면, 이런 등위선은 잘 이해가 안 될 수도 있겠습니다. 하지만 지도 등고선의 예에서 보듯이, 다변수함수에서는 종속변수의 값을 고정시킨 상태에서 그 같은 값을 나오게 만드는 다양한 독립변숫값의 조합들을 찾아보는 것이 함수의 형태를 파악하는 데 도움이 됩니다. 게다가 고정시킨 종속변숫값을 여러 가지로 변화시켜 보면서 등위선을 여러 개 그려 모으면 실제로 전반적인 형태를 알 수 있게 됩니다.

예 20.3

$y = F(x_1, x_2) = x_1 x_2$라는 콥-더글라스 형태의 이변수함수에 대해 종속변수의 값을 $y = k$로 고정시킨다면 $x_1 x_2 = k$라는 식이 됩니다. 원래 x_1, x_2는 독립변수이고 따라서 서로 독립적으로 값을 가진다고 볼 수 있지만, 종속변숫값을 고정시킨 식은 x_1과 x_2 사이에 새로운 함수 관계를 만들어냅니다. x_1과 x_2가 먼저 따로 주어지면 y값이 $y = x_1 x_2$로 결정되겠지만, 여기서는 y의 값이 먼저 $y = k$로 주어졌고, 이제 x_1과 x_2 중 하나의 값을 결정하면 나머지 하나는 식 $x_1 x_2 = k$에 의해 결정됩니다. 예를 들어 x_1을 먼저 주면 x_2는 $x_2 = \dfrac{k}{x_1}$에 의해 결정되고 이 식은 x_1의 값 하나에 x_2의 값 하나를 대응시키므로 함수입니다(단, $x_1 \neq 0$). 우리가 잘 알고 있는 반비례함수입니다. 한편 만약 $k = 0$이라면 $x_1 x_2 = 0$은 $x_1 = 0$(세로축) 또는 $x_2 = 0$(가로축)입니다.

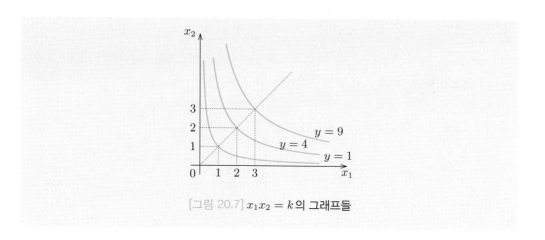

[그림 20.7] $x_1 x_2 = k$의 그래프들

효용함수 및 생산함수의 등위선들

효용함수와 생산함수의 등위선들에 대해서 알아보겠습니다. 효용함수에 대한 내용을 잘 이해한다면, 생산함수 관련 내용은 해석만 적절히 수정하면 됩니다.

20.2.1 독립변수를 고정한 등위선: 기울기는 한계효용 및 한계생산

효용함수 $U(x_1, x_2)$에 대해서 x_2의 값을 고정시키면, x_1의 효용을 나타내는 일변수 효용함수 $u(x_1) = U(x_1, \overline{x_2})$입니다. 이 함수를 x_1로 미분한 것은 결국 고정된 x_2의 값에서 편미분한 것과 같습니다. 효용함수를 이렇게 편미분한 결과는 한계효용함수입니다. 즉 효용함수의 독립변수인 두 가지 재화의 수량 중 하나를 고정시킨 채, 그림을 그린다면 이는 한 재화의 수량 변화에 따른 효용의 변화를 보여주고 그 기울기는 한계효용입니다.

마찬가지로 생산함수 $f(L, K)$에 대해서 두 요소 중 하나의 투입량을 고정시키고 그린 그림의 기울기는 한계생산입니다. 즉 K의 양을 고정시키는 경우 생산함수는 $f(L, \overline{K})$가 되고 이를 L로 미분하는 것은 생산함수를 L로 편미분하는 것이고 한계생산에 해당됩니다.

레온티에프 효용함수 $U(x_1, x_2) = \min\{\frac{x_1}{3}, \frac{x_2}{2}\}$의 성질을 파악해봅시다. 먼저 $\min\{a, b\}$라는 기호는 a와 b 중에서 더 작은 값을 뜻합니다. 즉 $a > b$이면 $\min\{a, b\} = b$이고 $a < b$이면 $\min\{a, b\} = a$입니다. 만약 $a = b$라면 어차피 같은 값이므로 $\min\{a, b\} = a = b$입니다. 한꺼번에 정리해보면 ($a = b$인 경우는 어느 쪽에 포함시키든 상관없습니다.)

$$\min\{a, b\} = \begin{cases} a, & a \leq b \\ b, & a > b \end{cases}$$

$x_2 = 2$로 고정시키는 경우 효용함수는 $U(x_1, 2) = \min\left\{\frac{x_1}{3}, 1\right\}$이 됩니다. 이 함수의 값은 $x_1/3$이 1보다 크냐 작으냐 즉 x_1이 3보다 크냐 작으냐로 결정됩니다. 따라서

$$U(x_1, 2) = \begin{cases} \dfrac{x_1}{3}, & x_1 \leq 3 \\ 1, & x_1 > 3 \end{cases}$$

입니다. 즉 $x_2 = 2$로 고정된 상황에서 x_1의 값이 3 이하일 때는 효용이 기울기 $\frac{1}{3}$인 x_1의 증가함수로 1의 한계효용이 $\frac{1}{3}$입니다. 반면 x_1이 3을 초과하면 효용은 x_1의 값과 무관한 상수함수로, 한계효용은 0입니다.

이번에는 $x_2 = 4$로 고정시켜서 논의를 반복해보면

$$U(x_1, 4) = \begin{cases} \dfrac{x_1}{3}, & x_1 \leq 6 \\ 2, & x_1 > 6 \end{cases}$$

가 되어, x_1이 6 이하일 대는 기울기(한계효용) $\frac{1}{3}$인 x_1의 증가함수, x_1이 6 초과일 때는 상수함수로 한계효용이 0입니다.

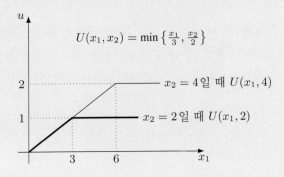

[그림 20.8] 레온티에프 효용함수에서 x_2를 고정시킨 등위선들

$f(L, K) = \sqrt{L} + \sqrt{K}$ 는 CES 생산함수의 한 예입니다. $K = 1$로 고정시킨다면 생산량은 $q(L) = \sqrt{L} + 1$이 되고, $K = 4$로 고정시키면 $q(L) = \sqrt{L} + 2$가 됩니다. $q'(L) = \dfrac{1}{2\sqrt{L}}$ 인데 이는 생산함수를 L로 편미분한 것과 같고, 노동의 한계생산으로 해석됩니다.

생산함수의 모양이 L의 함수 $\sqrt{L}$과 K의 함수 $\sqrt{K}$로 분리되어 덧셈 형태이기 때문에, 노동의 한계생산은 K의 값에는 의존하지 않습니다. K를 고정시키고 L와 q 사이의 관계를 그림으로 그리면, K 값에 따라 전체적으로 기울기는 같으면서 높이만 이동하게 됩니다.

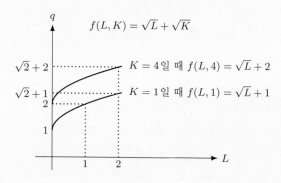

[그림 20.9] CES 생산함수에서 K를 고정시킨 등위선들

20.2.2 종속변수를 고정한 등위선: 무차별곡선 및 등량곡선

이변수함수 $y = F(x_1, x_2)$에서 종속변수를 $y = y_0$으로 고정시키면 같은 '높이'를 가진 단면도로, 동일한 함숫값 y_0을 만들어내는 다양한 독립변숫값 (x_1, x_2)들의 조합입니다.

효용함수 $U(x_1, x_2)$에 대해서 종속변수 즉 효용값을 u_0으로 고정시키면, 동일한 효용 u_0을 갖는 재화 꾸러미들 (x_1, x_2)의 그림을 얻습니다. 이것을 **무차별곡선**(indifference curve)이라고 합니다. 같은 효용을 주기 때문에 서로 '무차별'하게 느껴지는 재화꾸러미들입니다. 무차별곡선은 소비자 선호의 특징을 그림으로 보여주는 편리한 도구입니다.

콥-더글라스 효용함수 $U(x_1, x_2) = \sqrt{x_1 x_2}$에 대해 효용값을 u_0으로 고정시킨 무차별곡선은 $\sqrt{x_1 x_2} = u_0$을 그림으로 그린 것입니다. x_2를 세로축에 두면 x_1의 반비례함수 $x_2 = u_0^2/x_1$ 형태가 됩니다. u_0이 작을수록 원점에 더 가깝고 축을 향해 '구부러져' 있는 모양입니다.

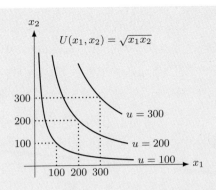

[그림 20.10] $U(x_1, x_2) = \sqrt{x_1 x_2}$ 의 무차별곡선들

예 20.7

선형 효용함수 $U(x_1, x_2) = 2x_1 + 3x_2$ 의 무차별곡선은 $2x_1 + 3x_2 = u_0$ 이므로 $x_2 = \dfrac{u_0}{3} - \dfrac{2}{3}x_1$ 로 기울기 $-2/3$ 인 직선입니다. u_0 의 값에 따라 아래, 위로 이동합니다.

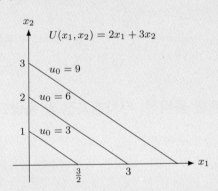

[그림 20.11] $U(x_1, x_2) = 2x_1 + 3x_2$ 의 무차별곡선들

마찬가지로 생산함수 $f(L, K)$ 에 대해서 종속변수 즉 재화생산량을 q_0 으로 고정시키면, 동일한 생산량 q_0 을 갖는 요소 꾸러미들 (L, K) 의 그림을 얻습니다. 이것을 등량곡선(isoquant curve)이라고 합니다. 이름 그대로 같은 생산량을 만들어내는 요소량 조합들을 나타냅니다. 이것은 기업의 생산기술의 특징을 그림으로 보여주는 편리한 도구입니다.

앞에 콥-더글라스 효용함수와 선형 효용함수에 대해 그렸던 무차별곡선은 축의 이름만 L, K 로 바꾸면 해당 생산함수의 등량곡선들이기도 합니다. 이번에는 또 다른 기본 형태의 생산함수에 대해 등량곡선을 그려보겠습니다. 이들의 축 이름을 x_1, x_2 로 바꾸면 역시 해당 효용함수의 무차별곡선들이기도 합니다.

레온티에프 생산함수 $f(L, K) = \min\{\frac{L}{3}, \frac{K}{2}\}$의 등량곡선은 다음과 같이 생겼습니다. 먼저 그림을 보고 왜 이런 모양이 되는지 따져보는 편이 쉽겠습니다.

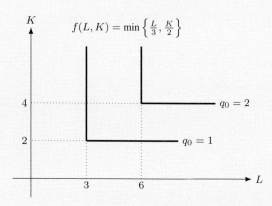

[그림 20.12] $f(L, K) = \min\{\frac{L}{3}, \frac{K}{2}\}$의 등량곡선들

예 20.4에서 본대로 $\min\{\ \}$ 기호의 성질에 따라, 이 함수의 값은 둘 중 작은 것에 의해 결정됩니다. $L = 3$이고 $K = 2$이면 두 값이 1로 같아서 $f(L, K) = 1$입니다. 즉 이 조합에서 생산량은 1입니다. 그런데 $K = 2$로 고정시킨 상태에서 L을 3보다 크게 늘리면 $L/3$은 $K/2 = 1$보다 커지므로 함숫값은 더 작은 값인 1에 머물러 있게 됩니다. 따라서 $(3, 2)$에서 오른쪽으로는 수평선이 그어집니다. 마찬가지로 $L = 3$으로 고정시켜놓고, K를 2보다 더 크게 늘려도 함숫값은 1로 고정되어 있어서 그림은 위로 수직선이 됩니다.

한계생산의 개념으로 표현해보면, $(L, K) = (3, 2)$라는 조합을 중심으로 $K = 2$로 고정된 상태에서 L을 늘릴 때 노동의 한계생산은 0입니다. 한편 $L = 3$으로 고정시킨 상태에서 K를 늘릴 때 자본의 한계생산도 0입니다. (물론 L이나 K 중 하나를 줄이면 그것이 더 작은 값이 되어 생산량은 줄어듭니다.) 따라서 이 생산함수의 등량곡선은 $L : K = 3 : 2$의 비율을 가진 점을 중심으로 90도로 꺾어진 L자형을 갖습니다. 이 비율을 지킬 때가 말하자면 두 요소를 가장 적게 사용한 셈이고, 이 비율을 벗어나면 둘 중 한 요소는 불필요하게 많이 투입한 것입니다.

레온티에프 함수

레온티에프 생산함수 $\min\{\frac{L}{\alpha}, \frac{K}{\beta}\}$는 결합비율이 $\alpha : \beta$인 고정비율 생산기술을 나타냅니다. 즉 노동과 자본이 $\alpha : \beta$의 비율로 결합되는 것이 어떤 생산량을 만들기 위한 최소한의 요소 투입 방식입니다.

레온티에프 효용함수 $\min\{\frac{x_1}{\alpha}, \frac{x_2}{\beta}\}$도 두 재화의 소비비율이 $\alpha : \beta$일 때 최소한의 양으로 어떤 효용 수준에 도달하는 선호인데, 이런 경우 완전보완재 선호라고 부릅니다.

무차별곡선 및 등량곡선의 개념을 알아보고 몇 가지 기본적인 경우를 예로 보았습니다. 이 곡선들을 해석하고 이용하는 도구 개념으로 한계대체율(marginal rate of substitution)이 있습니다. 이 절에서는 한계대체율에 대해서 상세하게 알아봅니다.

한계대체율은 광범위하게 사용할 수 있는 경제학 용어인데, 주로 무차별곡선과 관련하여 사용됩니다. 같은 개념을 등량곡선에 적용할 때는 한계기술대체율이라고도 부릅니다. 먼저 한계대체율을 중심으로 설명하고, 마지막에 한계기술대체율로 전환하여 다시 설명하겠습니다.

20.3.1 한계대체율의 개념

우선 지금까지 그려본 무차별곡선이나 등량곡선은 모두 우하향하는 감소함수 그래프의 형태였습니다. 모든 무차별곡선이 다 우하향하는 것은 아닙니다.

예 20.9

$U(x_1, x_2) = -x_1 + x_2$ 라는 효용함수에 대해 무차별곡선을 그려보면 $x_2 = u_0 + x_1$ 의 그래프이므로 절편이 u_0 이고 기울기가 1인 (증가하는) 직선입니다.

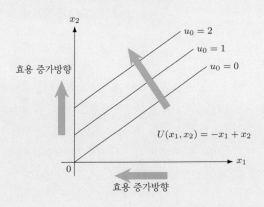

[그림 20.13] $U(x_1, x_2) = -x_1 + x_2$ 의 무차별곡선들

효용함수를 보면 x_1 앞 계수가 (-1) 이어서 재화 1의 수량이 늘면 효용이 감소하게 되어 있습니다. 무차별곡선이 증가함수 그래프 형태인 이유는, 재화 1의 수량을 늘리면 효용이 감소하고 따라서 효용값을 유지하기 위해서는 재화 2의 수량을 늘려서 효용 감소분을 보충해줘야 하기 때문입니다.

재화 수량이 늘어날 때 효용이 오히려 감소하는 재화를 악재(bad)라고 합니다. 소비자들이 가능한 한 적게 갖고 싶어하는 재화입니다. '쓰레기' 같은 것들이죠. 반면에 우리가 돈을 주고 구입하는 재화들은 수량 증가에 따라 효용을 주는 재화일 것이고 이들을 그냥 재화 또는 경제재화(economic good)라고 합니다. 그림에서 재화 2는 경제재화입니다.

두 재화 중 하나가 악재이고 나머지 하나가 경제재화이면 무차별곡선은 우상향합니다. 반면에 두 재화가 모두 경제재화라면 무차별곡선은 우하향할 것입니다. 두 재화가 모두 수량 증가에 따라 효용을 증가시켜주기 때문에, 효용 수준을 고정시켜 놓고 한 재화의 수량을 늘리면, 다른 재화의 수량을 줄여서 늘어난 효용을 상쇄시켜야 합니다. 효용을 유지하기 위해 한 재화로 다른 재화를 '대체'하는 것입니다. (마찬가지로 두 재화가 모두 악재이더라도 우하향합니다.)

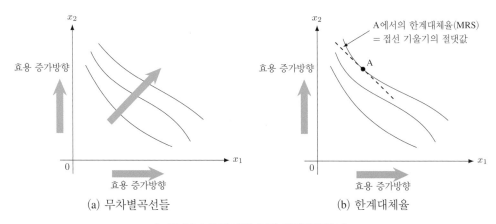

[그림 20.14] 두 재화 모두 경제재화일 때

우하향하는 무차별곡선의 기울기(미분계수)는 주어진 효용함수에서 재화 $1(x_1)$의 수량을 늘릴 때 이 수량으로 얼마만큼의 재화 $2(x_2)$ 수량을 대체하고도 같은 효용을 유지할 수 있는지를 나타냅니다. 이 미분계수는 일단 음수($-$)입니다. 음수 기호를 떼어낸 미분계수의 절댓값을 한계대체율(marginal rate of substitution, 줄여서 MRS)이라고 합니다.

예 20.10

예 20.7에서 그려본대로 $U(x_1, x_2) = 2x_1 + 3x_2$의 무차별곡선은 $-2/3$의 기울기를 갖습니다. 즉 이 효용함수의 한계대체율 MRS는 2/3입니다.

20.3.2 한계대체율 계산

효용함수가 $U(x_1, x_2)$일 때 한계대체율을 어떻게 계산할지 생각해봅시다. 무차별곡선 위에 있는 점 (x_1, x_2)라면 다음 식을 만족합니다.

$$U(x_1, x_2) = u_0 \tag{20.1}$$

(20.1)을 만족하는 (x_1, x_2)에 대해서 미분계수 즉 dx_2/dx_1을 계산하고자 합니다. x_1과 x_2를 동시에 아주 조금, 각각 dx_1과 dx_2만큼 변화를 시킨다고 해봅시다.

변화 후에도 (20.1)을 만족한다면 두 경우 모두 효용함수의 값은 u_0이어야 하고 따라서 $dU = 0$이어야 합니다. 즉 (20.1)의 전미분량(total differential)을 계산하면

$$dU = \frac{\partial U}{\partial x_1}(x_1, x_2)dx_1 + \frac{\partial U}{\partial x_2}(x_1, x_2)dx_2 = 0 \tag{20.2}$$

이 되어야 합니다.

(20.2)를 정리해서 dx_2/dx_1을 만들어보면 ($U(x_1, x_2) = u_0$을 만족함을 표기했습니다)

$$\left.\frac{dx_2}{dx_1}\right|_{U(x_1, x_2) = u_0} = -\frac{\partial U/\partial x_1(x_1, x_2)}{\partial U/\partial x_2(x_1, x_2)} = -\frac{\mathrm{MU}_1(x_1, x_2)}{\mathrm{MU}_2(x_1, x_2)} \tag{20.3}$$

이 됩니다. 두 재화가 모두 경제재화라면 한계효용이 양수입니다. (20.3)은 한계효용의 비율 앞에 음수 부호가 붙어있으므로 기울기가 음수(무차별곡선이 우하향)임을 알 수 있습니다.

한계대체율은 기울기의 절댓값이므로

$$\mathrm{MRS} = \frac{\mathrm{MU}_1(x_1, x_2)}{\mathrm{MU}_2(x_1, x_2)} \tag{MRS}$$

로 계산할 수 있습니다.

결과 20.1 효용함수 $U(x_1, x_2)$의 한계대체율은

$$\mathrm{MRS} = \frac{\mathrm{MU}_1}{\mathrm{MU}_2}$$

(20.3)은 모든 효용함수의 기울기를 계산하는 데 쓸 수 있습니다. 즉 우상향하는 경우를 포함한 무차별곡선의 기울기(미분계수)는 음수 기호를 붙여서 $-MU_1/MU_2$로 계산가능합니다. 만약 재화 1이 악재이고 재화 2가 경제재화라면 $MU_1 < 0$이고 $MU_2 > 0$이므로 $-MU_1/MU_2 > 0$이 되어 우상향하는 무차별곡선이 맞습니다.

예 20.11

예 20.7에서 $U(x_1, x_2) = 2x_1 + 3x_2$의 무차별곡선은 $-2/3$의 기울기를 가짐을 보았습니다. $MU_1 = U_1 = 2$이고 $MU_2 = U_2 = 3$이므로 $MRS = MU_1/MU_2 = 2/3$이 맞습니다.

예제 20.2

콥-더글러스 효용함수 $U(x_1, x_2) = x_1 x_2$에 대해 한계대체율을 식으로 도출하시오.

$MU_1 = U_1 = x_2$이고 $MU_2 = U_2 = x_1$이므로 $MRS = x_2/x_1$입니다. 즉 예를 들어 $x_1 = x_2 = 1$이면 접선 기울기는 -1이고, $x_1 = 1$, $x_2 = 2$이면 -2입니다.

무차별곡선의 식으로부터 직접 계산해보면 $x_1 x_2 = u_0$에서 $x_2 = \dfrac{u_0}{x_1}$이므로

$$\frac{dx_2}{dx_1} = -\frac{u_0}{x_1^2}$$

입니다. 위에서 $MRS = x_2/x_1$이라고 했는데 $x_2 = u_0/x_1$을 대입해보면

$$MRS = \frac{x_2}{x_1} = \frac{u_0}{x_1^2}$$

이 맞습니다. 즉 무차별곡선을 공식으로 도출하여 직접 미분하면 x_1만의 식으로 나오고, $MRS = MU_1/MU_2$ 식을 사용하면 x_1, x_2가 섞인 식이 나올 수 있으나, 결국 두 식은 같은 결과입니다.

레온티에프 효용함수 $U(x_1, x_2) = \min\{\frac{x_1}{\alpha}, \frac{x_2}{\beta}\}$의 경우 그래프의 꼭짓점에 해당되는 $x_1 : x_2 = \alpha : \beta$에서는 미분가능하지 않아서 $MRS = MU_1/MU_2$ 식을 적용할 수 없습니다. 한편 수평인 부분에서는 $MU_1 = 0$이므로 $MRS = 0$이고, 수직인 부분은 $MU_2 = 0$이므로 $MRS = \infty$가 맞습니다. 이 효용함수가 나타내는 선호는 두 재화를 일정비율로 맞추어서 소비하는 것을 원하기 때문에, 효용을 유지하면서 한 재화의 양을 늘리고 다른 재화의 양을 줄이는 대체가 불가능하여, MRS가 정의되지 않는 것입니다.

20.3.3 한계대체율 체감

미시경제학의 소비자이론에서는 한계대체율 체감이라는 성질이 중요한 가정으로 사용됩니다. 여기서 '체감'이란 단어는 원래는 '점점 감소한다'라는 뜻인데, 수학적으로는 한계대체율이 x_1의 감소함수라는 뜻으로 이해하면 됩니다. 한계대체율은 (우하향하는) 무차별곡선의 기울기의 절댓값이므로, 한계대체율이 체감(감소)한다는 것은 기울기의 절댓값이 점점 작아진다는 것이고, 음수인 기울기의 절댓값이 작아지면 음수인 기울기 값 자체는 커질 것입니다. 즉 한계대체율 체감은 감소($\searrow$)하는 그래프의 기울기가 점점 커지는($\searrow$) 것을 말합니다. 즉 무차별곡선이 다음과 같은 모양을 가집니다.

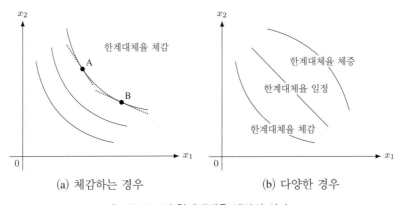

[그림 20.15] 한계대체율 체감의 의미

[그림 20.15(a)]를 보면 세 개의 무차별곡선 모두 한계대체율 체감의 특징을 보입니다. 표시된 두 점 A와 B를 비교해보면 x_1이 커지는 동안 A에서의 기울기에 비해 B에서의 기울기가 조금 더 완만해져서 절댓값은 작아졌습니다. [그림 20.15(b)]에서 세 무차별곡선은 각각 다른 성질을 갖는데, 제일 원점에 가까운 곡선은 체감이고, 두 번째는 '직선'으로 한계대체율이 일정하며, 제일 바깥쪽 곡선은 한계대체율 체증의 경우입니다.

수학적으로 한계대체율 체감 성질은 무차별곡선을 x_1의 함수 $x_2 = f(x_1)$로 볼 때 감소 ($f' < 0$)하면서 볼록($f'' > 0$)한 경우입니다.

예 20.12

선형 효용함수 $U(x_1, x_2) = \alpha x_1 + \beta x_2$는 무차별곡선이 직선이며, 한계대체율이 일정합니다.

콥-더글라스 효용함수 $U(x_1, x_2) = x_1 x_2$의 경우 한계대체율은 $\mathrm{MRS} = x_2/x_1$임을 앞에서 도출

했습니다. $x_2 = u_0/x_1$을 대입하여 x_1의 함수로 나타내면 $\text{MRS} = u_0/x_1^2$이고 따라서

$$\frac{d\text{MRS}}{dx_1} = -\frac{2u_0}{x_1^3} < 0$$

이어서 한계대체율이 체감합니다. 앞에서 그린 무차별곡선을 보면 체감하는 경우가 맞습니다.

무차별곡선을 x_1의 함수로 보면 $x_2 = f(x_1) = u_0/x_1$이고 $f' = -u_0/x_1^2 < 0$, $f'' = 2u_0/x_1^3 > 0$이어서 감소하는 볼록함수가 맞습니다.

한계대체율은 재화 1의 수량이 늘어나서 재화 2의 수량을 대체할 때, 재화 1의 1단위당 대체되는 재화2의 비율(대체율)입니다. 한계대체율 체감은 이 비율이 재화 1 수량의 증가에 따라 작아진다는 것입니다. 즉 재화 1을 많이 가질수록 그것과 맞바꿀 수 있는 재화 2의 양이 줄어든다는 것으로, 재화 1의 수량이 많을수록 상대적인 가치가 떨어지는 것으로 이해할 수 있습니다. 그런데 이렇게 설명하면 한계대체율 체감을 한계효용 체감과 같은 의미로 오해하는 경우가 있습니다.

한계효용 체감이란 한계효용이 감소함수라는 뜻입니다. $U(x_1, x_2)$일 때 재화 1의 한계효용은 $\text{MU}_1 = \dfrac{\partial U}{\partial x_1}$이고 x_1에 대해 감소함수라는 것은 MU_1을 한 번 더 x_1으로 편미분한 값이 음수라는 것입니다.

$$\frac{\partial \text{MU}_1}{\partial x_1} = \frac{\partial^2 U}{\partial x_1^2} < 0 \qquad \text{(한계효용 체감)}$$

x_1로 편미분을 두 번 하였고, 그동안 x_2는 변하지 않고 고정되어 있습니다. x_1이 변하는 동안 효용값이 변해서 그림에서는 다른 무차별곡선 위로 옮겨갑니다. 한편 한계대체율 체감은 수학적으로 편미분이 아닙니다. 하나의 무차별곡선 위를 움직이면서 기울기를 측정하기 때문에 x_1이 변하는 동안 x_2가 함께 변합니다. 그림으로 비교하면 다음과 같습니다.

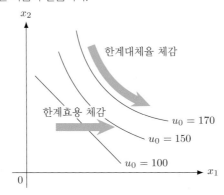

[그림 20.16] 한계대체율 체감과 한계효용 체감

한계대체율 체감은 무차별곡선마다 확인하며, 그림의 무차별곡선 3개 중 원점에 가까운 것은 직선으로 체감이 아니고, 나머지 2개는 한계대체율 체감 성질을 보입니다. 바깥쪽 2개의 무차별곡선에서는 각 효용수준을 유지하면서 재화 1을 늘려줄 때 대체가능한 재화 2의 양이 점점 줄어듭니다.

재화 1의 한계효용 체감은 여러 개의 무차별곡선 사이를 수평으로 이동하면서 확인합니다. 무차별곡선에 표시된 효용값이 100, 150, 170으로 표시되어 있습니다. x_2를 고정시켜 놓고, 오른쪽으로 이동할 때 첫 번째 무차별곡선에서 두 번째 무차별곡선으로 넘어갈 때는 재화 1의 양이 비교적 적게 늘어나고도 효용은 50이 증가하는데, 두 번째에서 세 번째로 넘어갈 때는 x_1는 좀 더 많이 늘어나지만 효용은 20밖에 안 늘어납니다. 이런 경우가 한계효용 체감입니다.

예 20.13

$U(x_1, x_2) = x_1 x_2$에 대해 MRS $= x_2/x_1$이고 한계대체율 체감이 성립함을 확인했었습니다. 한편 한계효용은 $MU_1 = x_2$이고, 이 값은 x_1에 대해 상수입니다. 즉 $\frac{\partial MU_1}{\partial x_1} = 0$으로 재화 1의 한계효용은 체감하지 않고 일정합니다.

20.3.4 한계기술대체율

지금까지 무차별곡선의 기울기의 절댓값인 한계대체율에 대해 알아보았습니다. 등량곡선의 기울기의 절댓값도 마찬가지 방식으로 계산하고 해석할 수 있습니다. 이 개념도 한계대체율이라 불러도 무방하지만, 기업의 기술을 나타낸다는 점을 강조하여 한계기술대체율(marginal rate of technical substitution, MRTS)이라고 부릅니다.

등량곡선의 식은 $f(L, K) = q_0$이고 여기서 L과 K를 각각 dL과 dK만큼 변화시키되 생산량을 q_0에서 유지한다면 전미분량은 0이어야 합니다. 즉

$$df = \frac{\partial f}{\partial L}(L, K)dL + \frac{\partial f}{\partial K}(L, K)dK = 0$$

이 성립하고 이를 재배열하면

$$\frac{dK}{dL} = -\frac{\partial f/\partial L(L, K)}{\partial f/\partial K(L, K)} = -\frac{MP_L}{MP_K}$$

가 됩니다. 즉 L을 가로축에, K를 세로축에 놓을 때 등량곡선의 기울기는 $-MP_L/MP_K$이고 한계기술대체율 MRTS는

$$MRTS = \frac{MP_L}{MP_K}$$

로 계산할 수 있습니다.

MRTS의 해석은 '노동 L의 투입량을 조금 늘려줄 때 같은 생산량을 유지하려면 자본 K의 투입량은 얼마나 줄여도 괜찮은가'입니다. 마찬가지로 한계기술대체율 체감은 이 값이 L의 증가에 따라 작아진다는 것, 즉 등량곡선이 감소하면서 볼록한(↘) 함수 그래프의 모양이

라는 것입니다.

$f(L, K) = \sqrt{L} + \sqrt{K}$ 일 때 $\mathrm{MP}_L = \dfrac{1}{2\sqrt{L}}$ 이고 $\mathrm{MP}_K = \dfrac{1}{2\sqrt{K}}$ 이므로

$$\mathrm{MRTS} = \frac{\mathrm{MP}_L}{\mathrm{MP}_K} = \frac{1/2\sqrt{L}}{1/2\sqrt{K}} = \frac{\sqrt{K}}{\sqrt{L}}$$

입니다. L이 증가한다면 동시에 K는 감소하므로 위 식에서 분모는 증가하고 분자는 감소하여 MRTS도 감소(체감)합니다.

연습문제

20-1 $z = F(x, y) = x^2 + 2xy + y^2$에 대해 답하시오.

    (a) $y = 1$일 때와 $y = 2$일 때의 등위선을 그리시오. (축의 이름을 정확하게 표시하시오.)

    (b) $z = 1$일 때와 $z = 4$일 때의 등위선을 그리시오. (축의 이름을 정확하게 표시하시오.)

20-2 다음 효용함수에 대해 한계효용, (효용 u_0일 때) 무차별곡선, 한계대체율을 식으로 도출하시오. 한계효용은 체감하는가? 한계대체율은 체감하는가?

    (a) $U(x_1, x_2) = x_1 + 2x_2$

    (b) $U(x_1, x_2) = x_1^2 x_2$

    (c) $U(x_1, x_2) = \ln x_1 + x_2$

    (d) $U(x_1, x_2) = 100x_1 + 100x_2 - x_1 x_2$

20-3 다음 효용함수들의 무차별곡선을 적당한 3가지 효용값들에 대해 그려보시오.

    (a) $U(x_1, x_2) = \min\{2x_1, 3x_2\}$

    (b) $U(x_1, x_2) = 2\sqrt{x_1} + \sqrt{x_2}$

20-4 다음의 3가지 생산함수의 등량곡선들을 비교하시오.

$$f(L, K) = LK, \quad g(L, K) = \ln(LK), \quad h(L, K) = \sqrt{LK}$$

20-5 콥-더글라스 생산함수의 일반형 $f(L, K) = L^\alpha K^\beta$을 고려한다.

    (a) 한계생산이 체감하려면 α, β에 어떤 조건을 가정해야 하는가?

    (b) 한계기술대체율을 공식으로 도출하고, 체감하는지 확인하시오.

Chapter 21

비선형 균형모형의 분석

제21장에서는 . . . .

선형함수가 아닌 일반적인 함수들로 구성된 균형모형의 분석 방법을 알아봅니다. 선형 균형모형은 연립방정식의 풀이를 통해서 해를 직접 도출하고 분석할 수 있었습니다. 그때 계수행렬의 행렬식이 0이 아니어서 역행렬을 가진다는 것이 중요한 가정이었습니다.

함수가 더 이상 선형이 아니라면 해를 도출하는 일반적인 방법은 없습니다. 하지만 전미분량을 사용하면, (심지어 해를 구체적으로 도출하지 못하더라도) 외생변수에 따른 내생변수(해)의 변화는 계산할 수 있습니다. 전미분량을 사용한 비선형 모형의 분석이, 행렬을 사용한 선형모형의 분석과 어떻게 비슷하고, 어떻게 다른지를 탐구하는 것이 이 장의 목표입니다.

다소 까다로운 논의이지만, 수요공급 모형과 거시경제 모형에 적용해보면서 수학적 방법론과 균형모형에 대한 이해의 폭을 더욱 넓힐 수 있을 것입니다.

주요 개념

전미분량, 야코비행렬, 야코비언

주요 결과

- x가 내생변수, α가 외생변수인 균형조건 $F(x, \alpha) = 0$을 만족하는 해 x에 대해 $F_x \neq 0$이면 분석이 가능하며, $dx = -\dfrac{F_\alpha}{F_x} d\alpha$이다.

- x, y가 내생변수, α가 외생변수인 연립방정식 형태의 균형조건 $F(x, y, \alpha) = 0$, $G(x, y, \alpha) = 0$을 만족하는 해 (x, y)에 대해 야코비언 $|J| \neq 0$이면 분석이 가능하다.

- 야코비행렬이란 연립방정식을 구성하는 각 식을 내생변수로 편미분한 결과를 행렬로 만든 것이다.

$$J = \begin{pmatrix} F_x & F_y \\ G_x & G_y \end{pmatrix}$$

21.1 전미분량을 사용한 분석 개관

균형모형은 균형조건을 중심으로 하는 모형입니다. 거칠게 요약하자면 $A = B$라는 균형조건이 있고, A와 B를 각각 어떤 내생변수 및 외생변수의 함수로 나타냅니다. $A(x, \alpha)$, $B(x, \beta)$라고 하겠습니다. 여기서 α, β는 각각 A와 B에 영향을 주는 (서로 독립적인) 외생변수들이고, x는 A와 B에 모두 영향을 주는 내생변수입니다.

즉 1개의 균형조건으로 된 균형모형은 식

$$A(x, \alpha) = B(x, \beta) \tag{21.1}$$

라고 나타낼 수 있겠습니다. A, B가 간단한 식이라면 미지수 x에 대한 방정식을 풀이하여 해 x의 값을 구할 수 있고, 그 결과는 α, β의 값에 따라 달라질 것입니다. 만약 하나의 α, β 값에 해 x가 단 하나만 존재한다면 함수 $x^*(\alpha, \beta)$로 나타낼 수 있을 것입니다.

> 이미 앞에서 A, B가 선형(1차)함수인 경우를 풀어보았습니다. 예를 들어 제17장의 선형 수요공급 모형은 $a - bP = c + dP$의 형태이고, 여기서 P가 내생변수('x'), 나머지 a, b, c, d는 외생변수('α' 및 'β')입니다. 식의 해는 $P^* = \dfrac{a - d}{b + d}$로 내생변수 P의 값을 외생변수인 a, b, c, d의 함수식으로 나타내었습니다.

만약 A, B가 선형함수가 아니고 상당히 복잡한 비선형함수라면, 심지어 A, B의 구체적인 함수 형태를 알지 못한다면 우리는 어떻게 이 모형을 분석할 수 있을까요? 일단은 (21.1)이 과연 해를 갖는지, 그 해가 외생변수 값마다 단 하나인지를 알 수조차 없습니다.

이 장에서는 모형에 어떤 가정을 해주면 그것을 어떻게 분석할 수 있는지를 알아봅니다. 이는 다양한 경제모형을 작성하는 데 있어서 중요한 지침이 될 것입니다. 방법은 전미분량을 활용하는 것입니다. **전미분량**(total differential)은 다변수함수의 모든 변수를 동시에 변화시킬 때 함숫값의 변화를 편미분계수들을 활용해서 근사계산하는 식입니다. $F(x_1, x_2)$의 전미분량은 $dF = F_1 dx_1 + F_2 dx_2$로 여기서 F_1은 F의 x_1에 대한 편미분계수입니다.

균형모형 (21.1)로 다시 돌아가서, 이 모형식의 외생변수 α, β를 각각 $d\alpha, d\beta$만큼 변화시켰다고 해봅시다. 그 결과 식을 만족하는 해 x의 값도 dx만큼 변할 것입니다. 이 변화폭들이 지나치게 크지 않다면 전미분량으로 계산할 수 있습니다. 좌변의 전미분량은

$$dA = A_x dx + A_\alpha d\alpha \tag{21.2}$$

가 되고, 우변의 전미분량은

$$dB = B_x dx + B_\beta d\beta \qquad (21.3)$$

가 됩니다. 변화가 일어나면 $A = B$의 좌변은 $A + dA$로, 우변은 $B + dB$로 바뀌는 것입니다. 그런데 균형에서 항상 $A = B$가 성립해야 하므로, 새로운 균형상태에서도 $A + dA = B + dB$가 성립해야 하고, 이는 $dA = dB$여야 한다는 뜻입니다.

따라서 (21.2)와 (21.3)을 일치시키면

$$A_x dx + A_\alpha d\alpha = B_x dx + B_\beta d\beta$$

가 됩니다. 이제 내생변수의 변화 dx를 좌변으로 모으고, 외생변수의 변화 $d\alpha, d\beta$를 우변으로 모아보면

$$(A_x - B_x)dx = -A_\alpha d\alpha + B_\beta d\beta \qquad (21.4)$$

가 됩니다. 이 식에서 만약 $A_x = B_x$라면 좌변이 0이 되고 dx가 식에서 사라집니다. dx에 어떤 값이 들어가든지 식이 만족됩니다. 그 말은 외생변수의 변화$(d\alpha, d\beta)$로부터 내생변수 x가 얼마나 변할지 알 수 없다는 것입니다.

따라서 내생변수 x가 어떻게 변할지를 알기 위해서는

$$A_x \neq B_x \qquad (\star)$$

라는 가정이 있어야 합니다. 가정 $(\star)$ 하에서 (21.4)의 양변을 $A_x - B_x \neq 0$으로 나누어주면

$$dx = -\frac{A_\alpha}{A_x - B_x}d\alpha + \frac{B_\beta}{A_x - B_x}d\beta \qquad (21.5)$$

를 얻습니다. 이제 (21.5)을 사용하면 임의의 (미분량은 작은 변화에 대해 사용할 때 오차가 작으므로) 작은 변화 $d\alpha$나 $d\beta$에 대해 dx를 계산하는 분석을 수행할 수 있습니다.

예 21.1

$A(x, \alpha) = \alpha$이고 $B(x, \beta) = \beta x^2$이라고 해보겠습니다. (A에는 x가 없습니다.)

(21.5)를 적용하려면 우선 조건 $(\star)$ 즉 $A_x - B_x = 0 - 2\beta x \neq 0$이어야 합니다. $\beta \neq 0$이라고 할 때 $x \neq 0$이어야 (21.5)를 적용할 수 있다는 뜻입니다. β는 변화가 없고 α만 변하는 경우를 생각해봅시다. 즉 $d\beta = 0$입니다. $A_\alpha = 1$이므로 (21.5)에 따르면 $dx = -\frac{1}{-2\beta x}d\alpha = \frac{1}{2\beta x}d\alpha$입니다. 분모에 x가 들어 있으므로 $x = 0$일 때는 적용이 곤란합니다.

그림으로 보면 이해에 도움이 될지도 모르겠습니다. 편의상 $\beta = 1$이라고 하고 $A = \alpha$와 $B = x^2$을 x에 대한 그래프로 그려보면 A는 높이 α의 수평선이고, B는 제곱함수 그래프입니다. $\alpha > 0$이면 해는 2개 $x = \pm\sqrt{\alpha}$이고, $\alpha = 0$이면 $x = 0$, $\alpha < 0$이면 해가 없습니다.

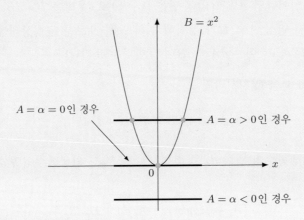

[그림 21.1] $A = \alpha$, $B = x^2$

$dx/d\alpha$는 α가 조금 움직일 때 해 x가 어떻게 움직이는지를 측정합니다. $\alpha > 0$이라면 해가 2개인데, 각 해는 α를 조금 올리거나 내릴 때 조금씩 움직입니다. 그 변화율은 앞서 계산한 $dx/d\alpha = 1/2x$로 계산할 수 있습니다. 그림에서 보듯이 $x > 0$이면 양수(α가 커질 때 x도 커짐)이고, $x < 0$이면 음수(α가 커질 때 x는 작아짐)입니다.

한편 $x = 0$일 때는 해가 $x = 0$로 1개뿐이기는 한데, α가 움직일 때 x가 어디로 움직이는지를 예측하기는 곤란합니다. 만약 α가 증가한다면 해가 2개가 되며 2개 중 어디로 움직일지, 즉 x가 증가할지 감소할지 알 수 없습니다. 게다가 α가 감소하면 아예 해가 사라져버립니다. 따라서 $dx/d\alpha$를 계산하기에 의미 있는 경우는 $x \neq 0$일 때인 것입니다.

$\alpha > 0$이고 $x \neq 0$인 경우 해가 2개이긴 하지만, $x > 0$일지, $x < 0$일지만 결정하면 미분계수의 계산에 문제가 없습니다.

예 21.2

완전경쟁 기업의 이윤극대화 조건은 $P = \mathrm{MC}(Q^*)$이고 이를 그림으로 그리면 공급곡선이라는 것을 공부했었습니다. 이 조건은 합리적 선택모형의 일계조건이지만, 일종의 균형조건으로 이해할 수도 있습니다. 좌변은 완전경쟁 기업의 한계수입 즉 재화를 좀 더 팔 때 늘어나는 수입이고, 우변은 한계비용 즉 재화를 좀 더 생산할 때 늘어나는 비용으로, 두 가지 사이에 '균형'을 잡아주는 것이 이윤극대화입니다.

기업에게 가격 P는 외생변수이고, 판매량 Q가 내생변수입니다. 만약 한계비용이 $\text{MC}(Q) = Q^2$의 형태라면 이윤극대화 조건은 $P = Q^2$이 됩니다. 앞 예제와 비교해보면, $\alpha \equiv P$, $\beta \equiv 1$, $x \equiv Q$라고 놓을 때 똑같은 상황입니다. 게다가 내생변수인 Q는 수량이므로 음수일 수 없고, 따라서 $Q = 0$ 또는 $Q > 0$입니다. 외생변수인 가격 또한 음수라는 것은 어색하므로 $P \geq 0$라고 할 수 있습니다.

$Q = 0$이라는 것은 $P = 0$으로 재화가격이 무료라서 판매도 하지 않는 예외적인 상황입니다. 한편 $P > 0$이면 $Q > 0$이고 $\dfrac{dQ}{dP} = \dfrac{1}{2Q} > 0$입니다. 그 역함수인 공급곡선의 미분계수가 $\dfrac{dP}{dQ} = 2Q$이기 때문입니다. 가격이 오를 때 판매량도 늘어나지만 늘어나는 정도는 점점 감소합니다. 거꾸로 판매량을 늘리려면 가격은 점점 더 많이 올려주어야 합니다. 한계비용이 체증하는 상황이기 때문입니다.

21.2 비선형 수요공급 모형

수요공급 모형은 수요함수 및 공급함수와 균형조건으로 이루어집니다. 제17장에서 각 함수가 선형으로 이루어진 모형을 분석해보았습니다.

> **수요공급 모형**
>
> - 경제주체: 소비자, 기업
> - 선택변수: 수요량 Q_D, 공급량 Q_S
> - 주체의 행동: 수요함수 $Q_D = D(P, \alpha)$, 공급함수 $Q_S = S(P, \beta)$
> - 균형조건: 가격에 의한 수요량과 공급량의 일치 $D(P, \alpha) = S(P, \beta)$
> - 내생변수: 가격 P, 거래량 $Q = Q_D = Q_S$
> - 외생변수: 수요측 외생변수 α (소득, 타재화가격 등), 공급측 외생변수 β (비용, 기술 등)

제17장에서 제시했던 모형을 가져오고, 수요측 외생변수에 α라는 기호를, 공급측 외생변수에 β라는 기호를 붙였습니다. α, β는 각각 1개인 것처럼 표시했지만, 여러 개여도 상관없습니다. α는 예를 들어 타재화가격이나 소비자 소득 등을 나타낼 수 있습니다. β는 요소가격이나 생산자 기술 수준 등을 나타낼 수 있습니다. 위 모형을 1줄로 요약하면

$$D(P, \alpha) = S(P, \beta)$$

입니다.

수요함수 D와 공급함수 S가 각각 모든 변수에 대해 편미분가능하다고 가정합니다. 균형 조건 $D(P, \alpha) = S(P, \beta)$의 양변의 전미분량을 취하면

$$\frac{\partial D}{\partial P}(P, \alpha)dP + \frac{\partial D}{\partial \alpha}(P, \alpha)d\alpha = \frac{\partial S}{\partial P}(P, \beta)dP + \frac{\partial S}{\partial \beta}(P, \beta)d\beta$$

내생변수의 변화량인 dP를 좌변에, 외생변수의 변화량 $d\alpha$와 $d\beta$를 우변에 모아주면

$$\underbrace{\left(\frac{\partial S}{\partial P}(P, \beta) - \frac{\partial D}{\partial P}(P, \alpha) \right)}_{= |J|} dP = \frac{\partial D}{\partial \alpha}(P, \alpha)d\alpha - \frac{\partial S}{\partial \beta}(P, \beta)d\beta$$

dP 앞에 곱해진 계수항을 $|J| = S_P - D_P$라고 표기했습니다. 왜 $|J|$라고 표기하는지는 잠시 후 설명하기로 하고, 일단 $|J| \neq 0$이라고 가정하겠습니다. 만약 $|J| = 0$이라면 좌변에서 dP가 사라져서 내생변수인 가격의 변화에 대한 정보를 얻을 수가 없습니다. $|J| \neq 0$이라면 양변을 $|J|$로 나누어서

$$dP = \frac{D_\alpha}{|J|}d\alpha - \frac{S_\beta}{|J|}d\beta \tag{21.6}$$

가 됩니다.

수요측 외생변수 α에 변화가 생길 때 균형가격에 미치는 영향은 $\dfrac{dP}{d\alpha} = \dfrac{D_\alpha}{|J|}$ 로, 공급측 외생변수 β에 변화가 생길 때 균형가격에 미치는 영향은 $\dfrac{dP}{d\beta} = -\dfrac{S_\beta}{|J|}$ 로 알아볼 수 있습니다.

$|J| = S_p - D_p \neq 0$의 의미

S_p는 공급함수의 가격에 대한 편미분계수, D_p는 수요함수의 가격에 대한 편미분계수입니다. 이는 공급곡선과 수요곡선의 미분계수의 역수이기도 합니다. 두 값이 다르지 않고 같다면, 두 곡선이 서로 접하여, 그 근처에서는 사실상 수요곡선과 공급곡선이 겹치는 셈입니다. 만약 1차함수라면 정말로 기울기가 같은 직선이므로 완전히 겹칩니다. 이런 경우에는 두 곡선이 만나는 균형점을 찾거나, 두 곡선이 이동할 때 새로운 균형점이 어떻게 이동하는지를 알아보는 분석에 문제가 생깁니다.

[그림 21.2]에 공급곡선과 수요곡선이 접하는 경우를 그려보았습니다. 둘 중 어느 것이 수요이고 공급인지는 중요하지 않습니다. 두 곡선이 서로 접하여 균형 (P^*, Q^*)를 이루고 있는데, 이때 수요측 외생변수 또는 공급측 외생변수가 변하여 두 곡선 중 하나가 이동한다면, 이동방향에 따라서 해가 사라져버리거나, 새로운 균형이 2개가 발생하여 어느 쪽으로 이동할지 알 수 없습니다.

그런데 그림을 다시 보면 좀 이상한 점이 있습니다. 두 곡선 모두 우하향하게 그려져 있습

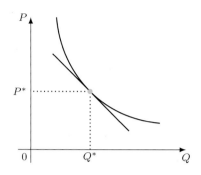

[그림 21.2] $S_p = D_p$인 경우 균형의 분석이 곤란하다

니다. 보통은 수요곡선은 수요의 법칙이 성립하여 우하향하게 그리고, 공급곡선은 (사실상 체증하는 한계비용곡선이므로) 공급의 법칙이 성립하여 우상향하게 그립니다. 즉 보통 $D_p < 0$이고 $S_p > 0$입니다. 따라서 이런 경우에는 애초에 $|J| = S_p - D_p > 0$이 되어 $|J| \neq 0$이라는 조건을 만족하게 됩니다.

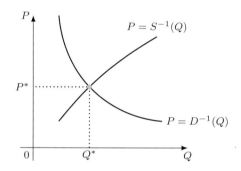

[그림 21.3] 수요의 법칙과 공급의 법칙이 성립하는 경우

따라서 [그림 21.3]과 같이 보통의 가정 하에서는 균형이 1개 존재할 뿐 아니라, 두 곡선 중 하나가 이동할 때 어떤 방향으로 균형이 이동할지를 충분히 예측할 수 있습니다. (우리 기호에서 D와 S는 수요함수와 공급함수이고, 위 그림은 수요곡선과 공급곡선이므로 D^{-1}과 S^{-1}으로 표시되어 있습니다.) (21.6)를 이용해서 계산도 할 수 있습니다.

수요측 외생변수 α가 변하는 경우

$d\alpha > 0$이고 $d\beta = 0$인 경우 즉 수요측 외생변수 α만 값이 커지는 경우 (21.6)에 따르면

$$\frac{dP}{d\alpha} = \frac{D_\alpha}{|J|} \tag{21.7}$$

입니다. 위에서 수요의 법칙과 공급의 법칙이 성립하면 $|J| = S_p - D_p > 0$임을 보았습니다. 즉 위 식에서 분모는 양수입니다. 따라서 $dP/d\alpha$의 부호는 D_α의 부호와 같습니다.

만약 $D_\alpha > 0$이라면 $dP/d\alpha > 0$입니다.

더 설명하면, 수요함수 $Q = D(P, \alpha)$에 대해서 α가 커지면 같은 가격 P에도 수요량 Q가 더 커지는 상황이 있습니다. 수요를 증가시키는 외생적 변화인 것이죠. 수요곡선으로 그림을 그리면 수요곡선이 전반적으로 오른쪽으로 이동하는 것입니다.

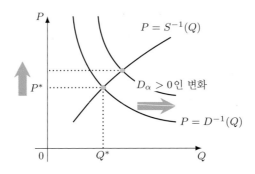

[그림 21.4] $D_\alpha > 0$인 변화시 균형 P^*는 상승

그림에서 보듯이 이런 경우, (수요곡선, 공급곡선이 직선인지 여부와 상관없이) 새로운 균형에서 가격은 예전보다 높아집니다. 이 결과는 제17장에서 선형 수요공급 모형에 대해 도출했던 것과 일치합니다. 마찬가지로 $D_\alpha < 0$인 경우 또는 $d\beta \neq 0$인 경우도 하나하나 식으로, 그리고 그림으로 분석해볼 수 있습니다. 이 부분은 연습문제로 남기겠습니다.

예제 21.1

$Q_D = a - P$이고 $Q_S = c + P$인 선형 수요공급 모형에서 a 또는 c가 변할 때 가격의 변화를 (21.6)을 적용해서 분석해보시오.

$D = a - P$이고 $S = c + P$인 것이므로, $S_p = 1 > 0$이고 $D_p = -1 < 0$이며 $|J| = S_p - D_p = 2 > 0$입니다. 따라서 (21.6)을 적용할 수 있습니다. 수요함수에 든 상수 a는 α에 해당되고, 공급함수에 든 c는 β에 해당됩니다.

먼저 a를 변화시킨다면 $\alpha = a$인 것이고 $D_\alpha = D_a = 1$이므로 (21.6)에 대입하여 $\dfrac{dP}{da} = \dfrac{1}{2} > 0$이 됩니다. 이는 [그림 21.4]와 비슷한 상황입니다.

만약 c를 변화시킨다면 $\beta = c$인 것이고 $S_\beta = S_c = 1 > 0$이고, $\dfrac{dP}{dc} = -\dfrac{1}{2} < 0$입니다. 공급함수의 절편인 c가 커진다는 것은 그 역함수인 공급곡선의 절편이 작아져서 공급곡선이 아래로 내려간다는 뜻입니다.

> **예 21.3**
>
> 만약 $Q_D = a - P^2$이고 $Q_S = c + P^2$이라면 더 이상 선형 모형이 아닙니다. 결과는 어떻게 달라질까요? 균형가격이 양수 $P > 0$이라는 가정 하에 $S_p = 2P > 0$이고 $D_p = -2P < 0$이므로 $|J| = 4P > 0$입니다. 여전히 $D_a = 1$이고 $S_c = 1$이므로 이제 $\dfrac{dP}{da} = \dfrac{1}{4P} > 0$, $\dfrac{dP}{dc} = -\dfrac{1}{4P} < 0$으로 부호는 그대로이고, 값은 균형 가격 P에 따라 달라집니다.

21.3 비선형 거시경제 모형

이번에는 거시경제 모형을 보겠습니다. 특히 **IS-LM** 모형은 식 2개로 구성되기 때문에, 분석 과정이 더 복잡해집니다. 식 1개로 된 기본 모형은 방금 공부했던 수요공급 모형과 분석 과정이 거의 같으므로 그 경우를 먼저 보겠습니다. 아예 분석방법 개관에서 봤던 (21.1)부터 (21.5)까지의 과정을 처음부터 다시 반복하겠습니다. 이 과정을 기계적으로 외우는 것보다는, 전미분량을 통해서 원하는 결과를 얻는 과정 자체를 연습해두면 더 복잡한 모형 분석에 도움이 될 것입니다.

21.3.1 기본 모형

총수요와 총공급의 균형조건으로 된 기본 모형입니다. 선형 모형에서는 소비함수를 1차함수로 가정했는데 여기서는 일반적인 비선형함수 $C(Y)$입니다. 단, 한계소비성향에 대해서는 마찬가지로 0과 1 사이라는 가정을 보탭니다. 즉 $0 < C'(Y) < 1$입니다.

그렇다면 모형은 $Y = C + I_0 + G_0$이라는 균형조건과 $C = C(Y)$라는 소비함수로 구성되어

$$Y = C(Y) + I_0 + G_0$$

이라고 쓸 수 있습니다. $C(Y)$가 1차함수 $C_0 + bY$였을 때는 이 식을 좌변으로 옮겨 정리한 후 Y의 해를 도출할 수 있었지만, 여기서는 좌변을 $Y - C(Y)$로 만들더라도 더 이상 풀이가 곤란합니다.

하지만 균형 국민소득 Y를 식으로 도출하지 못해도 분석은 가능합니다. 위 모형에서 외생변수는 I_0과 G_0인데, 편의상 기업 투자에는 별다른 변화가 없어서 $dI_0 = 0$이라고 합시다. 한편 재정정책에 의해 정부지출이 dG_0만큼 변하는 경우 국민소득 Y에 어떤 변화 dY가

생기는지 알고 싶습니다. 그렇다면 전미분량을 계산합니다.

$$dY = C'(Y)dY + dG_0$$

dY를 좌변에 모아주면

$$(1 - C'(Y))dY = dG_0$$

이 되고 $C'(Y) < 1$이라고 가정했으므로 $1 - C'(Y) \neq 0$이어서 양변을 $1 - C'(Y)$로 나누어 줄 수 있으므로

$$dY = \frac{1}{1 - C'(Y)}dG_0$$

가 됩니다. 즉

$$\frac{dY}{dG_0} = \frac{1}{1 - C'(Y)}$$

라는 정부지출 승수 공식을 도출하였는데, 이는 선형모형에서 $C'(Y) = b$이므로 $\dfrac{dY}{dG_0} = \dfrac{1}{1 - b}$ 라는 결과와 일치합니다.

21.3.2 비선형 IS-LM 모형

이제 논의를 확장해서 재화시장 균형과 화폐시장 균형을 함께 다루는 IS-LM 모형을 비선형으로 고려해보겠습니다. 내생변수가 2개이고 식도 2개입니다.

재화시장의 총수요 중에서 소비는 비선형 소비함수 $C(Y)$로, 기업 투자는 비선형 투자함수 $I(r)$로 놓습니다. $0 < C'(Y) < 1$이고 $I'(r) < 0$이라고 가정하겠습니다. 한편 화폐시장의 화폐수요는 $L(Y, r)$이라는 비선형 이변수함수로 가정합니다. $L_Y > 0$, $L_r < 0$이라고 가정하겠습니다. 새롭게 추가된 부분은 이자율 r과 투자 I, 화폐수요 L 사이의 관계입니다. 이자율이 올라가면 투자는 줄고($I'(r) < 0$), 화폐수요도 줄며($L_r < 0$), 한편 소득이 늘어날 때 화폐수요는 늘어난다($L_Y > 0$)고 가정하는 것입니다.

그렇다면 모형은 재화시장의 총공급-총수요 균형과, 화폐시장의 화폐공급-화폐수요 균형의 두 조건으로 구성되어

$$Y = C(Y) + I(r) + G_0$$
$$M_0 = L(Y, r)$$

입니다. 이제 외생변수 G_0과 M_0가 변한 효과가 내생변수 Y와 r에 어떤 영향을 주는지 알

아보고자 합니다. 두 식의 전미분량을 각각 계산하면

$$dY = C'(Y)dY + I'(r)dr + dG_0$$
$$dM_0 = L_Y(Y,r)dY + L_r(Y,r)dr$$

입니다. 여기서 내생변수 Y, r과 외생변수 G_0, M_0이 모두 한꺼번에 변했다고 보고 이를 모두 반영시킨 점에 주의하세요.

이제 좌변에 내생변수의 변화 dY, dr을, 우변에 외생변수의 변화 dG_0, dM_0을 모으면

$$
\begin{aligned}
(1 - C'(Y))dY &- & I'(r)dr &= & dG_0 \\
L_Y(Y,r)dY &+ & L_r(Y,r)dr &= & dM_0
\end{aligned}
$$

이 되는데 이 두 식은 (dY, dr)을 미지수로 하는 선형 연립방정식입니다. 즉 위 두 식을 다음과 같이 행렬 형태로 쓸 수 있습니다.

$$
\begin{pmatrix} 1 - C'(Y) & -I'(r) \\ L_Y(Y,r) & L_r(Y,r) \end{pmatrix}
\begin{pmatrix} dY \\ dr \end{pmatrix}
=
\begin{pmatrix} dG_0 \\ dM_0 \end{pmatrix}
$$

원래는 비선형 모형이었는데, 전미분량을 계산했고, 전미분량은 원래 함수를 편미분계수를 기울기로 갖는 접선으로 된 직선처럼 취급하는 것이므로 선형 연립방정식 형태로 바뀐 것입니다.

이제 위 방정식은 역행렬을 구하거나, 크레이머의 규칙을 써서 쉽게 풀이할 수 있습니다. 그러기 위해서는 먼저 계수행렬의 행렬식이 0이 아니어야 합니다. 위 계수 행렬을 **야코비 행렬**(Jacobi matrix)이라고 부르고 J라고 나타내겠습니다. 즉

$$
J = \begin{pmatrix} 1 - C'(Y) & -I'(r) \\ L_Y(Y,r) & L_r(Y,r) \end{pmatrix}
$$

이고 그 행렬식은

$$
|J| = \begin{vmatrix} 1 - C'(Y) & -I'(r) \\ L_Y(Y,r) & L_r(Y,r) \end{vmatrix} = (1 - C'(Y))L_r(Y,r) + I'(r)L_Y(Y,r)
$$

입니다. $|J| \neq 0$이어야 역행렬이 있고, 방정식에 해가 단 1개 있습니다.

그런데 우리가 위에서 $C'(Y)$, L_r, L_Y, $I'(r)$에 대해 한 가정을 활용해보면

$$
\underbrace{(1 - C'(Y))}_{(+)}\underbrace{L_r(Y,r)}_{(-)} + \underbrace{I'(r)}_{(-)}\underbrace{L_Y(Y,r)}_{(+)} < 0
$$

이 되어 $|J| \neq 0$이 성립합니다.

Y와 r을 한꺼번에 분석하겠다면 역행렬을 쓰는 것이 좋겠지만, 일단 국민소득 Y에 대한 분석만 해보겠습니다. 그렇다면 크레이머의 규칙을 써서 첫 열을 상수항으로 대체한 새로운 행렬의 행렬식 $|J(1)|$을 계산합니다.

$$|J(1)| = \begin{vmatrix} dG_0 & -I'(r) \\ dM_0 & L_r(Y,r) \end{vmatrix} = L_r(Y,r)dG_0 - I'(r)dM_0$$

따라서 (방정식에서 미지수는 Y, r이 아니라 dY, dr임에 주의합니다)

$$dY = \frac{|J(1)|}{|J|} = \frac{L_r(Y,r)dG_0 - I'(r)dM_0}{(1-C'(Y))L_r(Y,r) + I'(r)L_Y(Y,r)}$$

입니다. 재정정책의 효과만 보기 위해서 $dM_0 = 0$이라고 하면

$$\frac{dY}{dG_0} = \frac{L_r(Y,r)}{(1-C'(Y))L_r(Y,r) + I'(r)L_Y(Y,r)}$$

인데 위에서 확인한 대로 분모의 $|J| < 0$이고 분자는 $L_r < 0$이므로 $dY/dG_0 > 0$으로 재정지출 확대에 따라 국민소득이 증가함을 알 수 있습니다. 또한 그 크기를 가늠해보기 위해서 분자, 분모를 모두 L_r로 나누어보면

$$\frac{dY}{dG_0} = \frac{1}{(1-C'(Y)) + \underbrace{I'(r)\dfrac{L_Y(Y,r)}{L_r(Y,r)}}_{(+)}} < \frac{1}{1-C'(Y)}$$

이 되는데 이는 제18장에서 선형 **IS-LM** 모형에 대해서 도출했던 결과와 같습니다. 비교를 위해서 아래에 식 (18.3)을 다시 가져왔습니다.

$$\frac{dY^{**}}{dG_0} = \frac{m_r}{(1-b)m_r + i_r m_Y} = \frac{1}{(1-b) + i_r\dfrac{m_Y}{m_r}} < \frac{1}{1-b} = \frac{dY^*}{dG_0} \tag{18.3}$$

선형모형과 비교해보면 $C'(Y) = b$, $I'(r) = i_r$, $L_Y = m_Y$, $L_r = m_r$이므로 사실상 동일한 결과입니다.

21.4 전미분량을 사용한 균형모형 분석

수요공급 모형 및 거시경제 모형을 통해서 비선형 균형모형 분석을 구체적으로 해보았습니다. 이제 다시 한발 물러나서, 분석 방법을 일반적인 수준에서 정리해보겠습니다. 논의가 조금 추상적이라 어려울 수 있습니다.

먼저 균형조건이 1개인 경우입니다. 1절에서는 이를 $A(x, \alpha) = B(x, \beta)$로 나타내었습니다. α, β라는 2개의 외생변수를 구분하면 수요공급 모형에서처럼 양측 외생요인을 구분하여 분석할 때 편리합니다. 하지만 수학적으로는 사실 이 조건식을 모두 좌변으로 모아 정리하면

$$F(x, \alpha, \beta) = A(x, \alpha) - B(x, \beta) = 0$$

이라고 쓸 수 있고, 굳이 α, β를 구분하지 않고 한꺼번에 취급해도 같은 결과를 얻게 됩니다. (21.5)에서는 $d\alpha$와 $d\beta$의 부호가 서로 다른데 이는 위 식에서 보듯이 A와 B 앞의 부호가 다르기 때문입니다.

즉 그냥 $F(x, \alpha) = 0$이라고 하고 전미분량을 계산해보면

$$dF = F_x dx + F_\alpha d\alpha = 0$$

입니다. dx를 계산할 수 있으려면 그 계수가 $F_x \neq 0$을 만족해야 합니다. 그런데 $F_x = A_x - B_x$이므로 이는 1절에서 본 조건 ($\star$)와 같습니다. $d\alpha$에 대한 분석은 ($F_x \neq 0$일 때)

$$dx = -\frac{F_\alpha}{F_x} d\alpha \tag{21.8}$$

로 할 수 있습니다.

> **결과 21.1**
>
> **균형조건 1개의 분석**: 균형조건을 $F(x, \alpha) = 0$로 나타낼 수 있다고 하자. 여기서 x는 내생변수, α는 외생변수이다. 만약 F가 x와 α에 대해 각각 편미분가능하고, F의 내생변수에 대한 편미분계수 F_x가 0이 아니라면, 외생변수 α가 아주 조금 $d\alpha$ 변할 때 내생변수의 변화를 (21.8)로 계산할 수 있다.

이번에는 균형조건이 2개 있는 일반적인 경우를 생각해봅시다. 식이 2개이므로 내생변수도 2개일 것입니다. x, y라고 하겠습니다. 그렇다면 두 식을 모두 좌변으로 모아 정리할 경우

$$F(x, y, \alpha) = 0$$
$$G(x, y, \alpha) = 0$$

라고 쓸 수 있습니다. IS-LM 모형의 경우 두 식에 각각 서로 다른 외생변수(G_0, M_0)가 들어 있었는데 위 식에서 α를 1개의 변수가 아니라 여러 개의 변수 중 한 번에 하나씩 본다고 생각하면 됩니다. 즉 $\alpha = G_0$ 또는 M_0인 것이고, G_0로 분석한다면 $\alpha = G_0$로 보고 이것이 첫 식에만 들어있고 둘째 식에 없으므로 $F_\alpha = 1$, $G_\alpha = 0$으로 처리하면 됩니다.

이제 두 식의 전미분량을 각각 계산하면

$$dF = F_x dx + F_y dy + F_\alpha d\alpha = 0$$
$$dG = G_x dx + G_y dy + G_\alpha d\alpha = 0$$

입니다. dx, dy를 미지수로 보고, $d\alpha$가 든 항을 상수항으로 취급해 우변으로 옮기면

$$
\begin{array}{ccccc}
F_x dx & + & F_y dy & = & -F_\alpha d\alpha \\
G_x dx & + & G_y dy & = & -G_\alpha d\alpha
\end{array}
$$

이고 행렬로 표시하면

$$
\begin{pmatrix} F_x & F_y \\ G_x & G_y \end{pmatrix}
\begin{pmatrix} dx \\ dy \end{pmatrix}
= - \begin{pmatrix} F_\alpha \\ G_\alpha \end{pmatrix} d\alpha
$$

입니다. 비선형식들로부터 전미분량을 통해 선형 연립방정식을 뽑아내었습니다. 계수행렬은 바로 **야코비행렬**입니다. 야코비행렬은 여러 개의 식으로 구성된 모형의 각 식을 차례로 내생변수로 편미분한 결과를 행렬로 모은 것입니다. 즉 첫 행에는 첫 식의 편미분계수들, 둘째 행에는 둘째 식의 편미분계수들이 들어오고, 첫 열에는 첫 번째 내생변수, 둘째 열에는 두 번째 내생변수로 편미분한 결과가 들어옵니다. **야코비언**은 이 행렬의 행렬식입니다.

$$
|J| = \begin{vmatrix} F_x & F_y \\ G_x & G_y \end{vmatrix}
$$

이 값이 0이 아니어야 합니다. 즉 $|J| = F_x G_y - F_y G_x \neq 0$이어야 합니다. 역행렬을 계산하여 해를 도출하는 것도 어렵지는 않지만 최종 식이 다소 복잡하므로, 차라리 여러 번 적용하더라도 크레이머의 규칙을 쓰는 것이 결과를 정리하기에는 더 좋은 것 같습니다. 즉

$$
|J(1)| = \begin{vmatrix} -F_\alpha d\alpha & F_y \\ -G_\alpha d\alpha & G_y \end{vmatrix}, \quad
|J(2)| = \begin{vmatrix} F_x & -F_\alpha d\alpha \\ G_x & -G_\alpha d\alpha \end{vmatrix}
$$

라고 하면

$$
dx = \frac{|J(1)|}{|J|}, \quad dy = \frac{|J(2)|}{|J|}
$$

가 됩니다. 조금 더 자세히 적어보면

$$
dx = \frac{- \begin{vmatrix} F_\alpha & F_y \\ G_\alpha & G_y \end{vmatrix}}{\begin{vmatrix} F_x & F_y \\ G_x & G_y \end{vmatrix}} d\alpha, \quad
dy = \frac{- \begin{vmatrix} F_x & F_\alpha \\ G_x & G_\alpha \end{vmatrix}}{\begin{vmatrix} F_x & F_y \\ G_x & G_y \end{vmatrix}} d\alpha
\tag{21.9}
$$

위 결과에서 음의 부호 ($-$)를 간혹 못 보거나 잊는 경우가 많이 있어서, 일부러 분자에 잘

보이도록 표시했습니다.

결과 21.2

균형조건 2개의 분석: 균형조건이 $F(x, y, \alpha) = 0$과 $G(x, y, \alpha) = 0$이라고 하자. 여기서 x, y는 내생변수, α는 외생변수이다. 만약 F, G가 모든 변수에 대해 편미분가능하고, F, G의 내생변수에 대한 편미분계수의 야코비행렬이 0이 아닌 행렬식을 갖는다면, 외생변수 α가 아주 조금 $d\alpha$ 변할 때 내생변수의 변화를 (21.9)로 계산할 수 있다.

연습문제

21-1 $A(x, \alpha) = \alpha$이고 $B(x, \beta) = \beta x^2$일 때 균형조건 $A = B$를 만족하는 해 x를 (21.5)를 사용해서 β에 대해 분석해보시오.

21-2 완전경쟁 기업의 이윤극대화 일계조건은 $P = \text{MC}(Q^*)$이다. $\text{MC}(Q) = cQ^2$일 때 이윤극대화 수량 Q^*를 (21.5)를 사용해서 c에 대해 분석해보시오.

21-3 독점 기업의 이윤극대화 조건은 $\text{MR}(Q^*) = \text{MC}(Q^*)$이다. $P(Q) = a - bQ$라면 $\text{MR}(Q) = a - 2bQ$이다. $\text{MC}(Q) = cQ$일 때 이윤극대화 수량 Q^*를 (21.5)를 사용해서 a와 c에 대해 각각 분석해보시오.

21-4 본문에서 비선형 수요공급 모형에 대해 $D_\alpha > 0$인 경우 α에 대해 분석해보았다.

  (a) $D_\alpha < 0$이면 $dP/d\alpha < 0$일 것을 (21.7)로 알 수 있다. 그림으로 확인하시오.

  (b) $S_\beta > 0$인 경우 $dP/d\beta$의 부호를 결정하고 그림으로 그려 해석해보시오.

21-5 본문의 비선형 기본 거시경제 모형에서는 G_0이 Y에 미치는 영향을 분석해보았다.

  (a) 만약 I_0이 아주 조금 dI_0만큼 변한다면 균형 국민소득 Y는 어떻게 변하는지 분석하시오.

  (b) 본문의 비선형 IS-LM모형에 대해서 $\dfrac{dY}{dM_0}$, $\dfrac{dr}{dG_0}$, $\dfrac{dr}{M_0}$를 각각 계산하시오.

Chapter 22

다변수함수의 최적화

제22장에서는 . . . .

이 장에서는 목적함수가 다변수함수인 최적화 문제를 공부합니다. 다변수함수의 최적화 일계조건은 일변수함수와 사실상 같습니다. 편미분을 사용한다는 점만 유의하면 됩니다. 또한 조건이 변수의 개수만큼 있으므로 연립방정식입니다. 이계조건은 좀 더 까다로운데, 이변수함수를 중심으로 알아보겠습니다. 이계 편미분계수들로 구성한 헤세 행렬이 도움됩니다. 경제주체가 두 가지 변수를 동시에 결정하는 경제모형의 사례도 알아봅니다.

주요 결과

- 일계조건: $F(x_1, \ldots, x_n)$의 내부 최적해가 $\mathbf{x}^*$일 때 모든 $i = 1, \ldots, n$에 대해 $\dfrac{\partial F}{\partial x_i}(\mathbf{x}^*) = 0$

- $F(x_1, x_2)$의 헤세행렬 $H = \begin{pmatrix} F_{11} & F_{12} \\ F_{21} & F_{22} \end{pmatrix}$

- 극대 이계조건: $F_{11} < 0$, $F_{22} < 0$, $|H| > 0$

- 극소 이계조건: $F_{11} > 0$, $F_{22} > 0$, $|H| > 0$

22.1 다변수함수의 최적화: 일계조건

목적함수가 다변수함수인 최적화 문제 $\displaystyle \max_{x_1, \ldots, x_n} F(x_1, \ldots, x_n)$ 또는 $\displaystyle \min_{x_1, \ldots, x_n} F(x_1, \ldots, x_n)$을 고려합니다. 선택변수의 범위에 신경 쓰지 말고 내부해에만 집중한다면 일변수함수 최적화와 마찬가지로 최적해가 만족해야 할 일계(필요)조건과, 만족하면 최적해를 판별하게 해주는 이계(충분)조건이 있습니다.

일계조건은 극대해와 극소해에 공통으로 적용됩니다. 제14장에서 일변수함수 $f(x)$의 내부 극대해 또는 극소해 x^*는 $f'(x^*) = 0$이라는 일계조건을 만족함을 공부했었습니다. 이변수 함수 $F(x_1, x_2)$의 일계조건은 미분계수를 (2개의) 편미분계수로 대체하면 됩니다.

> **결과 22.1**
>
> 편미분가능한 함수 $F(x_1, x_2)$의 내부 극대해 또는 극소해가 (x_1^*, x_2^*)일 때
>
> $$\frac{\partial F}{\partial x_1}(x_1^*, x_2^*) = 0, \quad \frac{\partial F}{\partial x_2}(x_1^*, x_2^*) = 0 \qquad (22.1)$$
>
> 이 성립한다.

증명은 어렵지 않고, 그 논리가 경제모형 분석에도 도움이 되므로 한 번 해보겠습니다.

증명

(x_1^*, x_2^*)에서 일계조건이 성립하지 않아서 $\frac{\partial F}{\partial x_1}(x_1^*, x_2^*) \neq 0$이라면 어떤 일이 벌어질지 생각해봅시다.

먼저 만약 $\frac{\partial F}{\partial x_1}(x_1^*, x_2^*) > 0$이라면, 즉 x_1에 대한 편미분계수가 양수라면 $dx_1 > 0$만큼 x_1을 아주 조금 늘려줄 때 함숫값이 증가합니다. 즉 $dF = F_1(x_1^*, x_2^*)dx_1 > 0$이고, $F(x_1^* + dx_1, x_2^*) > F(x_1^*, x_2^*)$입니다. 주변에 함숫값이 더 큰 점이 있으므로 (x_1^*, x_2^*)는 극대점일 수 없습니다. 마찬가지로 $dx_1 < 0$만큼 줄여주면 $dF = F_1(x_1^*, x_2^*)dx_1 < 0$이어서 $F(x_1^* + dx_1, x_2^*) < F(x_1^*, x_2^*)$가 되어 함숫값이 감소합니다. 주변에 함숫값이 더 작은 점도 있으므로 (x_1^*, x_2^*)는 극소점일 수도 없습니다.

이번에는 만약 $\frac{\partial F}{\partial x_1}(x_1^*, x_2^*) < 0$이라면 거꾸로 $dx_1 > 0$일 때 함숫값이 줄어들기 때문에 (x_1^*, x_2^*)는 극소점이 아니고, $dx_1 < 0$일 때 함숫값이 늘어나니까 (x_1^*, x_2^*)는 극대점도 아닙니다.

똑같은 논리를 $\frac{\partial F}{\partial x_2}(x_1^*, x_2^*) > 0$이거나 $\frac{\partial F}{\partial x_2}(x_1^*, x_2^*) < 0$인 경우에도 적용할 수 있습니다.

정리해보면, 만약 편미분계수가 0이 아니라면 함숫값을 늘리거나 줄이는 방향이 반드시 존재하므로 그 점은 극대점도 극소점도 아닙니다. 따라서 만약 극대점이거나 극소점이라면 반드시 편미분계수가 (모든 방향으로) 0이어야 합니다.

목적함수의 편미분계수가 0이어야만, 그 목적이 효용이든지, 이윤이든지, 비용이든지, 목적함수의 값을 더 이상 늘리거나 줄일 수 없으므로 최적화가 된 상태라 하겠습니다. ◀

(22.1)에서 보듯 이변수함수의 일계조건은 식이 2개입니다. 또한 이 조건에서 결정되어할 미지수 (x_1^*, x_2^*)도 2개입니다. 마찬가지로 n변수함수 $F(x_1, \ldots, x_n)$의 내부 최적해 일계조

건은 n개의 미지수 $(x_1^*, \ldots, x_n^*)$을 결정하는 n개의 식으로 된 연립방정식입니다.

$$\frac{\partial F}{\partial x_1}(x_1^*, \ldots, x_n^*) = 0$$

$$\frac{\partial F}{\partial x_2}(x_1^*, \ldots, x_n^*) = 0$$

$$\vdots$$

$$\frac{\partial F}{\partial x_n}(x_1^*, \ldots, x_n^*) = 0$$

(n변수 일계조건)

예 22.1

(a) $F(x_1, x_2) = x_1^2 + x_2^2$에 일계조건을 적용해보면

$$F_1 = 2x_1^* = 0, \quad F_2 = 2x_2^* = 0$$

에서 $(x_1^*, x_2^*) = (0, 0)$이 일계조건 해입니다. 물론 일계조건은 필요조건이므로 일계조건 해라고 해서 반드시 극대점이거나 극소점인 것은 아닙니다. 그런데 $F(0, 0) = 0$이고, $x_1 \neq 0$, $x_2 \neq 0$이면 언제나 $F(x_1, x_2) > 0$이므로 $(0, 0)$은 사실 이 함수의 극소점이자 최소점임을 알 수 있습니다.

(b) 마찬가지로 $F(x_1, x_2) = -x_1^2 - x_2^2$에도 일계조건을 적용하면

$$F_1 = -2x_1^* = 0, \quad F_2 = -2x_2^* = 0$$

에서 일계조건 해는 $(x_1^*, x_2^*) = (0, 0)$이고, $F(0, 0) = 0$이며 $x_1 \neq 0$, $x_2 \neq 0$일 때 $F(x_1, x_2) < 0$이므로 $(0, 0)$은 극대점이자 최대점임을 알 수 있습니다.

참고로 이 함수들을 그림으로 살펴보면 다음과 같습니다. 그림 (a)는 $y = x_1^2 + x_2^2$에 대해 각각 $x_1 = 0$, $x_2 = 0$, $y = k$로 고정시킨 등위선을 하나씩 그려본 것입니다. 독립변수를 하나 0으로 고정시키면 단면은 $y = x_i^2$ 형태의 이차함수 그래프이고, 종속변수를 k로 고정시키면 $x_1^2 + x_2^2 = k$가 되므로 단면은 반지름이 $\sqrt{k}$인 원입니다. 이를 참고하여 그래프로 그리면 그림 (b)와 같습니다. $y = -x_1^2 - x_2^2$는 앞의 함수에 $(-)$를 곱해서 $x_1 x_2$평면에 대해 수직으로 뒤집은 것에 해당되어 함께 그렸습니다. 각각 원점이 극소점/최소점과 극대점/최대점임을 알 수 있습니다.

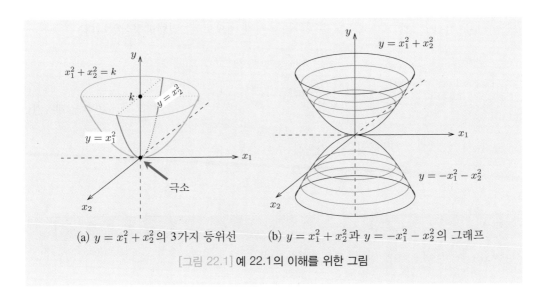

(a) $y = x_1^2 + x_2^2$의 3가지 등위선　　(b) $y = x_1^2 + x_2^2$과 $y = -x_1^2 - x_2^2$의 그래프

[그림 22.1] 예 22.1의 이해를 위한 그림

다변수함수의 최적화: 이계조건

이변수함수 최적화의 이계조건은 조금 까다롭습니다. 일변수함수 $f(x)$의 이계조건은 극대에 대해 $f''(x^*) < 0$, 극소에 대해 $f''(x^*) > 0$이었습니다. 따라서 이변수함수의 이계조건도 이계 편미분계수의 부호로 판단할 수 있지 않을까 짐작이 됩니다.

그런데 이변수함수 $F(x_1, x_2)$의 이계 편도함수는 F_{11}, F_{12}, F_{21}, F_{22}로 모두 4가지가 있습니다. 기본 함수에서는 $F_{12} = F_{21}$이므로 서로 다른 값은 3가지입니다만, 어쨌든 이들이 모두 특정 부호를 가져야 하는가 궁금해집니다.

> 결과 22.2 두 번 편미분가능한 $F(x_1, x_2)$의 일계조건 해가 (x_1^*, x_2^*)일 때 $F_{ij}(x_1^*, x_2^*) = F_{ij}$라고 표기하자. 이때 $F_{12} = F_{21}$이다.
>
> - $F_{11} < 0$이고 $F_{22} < 0$이면서 $F_{11}F_{22} - F_{12}^2 > 0$이면 (x_1^*, x_2^*)는 극대해
>
> - $F_{11} > 0$이고 $F_{22} > 0$이면서 $F_{11}F_{22} - F_{12}^2 > 0$이면 (x_1^*, x_2^*)는 극소해

편의상 같은 변수로 두 번 편미분한 계수 F_{11}, F_{22}는 **자기계수**, 서로 다른 변수로 한 번씩 편미분한 $F_{12} = F_{21}$는 **교차계수**라고 불러보겠습니다. 간단하게 요약하면, 자기계수 F_{11}과 F_{22}에 대해서는 일변수함수 때와 마찬가지의 부호 조건이 적용되고, 교차계수 $F_{12} = F_{21}$는 자기계수의 크기를 넘어서지는 않을 정도로 적당히 작아야 한다는 것이 이계조건입니다.

이계조건을 명확하게 파악하기 위해서 주의할 점을 몇 가지 지적하겠습니다. 자기계수인 F_{11} 과 F_{22}는 서로 부호가 같아야 합니다. 둘 다 음수일 때 극대, 둘 다 양수일 때 극소입니다. 교차계수가 들어간 조건식 $F_{11}F_{22} - F_{12}^2$은 극대이든 극소이든 동일하게 > 0의 형태입니다. 교차계수가 들어간 조건식에서 첫 항은 자기계수 2개를 곱한 $F_{11}F_{22}$인데, 극대이든 극소이든 서로 부호가 같으므로 이 곱은 언제나 양수입니다. 교차계수는 $F_{12} = F_{21}$이므로 F_{12}^2은 사실 $F_{12}F_{21}$ 즉 두 교차계수의 곱입니다. 따라서 극대와 극소 공통인 부등식 조건 $F_{11}F_{22} - F_{12}^2 > 0$은 직접계수의 곱이 교차계수의 곱보다 크다는 말입니다.

엄밀한 증명 대신, 의미를 대략 설명해보겠습니다. 일변수함수 이계조건은 극대점을 중심으로 함숫값이 올라가다가($\nearrow$, $f' > 0$) 내려가야($\searrow$, $f' < 0$)하므로 기울기를 나타내는 도함수 $f'(x)$가 감소함수 즉 $f''(x) < 0$인 것으로 이해할 수 있습니다. 반대로 극소점은 내려가다가($\searrow$, $f' < 0$) 올라가야($\nearrow$, $f' > 0$) 하므로 도함수가 증가함수 즉 $f''(x) > 0$입니다.

마찬가지로 이변수함수 $F(x_1, x_2)$에 대해서도 극대점이라면 주변에서 일계 편도함수 F_1, F_2가 각각 감소함수여야 할 것입니다. x_2를 고정시키고 x_1만 증가시킬 때 F_1이 감소함수이려면 $F_{11} < 0$이어야 합니다. 마찬가지로 x_1을 고정시키고 x_2만 증가시킬 때 F_2가 감소함수이려면 $F_{22} < 0$이어야 합니다. 그런데 일계 편도함수는 이변수함수이기 때문에, x_1은 F_2의 값에, x_2는 F_1의 값에 교차계수를 통해 영향을 주게 됩니다. 교차 편미분계수 $F_{12} = F_{21}$이 지나치게 크다면 $F_{11} < 0$, $F_{22} < 0$만 가지고는 F_1과 F_2가 감소함수라고 장담할 수가 없는 것입니다.

예 22.2

(a) $F(x_1, x_2) = x_1^2 + x_2^2$인 경우 $(x_1^*, x_2^*) = (0, 0)$이 극소점이자 최소점임을 알고 있습니다. $F_1 = 2x_1$이고 $F_2 = 2x_2$이므로 이계 편미분계수들을 구해보면 $F_{11} = 2$, $F_{22} = 2$로 직접계수는 모두 양수입니다. 한편 $F_{12} = F_{21} = 0$으로 교차계수가 없고 $F_{11}F_{22} - F_{12}^2 = 4 > 0$이 되어 직접계수의 곱을 교차계수의 곱이 "이기지" 못하여, 극소 이계조건이 만족됩니다.

(b) $F(x_1, x_2) = -x_1^2 - x_2^2$의 경우 $(x_1^*, x_2^*) = (0, 0)$이 극대점이자 최대점입니다. $F_1 = -2x_1$, $F_2 = -2x_2$이므로 $F_{11} = -2 < 0$, $F_{22} = -2 < 0$이고 역시 $F_{12} = F_{21} = 0$으로 교차계수가 없습니다. 따라서 $F_{11}F_{22} - F_{12}^2 = 4 > 0$이 되어 극대 이계조건이 만족됩니다.

(c) $F(x_1, x_2) = x_1^2 - x_2^2$인 경우 $F_1 = 2x_1$, $F_2 = -2x_2$라서 일계조건의 해는 또 $(x_1^*, x_2^*) = 0$입니다. 그런데 $F_{11} = 2 > 0$으로 극소 이계조건의 부호인데, $F_{22} = -2 < 0$으로 극대 이계조건의 부호입니다. 즉 직접계수의 부호가 하나로 통일되지 않았습니다. 이계조건을 적용할 수 없습니다. 실제로 $(0, 0)$은 극대도 극소도 아닙니다. $F(0.0001, 0) > F(0, 0) > F(0, 0.0001)$로

$(0,0)$의 근처에 함숫값이 큰 점도 있고, 작은 점도 있습니다.

(d) $F(x_1, x_2) = x_1^2 + x_1 x_2 + x_2^2$이라면 $F_1 = 2x_1 + x_2$이고 $F_2 = x_1 + 2x_2$이며 이원일차 연립방 정식을 풀어보면 일계조건의 해는 $(x_1^*, x_2^*) = (0,0)$입니다.[15] $F_{11} = 2 > 0$, $F_{22} = 2 > 0$이라서 일단 직접계수는 극소의 이계조건을 만족합니다. 한편 $F_{12} = F_{21} = 1$로 교차계수의 곱은 직접계수의 곱보다 작습니다. 즉 극소 이계조건이 만족되어 $(0,0)$은 극소라고 판별할 수 있습니다.

(e) $F(x_1, x_2) = x_1^2 + 3x_1 x_2 + x_2^2$이라면 $F_1 = 2x_1 + 3x_2$이고 $F_2 = 3x_1 + 2x_2$이며 이원일차 연립방정식을 풀어보면 일계조건의 해는 $(x_1^*, x_2^*) = (0,0)$입니다.[16] $F_{11} = 2 > 0$, $F_{22} = 2 > 0$ 이라서 일단 직접계수는 극소의 이계조건을 만족합니다. 한편 $F_{12} = F_{21} = 3$으로 이번에는 교차계수의 곱이 직접계수의 곱보다 큽니다. 이계조건을 적용할 수 없습니다. 실제로 $F(0.0001, 0) > F(0,0) > F(-0.0001, 0.0001)$로 $(0,0)$의 근처에 함숫값이 큰 점도 있고, 작은 점도 있습니다.

이계조건의 기억법

이계조건이 복잡해서 기억하기 어려울 수 있겠습니다. 한 가지 기억법은 목적함수의 헤세행렬을 이용하는 것입니다. 헤세행렬이란 어떤 함수의 이계 편미분계수들을 행렬 형태로 정리한 것입니다. 이변수함수 $F(x_1, x_2)$의 헤세행렬은

$$H = \begin{pmatrix} F_{11} & F_{12} \\ F_{21} & F_{22} \end{pmatrix}$$

입니다. 이계조건은 대각항에 부호를 주고, 헤세행렬의 행렬식이 양수(+)라는 것입니다.

- 극대 이계조건: $H_{11} = F_{11} < 0$, $H_{22} = F_{22} < 0$ 그리고 $|H| = F_{11} F_{22} - F_{12} F_{21} > 0$
- 극소 이계조건: $H_{11} = F_{11} > 0$, $H_{22} = F_{22} > 0$ 그리고 $|H| = F_{11} F_{22} - F_{12} F_{21} > 0$

즉 극대 이계조건은

$$H = \begin{pmatrix} (-) & \\ & (-) \end{pmatrix} \text{ 이면서 } |H| = \begin{matrix} F_{11} \\ F_{22} \end{matrix} - \begin{matrix} F_{12} \\ F_{21} \end{matrix} > 0$$

---

15) 계수행렬이 $A = \begin{pmatrix} 2 & 1 \\ 1 & 2 \end{pmatrix}$이고 $|A| = 4 - 1 = 3 \neq 0$이므로 역행렬이 있습니다. 그런데 일계조건은 $A \begin{pmatrix} x_1 \\ x_2 \end{pmatrix} = \begin{pmatrix} 0 \\ 0 \end{pmatrix}$이므로 A에게 역행렬이 있다면 $\begin{pmatrix} x_1 \\ x_2 \end{pmatrix} = A^{-1} \begin{pmatrix} 0 \\ 0 \end{pmatrix} = \begin{pmatrix} 0 \\ 0 \end{pmatrix}$입니다.

16) 역시 계수행렬의 행렬식이 $4 - 9 = -5 \neq 0$이므로 역행렬이 있고 해는 $(0,0)$입니다.

이고, 극소 이계조건은

$$H = \begin{pmatrix} (+) & \\ & (+) \end{pmatrix} \text{이면서} \ |H| = \begin{matrix} F_{11} & & F_{12} \\ & F_{22} & - & F_{21} \end{matrix} > 0$$

으로 기억할 수 있습니다.

예 22.3

앞 예의 헤세행렬들은 다음과 같습니다.

(a) $\begin{pmatrix} 2 & 0 \\ 0 & 2 \end{pmatrix}$ (b) $\begin{pmatrix} -2 & 0 \\ 0 & -2 \end{pmatrix}$ (c) $\begin{pmatrix} 2 & 0 \\ 0 & -2 \end{pmatrix}$ (d) $\begin{pmatrix} 2 & 1 \\ 1 & 2 \end{pmatrix}$ (e) $\begin{pmatrix} 2 & 3 \\ 3 & 2 \end{pmatrix}$

(a), (d), (e)는 대각항이 모두 (+), (b)는 대각항이 모두 (−)인데 (c)는 대각항 부호가 서로 다릅니다. 한편 행렬식은 (a)에서 4, (b)에서 4, (c)에서 −4, (d)에서 $4 - 1 = 3$, (e)에서 $4 - 9 = -5$입니다.

조합해보면, (a)는 극소 이계조건, (b)는 극대 이계조건, (d)는 극소 이계조건을 만족하고, (c)와 (e)는 이계조건을 만족하지 않습니다.

22.3   응용: 완전경쟁 기업의 요소 투입량 선택

완전경쟁 기업은 판매하는 재화의 가격을 상수로 받아들입니다. 제15장에서 봤던 이윤극대화 모형에서는 기업의 비용함수가 $C(Q)$로 주어진 경우였습니다. 그런데 비용은 생산의 투입요소에 대한 지출에서 발생합니다. 우리는 제24장에서 주어진 목표생산량 Q에 대해 합리적으로 요소투입량을 계산하여 비용함수를 도출하는 과정을 공부할 것입니다.

한편 여기서는 비용함수를 따로 도출하지 않더라도, 이윤극대화를 달성하는 요소투입량을 선택하는 문제를 생각해보겠습니다. 기업의 이윤은 수입과 비용 사이의 격차입니다. 수입은 가격과 판매량의 곱이고, 완전경쟁 기업에게 가격은 주어진 상수 $P = p$이므로 수입함수는 $R(Q) = pQ$입니다. 한편 노동을 L, 자본을 K만큼 고용하고, 노동가격이 w, 자본가격이 r일 때 기업이 지불하는 비용은 $wL + rK$입니다.

기업은 판매량 Q, 요소투입량 L, K를 선택해야 하므로 선택변수가 3개죠. 그런데 판매량 Q는 결국 생산되어야 하고, 생산량은 요소투입량에 의해 결정됩니다. 그 관계를 나타내는 것이 생산함수 $Q = f(L, K)$입니다. 즉 판매량과 생산량을 연결시키면 기업의 수입함수는

$R(Q) = pQ = pf(L, K)$로 나타낼 수 있는 것입니다.

따라서 완전경쟁 기업의 이윤함수를 판매량 Q가 아니라, 요소투입량 (L, K)의 이변수함수로 적어보면

$$\Pi(L, K) = pf(L, K) - wL - rK$$

입니다. 이제 이변수함수의 최적화 일계조건과 극대화 이계조건을 적용해볼 수 있습니다. 먼저 일계조건은 각 변수(요소투입량)에 대해 이윤함수를 편미분하고 그 값을 0으로 놓으면

$$\frac{\partial \Pi}{\partial L}(L^*, K^*) = pf_L(L^*, K^*) - w = p\text{MP}_L(L^*, K^*) - w = 0$$

$$\frac{\partial \Pi}{\partial K}(L^*, K^*) = pf_K(L^*, K^*) - r = p\text{MP}_K(L^*, K^*) - r = 0$$

(FOC)

입니다. 또한 극대 이계조건을 알아보기 위해서 먼저 이윤함수의 헤세행렬을 구해보면

$$H = \begin{pmatrix} \Pi_{LL} & \Pi_{LK} \\ \Pi_{KL} & \Pi_{KK} \end{pmatrix} = \begin{pmatrix} pf_{LL} & pf_{LK} \\ pf_{KL} & pf_{KK} \end{pmatrix} = p \begin{pmatrix} f_{LL} & f_{LK} \\ f_{KL} & f_{KK} \end{pmatrix}$$

입니다. 이계 편도함수에는 요소의 가격 w, r이 나타나지 않습니다. 또한 재화 가격이 $p > 0$이라면 헤세행렬의 각종 부호를 따질 때 p는 무시해도 되므로, 극대 이계조건은

$$f_{LL} < 0, \quad f_{KK} < 0, \quad f_{LL}f_{KK} - f_{LK}^2 > 0$$

(SOC)

입니다. 조건들을 경제학적으로 해석해보기 전에 간단한 예들을 살펴봅시다.

예 22.4

가장 간단한 콥-더글라스 생산함수 $f(L, K) = LK$이면 어떻게 되나 해봅시다. $f_L = K$, $f_K = L$이고 $f_{LL} = 0$, $f_{LK} = 1$, $f_{KL} = 1$, $f_{KK} = 0$이어서 헤세행렬은

$$H = \begin{pmatrix} 0 & 1 \\ 1 & 0 \end{pmatrix}$$

이고 특히 그 행렬식은 $|H| = 0 - 1 = -1 < 0$이어서 아쉽게도 이계조건을 만족하지 못합니다.

참고 사실 이 생산함수로부터 비용함수를 도출하게 되면 한계비용이 체감하는 형태가 되고(제24장에서 공부합니다), 이때 이윤극대화를 위해서는 요소투입량 및 생산량을 무한대로 늘려야 합니다.

이번에는 콥-더글라스 생산함수 중 $f(L, K) = \sqrt{LK}$ 을 고려한다면 $f_L = \dfrac{\sqrt{K}}{2\sqrt{L}}$, $f_K = \dfrac{\sqrt{L}}{2\sqrt{K}}$ 이고 $f_{LL} = -\dfrac{\sqrt{K}}{4L\sqrt{L}} < 0$, $f_{LK} = \dfrac{1}{4\sqrt{LK}}$, $f_{KL} = \dfrac{1}{4\sqrt{LK}}$, $f_{KK} = -\dfrac{\sqrt{L}}{4K\sqrt{K}} < 0$ 이어서 헤세행렬은 일단

$$H = \begin{pmatrix} (-) & \\ & (-) \end{pmatrix}$$

이고 그 행렬식은

$$|H| = \frac{\sqrt{LK}}{16LK\sqrt{LK}} - \frac{1}{16LK} = 0$$

이 되어 버립니다. 역시 이계조건을 만족하지 못합니다.

참고 이 생산함수는 수학적으로 1차동차이자 경제학적으로 규모수익불변이며 비용함수를 도출하게 되면 한계비용이 일정한 일차함수가 됩니다(역시 제24장에서 공부합니다). 즉 한계수입도 상수(재화 가격), 한계비용도 상수라서 두 값의 상대적 크기에 따라 생산을 전혀 하지 않거나($p <$ MC), 무한대로 하거나($p >$ MC), 아니면 그냥 아무렇게나 해도 늘 이윤이 0이게 됩니다($p =$ MC).

아무 생산함수나 이윤극대화를 달성할 수 있는 것이 아닙니다. 이번에는 로그를 씌워서 콥-더글라스를 변형한 $f(L, K) = \ln(LK) = \ln L + \ln K$ 를 생각해봅시다. $f_L = \dfrac{1}{L}$, $f_K = \dfrac{1}{K}$, $f_{LL} = -\dfrac{1}{L^2} < 0$, $f_{KK} = -\dfrac{1}{K^2} < 0$ 이고, $f_{LK} = f_{KL} = 0$ 입니다. 헤세행렬의 대각항은 음수이고, 행렬식은 $\dfrac{1}{L^2 K^2} > 0$ 이 되어 드디어 이계조건을 만족합니다.

일계조건은 $pf_L - w = \dfrac{p}{L} - w = 0$ 과 $pf_K - r = \dfrac{p}{K} - r = 0$ 이므로 그 해는

$$L^* = \frac{p}{w}, \quad K^* = \frac{p}{r}$$

입니다. 이때 생산량 및 판매량은 $Q^* = \ln(L^* K^*) = \ln\left(\dfrac{p}{w} \cdot \dfrac{p}{r}\right) = 2\ln\dfrac{p}{wr}$ 입니다.

모형의 외생변수는 재화가격 p, 요소가격 w, r 이므로 분석을 해보면 재화가격 p 가 인상될 때 두 요소 모두 투입량이 비례하여 증가하고, 그 결과로 생산량은 로그로 비례하여 증가하며, 노동가격 w 가 인상되면 노동투입량이 반비례로 감소하고 자본투입량에는 변화가 없습니다. 마찬가지로 자본가격 r 의 인상은 자본투입량의 반비례감소로 이어집니다.

일계조건, 이계조건의 해석

일계조건 중 노동 투입량에 대한 것을 보면

$$pf_L(L^*, K^*) - w = p\mathrm{MP}_L(L^*, K^*) - w = 0$$

입니다. 생산함수를 L로 편미분한 것은 노동의 한계생산 MP_L입니다. (자본은 고정시키고) 노동을 아주 조금 더 투입할 때 생산량이 얼마나 늘어나는지를 나타냅니다. 여기에 재화가격 p를 곱하면 노동의 추가 투입으로 늘어난 생산량의 화폐가치입니다.

$p\mathrm{MP}_L$을 노동의 한계생산가치 또는 **한계생산물가치**(value of the marginal product, VMP)라고 부릅니다. 일계조건은 노동의 한계생산가치가 그 가격인 w와 같아야 한다고 말합니다. 기업의 입장에서 노동을 추가 투입할 때 한계수입은 한계생산가치이고, 한계비용은 노동가격이므로 한계수입과 한계비용을 일치시키라는 조건으로 해석됩니다.

마찬가지로 자본 투입량에 대한 일계조건

$$pf_K(L^*, K^*) - r = p\mathrm{MP}_K(L^*, K^*) - r = 0$$

도 자본의 한계생산가치를 자본의 가격과 일치시키라는 것으로 해석할 수 있습니다.

한편 이계조건에 사용하는 헤세행렬은 한계생산을 한 번 더 편미분한 것들에 재화가격 p를 곱한 것으로 구성되어 있습니다.

$$H = p \begin{pmatrix} f_{LL} & f_{LK} \\ f_{KL} & f_{KK} \end{pmatrix}$$

대각항에 대한 이계조건 $f_{LL} < 0$과 $f_{KK} < 0$은 각각 생산요소를 점점 더 많이 투입할 때 그 한계생산이 감소한다는 말입니다. 이를 한계생산 체감이라고 부릅니다.

한편 f_{LK}는 자본투입량을 늘릴 때 노동의 한계생산이 어떻게 반응하는지, f_{KL}은 노동투입량을 늘릴 때 자본의 한계생산이 어떻게 반응하는지를 나타내는 교차계수들입니다. 교차계수가 양수라면 한 요소의 추가 투입이 다른 요소의 한계생산을 높여주는 것이고, 반대로 교차계수가 음수라면 한 요소의 추가 투입이 다른 요소의 한계생산을 낮춰주는 것입니다. 그런데 이계 편미분의 특성상 $f_{LK} = f_{KL}$이므로 이런 교차효과는 양방향 동일합니다. 이계조건은 교차효과가 양이든, 음이든 상관없이 한계생산이 체감하는 정도에 비해서 지나치게 크지 않아야 한다고 말합니다.

앞의 3가지 예에서 보았던 생산함수들을 보면 먼저 $f(L,K) = LK$일 때는 한계생산이 체감하지 않고 일정하며, 교차계수는 양수로 각 요소투입은 다른 요소의 한계생산을 높여줍니다. 즉 한 요소만 계속 투입하면 생산량은 비례하여 증가하는데, 두 요소를 함께 투입하면 두 요소 모두 생산성이 올라가서 생산량은 점점 더 많이 늘어납니다. 많이 생산하면 할수록 더 유리한 셈입니다.

한편 $f(L,K) = \sqrt{LK}$이면 두 요소 모두 한계생산은 체감합니다. 그런데 교차효과가 양수라서, 한 요소를 투입하면 자신의 한계생산은 감소하지만 다른 요소의 한계생산이 증가합니다. 게다가 두 요소를 동시에 늘려주면 그 효과가 정확하게 상쇄되어 생산성이 일정하게 유지되는 셈입니다. 이는 기술이 규모수익불변이기 때문입니다.

마지막으로 $f(L,K) = \ln(LK)$의 경우 한계생산도 체감하고, 교차효과는 0이어서 이윤극대화 이계조건을 잘 만족하는 것입니다.

이윤극대화 요소투입량에 대한 분석

모형의 외생변수는 재화가격 p, 그리고 요소가격 w, r입니다. 이에 대한 분석을 위해서는 일계조건의 전미분량을 계산함으로써 할 수 있습니다. 세 외생변수를 한꺼번에 분석하는 것도 가능하지만, 하나만 분석해보겠습니다. 먼저 일계조건 2개에 각각 이름을 붙이겠습니다.

$$F(L, K, p, r, w) = pf_L(L^*, K^*) - w = 0$$
$$G(L, K, p, r, w) = pf_K(L^*, K^*) - r = 0 \tag{22.2}$$

p와 r은 고정시키고 노동가격 w만 변화시킬 때 그 결과로 내생변수인 L, K도 변할 것이므로 전미분량을 계산해보면

$$dF = F_L dL + F_K dK + F_w dw = pf_{LL}dL + pf_{LK}dK - dw = 0$$
$$dG = G_L dL + G_K dK + G_w dw = pf_{KL}dL + pf_{KK}dK = 0$$

이 식을 (dL, dK)를 미지수로 하는 연립방정식으로 정리하면

$$p \begin{pmatrix} f_{LL} & f_{LK} \\ f_{KL} & f_{KK} \end{pmatrix} \begin{pmatrix} dL \\ dK \end{pmatrix} = \begin{pmatrix} 1 \\ 0 \end{pmatrix} dw$$

입니다. 이 연립방정식의 계수행렬은 앞에서 계산했던 헤세행렬과 동일합니다. 이계조건이 성립한다면 행렬식은 양수입니다($f_{LL}f_{KK} - f_{LK}^2 > 0$). 크레이머의 규칙을 써도 되고,

역행렬로 계산해보면 (편의상 $|H| = f_{LL}f_{KK} - f_{LK}^2 > 0$라고 표기할 때)

$$
\begin{pmatrix} dL \\ dK \end{pmatrix} = \frac{1}{p} \begin{pmatrix} f_{LL} & f_{LK} \\ f_{KL} & f_{KK} \end{pmatrix}^{-1} \begin{pmatrix} 1 \\ 0 \end{pmatrix} dw
$$

$$
= \frac{1}{p|H|} \begin{pmatrix} f_{KK} & -f_{LK} \\ -f_{KL} & f_{LL} \end{pmatrix} \begin{pmatrix} 1 \\ 0 \end{pmatrix} dw
$$

$$
= \frac{1}{p|H|} \begin{pmatrix} f_{KK} \\ -f_{KL} \end{pmatrix} dw
$$

이 해입니다. 따라서

$$
\frac{dL}{dw} = \frac{f_{KK}}{p(f_{LL}f_{KK} - f_{LK}^2)}, \quad \frac{dK}{dw} = \frac{-f_{KL}}{p(f_{LL}f_{KK} - f_{LK}^2)}
$$

우선 이계조건에 의해 분모는 모두 양수입니다. 한편 역시 이계조건에서 $f_{KK} < 0$이므로 dL/dw는 분자는 음수, 분모는 양수라서 $dL/dw < 0$이 됩니다. 노동가격이 인상될 때 노동의 투입량은 줄어든다는 직관적인 결과입니다. 다만 노동가격이 노동투입량에 미치는 효과가 자본의 한계생산감소 정도에 영향받는다는 것이 흥미롭습니다.

dK/dw의 분자에는 교차계수 f_{KL}이 들어 있습니다. 이 값의 부호에 따라 결과가 달라집니다. 만약 $f_{KL} < 0$이라면 즉 노동투입이 자본의 한계생산을 떨어뜨린다면 $dK/dw > 0$이 되어 노동가격 인상이 자본투입 증가로 이어집니다. 노동가격이 인상되면 노동투입이 줄어들고, 노동투입이 줄면 $f_{KL} < 0$에 의해 자본의 한계생산이 오히려 늘어나서 자본투입을 늘리는 것이 유리하다고 생각할 수 있습니다. 반대로 $f_{KL} > 0$이면 $dK/dw < 0$이 될 것입니다.

예 22.8

앞의 예에서 실제로 이윤극대화가 가능했던 $f(L, K) = \ln(LK)$를 보면 $L^* = p/w$, $K^* = p/r$로 노동가격에 대해 노동투입은 감소, 자본투입은 변화 없음이 답이었습니다.

$f_{KK} = -\dfrac{1}{K^2} < 0$이어서 $dL/dw < 0$이 맞습니다. 또한 $f_{LK} = 0$이라서 $dK/dw = 0$도 맞습니다.

제15장에서는 일변수함수의 최적화 문제를 기업의 이윤극대화 모형에 적용했었습니다. 이윤함수를 판매량 Q의 일변수함수로 규정했었기 때문입니다. 완전경쟁 기업의 경우에는 정의상 단 하나의 시장에서 판매량만을 수동적으로 결정하는 것이 자연스럽습니다.

하지만 독점 기업은 어느 정도 규모가 있는 경제주체이므로 능동적으로 여러 가지 종류의 선택을 하는 상황이 가능합니다. 우리는 하나의 제품을 2개의 서로 다른 시장에서 판매하는 경우를 생각해보겠습니다.

이제 독점기업이 동일한 하나의 재화를 2개의 서로 다른 시장에서 판매한다고 해봅시다. 기본 모형에서는 생산량과 판매량을 구분하지 않았는데, 이 모형에서는 구분할 필요가 있습니다. 제1시장에서의 판매량을 Q_1, 제2시장에서의 판매량을 Q_2라 할 때, 판매량들의 합은 곧 생산량이므로 $Q = Q_1 + Q_2$입니다.

두 시장에 판매할 동일한 재화는 함께 생산되므로 비용은 생산량의 함수 $C(Q)$입니다. 한편 각 시장의 수요곡선은 각 시장의 판매량의 함수인 $P_1(Q_1)$과 $P_2(Q_2)$입니다. 그렇다면 각 시장에서의 수입은 $R_1(Q_1) = P_1(Q_1)Q_1$과 $R_2(Q_2) = P_2(Q_2)Q_2$입니다.

기업은 생산량 Q, 각 판매량 Q_1, Q_2를 결정해야 하지만, $Q_1 + Q_2 = Q$이므로 사실 Q_1, Q_2만 결정하면 됩니다. 즉 비용을 $C(Q) = C(Q_1 + Q_2)$라고 써서 이윤을 Q_1과 Q_2의 이변수함수로 작성할 수 있습니다.

$$\Pi(Q_1, Q_2) = R_1(Q_1) + R_2(Q_2) - C(Q) = P_1(Q_1)Q_1 + P_2(Q_2)Q_2 - C(Q_1 + Q_2)$$

이윤극대화 일계조건

각 시장 판매량에 대해 편미분하여 일계조건을 작성합니다. 이때 비용함수는 원래 Q의 일변수함수지만, Q_1, Q_2의 이변수함수로 본다면, $(Q_1, Q_2) \to Q_1 + Q_1 = Q \to C(Q)$로 이어지는 합성함수인 셈이므로 속함수를 $Q = g(Q_1, Q_2) = Q_1 + Q_2$, 겉함수를 $C(Q)$로 보아 $F(Q_1, Q_2) = C \circ g(Q_1, Q_2)$라고 본다면 연쇄규칙에 의해

$$\frac{\partial F}{\partial Q_1} = C'(Q) \times \frac{\partial g}{\partial Q_1} = C'(Q) \times 1 = C'(Q) = \text{MC}(Q)$$

입니다. 또한 편미분 과정에서 한 시장의 판매량은 다른 시장의 수입에 영향을 주지 않으므로, 일계조건은

$$\frac{\partial \Pi}{\partial Q_1} = \text{MR}_1(Q_1^*) - \text{MC}(Q^*) = 0$$
$$\frac{\partial \Pi}{\partial Q_2} = \text{MR}_2(Q_2^*) - \text{MC}(Q^*) = 0$$

로 요약할 수 있습니다. 즉 이윤극대화 판매량에서 각 시장의 한계수입은 한계비용과 같아야 하고, 결국 서로 같아야 합니다.

$$\text{MR}_1(Q_1^*) = \text{MR}_2(Q_2^*) = \text{MC}(Q^*)$$

만약 $\text{MR}_1 \neq \text{MR}_2$라면 두 시장 중 적어도 한 군데는 한계비용과 한계수입이 일치하지 않습니다. 이윤을 극대화하려면 한계수입과 한계비용이 일치해야 하고, 두 시장에서 판매되는 재화는 함께 생산되므로 한계비용이 같아서, 서로 한계수입도 같아야 하는 것입니다.

간단한 예에 대해서 한 번 풀이를 해보겠습니다.

예 22.9

$P_1(Q_1) = 100 - Q_1$, $P_2(Q_2) = 100 - 3Q_2$, $C(Q) = \frac{1}{2}Q^2$이라면 제1시장의 한계수입은 $((100 - Q_1)Q_1)' = 100 - 2Q_1$이고 제2시장의 한계수입은 $((50 - 3Q_2)Q_2)' = 100 - 6Q_2$입니다. 한편 총생산량이 Q일 때 한계비용은 Q입니다.

이윤극대화를 하려면 두 한계수입이 서로 같아야 합니다. $100 - 2Q_1 = 100 - 6Q_2$에서 $Q_1 = 3Q_2$ 즉 제1시장 판매량이 제2시장 판매량의 3배이면 됩니다. 제2시장 판매량을 $Q_2 = q$라고 한다면 제1시장 판매량은 $Q_1 = 3q$이고, 총판매량은 $Q = Q_1 + Q_2 = 4q$가 되는 겁니다. 이제 한계수입은 1시장과 2시장 모두 $100 - 6q$이고, 한계비용은 $Q = 4q$입니다. 한계수입과 한계비용을 일치시키면 $100 - 6q = 4q$에서 $q = 10$이 됩니다. q는 제2시장 판매량이니 $Q_2 = 10$, 제1시장 판매량은 $Q_1 = 30$, 생산량은 $Q = 40$이 답입니다.

이윤극대화 이계조건

이계조건을 위해서는 이윤함수에 대한 헤세행렬을 계산해보아야 합니다. $\Pi_1 = \text{MR}_1 - \text{MC}$, $\Pi_2 = \text{MR}_2 - \text{MC}$이므로, $\Pi_{11} = \text{MR}_1' - \text{MC}'$, $\Pi_{22} = \text{MR}_2' - \text{MC}'$이고 $\Pi_{12} = -\text{MC}' = \Pi_{21}$입니다. 따라서

$$H = \begin{pmatrix} \Pi_{11} & \Pi_{12} \\ \Pi_{21} & \Pi_{22} \end{pmatrix} = \begin{pmatrix} \text{MR}_1' - \text{MC}' & -\text{MC}' \\ -\text{MC}' & \text{MR}_2' - \text{MC}' \end{pmatrix}$$

가 됩니다. 이계조건은 먼저 $\Pi_{11} < 0$, $\Pi_{22} < 0$인데 이는 각 시장에서 한계수입의 기울기가 한계비용의 기울기보다 작다는 것입니다($\text{MR}_1' < \text{MC}'$, $\text{MR}_2' < \text{MC}'$). 한계수입은 수요곡선과 함께 감소($\text{MR}' < 0$)하고, 한계비용은 증가($\text{MC}' > 0$)하는 것으로 가정한다면 이는 항상 만족됩니다. 또한 헤세행렬의 행렬식이 양수여야 하는데

$$|H| = (\text{MR}_1' - \text{MC}')(\text{MR}_2' - \text{MC}') - (\text{MC}')^2 = \text{MR}_1'\text{MR}_2' - (\text{MR}_1' + \text{MR}_2')\text{MC}' > 0$$

입니다. $\text{MR}_1' < 0$, $\text{MR}_2' < 0$, $\text{MC}' > 0$을 적용하면 항상 성립합니다. 그래도 식을 다시 정리해보면

($\mathrm{MR}'_1 < 0$, $\mathrm{MR}'_2 < 0$이기 때문에 양변을 $(\mathrm{MR}'_1 + \mathrm{MR}'_2) < 0$으로 나눌 때 부등호 방향이 바뀝니다.)

$$\frac{\mathrm{MR}'_1 \mathrm{MR}'_2}{\mathrm{MR}'_1 + \mathrm{MR}'_2} < \mathrm{MC}' \iff \frac{1}{\dfrac{1}{\mathrm{MR}'_2} + \dfrac{1}{\mathrm{MR}'_1}} < \mathrm{MC}' \iff \frac{2}{\dfrac{1}{\mathrm{MR}'_2} + \dfrac{1}{\mathrm{MR}'_1}} < 2\mathrm{MC}'$$

마지막 부등식의 좌변에 나오는 것은 수학의 **조화평균**(harmonic mean)입니다. a와 b라는 두 숫자가 있을 때 우리가 친숙한 **산술평균**(arithmetic mean)은 $\dfrac{a+b}{2}$로 계산하죠. 조금 더 까다롭지만 자주 사용되는 **기하평균**(geometric mean)은 $\sqrt{ab}$로 계산합니다. 그런데 상당히 낯선 **조화평균**은 $\dfrac{2}{\dfrac{1}{a} + \dfrac{1}{b}}$로 계산합니다.

따라서 $|H| > 0$이라는 조건을 말로 해보면 두 시장의 한계수입 기울기의 조화평균이 한계비용 기울기의 2배보다는 작아야한다는 것입니다. 물론 어차피 $\mathrm{MR}'_1 < 0$, $\mathrm{MR}'_2 < 0$, $\mathrm{MC}' > 0$이므로 성립합니다.

연습문제

22-1 다음 함수들에 대해 최적화 일계조건 해를 도출하고, 이계조건을 적용할 수 있는지 확인하여 해를 판별하시오.

(a) $F(x_1, x_2) = x_1^2 + 3x_1x_2 + 3x_2^2$

(b) $G(x_1, x_2) = 3x_1^2 - 10x_1x_2 + x_2^2$

22-2 생산함수가 $f(L, K) = \sqrt{L} + \sqrt{K}$인 완전경쟁 기업이 이윤극대화를 위해서 택할 요소투입량 (L^*, K^*)를 도출하시오. 단, 재화의 가격은 p, 노동과 자본의 가격은 w, r 이다.

22-3 본문의 식 (22.2)에 대해서 자본가격 r을 변화시켰을 때 노동투입량과 자본투입량의 변화를 분석해보시오.

22-4 도전 본문의 식 (22.2)에 대해서 재화가격 p를 변화시켰을 때 노동투입량과 자본투입량의 변화를 분석해보시오.

22-5 예 22.9에 대해 이계조건을 적용하여 확인하시오.

22-6 2개의 시장에서 재화를 판매하는 독점기업에 대해 각 시장의 수요곡선이 $P_1(Q_1) = 50 - Q_1$, $P_2(Q_2) = 50 - 2Q_2$이고 비용함수가 $C(Q) = cQ$일 때 이윤을 극대화하는 각 시장 판매량을 도출하시오. c가 증가할 때 이는 어떻게 변하는지 분석하시오.

Chapter 23

제약된 극대화 문제:
효용극대화 모형의 분석

제23장에서는 ....

소비자의 합리적 선택을 나타내는 효용극대화 모형을 공부합니다. 효용극대화 모형은 목적함수가 다변수함수일 뿐 아니라, 변수의 선택범위에 구체적인 제약이 추가됩니다. 제약식이 추가된 최적화 문제는 제법 어려운 수학을 요구하는데, 우리는 효용극대화 모형을 통해 기본적인 해법을 탐구하고 경제학적 직관을 길러보고자 합니다.

이 장은 미시경제학에서 큰 부분을 차지하는 소비자모형을 비교적 상세하게 설명하고 있습니다. 모형을 구성하는 주요 개념들에 대해서는 이 책의 앞에서 설명했던 내용도 다시 한번 반복해서 설명합니다. 하지만 이 장에서 소개하는 새로운 내용은 대부분 몇 가지의 그림으로 이해할 수 있으니, 세부적인 내용이 너무 어렵다면 그림에 집중하기 바랍니다.

주요 결과

- 효용극대화 모형의 해는 예산집합으로 제한된다. $B = \{(x_1, x_2) \mid p_1 x_1 + p_2 x_2 \leq m, \ x_1 \geq 0, x_2 \geq 0\}$
- 두 재화 중 적어도 하나가 경제재화($\mathrm{MU}_i > 0$)이면 예산제약은 등식으로 성립한다.

$$p_1 x_1^* + p_2 x_2^* = m \tag{23.1}$$

- 두 재화 모두 경제재화이고, 한계대체율이 체감하면 효용극대화 모형의 내부해는 예산선과 무차별곡선이 접하는 점에서 발생한다.
- 무차별곡선의 기울기의 절댓값은 한계대체율(MRS)이고 예산선 기울기의 절댓값은 상대가격이므로 내부 효용극대해가 만족하는 조건은

$$\mathrm{MRS}(x_1^*, x_2^*) = \frac{p_1}{p_2} \tag{23.2}$$

- 예산집합과 무차별지도를 그리면 다양한 효용극대화 모형을 분석할 수 있다.

23.1 제약된 최적화 문제 개관

최적화 문제는 어떤 함수의 값을 가장 크게 또는 가장 작게 만드는 문제입니다. 이 함수를 목적함수(objective function)라고 하며, 경제학에는 다양한 목적함수가 사용됩니다. 소비자 선택모형인 효용극대화 모형의 목적함수는 효용함수 $U(x_1, \ldots, x_n)$입니다.

그런데 경제모형에서는 사실 목적함수 자체보다 선택수단의 제약에 대한 고려가 더 중요합니다. 효용극대화 모형은 그저 목적함수의 값을 크게 만드는 것이 아닙니다. 효용을 가장 크게 만드는 간단한 방법은 효용을 주는 (한계효용이 양수인) 경제재화를 최대한 많이, 무한대로 많이 갖는 것입니다. 그런데 돈이 모자라서 그렇게 많이 살 수 없다는 것이 소비자 선택모형의 핵심 전제입니다. (마찬가지로 다음 장에서 공부할 생산자의 비용극소화 모형에서도, 비용을 가장 작게 만드는 간단한 방법은 아무것도 안 하는 것이겠지만, 생산자가 아무것도 안하는 것이 우리가 원하는 답은 아닙니다.)

효용극대화 모형이나 비용극소화 모형이라는 이름은 편의상 줄여서 표현한 것이지, 정확하게는 '예산제약 하의' 효용극대화 모형과 '생산량제약 하의' 비용극소화 모형입니다. 경제학이 합리적 선택의 학문이라고들 하지만, 합리적 선택이라는 틀은 말하자면 수학의 최적화 문제를 빌려 와서 분석하기 편리하니 채택하는 접근이라고 할 수 있고, 경제모형의 진정한 핵심은 경제 주체의 선택에 가해지는 제약을 고려하는 것입니다.

경제 주체가 추구하는 목적을 이루기 위한 수단이 무한하지 않다는 희소성(scarcity)이 경제학을 경제학이게 하는 요소입니다. 이런 희소성은 수학의 최적화 문제에서 선택범위의 제약(constraint)으로 반영되며 이는 변수의 값이 가질 수 있는 범위, 즉 목적함수의 정의역에 해당됩니다. 정의역을 D라고 한다면 극대화 문제의 일반형은 (극소화 문제는 min으로 바꿔주면 됩니다) 변수를 $\mathbf{x} = (x_1, \ldots, x_n)$이라고 표기할 때 $\max\limits_{\mathbf{x} \in D} F(\mathbf{x})$ 또는

$$\max_{\mathbf{x}} F(\mathbf{x})$$
$$\text{subject to } \mathbf{x} \in D$$

라고 쓸 수 있습니다. (둘째 줄의 'subject to'는 그 표현 뒤에 적혀있는 조건을 만족해야 한다는 뜻입니다.)

일변수 최적화 문제에서는 정의역 D를 실수 전체로 잡거나, 하한과 상한을 갖는 구간 $[a, b]$로 잡았었습니다. 이윤극대화 모형에서는 수량이 음이 될 수는 없으니 비음제약 $Q \geq 0$을 둘 수 있었습니다. 그러나 경제 주체에게 가해지는 선택의 제약이 더 복잡한 경우에는 그 자체를 함수로 표현할 필요가 있습니다. 이를 제약함수라고 부르겠습니다. 제약함수 또한 관련된 변수가 여러 개이면 다변수함수입니다. $G(x_1, \ldots, x_n) = G(\mathbf{x})$라고 표기해보죠.

목적함수는 함수 $F(\mathbf{x})$만 주어지면 되지만, 제약은 제약함수 $G(\mathbf{x})$ 뿐 아니라 이 함수의 값에 어떤 제한을 주어야 합니다. 그 제한은 크게 (i) 등식제약과 (ii) 부등식제약의 두 가지 종류로 나누어집니다. 즉 (i) $G(\mathbf{x}) = g_0$의 형태이거나 (ii) $G(\mathbf{x}) \leq g_0$ 또는 $G(\mathbf{x}) \geq g_0$의 형태입니다. 여기서 g_0은 상수인데, 이 값을 좌변으로 넘겨서 제약함수에 합칠 수도 있지만 이 상수를 우변에 남기는 것이 분석에 편리한 경우도 있습니다. 이를 제약상수라고 부르겠습니다. (방정식을 나타낼 때 상수항을 따로 취급하는 것과 비슷합니다.)

논의의 편의상 최적화 문제의 표준형을 다음과 같이 분류하겠습니다.

최적화 문제의 표준형

	극대화 문제	극소화 문제
등식제약	$\max_{\mathbf{x}} F(\mathbf{x})$ subject to $G(\mathbf{x}) = g_0$	$\min_{\mathbf{x}} F(\mathbf{x})$ subject to $G(\mathbf{x}) = g_0$
부등식제약	$\max_{\mathbf{x}} F(\mathbf{x})$ subject to $G(\mathbf{x}) \leq g_0$	$\min_{\mathbf{x}} F(\mathbf{x})$ subject to $G(\mathbf{x}) \geq g_0$

등식제약의 경우에는 제약식이 $G(\mathbf{x}) = g_0$으로 동일하고, 목적함수를 크게 만들 것인가 작게 만들 것인가에만 차이가 있습니다. 부등식제약은 제약함수와 제약상수 사이에 부등호의 방향이 2가지 가능한데, 위 표에서는 극대의 경우 $\leq$로, 극소의 경우 $\geq$로 잡았습니다. 부등호의 방향은 양변에 $(-)$를 곱해주면 반대로 바뀌므로, 어떤 문제가 주어지든 적당한 방향의 부등식으로 바꿀 수 있고, 위 표준형은 경제모형에서 해석의 편의를 위한 하나의 약속일 뿐입니다.

예 23.1

소비자의 합리적 선택을 나타내는 (예산제약 하의) 효용극대화 모형은 부등식제약을 가진 극대화 문제입니다. 재화가 2가지인 경우 (재화가 n가지인 경우 (x_1, x_2) 대신 $(x_1, \ldots, x_n)$을 넣으면 됩니다)

$$\max_{x_1, x_2} U(x_1, x_2)$$
$$\text{subject to } p_1 x_1 + p_2 x_2 \leq m$$

목적함수 $F(\mathbf{x})$는 효용함수 $U(x_1, x_2)$이고, 제약함수는 $G(x_1, x_2) = p_1 x_1 + p_2 x_2$로 $\mathbf{x} = (x_1, x_2)$에서의 지출액을 나타내며, 제약상수 g_0은 예산액 m입니다. 지출액이 예산액을 초과하지 못한다는 제약입니다. 위 표의 표준형대로 부등호 방향은 $\leq$입니다. 이 모형을 이 장에서 공부합니다.

학부에서는 제약을 등식으로 만들어 $p_1 x_1 + p_2 x_2 = m$으로 놓는 경우도 많습니다.

예제 23.1

다음 문제의 답을 xy 평면상에 그림으로 나타내 보시오:

$$\max_{x,y} xy$$
$$\text{subject to } x + y \leq 1$$

xy를 크게 만들려면 x와 y의 값을 무한정 크게 만들면 됩니다만, x와 y의 합이 1을 넘지 말아야 한다는 제약조건 때문에 그것은 불가능합니다. 제약조건 $x + y \leq 1$을 1사분면에서 그림으로 나타내면 다음과 같이 직선 $y = 1 - x$의 그래프를 한 변으로 갖는 삼각형입니다.

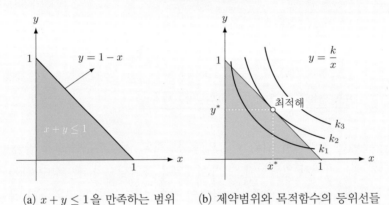

(a) $x + y \leq 1$을 만족하는 범위　(b) 제약범위와 목적함수의 등위선들

[그림 23.1] 예제 23.1을 위한 그림

제약이 등식으로 성립한다면 $y = 1 - x$라는 직선이 되고, 부등식은 $y \leq 1 - x$이므로 같은 x 값에 대해 y 값은 직선과 같거나 작아서 직선의 아래쪽 부분이 부등식을 만족하는 영역입니다. 그림을 1사분면에만 그린 것은, 경제학적으로 우리가 주로 비음의 변수에 관심을 갖기 때문이기도 하고, 잠시 후에 보겠지만 이 문제의 답은 결국 1사분면에서 나올 것이기 때문입니다.

이제 우리는 위 그림의 색칠된 삼각형 중에서 xy의 값이 가장 큰 점을 찾아야 합니다. 목적함수 $F(x, y) = xy$는 이변수함수이므로 그래프를 제대로 그리면 3차원일텐데, 위의 그림은 x, y의 2차원 평면에 그려져 있습니다. 같은 평면 위에 목적함숫값을 나타내려면 함수의 종속변수를 고정시킨 등위선을 그리면 됩니다.

즉 종속변숫값을 k로 고정시켜 $xy = k$라고 해봅시다. 그렇다면 우리는 여러 등위선 중에서 그림의 삼각형을 벗어나지 않으면서 k 값이 가장 큰 점을 찾아야 합니다. 그런데 임의의 k에 대해서 등위선의 공식은 $y = \dfrac{k}{x}$로 반비례함수의 형태입니다. 그림 (b)에 몇 개의 등위선을 그려넣었습니다. k 값이 커질수록 등위선은 원점에서 멉니다. 즉 그림에서 $k_1 < k_2 < k_3$입니다.

그런데 k_3을 만족하는 (x, y) 값들은 색칠된 삼각형과 전혀 만나지 않습니다. 즉 변수에 대한 제약범위 바깥에 있으며, 우리 최적화 문제의 해답일 수 없습니다. 한편 k_1 등위선은 대부분 범위 안에 들어가지만 k_2 등위선에 비해 목적함숫값이 작습니다. k_2는 범위를 지키면서 k 값을 가장 크게, 즉 원점으로부터 가장 멀리 가져간 등위선입니다. 등위선 $xy = k_2$가 정의역의 경계선 $y = 1 - x$와 만나는 점 (x^*, y^*)이 제약범위 내에서 $xy = k$의 값을 가장 크게 만든 해입니다.

23.2 효용극대화 모형

효용극대화 모형의 목적함수는 효용함수입니다. 그림으로 나타낼 수 있도록 재화가 2개인 이변수함수 $U(x_1, x_2)$의 경우에 집중하겠습니다. 소비자가 효용극대화를 위해서 선택하는 것은 재화꾸러미의 양 (x_1, x_2)입니다. 시장에서 이 재화들을 돈을 주고 구입해야 하므로, 선택한 수량에 대한 총지출액은 자신의 구매력(예산, 소득)을 초과할 수 없습니다. 이를 소비자의 예산제약(budget constraint)이라고 합니다.

23.2.1 예산제약

완전경쟁시장의 기업에게 가격수용(price-taking) 가정을 적용했습니다. 이는 기업이 판매하는 재화가격이 기업에게는 외생변수로서 상수로 취급된다는 의미입니다. 기본 소비자모형에서도 소비자에게도 가격수용 가정을 적용합니다. 즉 소비자가 구입하는 재화의 가격은 소비자에게 외생변수로서 상수 취급합니다.

소비자가 구입하는 두 재화를 $1, 2$라 할 때 가격은 p_1, p_2로 표기하겠습니다. 소비자의 예산제약에서 제약함수는 지출액이고, 지출액은 가격과 구입량의 곱이므로 $p_1 x_1 + p_2 x_2$ 입니다. 한편 제약상수는 예산액으로 m이라 표기하겠습니다. 소비자가 예산액을 '상수'로 받아들인다는 것은 예산액 또한 소비자에게 외생변수라는 가정입니다.

소비자의 예산제약은 지출액이 예산액을 초과할 수 없다는 것이므로

$$p_1 x_1 + p_2 x_2 \leq m \qquad \text{(예산제약)}$$

입니다. 제약함수가 $G(x_1, x_2) = p_1 x_1 + p_2 x_2$이고 제약상수가 $g_0 = m$이라고 보면, $G(x_1, x_2) \leq g_0$이라는 제약된 극대화 문제의 표준형입니다. 여기에 소비자의 구입량이 음수일 수 없다는 비음제약 $x_1 \geq 0$, $x_2 \geq 0$을 추가할 수 있습니다.

예산제약을 만족하는 재화꾸러미의 범위를 **예산집합**(budget set)이라고 합니다. 외생변수인 (p_1, p_2, m)의 값이 결정되면 예산집합도 결정되며, 수학적으로 적어보면

$$B(p_1, p_2, m) = \{(x_1, x_2) \mid p_1 x_1 + p_2 x_2 \leq m, \ x_1 \geq 0, \ x_2 \geq 0\} \qquad \text{(예산집합)}$$

입니다. 그림으로 나타내면 (앞의 예제에서 본 것과 마찬가지로) 1사분면의 삼각형으로, $p_1 x_1 + p_2 x_2 = m$이 나타내는 직선이 경계가 됩니다. 경계선인 직선을 보면 절편이 m/p_1, m/p_2이고 기울기는 $-p_1/p_2$입니다. 이를 **예산선**(budget line)이라고 합니다.

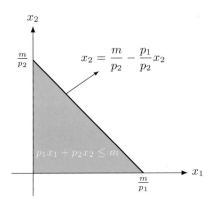

[그림 23.2] 예산집합

예산선의 해석

예산집합의 경계선이 되는 직선을 예산선(budget line)이라고 합니다. 예산선의 절편 및 기울기는 쉽게 해석이 됩니다. 우선 예산선은 예산제약이 등식으로 성립하는 경우이므로, 가진 예산액을 모두 지출해서 구입할 수 있는 재화꾸러미들을 나타냅니다.

예산선의 두 절편은 각각 두 재화 중 하나의 소비량이 0일 때, 주어진 예산으로 구입할 수 있는 또 다른 재화의 소비량을 나타냅니다. 즉 주어진 예산에서 각 재화의 최대 구입 가능한 수량입니다. 이는 m/p_i 즉 예산액 나누기 재화가격으로 구할 수 있습니다. 예를 들어, 예산액이 10,000원이면, 1,000원짜리 재화만 구입할 경우 최대 10개를 살 수 있습니다. 예산 m의 실질구매력을 나타내는 것입니다. 경제학에서 '명목' 변수는 화폐단위로 표시되고, '실질'변수는 재화의 실물단위로 표시됩니다. 즉 m은 화폐단위로 표시되는 명목예산인 반면, m/p_i는 재화 i의 가격으로 나누어줌으로써 재화 i의 수량으로 표시되는 실질예산입니다. 한편 예산선의 기울기 $-p_1/p_2$에서 기울기가 음수인 것은 한정된 예산으로 최대한 많은 양의 재화를 구입하고자 할 때, 한 재화의 수량을 늘리면 다른 재화의 수량은 줄일 수밖에 없음을 나타냅니다. 기울기 공식의 분자에 있는 p_1은 재화 1의 가격입니다. 정확하게 말하자면 화폐단위로 표시된 명목가격입니다. 이를 재화 2의 가격인 p_2로 나누어준 p_1/p_2는 재화 2의 수량으로 나타낸 재화 1의 실질가격입니다. 예를 들어 재화 1이 커피이고 재화 2가 도넛이라고 할 때 $p_1 = 1,000$원/잔이고 $p_2 = 500$원/개라면, 기울기는 -2인데 그 단위를 정확하게 따져보면 -2잔/개입니다. 즉 커피 1잔을 얻기 위해서는 도넛 2개를 포기해야

함을 의미합니다. 커피 1잔의 가격인 1,000원을 도넛으로 환산하면 도넛 2개(도넛 가격 500원 ×2)에 해당되는 것이죠. 커피 1잔의 가격이 도넛 2개라고 말할 수 있는 것입니다.

외생변수 변화에 따른 예산집합의 변화에 대한 분석

예산집합을 규정하는 외생변수는 (p_1, p_2, m)의 3가지입니다. 이들 중 하나라도 변화시키면 예산선이 바뀌고, 예산집합도 달라집니다.

만약 예산 m이 바뀌면, 예산선의 기울기 $-p_1/p_2$에는 변화가 없고, 두 절편 m/p_1과 m/p_2는 동시에 변합니다. 예산선이 기울기는 유지하면서 평행이동하는 것이죠. 명목예산 m이 늘어나면 모든 재화에 대한 실질예산(구매력)이 늘어나서 예산집합은 확대되고, 반대로 m이 줄어들면 구매력이 줄어서 예산집합이 축소됩니다.

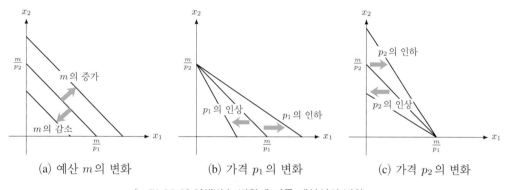

[그림 23.3] 외생변수 변화에 따른 예산선의 변화

한편 두 가격 중 하나가 변하면, 두 절편 중 하나는 그대로이고 나머지 하나만 움직입니다. 이에 따라 기울기도 변합니다. p_1이 인상되면, 세로축 절편은 그대로이고, 가로축 절편이 작아져서 예산선은 안쪽(시계 방향)으로 회전하고 예산집합이 축소됩니다. 재화 1의 가격이 오르는 바람에 재화 2로 본 구매력에는 큰 변화가 없지만, 재화 1의 관점에서 실질예산의 감소가 일어납니다. 반대로 p_1이 인하되면, 재화 1의 관점에서 실질예산의 증가가 일어나 며 예산선은 바깥(시계 반대 방향)으로 회전하여 예산집합이 넓어집니다. p_2의 변화의 영향도 비슷합니다.

가격수용 가정이 적용되지 않은 예산선

기본 모형에서 예산선이 직선인 것은, 가격수용 가정에 따라 두 재화의 가격이 모두 외생변수인 상수이기 때문입니다. 만약 가격이 상수가 아니라면 예산선은 다양한 기울기를 가진 곡선으로 나타납니다. 이때 곡선인 예산선을 우하향하는 함수의 그래프로 보고, 미분계수(접선 기울기)를 구하면 직선 예산선의 기울기

$-p_1/p_2$에 대응되는 값이 됩니다. 미분계수의 절댓값이 크면 재화 1의 상대적으로 비싼 것이고, 미분계수 절댓값이 작으면 재화 1이 상대적으로 싼 것입니다. 우리는 직선인 기본 모형에 집중하겠습니다.

23.2.2 무차별지도

예산선과 예산집합을 그림으로 나타내어 변수의 선택범위를 파악했으면, 이제 목적함수도 같은 평면 위에 표시할 필요가 있습니다. 목적함수인 효용함수는 x_1, x_2를 변수로 갖는 이 변수함수이므로, 이를 $x_1 x_2$ 평면에 나타내려면 종속변수(효용)의 값을 고정시킨 등위선의 그림을 그려야 합니다. 이것이 **무차별곡선**입니다.

그런데 우리는 아무렇게나 하나의 무차별곡선을 그릴 수는 없고, 다양한 무차별곡선들 중에서 예산집합의 범위를 벗어나지 않으면서 가능한 높은 효용을 갖는 무차별곡선을 찾아내야 합니다. 그래서 효용함수를 전반적으로 나타낼 수 있도록 여러 효용 수준에 대해 등위선을 여러 개 그린 **무차별지도**를 통해서, 그중에서 최적해를 찾아내야 합니다.

무차별곡선의 가장 중요한 특징은 그 접선 기울기인 한계대체율입니다. 여러 개의 무차별곡선으로 구성된 무차별지도의 가장 중요한 특징은 어느 쪽이 더 효용이 높은지를 나타내는 선호 방향입니다. 우선 선호 방향부터 따져봅시다.

무차별지도의 선호 방향

재화는 한계효용의 부호에 따라 크게 경제재화와 악재로 구분할 수 있습니다. 경제재화는 한계효용이 양수이고 수량 증가에 따라 효용이 증가하는 재화, 악재는 반대로 한계효용이 음수이고 수량 증가에 따라 효용이 감소하는 재화입니다. 여러분이 접하게 될 대부분의 경제모형은 경제재화만을 사용할 것입니다. 일단 가능성들을 확인해보면 다음과 같습니다.

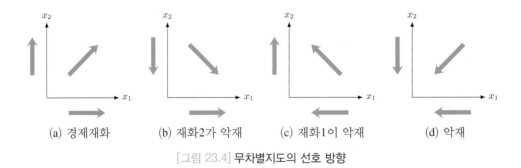

(a) 경제재화   (b) 재화2가 악재   (c) 재화1이 악재   (d) 악재

[그림 23.4] 무차별지도의 선호 방향

무차별곡선의 모양: 기울기

무차별곡선은 효용함수의 종속변수를 특정한 수준에 고정시킨 등위선입니다. 즉 $U(x_1, x_2) = k$의 형태를 갖습니다. 무차별곡선 위에 있는 (x_1, x_2)의 성질에 대해서는 x_2를 x_1의 함수로 보고 그 미분계수(기울기)를 계산해서 따져볼 수 있습니다.

효용 수준이 k인 무차별곡선 위의 한점에서 dx_1와 dx_2만큼 변화를 줄 때 같은 무차별곡선 위에 머물러 있으려면 효용값에 변화가 없어야 하므로, 효용함수의 전미분량의 값이 0이어야 합니다. 다시 말해서 $U(x_1, x_2) = k$이고 $U(x_1 + dx_1, x_2 + dx_2) = k$여야 하므로 $dU = k - k = 0$입니다. 그런데

$$dU = \frac{\partial U}{\partial x_1}dx_1 + \frac{\partial U}{\partial x_2}dx_2 = \mathrm{MU}_1 dx_1 + \mathrm{MU}_2 dx_2$$

이므로 이 값을 0으로 놓으면

$$dx_2 = -\frac{\mathrm{MU}_1}{\mathrm{MU}_2}dx_1$$

이 됩니다. 다시 말해서 무차별곡선의 미분계수가 $-\mathrm{MU}_1/\mathrm{MU}_2$인 것이죠.

만약 두 재화의 한계효용이 같은 부호를 갖는다면, 즉 둘 다 경제재화이거나 둘 다 악재라면 무차별곡선의 미분계수는 음수입니다. 다시 말해서 무차별곡선이 우하향합니다. 이는 예산선이 우하향하는 것과 비슷한 원리입니다. 효용을 유지하면서 한 재화의 수량을 늘리고자 할 때, 다른 재화의 수량을 포기해야 합니다.

반면 두 재화의 한계효용이 다른 부호이면, 무차별곡선 기울기는 양수가 되어 우상향하는 모양이 됩니다. 한 재화를 늘려줄 때 다른 재화는 반대의 성질을 갖고 있으므로 함께 늘려서 서로의 효용에 대한 효과가 상쇄되어 효용 수준을 유지할 수 있습니다. 선호 방향과 함께 무차별곡선들의 대략의 모양을 그려보면 다음 그림과 같습니다. (단, 편의상 그림에는 무차별곡선들을 직선으로 그렸으나 실제로는 다양한 모양일 수 있습니다.)

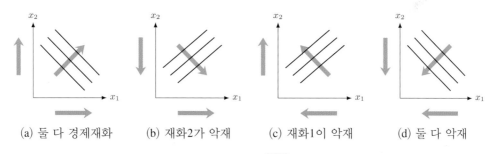

(a) 둘 다 경제재화   (b) 재화2가 악재   (c) 재화1이 악재   (d) 둘 다 악재

[그림 23.5] 무차별지도의 개형 (주의 직선일 필요는 없음)

한계대체율

이제 두 재화 모두 경제재화라고 가정하겠습니다. 무차별지도의 개형은 [그림 23.5(a)]와 같습니다. 두 재화 모두 경제재화이므로 무차별곡선은 우하향하고, 같은 무차별곡선 위에서 재화 1의 수량을 늘려주면 재화 2의 수량이 줄어드는 방식으로 두 재화의 수량 간에 대체가 일어납니다. 그 대체의 비율을 한계대체율(MRS, marginal rate of substitution)이라고 하고, 이는 기울기에서 음수 부호를 떼어낸 절댓값이므로 결국 한계효용의 비율입니다.

$$\text{MRS}(x_1, x_2) = \frac{\text{MU}_1(x_1, x_2)}{\text{MU}_2(x_1, x_2)} \tag{MRS}$$

한계효용은 각각 이변수함수이므로 한계대체율도 이변수함수입니다. 같은 무차별곡선위에 있더라도 위치에 따라 한계대체율의 크기가 달라질 수 있습니다. 크게 3가지 경우로 나눌 수 있겠습니다. 첫 번째는 한계대체율이 일정해서 무차별곡선이 직선인 경우입니다. [그림 23.5]은 모두 직선으로 그렸었는데 한계대체율 및 기울기가 일정한 경우들입니다. [그림 23.6(a)]에 다시 그 경우를 그려놓았습니다.

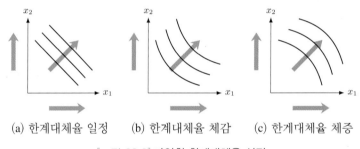

(a) 한계대체율 일정　　(b) 한계내체율 체감　　(c) 한게대체율 체증

[그림 23.6] 다양한 한계대체율 성질

두 번째는 한계대체율 체감(diminishing MRS)이라고 표현되는 경우로 무차별곡선의 가운데 부분이 원점에 더 가깝도록 볼록하게 구부러진 경우입니다. [그림 23.6(b)]에 그려져 있습니다. 한계대체율은 접선 기울기의 절댓값이고, 이 값이 감소한다면 그래프가 점차 완만해지는 것입니다. 반대로 한계대체율 체증의 경우 무차별곡선의 가운데 부분이 원점으로부터 멀어지게 구부러진 모양이 됩니다([그림 23.6(c)]).

> 주의 수학적으로 한계대체율 체감은 한계대체율이 x_1에 대한 감소함수라는 의미입니다. 그런데 x_1로 편미분한 값이 음수라는 뜻은 아닙니다. 한계대체율은 주어진 하나의 무차별곡선에 대해 논하는 것이므로 x_1이 변할 때 필연적으로 x_2도 함께 변해야 합니다. 이 사실을 반영한 정의를 수학적으로도 제시할 수 있습니다만, 일단 위 그림으로 이해하고, 예제에서 실용적으로 확인하는 방법을 안내하겠습니다.

이제 효용극대화 모형

$$\max_{x_1, x_2} U(x_1, x_2)$$

$$\text{subject to } p_1 x_1 + p_2 x_2 \leq m$$

의 해를 도출해보겠습니다.

만약 예산제약이 없었더라면 최적화 일계조건을 적용하여 $\mathrm{MU}_1(x_1^*, x_2^*) = \mathrm{MU}_2(x_1^*, x_2^*) = 0$ 의 해를 찾을 수 있습니다. 두 재화 모두 한계효용이 0이 될 때까지 실컷 소비하면 된다는 뜻입니다. 하지만 예산제약이 존재하므로 이를 반영하여 예산집합의 범위 내에서 선택해야 합니다. 만약 $\mathrm{MU}_1(x_1^*, x_2^*) = \mathrm{MU}_2(x_1^*, x_2^*) = 0$인 점이 예산집합 내에 위치한다면 당연히 그 점을 고르면 됩니다. 이것이 가능하다면 애초에 경제학적인 논의가 필요 없을 것입니다.

경제재화이면 원점으로부터 멀어지는 것이, 악재이면 가까워지는 것이 효용을 늘립니다. 따라서 두 재화 모두 악재라면 원점을 택하는 것이 효용극대화 해입니다. 한편 두 재화 중 적어도 하나가 경제재화라면, 주어진 예산집합에서 가능한 한 원점에서 멀어지려고 하므로 결국 예산선 위에서 효용극대화 점이 발생할 것입니다.

> 결과 23.1 두 재화 중 적어도 한 재화가 경제재화(한계효용이 양수)이면 효용극대해는 예산집합의 경계선 즉 예산선 위에 있다. (x_1^*, x_2^*)를 효용극대해라 할 때
>
> $$p_1 x_1^* + p_2 x_2^* = m \tag{23.1}$$
>
> 이 성립한다.

(23.1)은 미지수 2개 (x_1^*, x_2^*)를 찾기 위해 활용해야 하는 2가지 조건 중 1개입니다. 기본적인 효용극대화모형에서 당연히 적어도 한 재화는 경제재화이므로 (23.1)은 기본으로 깔고 가는 조건입니다. 해를 도출하기 위해서는 1가지 조건이 더 필요합니다. 이는 무차별곡선의 모양에 따라 달라집니다.

한계대체율 체감의 경우

두 재화가 모두 경제재화이고 한계대체율이 체감하는 경우의 해는 다음의 그림으로 그 해가 만족해야 할 조건을 알아볼 수 있습니다.

우선 두 재화가 모두 경제재화이므로 선호방향은 동북쪽이고, 예산집합의 범위를 벗어나지 않으면서 최대한 동북쪽으로 나아가보면 위 결과에서 정리한 대로 예산선 위에서 해가 발

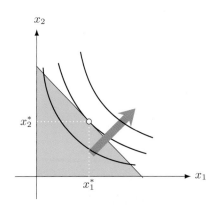

[그림 23.7] 한계대체율 체감시 내부 극대해

생할 것입니다. 게다가 한계대체율 체감 가정에 의해서 무차별곡선의 가운데 부분이 원점과 가까운 볼록한 모양이라면, 단 한 점에서 예산선과 만나게 되고 이 점에서 무차별곡선은 예산선과 접합니다.

즉 무차별곡선의 기울기의 절댓값인 한계대체율과, 예산선 기울기의 절댓값이 상대가격 (p_1/p_2)이 일치해야 한다는 조건을 얻을 수 있습니다.

$$\mathrm{MRS}(x_1^*, x_2^*) = \frac{p_1}{p_2} \tag{23.2}$$

효용극대화 모형의 풀이는 사실상 (23.1)과 (23.2)의 두 식을 연립하면 됩니다. 그런데 한 가지 주의할 점이 있습니다. 다음 그림과 같은 가능성이 있습니다.

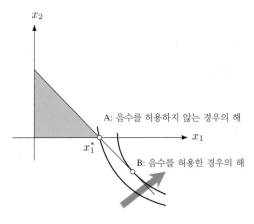

[그림 23.8] 한계대체율 체감시 경계 극대해

[그림 23.8]에서는 예산선을 1사분면을 벗어나서 더 길게 그려보았습니다. 그런데 하필 무차별곡선의 예산선과 접하는 점이 4사분면에서 발생한 것입니다. 무차별곡선의 모양 자체

는 별 문제가 없습니다. 두 재화 모두 경제재화여서 우하향하고, 선호방향은 동북쪽입니다. 가운데 부분이 구부러진 방향에 따라 한계대체율은 체감합니다. 무차별곡선과 예산선이 접하는 B점에서 해가 발생합니다. B에서 재화 2의 수량이 음수인데, 이는 소비자가 재화 2를 구입하는 것이 아니라 판매해서 오히려 수입을 얻는 것으로 해석됩니다. 그래서 기존 예산선의 절편인 재화 1의 최대소비량 m/p_1을 초과한 소비가 가능한 것입니다.

하지만 이런 소비자의 판매(음수소비)행위를 허용하지 않는다면, 예산집합은 기존처럼 색칠된 삼각형의 범위이고, 이때 무차별곡선을 최대한 동북쪽으로 밀어보면 점 A에서 해가 발생합니다. 재화 2를 판매해서라도 재화 1을 갖고 싶지만 그렇게 할 수 없으니, 있는 예산을 모두 재화 1에 소비하는 것입니다. 이런 경우를 경계해(boundary solution)라고 합니다. 경계해의 특징은 무차별곡선과 예산선이 접하지 않을 수 있다는 것입니다.

이런 가능성을 염두에 둔다면, 효용극대해를 찾는 일이 조금 더 복잡해집니다. 일단은 (23.1)과 (23.2)를 만족하는 연립방정식의 해를 도출할 수 있습니다. 이것이 [그림 23.7]의 상황이라면 바로 해가 되지만, 혹시라도 [그림 23.8]의 상황이면 어떻게 해야 할까요? (아마 [그림 23.8]의 상황이라면 도출한 해에 음수가 끼어있을 테니 바로 표가 날 것입니다.)

일변수함수 최적화 문제에 대해서 사용했던 절차를 여기서도 쓰면 됩니다. 즉 일계조건으로 찾은 해는 내부점에만 국한되므로, 실제 최대점을 찾기 위해서는 경계점과 비교해보는 것입니다. 경계점은 겨우 2개밖에 안 되기 때문에 비교가 충분히 가능합니다.

결과 23.2 두 재화 모두 경제재화이며 한계대체율이 체감한다면, 효용극대해 (x_1^*, x_2^*)는 예산선상에 있으므로

$$p_1 x_1^* + p_2 x_2^* = m \tag{23.1}$$

를 만족한다. 또한 내부해라면 무차별곡선과 예산선이 접할 것이다.

$$\mathrm{MRS}(x_1^*, x_2^*) = \frac{p_1}{p_2} \tag{23.2}$$

실제 효용극대화 점은 (23.1)과 (23.2)를 만족하는 내부점 (x_1^*, x_2^*)와 두 경계점 $(\frac{m}{p_1}, 0)$, $(0, \frac{m}{p_2})$ 중에서 가장 높은 효용값을 가진 점이다.

한계대체율이 체감하지 않는 경우 (23.2)가 아무 소용없습니다. (두 재화가 경제재화라면 (23.1)은 적용됩니다.) 수식으로 해를 구하는 것이 곤란하지만 경제학적 논리와 그림으로 충분히 해결 가능합니다. 자세한 설명은 미시경제학 교과서를 참고하기 바라고, 간단한 그림으로만 보겠습니다.

한계대체율이 일정하거나 체증하면 일반적으로 경계해가 나옵니다. 한계대체율이 일정하면 무차별곡선은 직선입니다. 효용함수가 $U(x_1, x_2) = ax_1 + bx_2$ 형태의 선형함수인 경우입니다. 완전대체재 선호라고도 부릅니다. 한계대체율이 체증하는 경우 무차별곡선은 가운데 부분이 원점에서 멀게 구부러집니다. 두 경우 모두 무차별곡선의 미분계숫값에 따라 예산선의 두 절편 중 하나가 해입니다. 둘 중 효용값이 더 높은 것을 고르면 됩니다.

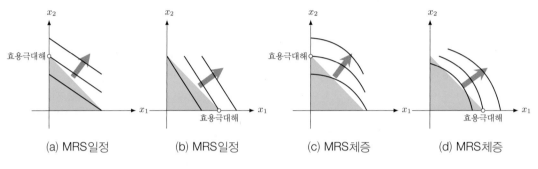

(a) MRS일정   (b) MRS일정   (c) MRS체증   (d) MRS체증

[그림 23.9] 한계대체율 체감이 아닌 경우

한계대체율 체감이 효용극대화 모형에서 중요한 역할을 하는 것은 사실 이것이 제약된 최적화 문제의 이계조건에 해당되기 때문입니다.

23.4 수요 분석

효용극대화 모형의 외생변수는 (p_1, p_2, m)이고 내생변수는 (x_1, x_2)입니다. (p_1, p_2, m)의 값이 정해지면 (x_1, x_2)의 답이 나옵니다. 두 재화 모두 경제재화이고 한계대체율이 체감하면, (23.1)과 (23.2)으로 해를 계산할 수 있을 뿐 아니라, 그림을 보면 단 1개의 해가 나옵니다.

즉 (p_1, p_2, m)이 주어질 때 x_1과 x_2가 각각 함수가 됩니다. 이를 **수요함수**(demand function)라고 합니다. 수요함수는 $x_1(p_1, p_2, m)$, $x_2(p_1, p_2, m)$의 형태인 3변수함수입니다. 각 변수를 변화시키면 자기가격효과, 교차가격효과, 소득효과를 알 수 있고 특히 탄력성 개념을 활용하면 가격탄력성, 교차탄력성, 소득탄력성을 계산할 수 있습니다.

콥-더글라스 효용함수 $U(x_1, x_2) = x_1 x_2$에 대해 효용극대화 해를 구해보겠습니다. 먼저 이 효용 함수의 무차별지도가 원하는 모양이 맞는지 확인이 필요합니다.

우선 두 재화가 경제재화가 맞는지를 확인합니다. 눈으로 보아도 x_1 또는 x_2가 커지면 효용이 커질테니 맞는 것으로 보입니다만, 수학적으로는 주의할 점이 있습니다. 한계효용이 $MU_1 = x_2$ 이고 $MU_2 = x_1$이라서 만약 $x_2 = 0$이면 재화 1의 한계효용이 0이고, 만약 $x_1 = 0$이면 재화 2 의 한계효용이 0입니다. 즉 함께 소비되는 다른 재화의 수량이 0이면, 경제재화가 아닙니다. 두 재화 중 하나가 0이면 (한계효용 말고) 효용값도 0입니다. 이 효용함수는 두 재화를 일정량씩 소 비해야 양의 효용이 발생합니다. 그런데 예산집합 안에 $x_1 > 0$, $x_2 > 0$인 점이 있기만 하다면 효 용이 양인 점이 있는 것이므로, 효용이 0인 점은 효용극대화 해일리가 없습니다. 따라서 효용극 대화 해의 근처에서는 두 재화 모두 경제재화로 보아도 괜찮습니다. 무차별곡선은 우하향합니다.

한계대체율이 체감하는가를 확인할 차례입니다. 한계대체율은 $MRS = \dfrac{MU_1}{MU_2}$로 계산할 수 있습 니다. $MU_1 = x_2$, $MU_2 = x_1$이므로 $MRS = \dfrac{x_2}{x_1}$입니다. 하나의 무차별곡선 위에서 x_1이 증가 할 때, 무차별곡선이 우하향하므로 x_2는 감소해야만 합니다. 즉 x_1이 증가할 때 $MRS = \dfrac{x_2 \downarrow}{x_1 \uparrow}$ 으로 분자는 감소하고 분모는 증가하니 MRS도 감소합니다. 한계대체율 체감이 맞습니다. 이제 (23.1)과 (23.2)로 해를 구할 차례입니다. (23.2)에는 콥-더글라스의 MRS공식을 대입합니다.

$$p_1 x_1^* + p_2 x_2^* = m \tag{23.1}$$

$$\frac{x_2^*}{x_1^*} = \frac{p_1}{p_2} \tag{23.2}$$

를 연립하면 (23.2)에서 $p_1 x_1^* = p_2 x_2^*$이고, 이를 (23.1)에 대입하면 $p_1 x_1^* = p_2 x_2^* = \dfrac{1}{2} m$입니다. 즉 수요함수는

$$x_1^*(p_1, p_2, m) = \frac{m}{2p_1}, \quad x_2^*(p_1, p_2, m) = \frac{m}{2p_2}$$

$U(x_1, x_2) = x_1 x_2$로부터 효용극대화를 통해 도출한 수요함수가 보이는 탄력성들을 계산하시오.

위 예에서 도출한 수요함수에 대해 적용해보면

- 가격탄력성: $\varepsilon_1 = \dfrac{\partial x_1^*}{\partial p_1} \cdot \dfrac{p_1}{x_1^*} = -\dfrac{m}{2p_1^2} \cdot \dfrac{p_1}{\frac{m}{2p_1}} = -1$, $\varepsilon_2 = \dfrac{\partial x_2^*}{\partial p_2} \cdot \dfrac{p_2}{x_2^*} = -\dfrac{m}{2p_2^2} \cdot \dfrac{p_2}{\frac{m}{2p_2}} = -1$

- 교차탄력성: 각 재화 수요함수에 다른 재화의 가격이 나오지 않습니다. 즉 교차탄력성은 모두 0입니다

- 소득탄력성: $\eta_1 = \dfrac{\partial x_1^*}{\partial m} \cdot \dfrac{m}{x_1^*} = \dfrac{1}{2p_1} \cdot \dfrac{m}{\frac{m}{2p_1}} = 1$, $\eta_2 = \dfrac{\partial x_2^*}{\partial m} \cdot \dfrac{m}{x_2^*} = \dfrac{1}{2p_2} \cdot \dfrac{m}{\frac{m}{2p_2}} = 1$

예 23.3

콥-더글라스 일반형에 로그를 취한 $U(x_1, x_2) = \ln(x_1^\alpha x_2^\beta) = \alpha \ln x_1 + \beta \ln x_2$에 대해 효용극대화를 해봅시다. 우선 로그함수의 정의상 수학적으로 $x_1 > 0$, $x_2 > 0$이어야 합니다. 한계효용은 $\mathrm{MU}_1 = \dfrac{\alpha}{x_1} > 0$, $\mathrm{MU}_2 = \dfrac{\beta}{x_2} > 0$이므로 두 재화 모두 경제재화가 맞습니다. 한계대체율은 $\mathrm{MRS} = \dfrac{\mathrm{MU}_1}{\mathrm{MU}_2} = \dfrac{\alpha/x_1}{\beta/x_2} = \dfrac{\alpha x_2}{\beta x_1}$입니다. 앞의 예와 마찬가지로 주어진 무차별곡선은 우하향하고 그 위에서 x_1을 증가시키면 x_2는 감소하므로 $\mathrm{MRS} = \dfrac{\alpha x_2 \downarrow}{\beta x_1 \uparrow}$라서 MRS는 체감합니다. (23.1)과 (23.2)를 적용할 수 있습니다. 역시 (23.2)에는 이 함수에 맞는 MRS를 대입하면

$$p_1 x_1^* + p_2 x_2^* = m \tag{23.1}$$

$$\frac{\alpha x_2^*}{\beta x_1^*} = \frac{p_1}{p_2} \tag{23.2}$$

입니다. (23.2)로부터 $\dfrac{p_1 x_1^*}{p_2 x_2^*} = \dfrac{\alpha}{\beta}$ 즉 $p_1 x_1^* : p_2 x_2^* = \alpha : \beta$가 도출됩니다. 말로 해보면 두 재화에 대한 지출액의 비율이 $\alpha : \beta$라는 것입니다. 전체 m의 예산을 $\alpha : \beta$의 비율로 나누어서 쓴다면

$$p_1 x_1^* = \frac{\alpha}{\alpha + \beta} m, \quad p_2 x_2^* = \frac{\beta}{\alpha + \beta} m$$

이 되고 양변을 각 가격으로 나누어주면 수요함수를 얻습니다.

$$x_1^*(p_1, p_2, m) = \frac{\alpha m}{(\alpha + \beta) p_1}, \quad x_2^*(p_1, p_2, m) = \frac{\beta m}{(\alpha + \beta) p_2}$$

예 23.4

선형 효용함수 $U(x_1, x_2) = 2x_1 + x_2$에 대한 극대해는 무엇일까요? 한계효용이 각각 $\mathrm{MU}_1 = 2$와 $\mathrm{MU}_1 = 1$이므로 무차별곡선은 기울기가 -2로 일정한 직선입니다. 앞에서 그림으로 본대로 일반적으로 경계해입니다. 군이 그림을 그리지 않더라도, 가능한 경계해는 $A = (\frac{m}{p_1}, 0)$과 $B = (0, \frac{m}{p_2})$ 뿐입니다. 각 경우의 효용은 $U(A) = \dfrac{2m}{p_1}$, $U(B) = \dfrac{m}{p_2}$입니다. 둘 중 효용이 더 큰 쪽을 택합니다. $U(A) \gtreqqless U(B) \iff \dfrac{2m}{p_1} \gtreqqless \dfrac{m}{p_2} \iff 2p_2 \gtreqqless p_1$이므로 재화 1 가격이 재화 2 가격의 2배를 넘으면 B를 택하고, 반대의 경우에는 A를 택하면 됩니다. 재화 1의 한계효용이 재화 2의 2배이기 때문에, 가격이 2배를 초과하면 상대적으로 재화 2가 더 싼 셈입니다.

레온티에프 효용함수 $U(x_1, x_2) = \min\{\frac{x_1}{2}, x_2\}$에 대한 극대해는 무엇일까요? 이 효용함수의 무차별곡선은 $x_1 : x_2 = 2 : 1$인 점에서 꺾어지는 ㄴ자 형태입니다. 그림으로 보면 다음과 같습니다.

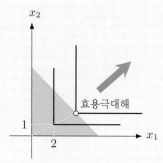

[그림 23.10] 레온티에프 효용함수의 극대해

즉 해는 예산선 위에 있으면서 2:1의 비율을 지키는 점입니다. 수식으로는 다음과 같습니다.

$$x_1^*(p_1, p_2, m) = \frac{2m}{2p_1 + p_2}, \quad x_2^*(p_1, p_2, m) = \frac{m}{2p_1 + p_2}$$

$x_1 : x_2 = 2 : 1$인 '패키지'를 만든다면 패키지 1개의 가격은 $2p_1 + p_2$이고, m의 예산으로 구입할 수 있는 패키지의 개수는 $\frac{m}{2p_1 + p_2}$입니다. 패키지 1개 속에 재화 1은 2개, 재화 2는 1개가 들었으므로 위 식이 나옵니다.

연습문제

23-1 다음의 경우에 대해 예산선을 그려보시오.

(a) $p_1 = 1,000$, $p_2 = 500$, $m = 10,000$

(b) $p_1 = 1,000$, $p_2 = 1,000$, $m = 10,000$

(c) $p_1 = 1,000$, $p_2 = 1,000$, $m = 12,000$

23-2 다음 효용함수의 무차별곡선의 형태를 파악하여 설명하시오.

(a) $U(x_1, x_2) = \sqrt{x_1} + \sqrt{x_2}$

(b) $U(x_1, x_2) = x_1 - 2x_2$

(c) $U(x_1, x_2) = x_1^2 + x_2^2$

(d) $U(x_1, x_2) = \ln x_1 + x_2$

23-3 예 23.3에서 콥-더글라스 효용함수의 일반형에 대해 수요를 도출하였다. 그 수요함수에 대해 3가지 탄력성을 계산하시오.

23-4 예 23.5에서 레온티에프 효용함수에 대해 수요를 도출하였다. 그 수요함수에 대해 3가지 탄력성을 계산하시오.

23-5 다음 효용함수에 대해 효용극대화 해를 도출하고 탄력성들을 계산하시오.

(a) $U(x_1, x_2) = \sqrt{x_1} + \sqrt{x_2}$

(b) $U(x_1, x_2) = x_1^2 + x_2^2$

Chapter 24

제약된 극소화 문제:
비용극소화 모형의 분석

제24장에서는 ⋯⋯⋯⋯⋯⋯⋯⋯⋯⋯⋯⋯⋯⋯⋯⋯⋯⋯⋯⋯⋯⋯⋯⋯⋯⋯⋯⋯⋯⋯⋯⋯⋯⋯

제약을 가진 극소화 모형의 대표적 사례로서 생산자의 비용극소화 모형을 공부합니다. 비용극소화 모형은 여러모로 소비자의 효용극대화 모형과 비슷합니다. 효용극대화 모형과 비슷한 점과 다른 점을 비교하면서 알아보겠습니다. 비용극소화 모형을 통해 생산자의 합리적인 요소 투입량을 결정할 뿐 아니라, 비용함수를 도출할 수 있습니다.

주요 개념들

일반 요소수요함수, 조건부요소수요함수, 비용함수

주요 결과

- 표준적인 가정에서 비용극소화 모형의 내부해는 등비용선과 등량곡선이 접하는 점에서 발생한다.
- 등량곡선의 기울기의 절댓값은 한계기술대체율(MRTS)이고 등비용선 기울기의 절댓값은 요소의 상대가격이므로 내부 비용극소해가 만족하는 조건은

$$f(L^*, K^*) = q_0 \qquad (24.1)$$

$$\text{MRTS}(L^*, K^*) = \frac{w}{r} \qquad (24.2)$$

- 비용극소화 모형의 해인 조건부 요소수요함수 $L^*(w, r, Q)$, $K^*(w, r, Q)$를 사용하면 비용함수를 도출할 수 있다.

$$C(w, r, Q) = wL^*(w, r, Q) + rK^*(w, r, Q)$$

비용극소화 모형

생산자의 비용에 대해서는 이 책을 통해서 여러 차례 다룬 적이 있습니다. 가장 먼저 비용함수는 생산량 Q의 (일변수)함수 $C(Q)$로 소개되었습니다. 이로부터 한계비용이나 평균비용 등의 개념이 나온다는 것도 지적했습니다.

비용은 재화 생산을 위해 투입되는 요소에 대한 지출에서 발생함도 설명했습니다. 대표적인 생산요소는 생산함수 $f(L, K)$에 들어가는 노동(L)과 자본(K)입니다.[17] 노동의 가격을 w, 자본의 가격을 r로 표시할 때 비용은 $wL + rK$입니다. 그런데 이것만 가지고는 생산량 Q에 대해 어떤 L, K를 선택해야 할지 모르므로 비용이 Q와 어떻게 관련되는지는 알 수 없습니다.

완전경쟁 기업의 이변수 이윤극대화 모형에서 이윤은 $\Pi(L, K) = pf(L, K) - wL - rK$로 설정되었고, 이윤을 극대화하는 요소투입량 L, K를 선택하면 그에 대응되는 $wL + rK$가 비용입니다. 이 모형의 외생변수는 재화가격과 요소가격인 (p, w, r)이었습니다. 이 모형에서도 생산량 Q와 비용이 어떻게 함수로 연결되는지 명확하게 보이지는 않습니다.

비용극소화 모형은 이윤극대화 과정으로부터 요소투입과 비용의 문제를 분리시켜서 따로 살펴보는 것입니다. 기업은 이윤극대화를 하고, 생산자는 비용극소화를 합니다. 생산자는 기업의 일부분을 차지하는 존재인 셈입니다. 특정 기업의 내부 생산부서라고 볼 수도 있고, 심지어는 어떤 기업이 판매하고자 하는 재화를 납품하는 외부 하청업체라고 볼 수도 있습니다.

생산자의 특징은 생산량을 직접 결정하지 않는다는 것입니다. 생산량이 외생적으로 주어지면 그 생산량에 맞추어서 재화를 생산하기 위한 적절한 수량의 요소를 구입합니다. 이 과정에서 생산자의 수입은 암묵적으로 일정 수준에서 보장됩니다. 즉 요구된 생산량을 충족시키면 그에 대해 일정한 보상이 주어진다고 보면, 생산자가 자신의 이익을 위해서 할 일은 생산에 들어가는 비용을 최소화하는 것입니다. 이것이 비용극소화 모형입니다.

24.1.1 생산량제약과 등량곡선

비용극소화 모형은 정확하게 말해서 생산량제약 하의 비용극소화 모형입니다. 생산자는 재화를 판매할 '기업'으로부터 생산량 q_0을 요구받습니다. 이 요구되는 목표생산량을 반드시

---

17) 노동과 자본 중 어느 것을 첫 번째 변수로 삼는지는 사실 별로 중요하지 않습니다. 혼란을 막기 위해서 노동을 첫 번째 변수로 쓰기로 통일하겠습니다. 따라서 그림을 그릴 때도 노동을 가로축에 두겠습니다.

맞춰야 합니다. 초과는 해도 되지만, 미달되면 안됩니다. 따라서 생산자가 직면한 제약은

$$f(L, K) \geq q_0$$

입니다. 여기서 $f(L, K)$는 물론 생산함수입니다.

생산량제약을 선택변수인 (L, K)의 그림으로 나타내려면 이변수함수인 생산함수 $f(L, K)$에 대해서 종속변수를 고정한 등량곡선을 그려야 합니다. 생산량을 $q = q_0$으로 고정시킨 등량곡선은 $f(L, K) = q_0$인데 이는 바로 생산량제약의 경계에 해당됩니다.

생산요소의 투입량이 늘어날 때 재화 생산량이 늘어난다는 것이 자연스러운 가정입니다. 즉 각 요소의 한계생산은 양수라고 가정합니다. $MP_L = f_L > 0$, $MP_K = f_K > 0$. 그렇다면 등량곡선들을 여러 개 그려놓은 등량지도에서 생산량 증가 방향은 동북쪽입니다. 또한 등량곡선의 미분계수의 절댓값은 한계기술대체율(MRTS)인데 무차별곡선의 한계대체율과 같은 개념입니다. 한계기술대체율도 일정할 수도 있고, 체감할 수도 있고, 체증할 수도 있습니다.

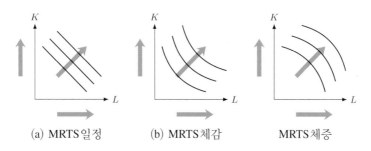

(a) MRTS 일정   (b) MRTS 체감   MRTS 체증

[그림 24.1] 한계기술대체율과 등량지도

따라서 생산량제약 $f(L, K) \geq q_0$를 만족하는 범위는 생산량 q_0에 대응되는 등량곡선과 그 곡선의 동북쪽 영역입니다. 다음 그림은 우리가 표준적인 경우로 취급할 한계기술대체율이 체감하는 등량곡선에 대해 생산량제약 범위를 표시한 것입니다.

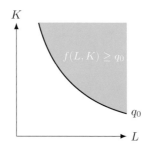

[그림 24.2] 생산량제약을 만족하는 범위

생산량제약은 생산자의 생산함수의 등위선인 여러 개의 등량곡선들 중에서 특정한 q_0에 대응되는 단 하나의 등량곡선을 가져오고 그보다 위쪽의 영역을 나타낸다는 것을 기억합시다.

24.1.2 등비용선

이제 생산자의 목적함수를 어떻게 나타낼지 생각해봅시다. 요소투입량 L, K를 결정하면, 각 요소에 대해 가격 w, r을 지불해야 하므로 지불하는 총액은 $wL + rK$입니다. 이것이 생산자의 목적함수입니다. 이 목적함수의 값을 선택범위 내에서 가장 작게 만드는 것이 비용극소화 모형이 풀고자 하는 문제입니다. 즉 생산자의 비용극소화 모형을 수식으로 적어보면

$$\min_{L,K} wL + rK$$
$$\text{subject to } f(L, K) \geq q_0$$

입니다. 제약된 극소화 모형의 표준형과 비교해보면, 선택변수 $(x_1, x_2) = (L, K)$이고 목적함수는 $F(x_1, x_2) = wL + rK$, 제약함수는 $G(x_1, x_2) = f(L, K)$, 제약상수는 $g_0 = q_0$입니다.

이제 제약을 반영한 범위와 같은 평면 위에 목적함수를 어떻게 그림으로 나타낼 것인가 생각해봅시다. 목적함수인 $wL + rK$의 값이 특정한 수준 c_0인 경우를 생각합니다. 그렇다면 $wL + rK = c_0$이라는 식을 만족할텐데, 이는 L을 가로축 즉 독립변수로 하고, K를 세로축 즉 종속변수로 하는 함수로 파악한다면

$$K = \frac{c_0}{r} - \frac{w}{r}L$$

이 됩니다. 세로축 절편이 $\frac{c_0}{r}$이고 기울기가 $-\frac{w}{r}$인 (우하향하는) 직선입니다. 이 직선 위의 모든 점들은 동일한 비용 c_0을 갖습니다. 그래서 이 선을 등비용선이라고도 부릅니다.

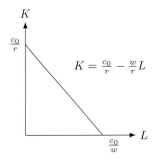

[그림 24.3] 등비용선

등비용선은 사실 소비자의 예산선과 매우 닮았습니다. 표로 비교하면 다음과 같습니다.

	소비자의 예산선	생산자의 등비용선
식	$p_1 x_1 + p_2 x_2 = m$	$wL + rK = c$
절편	$\dfrac{m}{p_1}, \dfrac{m}{p_2}$	$\dfrac{c}{w}, \dfrac{c}{r}$
기울기	$-\dfrac{p_1}{p_2}$	$-\dfrac{w}{r}$

해석도 소비자의 예산선을 참고하면 쉽습니다. 먼저 각 절편은 c_0 이라는 총비용(예산)을 둘 중 한 가지 요소에만 지출할 때 그 요소를 얼마나 많이 구입할 수 있는지를 나타냅니다. 자본의 가격이 r 이므로 자본만 구입한다면 그 양은 $\dfrac{c_0}{r}$ 이 되고 이것이 세로축 절편입니다. 마찬가지로 가로축 절편 $\dfrac{c_0}{w}$ 는 총비용 c_0 을 모두 노동을 구입하는 데 썼을 때 노동의 양입니다.

등비용선의 기울기는 $-\dfrac{w}{r}$ 인데 기울기가 음수인 것은 같은 비용을 유지하면서 노동 투입을 늘리려면 어쩔 수 없이 자본 투입을 줄여야 한다는 의미입니다. 노동 1단위를 늘리려면 w 만큼을 지불해야 하는데, 이를 자본의 양으로 환산하려면 자본가격 r 로 나누면 됩니다. 이것이 등비용선의 기울기 $-\dfrac{w}{r}$ 로 노동의 명목(화폐)가격 w 를 자본량으로 측정하는 실질 가격으로 환산한 것입니다. 노동 1단위를 늘리면서 같은 비용을 유지하기 위해서 포기해야 하는 자본의 양을 뜻합니다.

한편 고정했던 비용액 c_0 을 변화시키면, 마치 소비자의 예산선에서 예산을 변화시킨 것과 마찬가지로 직선의 기울기는 유지하면서 평행이동시킨 것입니다. c_0 이 커지면 원점에서 멀리 바깥쪽으로, c_0 이 작아지면 원점에 가깝게 안쪽으로 이동합니다. 다음 그림에서 $c_0 < c_1 < c_2$ 의 순서로 비용이 높습니다. 비용극소화를 하려면 가능하다면 c_0 을 골라야 합니다.

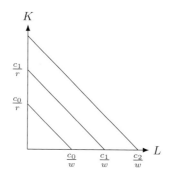

[그림 24.4] 비용이 높아질 때 등비용선의 이동

등비용선과 예산선을 비교한 김에 생산자의 비용극소화 모형과 소비자의 효용극대화 모형을 비교해보겠습니다. 비슷한 점도 많고, 다른 점도 있습니다. 우선 방금 지적한대로 등비용선과 예산선은 서로 비슷합니다. 마찬가지로 생산함수와 효용함수도 비슷한 점이 많습니다.

	생산함수 $f(L,K)$	효용함수 $U(x_1,x_2)$
편도함수	한계생산 $MP_L = f_L,\ MP_K = f_K$	한계효용 $MU_1 = U_1,\ MU_2 = U_2$
	요소는 생산적 $MP_L > 0,\ MP_K > 0$	경제재화 가정 $MU_1 > 0,\ MU_2 > 0$
등위선	등량곡선 $f(L,K) = q_0$	무차별곡선 $U(x_1,x_2) = u_0$
	한계기술대체율 $\text{MRTS} = \dfrac{MP_L}{MP_K}$	한계대체율 $\text{MRS} = \dfrac{MU_1}{MU_2}$

기본적으로 사용되는 함수 형태도 겹칩니다. (물론 효용함수는 서수성을 갖는다는 차이점이 있습니다.)

	생산함수 $f(L,K)$	효용함수 $U(x_1,x_2)$
콥-더글라스	$L^\alpha K^\beta$	$x_1^\alpha x_2^\beta$
선형	$aL + bK$	$ax_1 + bx_2$
레온티에프	$\min\{\frac{L}{a}, \frac{K}{b}\}$	$\min\{\frac{x_1}{a}, \frac{x_2}{b}\}$
CES	$(L^r + K^r)^{1/r}$	$(x_1^r + x_2^r)^{1/r}$

그런데 다시 보면, 효용함수는 소비자모형의 목적함수인데, 생산함수는 생산자모형의 제약함수입니다. 또한 등비용선은 생산자모형의 목적함수를 나타내는데, 예산선은 소비자모형의 제약함수를 나타냅니다. 즉 대응되는 함수들의 역할이 서로 뒤바뀌어 있습니다. 이것은 비용극소화 문제와 효용극대화 문제를 나란히 써놓고 비교해보면 특히 드러납니다.

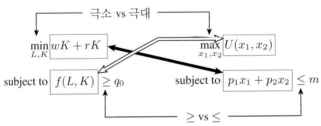

[그림 24.5] 생산자 비용극소화 모형 vs 소비자 효용극대화 모형

물론 하나는 극소 문제이고 또 하나는 극대 문제입니다. 표준형에서 정한 대로 제약 부등식 방향도 극소는 $\geq$, 극대는 $\leq$로 서로 반대입니다. 또한 극소 문제의 목적함수가 극대 문제에는 제약함수이고, 극대 문제의 목적함수가 극소 문제의 제약함수입니다.

비용극소화 모형의 해

비용극소화 모형의 해도 효용극대화 모형과 유사한 방식으로 도출이 가능합니다. 효용극대해에 대한 첫 번째 결과는 (적어도 하나의) 재화가 경제재화(한계효용이 양수)인 경우 예산선 위에 있다는 것 즉 제약이 등식으로 성립한다는 것이었습니다. 비용극소해도 마찬가지입니다.

> 결과 24.1 두 요소 중 적어도 하나가 생산적(한계생산이 양수)이면 비용극소해는 제약 범위의 경계선 즉 목표생산량의 등량곡선 위에 있다. (L^*, K^*)를 비용극소해라 할 때
>
> $$f(L^*, K^*) = q_0 \qquad (24.1)$$

비용을 줄이려면 요소 투입량을 줄여야 합니다. 만약 목표생산량을 초과한 $f(L, K) > q_0$ 이라면 한계생산이 양수인 요소의 투입량을 조금 줄여서 생산량을 조금 줄이더라도 제약을 만족할 수 있고 비용도 줄일 수 있습니다. 그림으로 말하자면 등량곡선에 닿을 때까지 등비용선을 원점에 가깝게 가져와야 합니다.

(24.1)은 비용극소화 모형의 두 미지수 (L^*, K^*)를 찾기 위한 두 개의 조건 중 하나입니다. 또 하나의 조건은 역시 등량곡선의 모양에 따라 달라집니다.

한계기술대체율 체감의 경우

효용극대화 모형과 마찬가지로, 비용극소화 모형의 표준적인 경우는 두 요소가 모두 생산적이고 한계기술대체율이 체감하는 경우입니다. 다음 그림과 같이 해를 찾습니다.

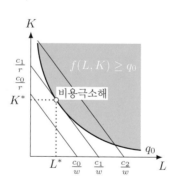

[그림 24.6] 한계기술대체율 체감시 내부 극소해

요소가 생산적이므로 일단 해는 등량곡선 위에 있어야 하고, 한계기술대체율이 체감한다면 등량곡선의 가운데 부분이 원점을 향해 볼록하므로 만나는 유일한 점에서 등량곡선과 등비용선이 서로 접합니다.

즉 등량곡선의 기울기의 절댓값인 한계기술대체율과 등비용선의 기울기의 절댓값인 요소의 상대가격(w/r)이 일치해야 합니다.

$$\text{MRTS}(L^*, K^*) = \frac{w}{r} \tag{24.2}$$

표준적인 비용극소화 모형의 해는 (24.1)과 (24.2)를 연립하여 찾습니다. 생산함수 공식이 있는 경우 $\text{MRTS} = MP_L/MP_K$를 쓸 수 있습니다.

(24.2)는 내부해에만 적용되는 조건이고, 비용극소화의 해가 경계에 있을 수도 있습니다. 효용극대화 모형의 경계해는 제약함수인 예산선의 절편이었고, 비용극소화 모형의 경계해는 역시 제약함수인 생산함수의 절편입니다. 즉 $f(L_0, 0) = q_0$을 만족하는 L_0 또는 $f(0, K_0) = q_0$을 만족하는 K_0입니다.

결과 24.2 두 요소 모두 생산적이며 한계기술대체율이 체감한다면, 비용극소해는 등량곡선 상에 있으므로

$$f(L^*, K^*) = q_0 \tag{24.1}$$

을 만족한다. 또한 내부해라면 등량곡선과 등비용선이 접할 것이다.

$$\text{MRTS}(L^*, K^*) = \frac{w}{r} \tag{24.2}$$

실제 비용극소화 점은 (24.1)과 (24.2)를 만족하는 (L^*, K^*)와 두 경계점 중에서 가장 낮은 비용값을 가진 점이다.

예 24.1

기본형태의 생산함수들에 대해 경계해를 확인해보겠습니다.

(a) 콥-더글라스 생산함수 $f(L, K) = L^\alpha K^\beta$에 대해 생산량이 $q_0 > 0$인 경우 경계해는 없습니다. 두 요소 중 하나라도 0이면 생산량은 0이기 때문에 $q_0 > 0$을 생산하는 것이 불가능합니다. 즉 콥-더글라스 생산함수를 대상으로 비용극소화 모형을 풀 때는 내부해만 고려하면 됩니다.

(b) 선형 생산함수 $f(L, K) = aL + bK$에 대해 생산량이 q_0이면 경계해는 $(L_0, K) = (\frac{q_0}{a}, 0)$과 $(0, K_0) = (0, \frac{q_0}{b})$입니다.

(c) 레온티에프 생산함수 $f(L, K) = \min\{\frac{L}{a}, \frac{K}{b}\}$에 대해 생산량이 $q_0 > 0$인 경우 경계해는 없습니다. 두 요소 중 하나라도 0이면 생산량은 0입니다.

(d) 간단한 CES 생산함수 $q(L,K) = \sqrt{L} + \sqrt{K}$에 대해 경계해는 $(L_0, 0) = (q_0^2, 0)$과 $(0, K_0) = (0, q_0^2)$입니다.

콥-더글라스나 레온티에프 생산함수의 경우에는 경계해에 신경 쓸 필요가 없습니다. 콥-더글라스는 한계기술대체율도 체감하는 표준적인 경우이므로 (24.1)과 (24.2)를 사용해서 풀면 됩니다. 레온티에프의 경우에는 한계기술대체율이 아예 정의되지 않는데, 그림으로 보면 언제나 $L : K = a : b$의 비율을 맞추는 식으로 생산이 이루어짐을 이용하면 됩니다. 선형 생산함수는 한계기술대체율이 체감하지 않기 때문에 (24.2)를 적용할 수는 없고, 그림을 보면 일반적으로 경계해가 발생합니다. 두 경계해를 비교해서 유리한 쪽을 고르면 됩니다. 마지막으로 CES 생산함수의 경우에는 한계기술대체율이 체감하므로 (24.1)과 (24.2)를 사용한 내부해를 도출하고, 경계해와 비교하여 결정합니다. (실제로 풀어보면 내부해가 답입니다.)

예 24.2

$f(L, K) = LK$이고 $q_0 > 0$이 목표생산량인 경우의 비용극소해를 구해봅시다.

콥-더글라스 함수의 등량곡선이 우하향하고 한계기술대체율 체감의 형태라는 것은, 제23장에서 콥-더글라스 효용함수에 대해서 보인 것과 같습니다. $\text{MRTS} = MP_L / MP_K = K/L$이므로

$$L^* K^* = q_0 \tag{24.1}$$

$$\frac{K^*}{L^*} = \frac{w}{r} \tag{24.2}$$

의 해를 구합니다. (24.2)에서 $wL^* = rK^*$가 성립합니다. (두 요소에 대한 지출액이 동일하다고 해석됩니다.) K^*에 대해 풀어쓰면

$$K^* = \frac{w}{r} L^*$$

이고 이를 (24.1)에 대입하면

$$L^* \underbrace{\left(\frac{w}{r} L^* \right)}_{= K^*} = q_0 \implies \frac{w}{r} (L^*)^2 = q_0 \implies L^* = \sqrt{\frac{r}{w} q_0}$$

입니다. L^*을 다시 $K^* = \frac{w}{r} L^*$에 대입하면

$$K^* = \sqrt{\frac{w}{r} q_0}$$

입니다. 즉 비용극소해는 $(L^*, K^*) = \left(\sqrt{\frac{r}{w} q_0}, \sqrt{\frac{w}{r} q_0} \right)$입니다.

$f(L, K) = 2L + K$에 대해 비용극소화를 해봅시다. 등량곡선이 직선이므로, 직선인 등비용선과 한 점에서 접하는 것은 불가능하고 경계해가 나올 것입니다. 경계해는 생산량이 q_0일 때 A: $(L_0, 0) = (\frac{q_0}{2}, 0)$이거나 B: $(0, K_0) = (0, q_0)$입니다. 두 경계해에 드는 비용을 계산해보면 A의 경우 $c_A = wL_0 = \frac{1}{2}wq_0$이고, B의 경우 $c_B = rK_0 = rq_0$입니다. 둘 중 비용이 더 낮은 쪽을 택하는 것이 비용극소화입니다. 즉 $w > 2r$이면 B를, $w < 2r$이면 A를 택합니다. 노동의 한계생산이 2, 자본의 한계생산이 1로, 노동의 생산성이 2배입니다. 그런데 노동의 가격 w가 자본가격의 2배를 초과한다면 자본이 상대적으로 싸서 자본만 사용하는 것입니다.

$f(L, K) = \min\{\frac{L}{2}, K\}$인 경우 q_0을 생산하라면 $L = 2q_0$, $K = q_0$을 무조건 투입해야 합니다.

$f(L, K) = \sqrt{L} + \sqrt{K}$인 경우에 등량곡선은 우하향하고, 한계기술대체율은 체감합니다. 확인해 보겠습니다.

$MP_L = f_L = \frac{1}{2\sqrt{L}} > 0$입니다. 단, $L = 0$에서는 한계생산이 정의되지 않습니다. 그림을 그려보면 이는 $L = 0$일 때 미분계수가 무한대라서 그렇습니다. $L = 0$에서 노동투입이 조금 늘어날 때 생산량은 당연히 늘어나므로 $L = 0$에서도 생산적입니다. 마찬가지로 $MP_K = f_K = \frac{1}{2\sqrt{K}} > 0$이고 자본도 생산적입니다. 따라서 등량곡선은 우하향합니다.

$$\text{MRTS} = \frac{MP_L}{MP_K} = \frac{\frac{1}{2\sqrt{L}}}{\frac{1}{2\sqrt{K}}} = \frac{\sqrt{K}}{\sqrt{L}}$$

입니다. 그런데 가로축의 L이 증가($\uparrow$)할 때 우하향한 등량곡선을 따라 움직이면 K는 감소($\downarrow$) 하므로 MRTS $= \frac{\sqrt{K}\downarrow}{\sqrt{L}\uparrow}$ 라서 한계기술대체율은 감소(체감)합니다. (24.1)과 (24.2)로 내부 극소 해를 구할 수 있습니다.

$$\sqrt{L^*} + \sqrt{K^*} = q_0 \qquad (24.1)$$

$$\frac{\sqrt{K^*}}{\sqrt{L^*}} = \frac{w}{r} \qquad (24.2)$$

을 연립합니다. (24.2)에서 $\sqrt{K^*} = \frac{w}{r}\sqrt{L^*}$이고 이를 (24.1)에 대입하면

$$\sqrt{L^*} + \frac{w}{r}\sqrt{L^*} = q_0 \implies \frac{r+w}{r}\sqrt{L^*} = q_0 \implies L^* = \left(\frac{r}{r+w}q_0\right)^2$$

이고 이를 다시 $\sqrt{K^*} = \frac{w}{r}\sqrt{L^*}$에 대입하면

$$K^* = \left(\frac{w}{r+w}q_0\right)^2$$

이 해에서 들어간 비용은 $c^* = wL^* + rK^* = w\left(\frac{r}{r+w}q_0\right)^2 + r\left(\frac{w}{r+w}q_0\right)^2 = \frac{wr(r+w)}{(r+w)^2}q_0^2 = \frac{wr}{r+w}q_0^2$ 입니다. 한편 경계해는 $(L_0, 0) = (q_0^2, 0)$과 $(0, K_0) = (0, q_0^2)$입니다. 각 경우 비용은 $c_{L_0} = wq_0^2$, $c_{K_0} = rq_0^2$입니다. 비교해보면 $c^* < c_{L_0}$이고 $c^* < c_{K_0}$이어서 내부해가 해입니다.

> **참고** 마지막 예에서 $c^* < c_{L_0}$임의 증명: $c_{L_0} = wq_0^2 = \frac{w(r+w)}{r+w}q_0^2 = \frac{wr + w^2}{r+w}q_0^2$입니다.
> 그런데 $c^* = \frac{wr}{r+w}q_0^2$이고 $w^2 > 0$이므로 $c_{L_0} = \frac{wr + w^2}{r+w}q_0^2 > \frac{wr}{r+w}q_0^2 = c^*$입니다.
> 마찬가지로 $c_{K_0} < c^*$도 성립합니다.
>
> **주의** 기본 함수들에 대해 푼 예제들을 효용극대화의 경우와 비교해보면 해의 형태가 다릅니다. 두 모형에서 목적함수와 제약함수의 위치가 서로 다르기 때문입니다.

24.3 비용 분석

비용극소화 모형의 외생변수는 요소가격 (w, r)과 목표생산량 q_0이고, 내생변수는 요소투입량 (L, K)입니다. 즉 모형을 풀이해서 얻는 해는 L과 K를 각 (w, r, q_0)에 대해서 구한 것입니다. 한계기술대체율이 체감한다면 그림으로 보듯 조건마다 해가 유일하고 따라서 함수 관계를 갖습니다. 이를 조건부 요소수요함수(conditional factor demand function)라고 합니다.

$$L^*(w, r, q_0), \quad K^*(w, r, q_0) \qquad \text{(조건부 요소수요함수)}$$

조건부 요소수요함수는 요소가격과 생산량의 3변수함수입니다. 반면, 제22장에서 (완전경쟁 기업에 대해) 도출했던 요소 투입량의 선택을 통한 이윤극대화 모형에서는 외생변수가 재화가격 p와 요소가격 (w, r)이었습니다. 그 모형에서 도출된 요소투입량도 요소수요함수

입니다. 조건부 요소수요와 구분하기 위해서 일반 요소수요함수라고 하겠습니다.

$$L^*(p, w, r), \quad K^*(p, w, r) \qquad \text{(일반 요소수요함수)}$$

일반 요소수요함수 또한 3변수함수입니다. 두 요소수요함수는 모두 (w, r)은 공통적으로 변수로 갖고, 나머지 한 변수가 서로 다릅니다.

'일반'과 '조건부'의 차이는 p와 q_0의 차이입니다. 일반 요소수요는 (판매와 생산을 모두 고려하는) 기업 전체의 관점에서 본 것이고, 조건부 요소수요는 (생산만 고려하는) 생산자의 관점에서 본 것입니다. 특히 '조건부'라는 말이 지칭하는 조건은 목표생산량을 가리킵니다. q_0은 기업이 결국 결정해야 할 변수인데, 일단 임의의 q_0으로 조건을 걸어놓고 비용극소화를 통한 요소수요를 도출해본다는 의미입니다.

결국은 q_0도 기업이 결정해야 하므로, 기업의 의사결정에서는 q_0이 여러 수준에서 변화가 능한 변수가 되어야 합니다. 이것이 외생변수인 q_0을 변화시켜 가면서 보는 비용 분석이라 할 수 있습니다. 따라서 이 절에서는 이제 상수로 취급했던 q_0을 변화시키는 변수 취급하여 Q로 표기하겠습니다. 물론 (w, r)도 외생변수이므로, 요소가격에 대한 분석도 가능합니다.

비용함수

비용극소화 모형을 풀이한 이유는 기업의 판매 과정과 별도로 생산 과정에 집중해서 비용함수를 도출하기 위한 것입니다. 비용함수 $C(Q)$는 임의의 생산량 Q에 대해 (가장 유리한 조건에서 들어간) 비용수준을 나타냅니다. 즉 극소화된 비용값입니다. 조건부 요소수요에서 알려주는 그 요소투입량을 사용하면 됩니다.

따라서 비용함수는

$$C(w, r, Q) = wL^*(w, r, Q) + rK^*(w, r, Q)$$

입니다. 비용계산에 들어가는 조건부 요소수요가 3변수함수이기 때문에 비용함수 3변수함수입니다. 하지만 요소가격에 대한 분석은 보류하고, 생산량 Q에만 집중한다면 $C(Q)$라는 일변수함수로 볼 수도 있습니다. 우리는 이왕 3변수함수임을 알았으니 $C(w, r, Q)$를 놓고 분석에 대한 이야기를 하겠습니다. 먼저 예제를 통해 비용함수를 도출해봅시다.

앞 절의 예제에서 도출한 4가지 조건부 요소수요함수에 대해 비용함수를 도출하시오.

(a) $f(L, K) = LK$의 경우 $L^* = \sqrt{\dfrac{r}{w} q_0}$, $K^* = \sqrt{\dfrac{w}{r} q_0}$였습니다. q_0을 Q로 바꾸어 표기하고

$$C(w, r, Q) = wL^* + rK^* = w\sqrt{\frac{r}{w}Q} + r\sqrt{\frac{w}{r}Q} = \sqrt{rwQ} + \sqrt{rwQ} = 2\sqrt{rwQ}$$

(b) $f(L, K) = 2L + K$의 경우 요소가격의 상대적 비율에 따라 조건부 요소수요가 다릅니다. 즉 $w < 2r$이면 $(L_0, 0) = (\dfrac{q_0}{2}, 0)$, $w > 2r$이면 $(0, K_0) = (0, q_0)$이므로 역시 q_0을 Q로 바꾸고

$$C(w, r, Q) = \begin{cases} \dfrac{1}{2}wQ, & w < 2r \\ rQ, & w > 2r \end{cases} = \min\{\frac{1}{2}w, r\}Q$$

($w = 2r$인 경우에는 어느 쪽으로 넣든 상관없습니다.)

(c) $f(L, K) = \min\{\dfrac{L}{2}, K\}$의 경우 $L^* = 2q_0$, $K^* = q_0$이므로

$$C(w, r, Q) = wL^*(w, r, Q) + rK^*(w, r, Q) = 2wQ + rQ = (2w + r)Q$$

(d) $f(L, K) = \sqrt{L} + \sqrt{K}$의 경우 $L^* = (\dfrac{r}{r+w}q_0)^2$, $K^* = (\dfrac{w}{r+w}q_0)^2$이므로

$$C(w, r, Q) = w(\frac{wr}{r+w}Q)^2 + r(\frac{w}{r+w}Q)^2 = \frac{wr(r+w)}{(r+w)^2}Q^2 = \frac{wr}{r+w}Q^2$$

요소가격에 대한 분석

요소가격에 대한 분석의 예를 한 가지만 보겠습니다.

앞 예제 (a)의 $C(w, r, Q) = 2\sqrt{rwQ}$에 대해서

$$\frac{\partial C}{\partial w} = \sqrt{\frac{r}{w}Q}, \quad \frac{\partial C}{\partial r} = \sqrt{\frac{w}{r}Q}$$

편미분계수는 모두 양수입니다. 하나의 요소가격이 인상될 때 비용은 늘어난다는 당연한 결과입니다. 편도함수는 각 변수에 대해 감소함수로, 요소가격 인상에 따라 비용이 늘어나는 정도는 점차 줄어듭니다.

생산량에 대한 분석

이제 요소가격 (w, r)의 변화를 무시하고 비용을 $C(Q)$라는 생산량의 일변수함수로 취급한다면, Q로 미분한 것은 곧 한계비용입니다. 4가지 기본 생산함수 형태에 대해서 해보겠습니다.

예 24.7

(a) $C(Q) = 2\sqrt{wrQ}$에 대해 Q로 미분하면

$$\mathrm{MC}(Q) = 2\sqrt{wr}\,\frac{1}{2\sqrt{Q}} = \sqrt{\frac{wr}{Q}}$$

한계비용은 양수이고, Q가 증가할 때 한계비용이 감소하는 체감 상황입니다.

(b) $C(Q) = \min\{\frac{1}{2}w, r\}Q$를 Q로 미분하면 $\mathrm{MC}(Q) = \min\{\frac{1}{2}w, r\}$ 입니다. 한계비용은 상수(일정)입니다.

(c) $C(Q) = (2w + r)Q$를 Q로 미분하면 $\mathrm{MC}(Q) = 2w + r$ 로 또 상수(일정)입니다.

(d) $C(Q) = \frac{wr}{w + r}Q^2$을 Q로 미분하면 $\mathrm{MC}(Q) = \frac{wr}{w + r}Q$ 로 이번에는 한계비용이 Q에 따라 증가하는 체증 상황입니다.

생산함수 형태와 한계비용의 체감/일정/체증

위 예에서 경우에 따라 한계비용이 체감하거나 일정하거나 체증으로 나타났는데, 이는 콥-더글라스라든지 레온티에프라는 함수 형태 때문은 아닙니다. 콥-더글라스 생산함수이면서 한계비용이 체감할 수도 있고, 일정할 수도 있고, 체증할 수도 있습니다.

위 예들의 차이점은 생산함수가 나타내는 기술의 규모수익에 있습니다. 규모수익이란 생산함수에서 두 요소를 동시에 같은 배율로 변화시켰을 때 생산량에 그에 비례하는지 여부를 말합니다. 즉 $t > 1$에 대해 $(L, K) \rightarrow (tL, tK)$로 요소투입을 확대할 때

- $f(tL, tK) = tf(L, K)$이면 규모수익불변 (1차동차)
- $f(tL, tK) > tf(L, K)$이면 규모수익증가
- $f(tL, tK) = tf(L, K)$이면 규모수익감소

라고 합니다. 위 예에서 $f(L, K) = LK$는 규모수익증가, $f(L, K) = 2L + K$와 $f(L, K) = \min\{\frac{L}{2}, K\}$는 규모수익불변, $f(L, K) = \sqrt{L} + \sqrt{K}$는 규모수익감소에 해당됩니다.

규모수익불변이면 요소투입량에 비례해서 생산량이 늘어나므로, 생산량을 늘릴 때 요소도 비례해서 늘리면 되고 따라서 비용은 생산량의 비례함수(1차함수)이며 한계비용이 상수가 됩니다. 한편 규모수익증가이면 생산량 증가에 따라 요소를 그다지 많이 늘려주지 않아도 생산이 가능하여 한계비용이 체감하고, 반대로 규모수익감소이면 한계비용이 체증합니다.

어떤 기업에게 같은 재화를 생산할 수 있는 2개의 서로 다른 생산시설 A와 B가 있다고 해봅시다. 하나의 생산시설은 그곳에서 어떤 수량을 생산하는 데 들어가는 비용함수로 그 특징을 나타낼 수 있습니다. 즉 A에서의 생산량을 Q_A, B에서의 생산량을 Q_B라고 할 때 각 생산시설은 비용함수 $C_A(Q_A)$와 $C_B(Q_B)$로 나타낼 수 있습니다.

이제 이 기업이 생산해야 하는 총량이 Q(외생변수 즉 상수)라고 할 때, 이 기업은 두 생산시설을 어떻게 활용해야 할까요? $Q = Q_A + Q_B$이 되는 조건 하에 비용의 합 $C_A(Q_A) + C_B(Q_B)$를 극소화시킨다면, $Q_B = Q - Q_A$를 두 번째 항에 대입해주어서 목적함수를 Q_A의 일변수함수 $g(Q_A) = C_A(Q_A) + C_B(Q - Q_B)$로 만들어서 일계조건은 $g'(Q_A) = C'_A(Q_A) + C'_B(Q - Q_B) \times \dfrac{\partial}{\partial Q_B}(Q - Q_B) = \mathrm{MC}_A(Q_A) - \mathrm{MC}_B(Q_B) = 0$ 이 되어 두 생산시설의 한계비용을 일치시킨다는 것이 됩니다.

예 24.8

(a) 만약 $C_A = C_B$라면 한계비용함수도 같으므로 양 시설에 절반씩 생산량을 배정하면 됩니다. 예컨대 $C_A(q) = C_B(q) = q^2$이면 생산량이 Q일 때 $q = \frac{1}{2}Q$로 하여 전체 비용함수는 $C(Q) = (\frac{1}{2}Q)^2 + (\frac{1}{2}Q)^2 = \frac{1}{2}Q^2$입니다. 만약 둘 중 하나만 사용했다면 비용이 Q^2으로 더 많이 들었을 것입니다. 다른 비율로 두 비용함수를 섞어도 비용이 더 듭니다.

(b) 만약 $C_A = \frac{1}{2}Q_A^2$이고 $C_B = Q_B^2$이면 $\mathrm{MC}_A = Q_A = 2Q_B = \mathrm{MC}_B$ 즉 A 생산시설에서 2배, 즉 전체 생산량의 2/3를 생산하는 것이 비용극소화 방법입니다. 즉 $Q_A = \frac{2}{3}Q$, $Q_B = \frac{1}{3}Q$로 놓아서 전체 비용함수는 $C(Q) = \frac{1}{2}(\frac{2}{3}Q)^2 + (\frac{1}{3}Q)^2 = \frac{2}{9}Q^2 + \frac{1}{9}Q^2 = \frac{1}{3}Q^2$입니다. 만약 절반씩 섞었더라면 비용은 $\frac{1}{2}(\frac{1}{2}Q)^2 + (\frac{1}{2}Q)^2 = \frac{5}{8}Q^2$로 더 높습니다.

연습문제

24-1 생산함수 $f(L, K) = \sqrt{LK}$에 대해

    (a) 비용극소화를 통해 조건부 요소수요함수와 비용함수를 도출하시오.

    (b) 조건부 요소수요함수와 비용함수를 노동가격 w에 대해 분석해보시오.

    (c) 비용함수로부터 한계비용을 도출하고, 생산량 변화에 따라 한계비용이 어떻게 반응하는가를 규모수익과 연관하여 설명하시오.

24-2 생산함수가 $f(L, K) = \sqrt{L + 2K}$이고 $w = 10$, $r = 3$일 때 비용함수를 도출하시오.

24-3 생산함수가 $f(L, K) = (\min\{L, K\})^2$일 때 비용함수를 도출하고, 생산량 변화에 따라 한계비용이 어떻게 반응하는지 논하시오.

24-4 생산함수 $f(L, K) = (\sqrt{L} + \sqrt{K})^2$을 고려한다.

    (a) 규모수익의 성질은 무엇인가?

    (b) 등량곡선의 모양은 어떤가?

    (c) 조건부 요소수요함수 및 비용함수를 도출하시오.

    (d) 한계비용의 성질에 대해 논하시오.

24-5 생산함수가 $f(L, K) = 2\sqrt{L} + \sqrt{K}$일 때 비용함수를 도출하시오.

24-6 비용함수 $C_A(Q_A) = Q_A^2$과 $C_B(Q_B) = 2Q_B^2$인 두 생산시설을 섞어서 사용할 때 비용을 극소화하는 생산방법과 전체 비용함수를 도출하시오.

24-7 [도전] 비용함수 $C_A(Q_A) = \frac{1}{2}Q_A^2$과 $C_B(Q_B) = 10Q_B$인 두 생산시설을 섞어서 사용할 때 비용을 극소화하는 방법은 무엇인가? ([힌트] 총생산량 Q가 10보다 큰가 작은가에 따라 달라진다.)

찾아보기